DEUTSCHE LITERATUR IN ENTWICKLUNGSREIHEN

REIHE ROMANTIK

BAND 5

DEUTSCHE LITERATUR

SAMMLUNG LITERARISCHER KUNST- UND
KULTURDENKMÄLER IN ENTWICKLUNGSREIHEN

IN GEMEINSCHAFT MIT
WALTHER BRECHT UND DIETRICH KRALIK
HERAUSGEGEBEN VON
HEINZ KINDERMANN

REIHE ROMANTIK

HERAUSGEGEBEN VON
PAUL KLUCKHOHN

BAND 5

1966

WISSENSCHAFTLICHE BUCHGESELLSCHAFT
DARMSTADT

WELTANSCHAUUNG DER FRÜHROMANTIK

HERAUSGEGEBEN VON
PAUL KLUCKHOHN

1966

WISSENSCHAFTLICHE BUCHGESELLSCHAFT
DARMSTADT

Mit Genehmigung des Verlages Philipp Reclam jun., Stuttgart,
herausgegebene Sonderausgabe

Unveränderter reprografischer Nachdruck der Ausgabe Leipzig 1932

Friedrich von Hardenberg (Novalis)

Nach einem Stich von Eduard Eichens

Einführung

Der Titel dieses Bandes greift weiter als sein Inhalt. Die so bedeutsame Kunstanschauung (s. Band 3) und all das, was unser vierter Band unter dem Schlagwort „Lebenskunst" zusammenfaßt, die Ethik, die Liebesauffassung, die Überzeugungen des „Magischen Idealismus" u. a., gehören gewiß mit zur Weltanschauung der Frühromantik und nicht weniger ihr neues Verhältnis zur Vergangenheit und zum Staat (vgl. Bd. 10). Im engeren Sinne aber wird man das Wort Weltanschauung doch als charakteristisch sowohl für romantische Religiosität wie für ihre Naturauffassung ansprechen dürfen; ist doch nach Schleiermachers Formulierung Religion „Anschauen des Universums" und das Ziel der Naturphilosophie nach Schelling „die Menschheit endlich ins Schauen einführen". Diesen beiden Erlebnissphären, der Natur und der Religion, gehört die erste Hälfte dieses Bandes; seine zweite aber dem „Heinrich von Ofterdingen" von Novalis, dem dichterischen Werk, das wie kein anderes als „poetische Summe der Romantik" — Haym prägte dieses Wort für Tiecks „Octavian" (vgl. Bd. 8) — oder zum wenigsten der Frühromantik angesprochen werden darf, als höchste Verwirklichung ihrer dichterischen Absichten und überzeugendster Ausdruck ihrer Weltanschauung im weitesten Sinne, ja als Krönung der frühromantischen Gedankenwelt überhaupt. Damit ist schon gesagt: romantische Weltanschauung ist nicht ein geschlossenes philosophisches System, sondern dichterische Weltschau, Weltanschauung von Dichtern und von dichterisch erlebenden und empfindenden Denkern.

So sind auch im Verhältnis der Romantiker zur Natur dichterisches Einfühlen, ja Einsfühlen und wissenschaftliche Naturforschung und die philosophische Verarbeitung ihrer Ergebnisse aufs engste miteinander verbunden. Gerade hierin auch erweisen sich die Romantiker als Jünger Goethes. Und die Voraussetzungen ihrer Naturdichtung und Naturphilosophie sind einmal die Wandlung im Verhältnis des Menschen zur Natur, wie sie die deutsche Dichtung von Haller und Klopstock über die Empfindsamkeit der Hainbunddichter und ihrer Geistesverwandten bis zu Goethe zum Ausdruck gebracht hat, zum anderen aber die neuen wissenschaftlichen Erkenntnisse des ausgehenden 18. Jahrhunderts: die Entdeckung des Sauerstoffs (Phlogiston) durch Priestley, die es Lavoisier ermöglichte, das Wesen des Verbrennungsprozesses zu erkennen und damit die Chemie auf neue Grundlagen zu stellen; die neuen Leitgedanken der Physiologie: Irritabilität und Sensibilität,

die von Albrecht von Haller zuerst erkannt, bei Blumenbach, Kielmeyer u. a.
zur vergleichenden Wissenschaft und zum Vitalismus führten; Galvanis Entdeckung der elektrischen Kraft im tierischen Organismus und Voltas, J. W. Ritters u. a. sich anschließende Untersuchungen des galvanischen Phänomens, aus
denen die physikalische Chemie erwuchs; Mesmers Beobachtungen des animalischen
Magnetismus, in denen er ein fluidum universale erkennen wollte. Hier wie in
der medizinischen Theorie des schottischen Arztes Brown, die den Begriff der
Erregbarkeit zum Grundbegriff der gesamten Heilkunde machen wollte, glaubte
man dem geheimen Kräftespiel der Natur auf die Spur gekommen zu sein.
Die mechanisch-atomistische Naturerklärung der Aufklärung war überwunden.
Die Natur wurde nicht mehr als eine bloß durch mechanische Kräfte bewegte
Gegenstandswelt angesehen, die den Zwecken des Menschen dienen soll, oder als ein
rein triebhaftes Geschehen, dem als einer höheren Macht auch der Mensch verfallen
ist, wie im Sturm und Drang, sondern als ein lebendiges, sinnvolles Ganzes, ein
Organismus, der aus dem gleichen gestaltenden Drange sich entfaltet, welcher in
der Seele des Menschen lebt. Herder und Goethe waren Führer zu dieser organisch-
dynamischen Naturauffassung, die auch weit ältere Überzeugungen des Neu-
platonismus und der Naturphilosophie der Renaissance wieder aufnahm und der
auch Leibniz schon wesentlich vorgearbeitet hatte.

In den Dichtungen und Fragmenten von Novalis haben all diese und andere
Erkenntnisse und Anschauungen, die ihm von den verschiedensten Seiten zuströmten,
ihren Niederschlag gefunden, dazu seine eigenen naturwissenschaftlichen Studien
an der Bergakademie in Freiberg in Sachsen. Hier war der große Geologe Abra-
ham Gottlob Werner sein Lehrer, der Begründer der Geognosie, der Wissenschaft
vom inneren Bau des Erdkörpers, und der Oryktognosie, der Unterscheidungskunde
der Mineralien, ein Erzieher zu scharfer sinnlicher Erfassung und Wiedergabe.
Trotz seiner großen Verehrung für ihn fühlte Novalis sich doch bald im Gegensatz
zum Lehrer. Sein eigenes tiefes Sicheinfühlen in die Natur und seine rege kom-
binatorische Phantasie wiesen ihm andere Wege. Anfang 1798 entstanden die ersten
Aufzeichnungen seines ersten Romans. In einem Briefe bezeichnet er sie als „einen
Anfang unter dem Titel ‚Der Lehrling zu Sais‘ — ebenfalls Fragmente — nur
alle in Beziehung auf Natur“. Hinter anderen Arbeiten und dichterischen Werken
mußten sie zurückstehen. Unter dem Titel „Die Lehrlinge zu Sais“ sollten sie
später als „ein echt sinnbildlicher Naturroman“ fortgeführt werden. Dazu ist es
nicht mehr gekommen; wir haben nur zwei Bruchstücke dieses Werkes, die aus
dem Nachlaß in den „Schriften“ herausgegeben wurden. Das erste, „Die Natur“,
ein Selbstgespräch des Lehrlings, läßt Hardenbergs Verhältnis zu Werner durchscheinen und weist auf Motive hin, die der Fortgang des Romans wieder auf-
nehmen sollte. Das zweite, vielleicht das früher entstandene, vielleicht auch aus

verschiedenen Stücken nachträglich zusammengefügt, mehr „Fragmente" als Teil eines Romans, charakterisiert in den sich kreuzenden Stimmen, die der Lehrling mit Bangen vernimmt, verschiedene Verhaltungsweisen der Menschen der Natur gegenüber, weist dann in dem Märchen von Hyazinth und Rosenblüte, einer der schönsten Märchenschöpfungen der Romantik, und in den Gesprächen der „tausendfältigen Naturen" in den Sälen zur Nachtzeit auf den Glauben von Novalis hin, daß tiefer als alles Grübeln und Forschen die innere Hingabe des Menschen, die Liebe führe, und bringt schließlich in den Gesprächen der Reisenden am Morgen die Stellung der Romantiker zur Natur zum Ausdruck. Hardenbergs eigene Bestrebungen in der Beobachtung und Leitung seines Körpers und seine Übungen der „produktiven Einbildungskraft", die seinen magischen Idealismus charakterisieren, kommen hier zu Wort, aber auch die neuen Forscher, die die Kräfte der Natur zur Hervorbringung herrlicher Erscheinungen in Bewegung setzen, die Naturhistoriker wie Schelling und Steffens, die den „Geist der Natur" erkennen und „die Natur innerlich in ihrer ganzen Folge entstehen lassen". Doch höher noch werden die Dichter gepriesen und die Liebenden; ihnen allein offenbare die Natur ihre tiefsten Geheimnisse.

Manche Ideen, die dieses Romanfragment ausspricht — nur auf einige konnte eben hingewiesen werden —, kehren auch in den Fragmenten des Novalis über Natur wieder, aus denen im folgenden eine kleine Auswahl geboten wird, die mehr den Dichter als den Forscher und Experimentator, der er auch war, erkennen läßt. Zur Charakterisierung der Hardenbergschen Fragmente sei auf Band 3 und 4 unserer Reihe verwiesen. Sein zentrales Erlebnis, in dem er die Schranken des Todes zu überwinden glaubte, die daraus erwachsene Weltanschauung des magischen Idealismus und die noch über diesem sich erhebende Idee vom Moralischwerden der Natur (vgl. Bd. 4) sind die Grundlagen auch dieser naturphilosophischen Fragmente, daneben alte und neue Theorien, von denen er sich anregen läßt, zu denen er auch kritisch Stellung nimmt.

Zu diesen Anregern Hardenbergs gehört auch Schelling. Die Kampfstellung gegen die mechanistische Naturauffassung der Aufklärung war beiden gemeinsam, auch die Neigung zu kühnen Analogien zwischen Mensch und Weltall. Dennoch wurden sich beide auch früh schon ihres Gegensatzes bewußt, der seinen Grund darin hatte, daß für Schelling der Weg zur Natur ein intellektueller Denkprozeß war, für Novalis aber intuitives Erfassen, liebendes Sicheinfühlen, oder auch, wie Steffens es einmal formulierte, darauf beruhte, daß Novalis einen „Urinfinitismus der Natur" annahm, eine ewige Annäherung an das Unendliche in unbegrenzten Möglichkeiten und Wandlungen, Schelling eine „Urduplizität", Polarität als Ausgang und Grundgesetz der Natur.

Aus Schellings naturphilosophischen Schriften, die nicht nur der engeren Periode

der Naturphilosophie, sondern auch späterer Zeit noch angehören, kann hier nur
eine kleine Auslese weniger Absätze geboten werden, die nach dem frühen Ansatz
spekulativer Physik in dem sogenannten „Ältesten Systemprogramm des deutschen
Idealismus" von 1796 im Zusammenhang mit der Idee einer neuen Mythologie
(vgl. Bd. 3, wo auch die Hauptgedanken von Schellings Kunstphilosophie zu finden
sind) Kerngedanken seiner Naturphilosophie aus verschiedenen Schriften heraus-
stellen sollen: Die Naturphilosophie, polar zusammengehörig mit der Transzendentalphilosophie als dem anderen Pole oder der anderen Seite der einen Philosophie, deduziert die Natur oder läßt sie sich konstruieren, ja schafft sie erst als
„das rein Objektive der intellektuellen Anschauung", hebt sie „aus dem toten
Mechanismus, worin sie befangen erscheint, heraus" und versetzt sie „in eigne
freie Entwicklung", geht also nicht von der Erfahrung aus, sondern führt erst zu
ihr hin als dem terminus ad quem, nicht a quo der Konstruktion (Werke, Abt. I,
Bd. 3, S. 13; Bd. 4, S. 90, 97). Natur und Geist sind für Schelling „nicht
zwei verschiedene Welten, sondern durchaus nur die eine selbige", die Natur eine
objektive Vernunft und „gleichsam erstarrte Intelligenz", „Realisierung der Gesetze unseres Geistes", eine fortschreitende Enthüllung des Geistes als des in ihr
sich offenbarenden Lebensprinzips, der sichtbar gewordene, unbewußte Geist, wie der
Geist die unsichtbare Natur ist und „das System der Natur zugleich das System
unseres Geistes"; Ideenwelt und Natur sind im letzten identisch in einem lebendigen
Organismus, in dem die schaffende „Weltseele" wirkt, das Allleben, die Urkraft,
die erst durch ihre Spaltung, in der allgemeinen Duplizität ihrer polaren Kräfte
produktiv wird, in dem Gegensatz von Schwere und Licht, von zentripetaler und
zentrifugaler Kraft, in den Polen des Magneten und auch im Gegensatz der Geschlechter. „Nur wo Gegensatz ist, da ist Leben." Polarität und Steigerung sind
Grundprinzipien einer dynamischen Naturauffassung, deren Gegensatz zur mechanischen von Schelling nachdrücklich herausgestellt wird.

Auf Einzelheiten kann hier nicht eingegangen, die Entwicklung der Schellingschen
Philosophie in ihren verschiedenen Epochen und auch gewisse Verschiebungen und
Klärungen in seinen naturphilosophischen Anschauungen oder Formulierungen hier
nicht verfolgt werden. Welche Bedeutung seine Naturphilosophie für die Romantik
gehabt hat, das erhellt sehr überzeugend aus Bekenntnissen von Steffens, die wir
bringen (S. 67 f.), aus manchen Fragmenten von Novalis, Ritter u. a., sowie aus
den naturphilosophischen Schriften von Görres, Schubert und anderen Jüngeren
(vgl. Bd. 11 u. 13).

Franz von Baader begrüßte Schellings Schrift von der Weltseele „als den
ersten Boten eines nahenden Frühlings, d. h. als die erste erfreuliche Äußerung
der von dem Totenschlaf der Atomistik wieder aufwachenden Physik" („Über das
pythagoräische Quadrat in der Natur", 1798). Baader selbst hatte seine ersten

naturphilosophischen Schriften lange vor denen Schellings erscheinen lassen. Wir bringen ein paar Sätze aus seiner Abhandlung „Vom Wärmestoff" von 1786. Wie er hier, in Nachfolge von Hemsterhuis, Herder u. a. die Zentripetalkraft, Adhäsion usw. als Liebe faßt, so wendet er sich auch in anderen Schriften gegen die atomistische Physik, die diesen Zug als bloßen Druck wegzuerklären suche und auch in der Ethik alle Liebe leugne und als bloßen Trieb erkläre.

Die besondere Stellung, die Steffens in der Geschichte der Naturphilosophie einnimmt, erhellt aus der eigenen Darstellung seiner Lebenserinnerungen über die Entstehung der „Beiträge zur inneren Naturgeschichte der Erde" (unten S. 68 f.). Er hatte vor Schelling den Vorzug, selbst Naturforscher und sorgfältiger Beobachter und Experimentator zu sein, und wollte auch in dieser Schrift „von der niedersten Stufe der Erfahrungen ausgehen" und „die von den verschiedensten Naturforschern zu verschiedenstem Zweck angestellten Versuche" unter Gesetze bringen, um auf dem Weg der Reduktion das zu bestätigen, was Schelling auf dem der Deduktion gefunden hatte. („Beiträge", S. 97 ff.) Die enge Zusammengehörigkeit der Natur(-geschichte) und (Menschen-)Geschichte, das einheitliche Werden, das beide umfaßt, wobei der Mensch als Schlußstein der Entwicklungsgeschichte der Erde und zugleich als Anfang einer unendlichen Zukunft erscheint, wird in den Schriften von Steffens aufgezeigt und die Einheit, deren Erkenntnis er als das größte Verdienst von Schelling preist: „Nicht nur jene Einheit der Dinge mit einer allgemeinen Einheit, sondern auch die mit ihr zugleich gegebene stetige Einheit der Dinge mit sich selbst ... wodurch die ewige Einheit als Eins gesetzt wird mit ihrem abgesonderten Dasein" („Grundzüge der philosophischen Naturwissenschaft", 1806, S. XVII ff.). Die Überzeugung von der Synthese der Eigentümlichkeit der Einzelindividualität und des Allgemeinen, der Gemeinschaft ist eine Grundüberzeugung von Steffens, die immer wieder in seinen Schriften zum Ausdruck kommt; und früher als Schelling hat er den Ideen der Naturphilosophie den Charakter religiöser Überzeugungen gegeben, dadurch Novalis nahekommend. Seine enge Freundschaft mit Schleiermacher, dem er in seinen „Grundzügen" huldigt (f. u. S. 72), hat ihren tiefen Grund. Darin liegt auch die Erklärung dafür, daß seine Entwicklung ihn später von Schelling fortführen mußte.

Freundschaft fruchtbarer Wechselwirkung verband auch Novalis mit dem Physiker J. W. Ritter. Ein schönes Zeugnis dieser Freundschaft wird in Band 1 unserer Reihe mitgeteilt (vgl. auch die Äußerungen von Novalis unten S. 55). Ritter, von Haus aus Apothekergehilfe und Autodidakt, führte in Jena mit bescheidensten Mitteln epochemachende galvanische Experimente durch, deren Frucht der „Beweis, daß ein beständiger Galvanismus den Lebensprozeß in dem Tierreich begleite" (1798) war. Seine naturphilosophischen Spekulationen haben von Schelling und Novalis wesentliche Anregungen erfahren. In der Fragmentensammlung „Fragmente aus dem Nachlaß eines jungen Physikers" (1810) hat Ritter so manche Gedanken ausgesprochen, die auch in ihrer Formulierung wie von Novalis verfaßt klingen. Daß er geradezu Fragmente des Freundes in diese Sammlung aufgenommen habe, wie man früher annahm, ist nach neueren Brieffunden wenig wahrscheinlich. Die wechselseitige Anregung erscheint dann nur um so stärker. Gehen doch die ersten Fragmente, die wir bringen, mit dem Grundgedanken der „Lehrlinge zu Sais" und mit der Haltung des „Heinrich von Ofterdingen" aufs engste zusammen. Auch zu den Gedanken über Schlaf und Traum würde Novalis sich bekannt haben. Zu den Spekulationen über die Liebe und den Anteil der Geschlechter am Zeugungsakt hat außer Novalis Schelling und auch Jakob Böhme Anregung gegeben. Im Sinne dieses Theosophen und Hardenbergs spricht Ritter in seiner Akademiefestrede von 1806 „Die Physik als Kunst" von der harmonischen Einheit des Menschen mit der unendlichen Natur, die ihm verlorengegangen sei und die durch die höhere Physik wiedererlangt werden müsse. Zweck dieser „höchsten Kunst" sei Realisierung höchsten Lebens und Sinn aller Künste, daß sie „geheime Rückerinnerung an das" gewähren, „was einst der Mensch in früheren Zeiten schon gewesen, und die daraus erfolgende Hinerinnerung an das, was einst weit schöner es wieder zu werden er mit Hoffnung auf dem Wege ist". Ideen vom triadischen Lauf der Menschheitsgeschichte (unbewußte Harmonie, Disharmonie, bewußt in Harmonie) und von der Wiedergeburt verbinden sich hier mit den Novalisschen Vorstellungen vom Menschen als Messias der Natur und von dem Göttlichwerden der Natur. „Denn während der Sterbliche wähnt zu der Natur zurückzukehren, die er einst verließ, ist es ein Gott, der ihm entgegen kommt und ihn jetzt in sich aufnimmt. Ihn durch die Schöpfung schaffend wiederzuverkündigen ist er gesandt, Gottheit verbreitend selbst der Mitgenießer ihrer Göttlichkeit zu sein, sein Segen."

Wie in diesem Ritterschen Dithyrambus, aber auch in den naturphilosophischen Spekulationen von Novalis und Steffens und in späten Fragmenten Schellings Gefühlstöne geradezu religiöser Färbung mitschwingen, so verbinden sich in den religiösen Schriften der Frühromantik gleichfalls Spekulation und persönliche Gefühlserlebnisse. Ist Spinoza mit seiner Lehre von der Einheit der natura naturans ein wesentlicher Anreger für Schelling gewesen, so beruft sich Schleiermacher noch nachdrücklicher in ehrfurchtsvoller Huldigung auf ihn und seine Verkündigung des amor dei intellectualis, wobei Spinozas Gottesbegriff Schleiermachers Universumsbegriff entspricht. Diese Berufung steht im Kernstück der „Reden über die Religion" von 1799. „An die Gebildeten unter ihren Verächtern" sind sie gerichtet, wie Schleiermacher solche in den geistigen Kreisen Berlins, auch in den Menschen seines nächsten Umgangs kennengelernt hat. Wir dürfen zum richtigen Verständnis seiner „Reden" ebenso wie zum Verständnis seiner „Vertrauten Briefe über Friedrich Schlegels Lucinde" (vgl. Bd. 4) den Zweck des Werkes nicht außer acht lassen. Gerade weil er zu Menschen spricht, denen Begriffe kirchlicher Lehre nichts mehr bedeuten und denen er doch die Religion nahebringen will, scheidet er die Lehrbegriffe weitgehend aus und verkündet eine ganz allgemeine Auffassung von Religion — oder Religiosität —, die diese doch scharf von Moral und Metaphysik scheidet, ihren Selbstzweck und ihren Eigenbereich herausstellt und den Kern seines eigenen religiösen Erlebens zum Ausdruck bringt: Religion als „Anschauen des Universums" und Gefühl für das Universum, das Erlebnis eines Hingegebenseins an das Unendliche, eines Ergriffenseins von dem allumfassenden Einen, des Einswerdens der einzelnen Menschenindividualität mit dem Ganzen. Eine spätere Formulierung in der „Glaubenslehre": „Das Gemeinsame aller noch so verschiedenen Äußerungen der Frömmigkeit, wodurch diese sich zugleich von allen anderen Gefühlen unterscheiden... ist dieses, daß wir uns unserer selbst als schlechthin abhängig, oder, was dasselbe sagen will, als in Beziehung mit Gott bewußt sind", drückt mit dem Begriff der schlechthinnigen Abhängigkeit die Passivität dieses Erlebnisses und seine Einheit von Anschauung und Gefühl noch deutlicher aus, ohne den Kern der „Reden" zu verleugnen.

Wir bringen im folgenden die zweite Rede „Über das Wesen der Religion" als die wichtigste, bedeutsamste und schwungvollste fast vollständig — nur die einleitenden Absätze und einzelne kleine Partien sind fortgelassen, um Raum zu sparen —, aus den anderen nur einzelne wesentliche Abschnitte und Sätze, und zwar nach der ersten Auflage. In späteren Auflagen hat Schleiermacher seine Formulierung mannigfach geändert, etwa das Wort „Universum" durch andere ersetzt, was aber mehr auf eine Entwicklung der erkenntnistheoretischen Überzeugungen und auf den Wunsch, Mißverständnisse auszuschließen, auch auf ein gewisses Abrücken vom romantischen Wortschatz als auf Wandlung grundlegender Anschauungen zurückzuführen ist. Wohl hat er in seiner späteren Entwicklung das objektiv, dogmatisch Gegebene und die verpflichtenden Formen der Kirche stärker anerkennen gelernt, seiner Grundauffassung aber ist er treu geblieben. Religion ist ihm jederzeit weder Moral noch Metaphysik, weder Handeln noch Erkennen, sondern Gefühl, und sie gipfelt in den Momenten frommen Hingegebenseins.

Die Wirkung der „Reden über die Religion" auf die romantischen Freunde war außerordentlich stark. Eine Zeitlang wurde im Schlegelschen Kreis in Jena Religion geradezu ein modisches Schlagwort, was Schelling Anlaß gab zu seiner satirischen Dichtung „Epikurisch Glaubensbekenntnis Heinz Widerporstens". (Siehe Bd. 9. Seinen ernsten Widerspruch gegen Schleiermacher aus der Aktivität seiner Natur heraus siehe unten S. 164.) Wenn Friedrich Schlegel nun auch „mystische Fragmente" schrieb, die „Ideen", die er selbst außerordentlich hochstellte, so übernahm er darin manches von Schleiermachers Anschauungen und pries ihn hoch, griff ihn aber auch an und verwandte den Begriff Religion in einem so allgemeinen Sinne, daß er sich so ungefähr mit dem deckte, was er früher „Enthusiasmus" und „Vermögen der Ideale" genannt hatte. In den Bemerkungen, die er in einer Abschrift der „Ideen" an den Rand schrieb, erkannte Novalis den Gegensatz zu Schleiermacher deutlich und trat im wesentlichen auf Seite des letzteren.

In der Tat stand Novalis in seinen religiösen Überzeugungen, mehr noch in seinem religiösen Erleben Schleiermacher am nächsten. Wie dieser war er in Herrenhutischer Atmosphäre, wenn auch nicht in Herrenhutischer Gemeinschaft, aufgewachsen, die ihm ein wesentlich gemütliches Erfassen der Religion nahegebracht hatte, und man mag auch das ihn bestimmende Erlebnis des mystischen Verbundenseins mit der verstorbenen Braut zum pietistischen Durchbruchserlebnis in Parallele setzen. In einem Brief an Just charakterisiert Novalis sein Verhältnis zur Religion als durch „herzliche Phantasie" bestimmt. „Wenn ich weniger auf urkundliche Gewißheit, weniger auf den Buchstaben, weniger auf die Wahrheit und Umständlichkeit der Geschichte fuße; wenn ich geneigter bin, in mir selbst höhern Einflüssen nachzuspüren und mir einen eigenen Weg in die Urwelt zu bahnen; wenn ich in der Geschichte und den Lehren der christlichen Religion die symbolische Vorzeichnung einer allgemeinen, jeder Gestalt fähigen, Weltreligion — das reinste Muster der Religion, als historischer Erscheinung überhaupt — und wahrhaftig also auch die vollkommenste Offenbarung zu sehen glaube; wenn mir aber eben aus diesem Standpunkt alle Theologien auf mehr und minder glücklich begriffenen Offenbarungen zu ruhen, alle zusammen jedoch in dem sonderbarsten Parallelism mit der Bildungsgeschichte der Menschheit zu stehen und in einer aufsteigenden Reihe sich friedlich zu ordnen dünken, so werden Sie das vorzüglichste Element meiner Existenz, die Phantasie, in der Bildung dieser Religionsansicht nicht verkennen."

Wie Schleiermacher in den „Reden" sich zu Spinoza und mit diesem zu einer Art Pantheismus bekennt — zutreffender würde man von Panentheismus sprechen — und doch Christ zu sein wünscht, so stellt Novalis geradezu die Forderung einer Vereinigung von Monotheismus und Pantheismus auf, die freilich eine besondere Fassung des Begriffs Pantheismus zur Voraussetzung hat. Er versteht darunter „die Idee, daß alles Organ der Gottheit, Mittler sein könne, indem ich es dazu erhebe", und will außer und über diesem willkürlich gewählten Mittler den monotheistischen Mittler, Christus haben, eine Vorstellung, die seinem eigenen Erleben, wie es sein Losungswort „Christus und Sophie" ausdrückt, entsprungen ist. Es ist sehr wohl möglich, daß die Mittleridee bei Schleiermacher durch Novalis mitbestimmt sei, wie Stange annimmt. Andererseits haben dann Schleiermachers

„Reden" Novalis zu rednerischer und dichterischer Aussprache seines religiösen Erlebnisses angeregt und wohl auch die Ausweitung des persönlichen Erlebnisses zum Welterlebnis. Wenn er mit Tieck zusammen eine Sammlung christlicher Lieder und Predigten plante, so lag darin freilich eine Überschätzung der religiösen Kräfte Tiecks, der in seiner „Genoveva" mehr aus Sehnsucht nach Religion als aus religiösem Erleben mittelalterliche Frömmigkeit darzustellen suchte (vgl. Bd. 8) und denn auch nichts zu diesem gemeinsamen Plane beigesteuert hat. Novalis aber schuf aus diesen Anregungen und Plänen die Rede „Die Christenheit oder Europa" (Bd. 10) und seine „Geistlichen Lieder". Wie weit schon die „Hymnen an die Nacht" Anregungen durch Schleiermacher zeigen, besonders in der fünften Hymne, mag zweifelhaft sein. Niedergeschrieben wurden sie, wenngleich die ersten vielleicht auch schon früher entstanden sein mögen, in ihrer Gesamtheit erst im Herbst 1799 nach dem Kennenlernen der „Reden" und unmittelbar vor den „Geistlichen Liedern", deren Ton und Form der Schluß der fünften und die sechste Hymne vorwegnehmen. So gehören diese beiden Dichtungen eng zusammen. Auch die „Hymnen an die Nacht" sind ein religiöses Gedicht. Das Erlebnis des Todes der Braut und des Verbundenseins mit ihr noch über den Tod hinaus liegt ihnen zugrunde. Die dritte Hymne, die Keimzelle der ganzen Dichtung, ist aus der Vision erwachsen, die das Tagebuch zum 13. Mai 1797 aufzeichnet (s. Bd. 4, S. 275). Sehnsucht nach der Braut wird Sehnsucht nach dem Tode, nach der Nacht der Ewigkeit als dem Reich der Geliebten und des wahren inneren Lebens (1. u. 2. Hymne). In der inneren Verfassung des Dichters nach der Vision, wie sie die vierte Hymne zum Ausdruck bringt, wird ein neues Verhältnis zum Tod und zum Leben gewonnen. Er versteht nun die Bedeutung der Todesüberwindung und den Opfertod Christi. So kann sich in der fünften Hymne das persönliche Erleben zum Welterleben weiten und eine Darstellung der Menschheitsentwicklung unter dem Aspekt des Todes gegeben werden. Das Kreuz wird Symbol auch seiner Liebessehnsucht, seine Liebe mehr und mehr zur Religion, die verzückte Verkündigung des einzelnen zum orgelbegleiteten Chorgesang einer glaubensfreudigen Gemeinde (6. Hymne). Es ist eine innere Entwicklung vom persönlichen Erleben zum weltanschaulichen und weltgeschichtlichen Durchdenken dieses Erlebens, die im Gehalt dieser Hymnen zum Ausdruck kommt. Ihre ganz einmalige Form, der nichts in der deutschen Literatur zu vergleichen ist, eine hymnische Form, die man noch am ehesten als rhythmische Prosa bezeichnen kann, vermag sich in ihrer rhythmischen Fügung dem Gehalt und der Stimmung der einzelnen Abschnitte anzuschmiegen und doch eine hindurchgehende Melodie zu wahren, die wie aus einer jenseitigen Welt an unser Ohr tönt, Ausdruck eines Verbundenseins mit etwas Fernem, Überweltlichem.

Wie dies Erlebnis Hardenbergs in die christlichen Glaubensüberzeugungen

einmündet, so der Stil der Hymnen in den der „Geistlichen Lieder", den Stil
evangelischer, besonders gemütsinniger Herrenhutischer Kirchenlieddichtung. In ganz
schlichten Formen mit einfachsten Mitteln werden Gefühle eines persönlichen religiösen Erlebens überzeugend lebendig und nacherlebbar. Ganz persönliches Erleben kommt vor allem auch in den sogenannten Marienliedern zum Ausdruck, in
denen die Geliebte und die Mutter Gottes für den Dichter eins geworden sind, und
in der auch formal aus dem Zyklus herausfallenden und auf die Hymnen zurück-
weisenden Abendmahlshymne, die das Geheimnis der Wandlung von Brot und
Wein auf die ganze Natur überträgt und mit den sehnsüchtigen erotischen Jenseitsvorstellungen verbindet. In diesen Zusammenhang gehört auch ein vorher
aufgezeichnetes langes und kühnes Fragment (unten S. 129 f.) und auch noch Gedanken des Aufsatzes „Die Christenheit oder Europa" (Bd. 10).

Novalis hat noch manche anderen religiösen Dichtungen geplant. Seine Hefte
notieren Pläne zu „Religiösen Phantasien", zu „Christlichen Dithyramben und
Liedern", zu Geschichten: „Das heilige Leben oder die bessere Welt", „Lehrjahre
eines Christen", „Geschichte des Christentums in einem Roman" u. a. m. Der
Gedanke an Predigten beschäftigt ihn und auch das Projekt eines „Evangeliums
der Zukunft". Wenn er freilich an Friedrich Schlegel von einem Bibelprojekt
schreibt, so ist damit „eine szientifische Bibel", die „Einleitung zu einer echten
Enzyklopädistik", ein universales synthetisches Werk größten Stiles gemeint.
Friedrich Schlegel seinerseits aber verstieg sich zu dem Vorsatz einer neuen Bibel
als eines religiösen Werkes, das eine neue Religion stiften sollte (vgl. unten
S. 158 f.), einem Vorsatz, den er später verwarf. Dieser Verurteilung in den
„Ideen" (Nr. 95, unten nicht abgedruckt) stimmt Novalis bei mit den Worten:
„Eine Bibel schreiben zu wollen — ist ein Hang zur Tollheit, wie ihn jeder tüchtige
Mensch haben muß, um vollständig zu sein." Er hat sich aber selbst auch einmal
notiert: „Man muß eine Bildungsloge echter Religion erst stiften..." (unten
S. 133). Ein solcher Gedanke war der romantischen Haltung gemäß und konnte
auch in Schleiermachers Verkündigung der Fülle individueller Religionen seine
Rechtfertigung finden.

Doch solche Pläne sowie Gedanken über die „Negativität des Christentums",
wie sie im Briefwechsel mit Friedrich Schlegel erörtert wurden, werden Novalis
gegen Ende seines Lebens kaum mehr beschäftigt haben. Das Fortschreiten seiner
Krankheit, der Schwindsucht, hat ihn wohl gelegentlich über die Zusammenhänge
von Krankheit und Religion und von Wollust, Grausamkeit und Religion nachdenken lassen, hat aber mehr noch die einfache tiefe Gläubigkeit seines Wesens,
seine schlichte Herzreligion gefestigt heraustreten lassen. Eine Entwicklung zu posi-
tiver Gläubigkeit, auch zu positiverem Wortgebrauch in religiösen Fragen ist in
seinen späten Fragmenten nicht zu verkennen. Dies verstärkt seinen Gegensatz zu

Friedrich Schlegel, ja setzt ihn auch in einen gewissen Gegensatz zu Schleiermacher, der den Begriff der Sünde nicht als wesentlich für das Christentum angesehen hatte. So rückt er den Freunden ferner, nähert sich aber damit zugleich der Gläubigkeit eines Philipp Otto Runge, der auch überzeugter Christ war und zugleich Gott in der Natur erlebte (vgl. Bd. 11 u. 12), und der schlichten Sehnsucht Wackenroders, auf dessen „Herzensergießungen eines kunstliebenden Kloster-bruders" (s. Bd. 3) im Zusammenhang romantischer Religionsauffassung nach-drücklich hingewiesen werden muß.

Dagegen gehört die religiöse Entwicklung Friedrich Schlegels, seine Konversion zur katholischen Kirche, nicht mehr in den Zusammenhang der Frühromantik. In einem späteren Bande unserer Sammlung werden Zeugnisse dafür mitgeteilt werden. Seine naturphilosophischen Gedichte waren noch für diesen Band vor-gesehen, mußten aber wegen Raummangel ausgeschieden werden, ebenso Gedichte der Brüder von Novalis, Georg Anton von Hardenberg (= Silvester) und Karl (= Rostorf).

Jenes entscheidende Erlebnis, das den Dichter in Novalis erweckt und ihn gleichsam zum Bürger zweier Welten gemacht hat, gibt auch seinem Roman „Heinrich von Ofterdingen" die Kernidee. Ein Einswerden zweier Welten, die Heraufführung des dritten Reiches sollte hier dargestellt werden. Eben weil er nur in einer, der irdischen, gewöhnlichen Welt sich abspiele, die ökonomische Natur in ihm die wahre übrigbleibende sei und das Romantische zugrunde gehe, weil hier „die Berührungsstelle mit der unsichtbaren Welt" fehle, empfindet Novalis den Geist von Goethes „Wilhelm Meister" als undichterisch. Und er erkämpft sich seinen Weg zu sich selbst in einer Auseinandersetzung mit Goethes Werk (vgl. Bd. 3, S. 235 ff.) und gestaltet seinen „Heinrich von Ofterdingen" bewußt als Gegen-stück zum „Wilhelm Meister", als eine „Apotheose der Poesie", wie er selbst sagt. Die Entwicklung Heinrichs zum Dichter in der mittelalterlichen Welt der Hohen-staufenzeit ist der Inhalt des ersten Teiles: „Die Erwartung". Aber diese Entwick-lung wird nicht dargestellt in der Art realistischer und psychologischer Entwicklungs-romane. Nicht von Vorstellungen aus, wie das 19. Jahrhundert sie vom Roman sich gebildet hat, darf man an dieses Werk herantreten. Für Novalis steht der Roman nicht unter den Gesetzen der realen Lebenszusammenhänge und ihrer kau-salen Verknüpfung. Ihm ist Poesie „Darstellung des Gemüts — der inneren Welt in ihrer Gesamtheit", und „in unserem Gemüt ist alles auf die eigenste gefälligste und lebendigste Weise verknüpft. Die fremdesten Dinge kommen durch ... irgendeinen Zufall zusammen. So entstehen wunderliche Einheiten und eigentümliche Verknüpfungen — und eins erinnert an alles — wird das Zeichen

vieler und wird selbst von vielen bezeichnet und herbeigerufen". Diese Auffassung
Hardenbergs vom Wesen der Dichtung als symbolischer Darstellung des Undar-
stellbaren, als Romantisierens kommt in vielen seiner Fragmente zum Ausdruck
(vgl. Bd. 3). Ein symbolischer Roman also soll der „Heinrich von Ofterdingen"
sein. Die äußeren Ereignisse des ersten Teiles, der in seinem Handlungsgerüst, einer
Reise, in der Romantradition des 18. Jahrhunderts steht, und die Menschen, mit
denen Heinrich zusammentrifft, sind nicht um ihrer selbst willen dargestellt. Es sind
Sinnbilder der verschiedenen Stufen seines Reisens, Begegnungen, in denen die
verschiedenen Bereiche des Geistes und des Gemütes, die gestaltenden Kräfte des
Lebens sich ihm erschließen in der Art, wie Novalis selbst sie innerlich erlebte.
Alles, was dem jungen Heinrich begegnet, scheint nur seinem eigenen inneren Leben
entgegenzukommen, wirkt wie ein Sichöffnen von Pforten in seinem Innern, wie
ein Bekanntwerden des im Unbewußten längst Vertrauten, ist durch Träume und
Ahndungen schon vorbereitet. Schon die Reisegesellschaft Heinrichs, die Kaufleute,
Vertreter des äußeren praktischen Lebens der Zeit, weisen in ihren Gesprächen und
Erzählungen auf die Welt der Dichtung hin, soweit sie ihrer teilhaft werden können, und geben in ihren Erzählungen Vordeutungen auf den tieferen Sinn des
Ganzen. Auf der Ritterburg erschließt sich Heinrich die Welt des Krieges und der
Kreuzfahrer, und ihr Gegenspiel, die Welt des Orients in der Morgenländerin;
im Bergmann die Welt der Natur, im Einsiedler die Welt der Geschichte. Und
auch in diesen Kapiteln wird auf die Bedeutung der Dichter hingewiesen; nur sie
verstehen wirklich die Natur wie die Geschichte. In Augsburg ergreift Heinrich
die rauschende Lebensfülle; er lernt nun erst begreifen, was ein Fest sei, und
findet in Klingsohr seinen Lehrer, der ihm Erkenntnisse über das Wesen der
Dichtkunst vermittelt, ihn lehrt, was lehrbar ist an dieser Kunst, wie Hardenberg
das von Goethe zu lernen wünschte. Durch die Begegnung mit Mathilde aber erfüllt sich eben das, worauf die Erzählung von Atlantis und die Morgenländerin
schon hingewiesen hatten, er lernt in der Liebe sich selbst finden und die verschlossenen
Lippen zum Gesang öffnen. So wird Heinrich „zum Dichter reif", noch nicht
selbst Dichter. Das entscheidende Erlebnis, das ihn zum Dichter macht, ist erst
der Tod Mathildens zwischen dem ersten und dem zweiten Teil, durch den für ihn die
Schranke zwischen Diesseits und Jenseits fällt, er in zwei Welten heimisch wird
und an der äußeren Welt teilnehmend zugleich einer inneren und jenseitigen anzugehören vermag wie Novalis nach Sophiens Tod. Nun erst ist „die Erwartung"
beendet, und „die Erfüllung" kann beginnen, auf die das Märchen, das Klingsohr
im neunten Kapitel erzählt, vorbereitet.

Dieser erste Teil des Werkes ist kunstvoll gegliedert und zugleich in starker
Steigerung aufgebaut. Ein Haupteinschnitt liegt vor dem sechsten Kapitel, der
durch die Betrachtung im Eingang schon deutlich markiert ist, vor der Begegnung

Heinrichs mit Klingsohr und Mathilde. Die meisten Kapitel sind in sich zweiteilig in gegensätzlichem Parallelismus, indem jedesmal zwei Lebensbereiche in ihrer Zusammengehörigkeit und Gegensätzlichkeit Heinrich erschlossen werden, und zugleich aufsteigend zu einem Höhepunkt, der über die Gegensätze hinausweist. Einlagen oder selbständige Erzählungen, die doch aufs engste mit der Idee des Ganzen verbunden sind, bilden das zweite und das neunte Kapitel, deren jedes wieder in sich steigend gebaut ist zu dem Höhepunkt am Schluß, der getrennte Welten vereinigt.

Dieser klar aufbauenden Komposition des Ganzen des ersten Teils sowie der einzelnen Kapitel ist Geschlossenheit nicht abzusprechen, die man als klassisch charakterisieren mag. Doch enthält sie zugleich auch Momente, die diese Geschlossenheit wieder öffnen, das Statische in Bewegung auflösen und das Nacheinander der Erzählung zu einem Ineinander des Erlebens werden lassen: die mannigfachen Variationen eines Themas, das Immerwiederanklingen oder Immerwiederaufleuchten der Hauptmotive Liebe und Dichtung, die eingeschalteten Lieder, die nicht nur Ausdruck der Stimmung eines Lebensmomentes sind, wie in anderen Romanen, sondern zur Konzentrierung des Gehalts der einzelnen Abschnitte oder der in ihnen erscheinenden geistigen Mächte dienen, die tief bedeutsamen Träume und Ahnungen und die anderen Vordeutungen, die nicht so sehr die einzelnen Kapitel miteinander verzahnen wie auf ein allem Erleben Gemeinsames, Innerliches, auf den metaphysischen Zusammenhang hinweisen. So wird das Geschlossene der Komposition auch wieder gelöst und flüssig und alles Reale des Geschehens gleichsam transparent.

Dem entspricht auch die Art, wie die Personen und Gegenstände gezeichnet werden. Nicht ganz ohne realistische Züge, wie denn etwa die Sprache des Bergmanns schon durch die zahlreichen Ausdrücke seines Berufes von der Sprache der anderen sich abhebt, oder das Fest in Augsburg und der Spaziergang am anderen Morgen eine sinnlich anschauliche Welt mit Beobachtung auch einzelner Gesten vor uns hinstellen. Aber zugleich lassen die Bilder, mit denen der Dichter die Festesfreude darstellt, die tiefere symbolische Bedeutsamkeit des Geschehens aufleuchten, und die Liebesdarstellung und die Zeichnung Mathildens lassen erkennen, daß hier nicht etwa die äußere Geschichte von Hardenbergs Liebe und eine Charakteristik seiner Sophie gegeben, sondern das ewige Wesen der Liebe ausgesprochen werden sollte, das in tiefere Sphären des Seins hineinreicht.

Die Transparenz aller Vorgänge wird auch durch die Landschaftszeichnung als Symbol innerer Zustände erreicht (s. besonders S. 214), am meisten aber durch die Sprache selbst bewirkt. Bewußt angestrebte Einfachheit und Schlichtheit des Satzbaus soll gerade ein Mittel tieferer Wirkung sein. Zwei Fragmente geben die Begründung dafür: „Bei mir grenzt Einfalt und Natur so nahe an Größe und Hochempfindung, daß die größte Naivität in der Sprache des innern geistigen

Gefühls, der reinste, aber kunstloseste einfachste Klang des gerührten Organs...
meine Seele... erhebt und beseligt." — „Dem Dichter ist die Sprache nie zu
arm, aber immer zu allgemein. Er bedarf oft wiederkehrender, durch den Gebrauch
ausgespielter Worte. Seine Welt ist einfach wie sein Instrument — aber ebenso
unerschöpflich an Melodien." Der Dichter greift zu den einfachsten schlichtesten
Worten, ihnen seinen Stempel aufzudrücken, weil die Empfindung zu fein und zu
persönlich ist, um sich der Worte gesteigerten Gefühls zu bedienen, die immer schon
mit bestimmten Tonhöhen verbunden erscheinen. Die Schlichtheit und Ruhe der
Worte soll dem Leser zugleich die Klänge einer anderen Welt vernehmbar machen
in der Melodie ihres Rhythmus. In der Tat läßt sich beobachten, daß die schlichtesten Worte da erscheinen, wo das Tiefste gegeben, das Unsagbare angedeutet
werden soll, daß die ganz kurzen Satzbildungen gewählt werden in den Gesprächen,
die an Letztes rühren, und in Traumerzählungen, die Verbindung mit einer höheren
Welt und tiefste Erschütterung der Seele ausdrücken sollen. Doch eine eingehende
Charakteristik des Stils kann hier nicht gegeben werden. Eine solche würde über
mannigfache Einzelbeobachtungen, etwa zu der Art und Verwendung der Beiworte,
die für Novalis „dichterische Hauptworte" sind, zu der Struktur der Sätze mit
der Vorliebe für Zweigliedrigkeit und Dreigliedrigkeit der Appositionen und Satz-
gebilde, und anderes hinaus dem Geheimnis der Wirkung des Rhythmus in den
verschiedenen Partien nachzugehen haben, eines Rhythmus, der wie in den
„Hymnen an die Nacht" meist ein weiches Fließen ist, ein Schweben und Ge-
tragenwerden von einer Melodie, die die tieferen Bedeutungen und irrationalen
Regungen mitschwingen läßt. Mit Recht spricht Dilthey von der „wahrhaft
zauberischen Melodie der Sprache" des „Ofterdingen". Ihre Vollendung erreicht
diese Sprachkunst am Anfang des zweiten Teiles in der Darstellung von Heinrichs
Gemütszustand nach Mathildens Tod.

Der zweite Teil bricht noch innerhalb des ersten Kapitels ab, nachdem im Ge-
spräch Heinrichs mit Silvester, der auf Jakob Böhmes Bedeutung für Novalis
zurückweist wie Klingsohr auf die Goethes, über Fragen der Erziehung und der
Wirkung der Natur auf den Menschen und die „Grundkraft der Seele", das Gewissen, das den „eingebornen Mittler jedes Menschen" und die Verbindung dieser
Welt mit höheren Welten bedeute, auch die Auffassung der Dichtung auf eine letzte
Höhe geführt worden ist: das Gewissen als „Geist des Weltgedichts", Dichtung als
„Widerhall der höheren Welt" und „Kundwerdung Gottes". Wie der Dichter
sich die Fortsetzung dachte, darauf weisen uns zahlreiche Vorbedeutungen im ersten
Teil hin, auch das Gedicht Astralis am Anfang des zweiten, sowie Notizen, die
er sich während der Arbeit gemacht hat (S. 296 ff.). Es ist daraus aber auch zu
ersehen, was durch Zeugnisse der Freunde bestätigt wird, daß sich im Kopf des
Dichters die Pläne immer wieder verschoben haben. Auf Grund dieser Aufzeich-

nungen von Novalis hat Ludwig Tieck seinen Bericht über die Fortsetzung verfaßt, der in der Verbindung und Ausdeutung der einzelnen Notizen aber nicht als
zuverlässig gelten darf. So bleibt im einzelnen vieles unklar. Die Schlagworte
S. 299 Z. 5 ff. dürfen mit Wahrscheinlichkeit als Kapitelüberschriften angesprochen
werden. Das erste Kapitel sollte danach ursprünglich „Das Gesicht" heißen, wie
in der ersten Fassung des Anfangs (S. 304), später „Das Kloster oder der Vorhof". Die „Klosterherren", zu denen Heinrich nach der Begegnung mit Silvester
kommen sollte, „scheinen eine Art von Geisterkolonie", „sind Tote". Die Grenz-
scheide zwischen der diesseitigen und der jenseitigen Welt sollte damit aufgehoben
und Heinrich zum Magier werden. Wunderwelt und wirkliche Welt sollten sich
durchdringen. Die folgenden Kapitel hätten ihn dann die Hauptepochen der menschlichen Geschichte: Frühzeit, Griechentum, Orient durchleben und danach an den Hof
Kaiser Friedrichs II. kommen lassen. An politischen und kriegerischen Händeln in
Italien und Deutschland, auch am Sängerkrieg auf der Wartburg — hier wechselte
aber die Absicht des Dichters — sollte er teilnehmen, so Dichter und Held zugleich
sein. Nachdem er so die Welt der Geschichte erlebt, sollte Heinrich in der „Verklärung" ins Innere der Natur eingehen, ihre verschiedenen Bereiche durchleben, sich
opfernd Stein, Pflanze und Tier werden und dadurch Erlöser der Natur nach der
„Zukunftslehre" Hardenbergs, die über Naturphilosophie und magischen Idealismus
sich die höhere Welt des moralischen Gottes oder Geist-Gottes erheben ließ (vgl.
Bd. 4), und am Schluß mit Mathilde wieder vereinigt das Reich der Sonne
und der Jahreszeiten, des irdischen Lebens und des Todes zerstören und die goldene
Zeit, die Ewigkeit heraufführen, die große Synthese von Naturreich und Geister-
reich, die Aufhebung der Spannung zwischen dem Unendlichen und dem Endlichen.
Damit würde, wie im zweiten Teil Märchen und Roman überhaupt innig vermischt sein sollten, da die Wunderwelt nun aufgetan ist, der Schluß des Werkes
mit dem Märchen zusammengehen, das Klingsohr im ersten Teil (Kapitel 9) erzählt hat.

Dieses Märchen gehört wahrscheinlich zu den frühestentstandenen Partien des
„Ofterdingen"; manche Momente sprechen dafür, daß es schon am Anfang des Jahres
1799 geschrieben sei. Es entspricht den Gedanken über Märchendichtung, die Novalis
in dieser Zeit sich notiert hat (vgl. Bd. 3, besonders S. 229 ff.). Goethes Märchen
(s. Bd. 2) hat formale und auch einzelne motivische Anregungen gegeben, mehr
noch gaben die neuen naturwissenschaftlichen Entdeckungen des Galvanismus und
des Magnetismus und astrologische Vorstellungen, die sich leicht mit der Idee
einer moralischen Astrologie im Sinne von Hemsterhuis und mit der Vorstellung
der Wiederkehr des goldenen Zeitalters verbanden. Aber auch hier wieder ist
auf die Verwurzelung im Leben des Dichters hinzuweisen: ein Brief an Just
vom März 1797 spricht von Hardenbergs Furcht vor einer „Verknöcherung des

Herzens", einer Verdrängung des Herzens durch den Verstand; "Sophie gab dem
Herzen den verlorenen Thron wieder. Vielleicht könnte ihr Tod dem Usurpator
die Herrschaft wiedergeben! der dann gewiß rächend das Herz vertilgen würde...
aber vielleicht rettet mich noch die unsichtbare Welt und ihre Kraft, die bisher
in mir schlummerte." Solche Zusammenhänge zeigen schon, daß dieses Märchen
mehr ist als bloß ein leichtes, buntes und reiches Phantasiespiel, eine "musikalische
Phantasie", vielmehr auch, wie Novalis das für das echte Märchen fordert, "pro-
phetische Darstellung", eine tiefsinnige Mythe des Weltgeschehens mit eschato-
logischer Prophetie vom Welterlösungswerk der Liebe und Poesie, wozu das alte
Märchenmotiv der Erlösung einer Königsbraut den äußeren Rahmen gab, von
dem kommenden dritten Reich mit der Vernichtung der Herrschaft des Verstandes
und der Sonne. Eine genauere Analyse, wie sie an anderer Stelle gegeben ist,
erweist, daß die Vorgänge des Märchens und seine leitenden Ideen mit den tiefsten
Überzeugungen des Dichters übereinstimmen, wie sie auch im zweiten Teil des
"Ofterdingen" zu symbolischem Ausdruck kommen sollten.

Novalis hat sich einmal notiert: "Der Roman ist gleichsam die freie Geschichte — gleichsam die Mythologie der Geschichte. Sollte nicht eine Natur-
mythologie möglich sein? (Mythologie hier in meinem Sinn, als freie poetische Erfindung, die die Wirklichkeit sehr mannigfach symbolisiert usw.)." Hier haben wir
in der Tat den Versuch einer Dichtung neuer Mythologie, deren Grundlage die
Naturphilosophie der Romantik ist und zugleich ihr Verhältnis zur Geschichte,
aber auch ihre Religiosität, ihre Liebesauffassung und ihre Anschauung vom Beruf
des Dichters, ein Werk, das wie kein zweites die Weltanschauung der Frühromantik
zu dichterischem Ausdruck bringt.

Die Lehrlinge zu Sais

Von Novalis

1.

Der Lehrling

5 Mannigfache Wege gehen die Menschen. Wer sie verfolgt und vergleicht, wird wunderliche Figuren entstehen sehn; Figuren, die zu jener großen Chiffernschrift zu gehören scheinen, die man überall, auf Flügeln, Eierschalen, in Wolken, im Schnee, in Kristallen und in Steinbildungen, auf gefrierenden Wassern, im Innern und Außern der Gebirge, der Pflanzen,
10 der Tiere, der Menschen, in den Lichtern des Himmels, auf berührten und gestrichenen Scheiben von Pech und Glas, in den Feilspänen um den Magnet her, und sonderbaren Konjunkturen des Zufalls erblickt. In ihnen ahndet man den Schlüssel dieser Wunderschrift, die Sprachlehre derselben, allein die Ahndung will sich selbst in keine feste Formen fügen, und scheint
15 kein höherer Schlüssel werden zu wollen. Ein Alkahest scheint über die Sinne der Menschen ausgegossen zu sein. Nur augenblicklich scheinen ihre Wünsche, ihre Gedanken sich zu verdichten. So entstehen ihre Ahndungen, aber nach kurzen Zeiten schwimmt alles wieder, wie vorher, vor ihren Blicken.

20 Von weitem hört' ich sagen: die Unverständlichkeit sei Folge nur des Unverstandes; dieser suche, was er habe, und also niemals weiter finden könnte. Man verstehe die Sprache nicht, weil sich die Sprache selber nicht verstehe, nicht verstehen wolle; die echte Sanskrit spräche, um zu sprechen, weil Sprechen ihre Lust und ihr Wesen sei.

25 Nicht lange darauf sprach einer: „Keiner Erklärung bedarf die Heilige Schrift. Wer wahrhaft spricht, ist des ewigen Lebens voll, und wunderbar verwandt mit echten Geheimnissen dünkt uns seine Schrift, denn sie ist ein Akkord aus des Weltalls Symphonie."

Von unserm Lehrer sprach gewiß die Stimme, denn er versteht die Züge zu versammeln, die überall zerstreut sind. Ein eignes Licht entzündet sich in seinen Blicken, wenn vor uns nun die hohe Rune liegt, und er in unsern Augen späht, ob auch in uns aufgegangen ist das Gestirn, das die Figur sichtbar und verständlich macht. Sieht er uns traurig, daß die Nacht nicht 5 weicht, so tröstet er uns, und verheißt dem emsigen, treuen Seher künftiges Glück. Oft hat er uns erzählt, wie ihm als Kind der Trieb, die Sinne zu üben, zu beschäftigen und zu erfüllen, keine Ruhe ließ. Den Sternen sah er zu und ahmte ihre Züge, ihre Stellungen im Sande nach. Ins Luftmeer sah er ohne Rast, und ward nicht müde seine Klarheit, seine Bewegungen, 10 seine Wolken, seine Lichter zu betrachten. Er sammelte sich Steine, Blumen, Käfer aller Art, und legte sie auf mannigfache Weise sich in Reihen. Auf Menschen und auf Tiere gab er acht, am Strand des Meeres saß er, suchte Muscheln. Auf sein Gemüt und seine Gedanken lauschte er sorgsam. Er wußte nicht, wohin ihn seine Sehnsucht trieb. Wie er größer ward, strich er 15 umher, besah sich andre Länder, andre Meere, neue Lüfte, fremde Sterne, unbekannte Pflanzen, Tiere, Menschen, stieg in Höhlen, sah wie in Bänken und in bunten Schichten der Erde Bau vollführt war, und drückte Ton in sonderbare Felsenbilder. Nun fand er überall Bekanntes wieder, nur wunderlich gemischt, gepaart, und also ordneten sich selbst in ihm oft seltsame Dinge. 20 Er merkte bald auf die Verbindungen in allem, auf Begegnungen, Zusammentreffungen. Nun sah er bald nichts mehr allein. — In große bunte Bilder drängten sich die Wahrnehmungen seiner Sinne: er hörte, sah, tastete und dachte zugleich. Er freute sich, Fremdlinge zusammenzubringen. Bald waren ihm die Sterne Menschen, bald die Menschen Sterne, die 25 Steine Tiere, die Wolken Pflanzen, er spielte mit den Kräften und Erscheinungen, er wußte, wo und wie er dies und jenes finden, und erscheinen lassen konnte, und griff so selbst in den Saiten nach Tönen und Gängen umher.

Was nun seitdem aus ihm geworden ist, tut er nicht kund. Er sagt uns, 30 daß wir selbst, von ihm und eigner Lust geführt, entdecken würden, was mit ihm vorgegangen sei. Mehrere von uns sind von ihm gewichen. Sie kehrten zu ihren Eltern zurück und lernten ein Gewerbe treiben. Einige sind von ihm ausgesendet worden, wir wissen nicht wohin; er suchte sie aus. Von ihnen waren einige nur kurze Zeit erst da, die andern länger. Eins war ein 35 Kind noch, es war kaum da, so wollte er ihm den Unterricht übergeben. Es

hatte große dunkle Augen mit himmelblauem Grunde, wie Lilien glänzte
seine Haut, und seine Locken wie lichte Wölkchen, wenn der Abend kommt.
Die Stimme drang uns allen durch das Herz, wir hätten gern ihm unsere
Blumen, Steine, Federn, alles gern geschenkt. Es lächelte unendlich ernst,
5 und uns ward seltsam wohl mit ihm zumute. „Einst wird es wiederkommen", sagte der Lehrer, „und unter uns wohnen, dann hören die Lehrstunden auf." — Einen schickte er mit ihm fort, der hat uns oft gedauert.
Immer traurig sah er aus, lange Jahre war er hier, ihm glückte nichts,
er fand nicht leicht, wenn wir Kristalle suchten oder Blumen. In die Ferne
10 sah er schlecht, bunte Reihen gut zu legen wußte er nicht. Er zerbrach alles
so leicht. Doch hatte keiner einen solchen Trieb und solche Lust am Sehn
und Hören. Seit einer Zeit — vorher eh' jenes Kind in unsern Kreis
trat — ward er auf einmal heiter und geschickt. Eines Tages war er traurig
ausgegangen, er kam nicht wieder, und die Nacht brach ein. Wir waren
15 seinetwegen sehr in Sorgen; auf einmal, wie des Morgens Dämmerung
kam, hörten wir in einem nahen Haine seine Stimme. Er sang ein hohes,
frohes Lied; wir wunderten uns alle; der Lehrer sah mit einem Blick nach
Morgen, wie ich ihn wohl nie wieder sehen werde. In unsre Mitte trat
er bald, und brachte, mit unaussprechlicher Seligkeit im Antlitz, ein un-
20 scheinbares Steinchen von seltsamer Gestalt. Der Lehrer nahm es in die
Hand, und küßte ihn lange, dann sah er uns mit nassen Augen an und legte
dieses Steinchen auf einen leeren Platz, der mitten unter andern Steinen
lag, gerade wo wie Strahlen viele Reihen sich berührten.

Ich werde dieser Augenblicke nie fortan vergessen. Uns war, als hätten
25 wir im Vorübergehn eine helle Ahndung dieser wunderbaren Welt in
unsern Seelen gehabt.

Auch ich bin ungeschickter als die andern, und minder gern scheinen sich
die Schätze der Natur von mir finden zu lassen. Doch ist der Lehrer mir
gewogen, und läßt mich in Gedanken sitzen, wenn die andern suchen gehn.
30 So wie dem Lehrer ist mir nie gewesen. Mich führt alles in mich selbst
zurück. Was einmal die zweite Stimme sagte, habe ich wohl verstanden.
Mich freuen die wunderlichen Haufen und Figuren in den Sälen, allein
mir ist, als wären sie nur Bilder, Hüllen, Zierden, versammelt um ein
göttlich Wunderbild, und dieses liegt mir immer in Gedanken. Sie such'
35 ich nicht, in ihnen such' ich oft. Es ist, als sollten sie den Weg mir zeigen,
wo in tiefem Schlaf die Jungfrau steht, nach der mein Geist sich sehnt.

Mir hat der Lehrer nie davon gesagt, auch ich kann ihm nichts anvertrauen,
ein unverbrüchliches Geheimnis dünkt es mir. Gern hätt' ich jenes Kind
gefragt, in seinen Zügen fand ich Verwandtschaft; auch schien in seiner
Nähe mir alles heller innerlich zu werden. Wäre es länger geblieben,
sicherlich hätte ich mehr in mir erfahren. Auch wäre mir am Ende vielleicht 5
der Busen offen, die Zunge frei geworden. Gern wär' ich auch mit ihm
gegangen. Es kam nicht so. Wie lang' ich hier noch bleibe, weiß ich nicht.
Mir scheint es, als blieb ich immer hier. Kaum wag' ich es mir selber zu
gestehen, allein zu innig dringt sich mir der Glauben auf: einst find' ich
hier, was mich beständig rührt; sie ist zugegen. Wenn ich mit diesem Glauben 10
hier umhergehe, so tritt mir alles in ein höher Bild, in eine neue Ordnung
mir zusammen, und alle sind nach einer Gegend hin gerichtet. Mir wird
dann jedes so bekannt, so lieb; und was mir seltsam noch erschien und fremd,
wird nun auf einmal wie ein Hausgerät.

Gerade diese Fremdheit ist mir fremd, und darum hat mich immer diese 15
Sammlung zugleich entfernt und angezogen. Den Lehrer kann und mag ich
nicht begreifen. Er ist mir just so unbegreiflich lieb. Ich weiß es, er versteht
mich, er hat nie gegen mein Gefühl und meinen Wunsch gesprochen. Vielmehr will er, daß wir den eignen Weg verfolgen, weil jeder neue Weg
durch neue Länder geht, und jeder endlich zu diesen Wohnungen, zu dieser 20
heiligen Heimat wieder führet. Auch ich will also meine Figur beschreiben,
und wenn kein Sterblicher, nach jener Inschrift dort, den Schleier hebt, so
müssen wir Unsterbliche zu werden suchen; wer ihn nicht heben will, ist kein
echter Lehrling zu Sais.

2.   25

Die Natur

Es mag lange gedauert haben, ehe die Menschen darauf dachten, die
mannigfachen Gegenstände ihrer Sinne mit einem gemeinschaftlichen Namen
zu bezeichnen und sich entgegenzusetzen. Durch Übung werden Entwickelungen befördert, und in allen Entwickelungen gehen Teilungen, Zerglie- 30
derungen vor, die man bequem mit den Brechungen des Lichtstrahls vergleichen kann. So hat sich auch nur allmählich unser Innres in so mannigfaltige Kräfte zerspaltet, und mit fortdauernder Übung wird auch diese Zer-
spaltung zunehmen. Vielleicht ist es nur krankhafte Anlage der späteren

Menschen, wenn sie das Vermögen verlieren, diese zerstreuten Farben ihres
Geistes wieder zu mischen und nach Belieben den alten einfachen Naturstand herzustellen, oder neue, mannigfaltige Verbindungen unter ihnen
zu bewirken. Je vereinigter sie sind, desto vereinigter, desto vollständiger und
5 persönlicher fließt jeder Naturkörper, jede Erscheinung in sie ein: denn der
Natur des Sinnes entspricht die Natur des Eindrucks, und daher mußte
jenen früheren Menschen alles menschlich, bekannt und gesellig vorkommen,
die frischeste Eigentümlichkeit mußte in ihren Ansichten sichtbar werden,
jede ihrer Äußerungen war ein wahrer Naturzug, und ihre Vorstellungen
10 mußten mit der sie umgebenden Welt übereinstimmen, und einen treuen
Ausdruck derselben darstellen. Wir können daher die Gedanken unsrer Altväter von den Dingen in der Welt als ein notwendiges Erzeugnis, als eine
Selbstabbildung des damaligen Zustandes der irdischen Natur betrachten,
und besonders an ihnen, als den schicklichsten Werkzeugen der Beobachtung
15 des Weltalls, das Hauptverhältnis desselben, das damalige Verhältnis zu
seinen Bewohnern, und seiner Bewohner zu ihm, bestimmt abnehmen.
Wir finden, daß gerade die erhabensten Fragen zuerst ihre Aufmerksamkeit
beschäftigten, und daß sie den Schlüssel dieses wundervollen Gebäudes bald
in einer Hauptmasse der wirklichen Dinge, bald in dem erdichteten Gegen-
20 stande eines unbekannten Sinns aufsuchten. Bemerklich ist hier die gemeinschaftliche Ahndung desselben im Flüssigen, im Dünnen, Gestaltlosen. Es
mochte wohl die Trägheit und Unbehülflichkeit der festen Körper den
Glauben an ihre Abhängigkeit und Niedrigkeit nicht ohne Bedeutung veranlassen. Früh genug stieß jedoch ein grübelnder Kopf auf die Schwierigkeit
25 der Gestalten-Erklärung aus jenen gestaltlosen Kräften und Meeren. Er
versuchte den Knoten durch eine Art von Vereinigung zu lösen, indem er
die ersten Anfänge zu festen, gestalteten Körperchen machte, die er jedoch
über allen Begriff klein annahm, und nun aus diesem Staubmeere, aber
freilich nicht ohne Beihülfe mitwirkender Gedankenwesen, anziehender und
30 abstoßender Kräfte, den ungeheuern Bau vollführen zu können meinte. Noch
früher findet man, statt wissenschaftlicher Erklärungen, Märchen und Gedichte voll merkwürdiger bildlicher Züge, Menschen, Götter und Tiere als
gemeinschaftliche Werkmeister, und hört auf die natürlichste Art die Entstehung der Welt beschreiben. Man erfährt wenigstens die Gewißheit eines
35 zufälligen, werkzeuglichen Ursprungs derselben, und auch für den Ver-
ächter der regellosen Erzeugnisse der Einbildungskraft ist diese Vorstellung

bedeutend genug. Die Geschichte der Welt als Menschengeschichte zu behandeln, überall nur menschliche Begebenheiten und Verhältnisse zu finden,
ist eine fortwandernde, in den verschiedensten Zeiten wieder mit neuer Bildung hervortretende Idee geworden, und scheint an wunderbarer Wirkung
und leichter Überzeugung beständig den Vorrang gehabt zu haben. Auch 5
scheint die Zufälligkeit der Natur sich wie von selbst an die Idee menschlicher
Persönlichkeit anzuschließen, und letztere am willigsten, als menschliches
Wesen verständlich zu werden. Daher ist auch wohl die Dichtkunst das
liebste Werkzeug der eigentlichen Naturfreunde gewesen, und am hellsten
ist in Gedichten der Naturgeist erschienen. Wenn man echte Gedichte liest 10
und hört, so fühlt man einen innern Verstand der Natur sich bewegen,
und schwebt, wie der himmlische Leib derselben, in ihr und über ihr zugleich.
Naturforscher und Dichter haben durch eine Sprache sich immer wie ein
Volk gezeigt. Was jene im ganzen sammelten und in großen, geordneten
Massen aufstellten, haben diese für menschliche Herzen zur täglichen Nah- 15
rung und Notdurft verarbeitet, und jene unermeßliche Natur zu mannigfaltigen, kleinen, gefälligen Naturen zersplittert und gebildet. Wenn diese
mehr das Flüssige und Flüchtige mit leichtem Sinn verfolgten, suchten jene
mit scharfen Messerschnitten den innern Bau und die Verhältnisse der
Glieder zu erforschen. Unter ihren Händen starb die freundliche Natur, 20
und ließ nur tote, zuckende Reste zurück, dagegen sie vom Dichter, wie durch
geistvollen Wein, noch mehr beseelt, die göttlichsten und muntersten Einfälle
hören ließ, und über ihr Alltagsleben erhoben, zum Himmel stieg, tanzte
und weissagte, jeden Gast willkommen hieß, und ihre Schätze frohen Muts
verschwendete. So genoß sie himmlische Stunden mit dem Dichter, und 25
lud den Naturforscher nur dann ein, wenn sie krank und gewissenhaft war.
Dann gab sie ihm Bescheid auf jede Frage, und ehrte gern den ernsten,
strengen Mann. Wer also ihr Gemüt recht kennen will, muß sie in der
Gesellschaft der Dichter suchen, dort ist sie offen und ergießt ihr wunder-
sames Herz. Wer sie aber nicht aus Herzensgrunde liebt, und dies und jenes 30
nur an ihr bewundert und zu erfahren strebt, muß ihre Krankenstube, ihr
Beinhaus fleißig besuchen.

Man steht mit der Natur gerade in so unbegreiflich verschiedenen Verhältnissen wie mit den Menschen; und wie sie sich dem Kinde kindisch zeigt,
und sich gefällig seinem kindlichen Herzen anschmiegt, so zeigt sie sich dem 35
Gotte göttlich, und stimmt zu dessen hohem Geiste. Man kann nicht sagen,

daß es eine Natur gebe, ohne etwas Überschwengliches zu sagen, und alles
Bestreben nach Wahrheit in den Reden und Gesprächen von der Natur
entfernt nur immer mehr von der Natürlichkeit. Es ist schon viel gewonnen,
wenn das Streben, die Natur vollständig zu begreifen, zur Sehnsucht sich
5 veredelt, zur zarten, bescheidnen Sehnsucht, die sich das fremde, kalte Wesen
gern gefallen läßt, wenn sie nur einst auf vertrauteren Umgang rechnen
kann. Es ist ein geheimnisvoller Zug nach allen Seiten in unserm Innern,
aus einem unendlich tiefen Mittelpunkt sich rings verbreitend. Nun liegt
die wundersame sinnliche und unsinnliche Natur rund um uns her, so
10 glauben wir, es sei jener Zug ein Anziehn der Natur, eine Äußerung unsrer
Sympathie mit ihr: nur sucht der eine hinter diesen blauen, fernen Gestalten noch eine Heimat, die sie ihm verhalten, eine Geliebte seiner Jugend,
Eltern und Geschwister, alte Freunde, liebe Vergangenheiten; der andre
meint, da jenseits warteten unbekannte Herrlichkeiten seiner, eine lebens-
15 volle Zukunft glaubt er dahinter versteckt, und streckt verlangend seine
Hände einer neuen Welt entgegen. Wenige bleiben bei dieser herrlichen Umgebung ruhig stehen, und suchen sie nur selbst in ihrer Fülle und ihrer Verkettung zu erfassen, vergessen über der Vereinzelung den blitzenden Faden
nicht, der reihenweise die Glieder knüpft und den heiligen Kronleuchter
20 bildet, und finden sich beseligt in der Beschauung dieses lebendigen, über
nächtlichen Tiefen schwebenden Schmucks. So entstehn mannigfache Natur-
betrachtungen, und wenn an einem Ende die Naturempfindung ein lustiger
Einfall, eine Mahlzeit wird, so sieht man sie dort zur andächtigsten Religion
verwandelt, einem ganzen Leben Richtung, Haltung und Bedeutung geben.
25 Schon unter den kindlichen Völkern gab's solche ernste Gemüter, denen
die Natur das Antlitz einer Gottheit war, indessen andre fröhliche Herzen
sich nur auf sie zu Tische baten; die Luft war ihnen ein erquickender Trank,
die Gestirne Lichter zum nächtlichen Tanz, und Pflanzen und Tiere nur
köstliche Speisen, und so kam ihnen die Natur nicht wie ein stiller, wunder-
30 voller Tempel, sondern wie eine lustige Küche und Speisekammer vor. Dazwischen waren andre sinnigere Seelen, die in der gegenwärtigen Natur
nur große, aber verwilderte Anlagen bemerkten, und Tag und Nacht be-
schäftiget waren, Vorbilder einer edleren Natur zu schaffen. — Sie teilten
sich gesellig in das große Werk, die einen suchten die verstummten und ver-
35 lornen Töne in Luft und Wäldern zu erwecken, andre legten ihre Ahndungen
und Bilder schönerer Geschlechter in Erz und Steine nieder, bauten schönere

Felsen zu Wohnungen wieder, brachten die verborgenen Schätze aus den
Grüften der Erde wieder ans Licht; zähmten die ausgelassenen Ströme,
bevölkerten das unwirtliche Meer, führten in öde Zonen alte, herrliche
Pflanzen und Tiere zurück, hemmten die Waldüberschwemmungen, und
pflegten die edleren Blumen und Kräuter, öffneten die Erde den belebenden 5
Berührungen der zeugenden Luft und des zündenden Lichts, lehrten die
Farben zu reizenden Bildungen sich mischen und ordnen, und Wald und
Wiese, Quellen und Felsen wieder zu lieblichen Gärten zusammenzutreten,
hauchten in die lebendigen Glieder Töne, um sie zu entfalten, und in heitern
Schwingungen zu bewegen, nahmen sich der armen, verlaßnen, für 10
Menschensitte empfänglichen Tiere an, und säuberten die Wälder von den
schädlichen Ungeheuern, diesen Mißgeburten einer entarteten Phantasie.
Bald lernte die Natur wieder freundlichere Sitten, sie ward sanfter und
erquicklicher, und ließ sich willig zur Beförderung der menschlichen Wünsche
finden. Allmählich fing ihr Herz wieder an menschlich sich zu regen, ihre 15
Phantasien wurden heitrer, sie ward wieder umgänglich, und antwortete
dem freundlichen Frager gern, und so scheint allmählich die alte goldne Zeit
zurückzukommen, in der sie den Menschen Freundin, Trösterin, Priesterin
und Wundertäterin war, als sie unter ihnen wohnte und ein himmlischer
Umgang die Menschen zu Unsterblichen machte. Dann werden die Gestirne 20
die Erde wieder besuchen, der sie gram geworden waren in jenen Zeiten der
Verfinsterung; dann legt die Sonne ihren strengen Zepter nieder, und wird
wieder Stern unter Sternen, und alle Geschlechter der Welt kommen dann
nach langer Trennung wieder zusammen. Dann finden sich die alten ver-
waisten Familien, und jeder Tag sieht neue Begrüßungen, neue Um- 25
armungen; dann kommen die ehemaligen Bewohner der Erde zu ihr zurück,
in jedem Hügel regt sich neu erglimmende Asche, überall lodern Flammen
des Lebens empor, alte Wohnstätten werden neu erbaut, alte Zeiten erneuert, und die Geschichte wird zum Traum einer unendlichen, unabsehlichen Gegenwart. 30

Wer dieses Stamms und dieses Glaubens ist, und gern auch das seinige
zu dieser Entwilderung der Natur beitragen will, geht in den Werkstätten
der Künstler umher, belauscht überall die unvermutet in allen Ständen
hervorbrechende Dichtkunst, wird nimmer müde die Natur zu betrachten
und mit ihr umzugehen, geht überall ihren Fingerzeigen nach, verschmäht 35
keinen mühseligen Gang, wenn sie ihm winkt, und sollte er auch durch

Modergrüfte gehen: er findet sicher unsägliche Schätze, das Grubenlichtchen
steht am Ende still, und wer weiß, in welche himmlische Geheimnisse ihn
dann eine reizende Bewohnerin des unterirdischen Reichs einweiht. Keiner
irrt gewiß weiter ab vom Ziele, als wer sich selbst einbildet, er kenne schon
5 das seltsame Reich, und wisse mit wenig Worten seine Verfassung zu ergründen und überall den rechten Weg zu finden. Von selbst geht keinem,
der los sich riß und sich zur Insel machte, das Verständnis auf, auch ohne
Mühe nicht. Nur Kindern oder kindlichen Menschen, die nicht wissen, was
sie tun, kann dies begegnen. Langer, unablässiger Umgang, freie und künst-
10 liche Betrachtung, Aufmerksamkeit auf leise Winke und Züge, ein inneres
Dichterleben, geübte Sinne, ein einfaches und gottesfürchtiges Gemüt, das
sind die wesentlichen Erfordernisse eines echten Naturfreundes, ohne welche
keinem sein Wunsch gedeihen wird. Nicht weise scheint es, eine Menschenwelt ohne volle aufgeblühte Menschheit begreifen und verstehn zu wollen.
15 Kein Sinn muß schlummern, und wenn auch nicht alle gleich wach sind,
so müssen sie doch alle angeregt und nicht unterdrückt und erschlafft sein.
So wie man einen künftigen Maler in dem Knaben sieht, der alle Wände
und jeden ebenen Sand mit Zeichnungen füllt, und Farben zu Figuren
bunt verknüpft, so sieht man einen künftigen Weltweisen in jenem, der allen
20 natürlichen Dingen ohne Rast nachspürt, nachfrägt, auf alles achtet, jedes
Merkwürdige zusammenträgt und froh ist, wenn er einer neuen Erscheinung,
einer neuen Kraft und Kenntnis Meister und Besitzer geworden ist.

Nun dünkt es einigen, es sei der Mühe gar nicht wert, den endlosen
Zerspaltungen der Natur nachzugehn, und überdem ein gefährliches Unter-
25 nehmen, ohne Frucht und Ausgang. So wie man nie das kleinste Korn
der festen Körper, nie die einfachste Faser finden werde, weil alle Größe
vor- und rückwärts sich ins Unendliche verliert, so sei es auch mit den Arten
der Körper und Kräfte; auch hier gerate man auf neue Arten, neue Zu-
sammensetzungen, neue Erscheinungen bis ins Unendliche. Sie schienen dann
30 nur stillzustehn, wenn unser Fleiß ermatte, und so verschwende man die
edle Zeit mit müßigen Betrachtungen und langweiligem Zählen, und werde
dies zuletzt ein wahrer Wahnsinn, ein fester Schwindel an der entsetzlichen
Tiefe. Auch bleibe die Natur, so weit man käme, immer eine furchtbare
Mühle des Todes: überall ungeheurer Umschwung, unauflösliche Wirbel-
35 kette, ein Reich der Gefräßigkeit, des tollsten Übermuts, eine unglücks-
schwangere Unermeßlichkeit; die wenigen lichten Punkte beleuchteten nur

eine desto grausendere Nacht, und Schrecken aller Art müßten jeden Beobachter zur Gefühllosigkeit ängstigen. Wie ein Heiland stehe dem armen
Menschengeschlechte der Tod zur Seite, denn ohne Tod wäre der Wahn-
sinnigste am glücklichsten. Gerade jenes Streben nach Ergründung dieses
riesenmäßigen Triebwerks sei schon ein Zug in die Tiefe, ein beginnender 5
Schwindel: denn jeder Reiz scheine ein wachsender Wirbel, der bald sich des
Unglücklichen ganz bemächtige, und ihn dann durch eine schreckenvolle Nacht
mit sich fortreiße. Hier sei die listige Fallgrube des menschlichen Verstandes,
den die Natur überall als ihren größten Feind zu vernichten suche. Heil der
kindlichen Unwissenheit und Schuldlosigkeit der Menschen, welche sie die 10
entsetzlichen Gefahren nicht gewahr werden ließe, die überall wie furchtbare
Wetterwolken um ihre friedlichen Wohnsitze herlägen, und jeden Augenblick über sie hereinzubrechen bereit wären. Nur innre Uneinigkeit der
Naturkräfte habe die Menschen bis jetzo erhalten, indes könne jener große
Zeitpunkt nicht ausbleiben, wo sich die sämtlichen Menschen durch einen 15
großen gemeinschaftlichen Entschluß aus dieser peinlichen Lage, aus diesem
furchtbaren Gefängnisse reißen und durch eine freiwillige Entsagung ihrer
hiesigen Besitztümer auf ewig ihr Geschlecht aus diesem Jammer erlösen,
und in eine glücklichere Welt, zu ihrem alten Vater retten würden. So
endeten sie doch ihrer würdig, und kämen ihrer notwendigen, gewaltsamen 20
Vertilgung oder einer noch entsetzlicheren Ausartung in Tiere, durch stufenweise Zerstörung der Denkorgane, durch Wahnsinn, zuvor. Umgang mit
Naturkräften, mit Tieren, Pflanzen, Felsen, Stürmen und Wogen müsse
notwendig die Menschen diesen Gegenständen verähnlichen, und diese Ver-
ähnlichung, Verwandlung und Auflösung des Göttlichen und Menschlichen 25
in unbändige Kräfte sei der Geist der Natur, dieser fürchterlich verschlin-
genden Macht: und sei nicht alles, was man sehe, schon ein Raub des Himmels, eine große Ruine ehemaliger Herrlichkeiten, Überbleibsel eines schreck-
lichen Mahls?

„Wohl", sagen Mutigere, „laßt unser Geschlecht einen langsamen, wohl- 30
durchdachten Zerstörungskrieg mit dieser Natur führen. Mit schleichenden
Giften müssen wir ihr beizukommen suchen. Der Naturforscher sei ein edler
Held, der sich in den geöffneten Abgrund stürze, um seine Mitbürger zu
erretten. Die Künstler haben ihr schon manchen geheimen Streich bei-
gebracht, fahrt nur so fort, bemächtigt euch der heimlichen Fäden, und macht 35
sie lüstern nach sich selbst. Benutzt jene Zwiste, um sie, wie jenen feuer-

speienden Stier, nach eurer Willkür lenken zu können. Euch untertänig
muß sie werden. Geduld und Glauben ziemt den Menschenkindern. Entfernte Brüder sind zu einem Zweck mit uns vereint, das Sternenrad wird
das Spinnrad unsers Lebens werden, und dann können wir durch unsere
5 Sklaven ein neues Dschinnistan uns bauen. Mit innerm Triumph laßt
uns ihren Verwüstungen, ihren Tumulten zusehn, sie soll an uns sich selbst
verkaufen, und jede Gewalttat soll ihr zur schweren Buße werden. In den
begeisternden Gefühlen unsrer Freiheit laßt uns leben und sterben, hier
quillt der Strom, der sie einst überschwemmen und zähmen wird, und in
10 ihm laßt uns baden und mit neuem Mut zu Heldentaten uns erfrischen. Bis
hieher reicht die Wut des Ungeheuers nicht, ein Tropfen Freiheit ist genug,
sie auf immer zu lähmen und ihren Verheerungen Maß und Ziel zu setzen."

„Sie haben recht", sprechen mehrere; „hier oder nirgends liegt der Talisman. Am Quell der Freiheit sitzen wir und spähn; er ist der große Zauber-
15 spiegel, in dem rein und klar die ganze Schöpfung sich enthüllt, in ihm
baden die zarten Geister und Abbilder aller Naturen, und alle Kammern
sehn wir hier aufgeschlossen. Was brauchen wir die trübe Welt der sichtbaren Dinge mühsam zu durchwandern? Die reinere Welt liegt ja in uns,
in diesem Quell. Hier offenbart sich der wahre Sinn des großen, bunten,
20 verwirrten Schauspiels; und treten wir von diesen Blicken voll in die Natur,
so ist uns alles wohlbekannt, und sicher kennen wir jede Gestalt. Wir
brauchen nicht erst lange nachzuforschen, eine leichte Vergleichung, nur
wenige Züge im Sande sind genug um uns zu verständigen. So ist uns
alles eine große Schrift, wozu wir den Schlüssel haben, und nichts kommt
25 uns unerwartet, weil wir voraus den Gang des großen Uhrwerks wissen.
Nur wir genießen die Natur mit vollen Sinnen, weil sie uns nicht von
Sinnen bringt, weil keine Fieberträume uns ängstigen und helle Besonnenheit uns zuversichtlich und ruhig macht."

„Die andern reden irre", sagt ein ernster Mann zu diesen. „Erkennen
30 sie in der Natur nicht den treuen Abdruck ihrer selbst? Sie selbst verzehren
sich in wilder Gedankenlosigkeit. Sie wissen nicht, daß ihre Natur ein Gedankenspiel, eine wüste Phantasie ihres Traumes ist. Ja wohl ist sie ihnen
ein entsetzliches Tier, eine seltsame abenteuerliche Larve ihrer Begierden.
Der wachende Mensch sieht ohne Schaudern diese Brut seiner regellosen
35 Einbildungskraft, denn er weiß, daß es nichtige Gespenster seiner Schwäche
sind. Er fühlt sich Herr der Welt, sein Ich schwebt mächtig über diesem Ab-

grund, und wird in Ewigkeiten über diesem endlosen Wechsel erhaben schweben. Einklang strebt sein Inneres zu verkünden, zu verbreiten. Er wird in die Unendlichkeit hinaus stets einiger mit sich selbst und seiner Schöpfung um sich her sein, und mit jedem Schritte die ewige Allwirk- samkeit einer hohen sittlichen Weltordnung, der Feste seines Ichs, immer 5 heller hervortreten sehn. Der Sinn der Welt ist die Vernunft: um derent- willen ist sie da, und wenn sie erst der Kampfplatz einer kindlichen, auf- blühenden Vernunft ist, so wird sie einst zum göttlichen Bilde ihrer Tätig- keit, zum Schauplatz einer wahren Kirche werden. Bis dahin ehre sie der Mensch, als Sinnbild seines Gemüts, das sich mit ihm in unbestimmbare 10 Stufen veredelt. Wer also zur Kenntnis der Natur gelangen will, übe seinen sittlichen Sinn, handle und bilde dem edlen Kerne seines Innern gemäß, und wie von selbst wird die Natur sich vor ihm öffnen. Sittliches Handeln ist jener große und einzige Versuch, in welchem alle Rätsel der mannigfaltigsten Erscheinungen sich lösen. Wer ihn versteht, und in strengen 15 Gedankenfolgen ihn zu zerlegen weiß, ist ewiger Meister der Natur."

Der Lehrling hört mit Bangigkeit die sich kreuzenden Stimmen. Es scheint ihm jede recht zu haben, und eine sonderbare Verwirrung bemächtigt sich seines Gemüts. Allmählich legt sich der innre Aufruhr, und über die dunkeln sich aneinander brechenden Wogen scheint ein Geist des Friedens 20 heraufzuschweben, dessen Ankunft sich durch neuen Mut und überschauende Heiterkeit in der Seele des Jünglings ankündigt.

Ein muntrer Gespiele, dem Rosen und Winden die Schläfe zierten, kam herbeigesprungen, und sah ihn in sich gesenkt sitzen. „Du Grübler", rief er, „bist auf ganz verkehrtem Wege. So wirst du keine großen Fortschritte 25 machen. Das Beste ist überall die Stimmung. Ist das wohl eine Stim- mung der Natur? Du bist noch jung und fühlst du nicht das Gebot der Jugend in allen Adern? nicht Liebe und Sehnsucht deine Brust erfüllen? Wie kannst du nur in der Einsamkeit sitzen? Sitzt die Natur einsam? Den Einsamen flieht Freude und Verlangen: und ohne Verlangen, was nützt 30 dir die Natur? Nur unter Menschen wird er einheimisch, der Geist, der sich mit tausend bunten Farben in alle deine Sinne drängt, der wie eine unsicht- bare Geliebte dich umgibt. Bei unsern Festen löst sich seine Zunge, er sitzt obenan und stimmt Lieder des fröhlichsten Lebens an. Du hast noch nicht geliebt, du Armer; beim ersten Kuß wird eine neue Welt dir aufgetan, mit 35

ihm fährt Leben in tausend Strahlen in dein entzücktes Herz. Ein Märchen
will ich dir erzählen, horche wohl.

„Vor langen Zeiten lebte weit gegen Abend ein blutjunger Mensch. Er
war sehr gut, aber auch über die Maßen wunderlich. Er grämte sich un-
5 aufhörlich um nichts und wieder nichts, ging immer still für sich hin, setzte
sich einsam, wenn die andern spielten und fröhlich waren, und hing seltsamen Dingen nach. Höhlen und Wälder waren sein liebster Aufenthalt,
und dann sprach er immerfort mit Tieren und Vögeln, mit Bäumen und
Felsen, natürlich kein vernünftiges Wort, lauter närrisches Zeug zum Tot-
10 lachen. Er blieb aber immer mürrisch und ernsthaft, ungeachtet sich das
Eichhörnchen, die Meerkatze, der Papagei und der Gimpel alle Mühe gaben
ihn zu zerstreuen, und ihn auf den richtigen Weg zu weisen. Die Gans erzählte Märchen, der Bach klimperte eine Ballade dazwischen, ein großer
dicker Stein machte lächerliche Bockssprünge, die Rose schlich sich freundlich
15 hinter ihm herum, kroch durch seine Locken, und der Efeu streichelte ihm
die sorgenvolle Stirn. Allein der Mißmut und Ernst waren hartnäckig.
Seine Eltern waren sehr betrübt, sie wußten nicht, was sie anfangen sollten.
Er war gesund und aß, nie hatten sie ihn beleidigt, er war auch bis vor
wenig Jahren fröhlich und lustig gewesen wie keiner; bei allen Spielen
20 voran, von allen Mädchen gern gesehn. Er war recht bildschön, sah aus
wie gemalt, tanzte wie ein Schatz. Unter den Mädchen war eine, ein köstliches, bildschönes Kind, sah aus wie Wachs, Haare wie goldne Seide, kirsch-
rote Lippen, wie ein Püppchen gewachsen, brandrabenschwarze Augen. Wer
sie sah, hätte mögen vergehn, so lieblich war sie. Damals war Rosenblüte,
25 so hieß sie, dem bildschönen Hyazinth, so hieß er, von Herzen gut, und er
hatte sie lieb zum Sterben. Die andern Kinder wußten's nicht. Ein Veilchen hatte es ihnen zuerst gesagt, die Hauskätzchen hatten es wohl gemerkt,
die Häuser ihrer Eltern lagen nahe beisammen. Wenn nun Hyazinth die
Nacht an seinem Fenster stand und Rosenblüte an ihrem, und die Kätzchen
30 auf den Mäusefang da vorbeiliefen, da sahen sie die beiden stehn, und lachten
und kickerten oft so laut, daß sie es hörten und böse wurden. Das Veilchen
hatte es der Erdbeere im Vertrauen gesagt, die sagte es ihrer Freundin der
Stachelbeere, die ließ nun das Sticheln nicht, wenn Hyazinth gegangen
kam; so erfuhr's denn bald der ganze Garten und der Wald, und wenn
35 Hyazinth ausging, so rief's von allen Seiten: Rosenblütchen ist mein

Schätzchen! Nun ärgerte sich Hyazinth, und mußte doch auch wieder aus Herzensgrunde lachen, wenn das Eidechschen geschlüpft kam, sich auf einen warmen Stein setzte, mit dem Schwänzchen wedelte und sang:

> Rosenblütchen, das gute Kind,
> Ist geworden auf einmal blind,   5
> Denkt, die Mutter sei Hyazinth,
> Fällt ihm um den Hals geschwind;
> Merkt sie aber das fremde Gesicht,
> Denkt nur an, da erschrickt sie nicht,
> Fährt, als merkte sie kein Wort,   10
> Immer nur mit Küssen fort.

Ach! wie bald war die Herrlichkeit vorbei. Es kam ein Mann aus fremden Landen gegangen, der war erstaunlich weit gereist, hatte einen langen Bart, tiefe Augen, entsetzliche Augenbrauen, ein wunderliches Kleid mit vielen Falten und seltsame Figuren hineingewebt. Er setzte sich vor das 15 Haus, das Hyazinths Eltern gehörte. Nun war Hyazinth sehr neugierig, und setzte sich zu ihm und holte ihm Brot und Wein. Da tat er seinen weißen Bart voneinander und erzählte bis tief in die Nacht, und Hyazinth wich und wankte nicht, und wurde auch nicht müde zuzuhören. Soviel man nachher vernahm, so hat er viel von fremden Ländern, unbekannten Gegenden, 20 von erstaunlich wunderbaren Sachen erzählt, und ist drei Tage dageblieben, und mit Hyazinth in tiefe Schachten hinuntergekrochen. Rosenblütchen hat genug den alten Hexenmeister verwünscht, denn Hyazinth ist ganz versessen auf seine Gespräche gewesen, und hat sich um nichts bekümmert; kaum daß er ein wenig Speise zu sich genommen. Endlich hat jener sich fortgemacht, 25 doch dem Hyazinth ein Büchelchen dagelassen, das kein Mensch lesen konnte. Dieser hat ihm noch Früchte, Brot und Wein mitgegeben, und ihn weit weg begleitet. Und dann ist er tiefsinnig zurückgekommen, und hat einen ganz neuen Lebenswandel begonnen. Rosenblütchen hat recht zum Erbarmen um ihn getan, denn von der Zeit an hat er sich wenig aus ihr gemacht und 30 ist immer für sich geblieben. Nun begab sich's, daß er einmal nach Hause kam und war wie neugeboren. Er fiel seinen Eltern um den Hals, und weinte. ‚Ich muß fort in fremde Lande‘, sagte er, ‚die alte wunderliche Frau im Walde hat mir erzählt, wie ich gesund werden müßte, das Buch hat sie ins Feuer geworfen, und hat mich getrieben, zu euch zu gehn und euch um 35

euren Segen zu bitten. Vielleicht komme ich bald, vielleicht nie wieder.
Grüßt Rosenblütchen. Ich hätte sie gern gesprochen, ich weiß nicht, wie mir
ist, es drängt mich fort; wenn ich an die alten Zeiten zurückdenken will,
so kommen gleich mächtigere Gedanken dazwischen, die Ruhe ist fort, Herz
5 und Liebe mit, ich muß sie suchen gehn. Ich wollt' euch gern sagen, wohin,
ich weiß selbst nicht, dahin wo die Mutter der Dinge wohnt, die verschleierte
Jungfrau. Nach der ist mein Gemüt entzündet. Lebt wohl.' Er riß sich los
und ging fort. Seine Eltern wehklagten und vergossen Tränen, Rosenblütchen blieb in ihrer Kammer und weinte bitterlich. Hyazinth lief nun
10 was er konnte, durch Täler und Wildnisse, über Berge und Ströme, dem
geheimnisvollen Lande zu. Er fragte überall nach der heiligen Göttin (Isis)
Menschen und Tiere, Felsen und Bäume. Manche lachten, manche schwiegen,
nirgends erhielt er Bescheid. Im Anfange kam er durch rauhes, wildes
Land, Nebel und Wolken warfen sich ihm in den Weg, es stürmte immer-
15 fort; dann fand er unabsehliche Sandwüsten, glühenden Staub, und wie er
wandelte, so veränderte sich auch sein Gemüt, die Zeit wurde ihm lang und
die innre Unruhe legte sich, er wurde sanfter und das gewaltige Treiben
in ihm allgemach zu einem leisen, aber starken Zuge, in den sein ganzes
Gemüt sich auflöste. Es lag wie viele Jahre hinter ihm. Nun wurde die
20 Gegend auch wieder reicher und mannigfaltiger, die Luft lau und blau, der
Weg ebener, grüne Büsche lockten ihn mit anmutigen Schatten, aber er
verstand ihre Sprache nicht, sie schienen auch nicht zu sprechen, und doch
erfüllten sie auch sein Herz mit grünen Farben und kühlem, stillem Wesen.
Immer höher wuchs jene süße Sehnsucht in ihm, und immer breiter und
25 saftiger wurden die Blätter, immer lauter und lustiger die Vögel und
Tiere, balsamischer die Früchte, dunkler der Himmel, wärmer die Luft,
und heißer seine Liebe, die Zeit ging immer schneller, als sähe sie sich nahe
am Ziele. Eines Tages begegnete er einem kristallnen Quell und einer
Menge Blumen, die kamen in ein Tal herunter zwischen schwarzen himmel-
30 hohen Säulen. Sie grüßten ihn freundlich mit bekannten Worten. ‚Liebe
Landsleute‘, sagte er, ‚wo find' ich wohl den geheiligten Wohnsitz der Isis?
Hier herum muß er sein, und ihr seid vielleicht hier bekannter als ich.‘ —
‚Wir gehn auch nur hier durch‘, antworteten die Blumen; ‚eine Geister-
familie ist auf der Reise und wir bereiten ihr Weg und Quartier, indes
35 sind wir vor kurzem durch eine Gegend gekommen, da hörten wir ihren
Namen nennen. Gehe nur aufwärts, wo wir herkommen, so wirst du schon

mehr erfahren.' Die Blumen und die Quelle lächelten, wie sie das sagten, boten ihm einen frischen Trunk und gingen weiter. Hyazinth folgte ihrem Rat, frug und frug und kam endlich zu jener längst gesuchten Wohnung, die unter Palmen und andern köstlichen Gewächsen versteckt lag. Sein Herz klopfte in unendlicher Sehnsucht, und die süßeste Bangigkeit durch- 5 drang ihn in dieser Behausung der ewigen Jahreszeiten. Unter himmlischen Wohlgedüften entschlummerte er, weil ihn nur der Traum in das Aller- heiligste führen durfte. Wunderlich führte ihn der Traum durch unendliche Gemächer voll seltsamer Sachen auf lauter reizenden Klängen und in ab- wechselnden Akkorden. Es dünkte ihm alles so bekannt und doch in nie 10 gesehener Herrlichkeit, da schwand auch der letzte irdische Anflug, wie in Luft verzehrt, und er stand vor der himmlischen Jungfrau, da hob er den leichten, glänzenden Schleier, und Rosenblütchen sank in seine Arme. Eine ferne Musik umgab die Geheimnisse des liebenden Wiedersehns, die Ergießungen der Sehnsucht, und schloß alles Fremde von diesem entzücken- 15 den Orte aus. Hyazinth lebte nachher noch lange mit Rosenblütchen unter seinen frohen Eltern und Gespielen, und unzählige Enkel dankten der alten wunderlichen Frau für ihren Rat und ihr Feuer; denn damals be- kamen die Menschen soviel Kinder, als sie wollten." —

Die Lehrlinge umarmten sich und gingen fort. Die weiten hallenden Säle 20 standen leer und hell da, und das wunderbare Gespräch in zahllosen Sprachen unter den tausendfaltigen Naturen, die in diesen Sälen zu- sammengebracht und in mannigfaltigen Ordnungen aufgestellt waren, dauerte fort. Ihre innern Kräfte spielten gegeneinander. Sie strebten in ihre Freiheit, in ihre alten Verhältnisse zurück. Wenige standen auf ihrem 25 eigentlichen Platze, und sahen in Ruhe dem mannigfaltigen Treiben um sich her zu. Die übrigen klagten über entsetzliche Qualen und Schmerzen und bejammerten das alte, herrliche Leben im Schoße der Natur, wo sie eine gemeinschaftliche Freiheit vereinigte, und jedes von selbst erhielt, was es bedurfte. „Oh! daß der Mensch", sagten sie, „die innre Musik der Natur 30 verstände und einen Sinn für äußere Harmonie hätte. Aber er weiß ja kaum, daß wir zusammen gehören, und keins ohne das andere bestehen kann. Er kann nichts liegen lassen, tyrannisch trennt er uns und greift in lauter Dissonanzen herum. Wie glücklich könnte er sein, wenn er mit uns freundlich umginge, und auch in unsern großen Bund träte, wie ehemals 35

in der goldnen Zeit, wie er sie mit Recht nennt. In jener Zeit verstand er
uns, wie wir ihn verstanden. Seine Begierde, Gott zu werden, hat ihn
von uns getrennt, er sucht, was wir nicht wissen und ahnden können, und
seitdem ist er keine begleitende Stimme, keine Mitbewegung mehr. Er
5 ahndet wohl die unendliche Wollust, den ewigen Genuß in uns, und darum
hat er eine so wunderbare Liebe zu einigen unter uns. Der Zauber des
Goldes, die Geheimnisse der Farben, die Freuden des Wassers sind ihm
nicht fremd, in den Antiken ahndet er die Wunderbarkeit der Steine, und
dennoch fehlt ihm noch die süße Leidenschaft für das Weben der Natur,
10 das Auge für unsre entzückenden Mysterien. Lernt er nur einmal fühlen?
Diesen himmlischen, diesen natürlichsten aller Sinne kennt er noch wenig:
durch das Gefühl würde die alte, ersehnte Zeit zurückkommen; das Element
des Gefühls ist ein inneres Licht, was sich in schönern, kräftigern Farben
bricht. Dann gingen die Gestirne in ihm auf, er lernte die ganze Welt
15 fühlen, klärer und mannigfaltiger, als ihm das Auge jetzt Grenzen und
Flächen zeigt. Er würde Meister eines unendlichen Spiels und vergäße
alle törichten Bestrebungen in einem ewigen, sich selbst nährenden und immer
wachsenden Genusse. Das Denken ist nur ein Traum des Fühlens, ein erstorbenes Fühlen, ein blaßgraues, schwaches Leben."

20 Wie sie so sprachen, strahlte die Sonne durch die hohen Fenster, und in
ein sanftes Säuseln verlor sich der Lärm des Gesprächs; eine unendliche
Ahndung durchdrang alle Gestalten, die lieblichste Wärme verbreitete sich
über alle, und der wunderbarste Naturgesang erhob sich aus der tiefsten
Stille. Man hörte Menschenstimmen in der Nähe, die großen Flügeltüren
25 nach dem Garten zu wurden geöffnet, und einige Reisende setzten sich auf die
Stufen der breiten Treppe, in den Schatten des Gebäudes. Die reizende
Landschaft lag in schöner Erleuchtung vor ihnen, und im Hintergrunde
verlor sich der Blick an blauen Gebirgen hinauf. Freundliche Kinder brachten mannigfaltige Speisen und Getränke, und bald begann ein lebhaftes
30 Gespräch unter ihnen.

„Auf alles, was der Mensch vornimmt, muß er seine ungeteilte Aufmerksamkeit oder sein Ich richten", sagte endlich der eine, „und wenn er
dieses getan hat, so entstehn bald Gedanken, oder eine neue Art von Wahrnehmungen, die nichts als zarte Bewegungen eines färbenden oder klappern-
35 den Stifts, oder wunderliche Zusammenziehungen und Figurationen einer
elastischen Flüssigkeit zu sein scheinen, auf eine wunderbare Weise in ihm.

Sie verbreiten sich von dem Punkte, wo er den Eindruck feststach, nach allen
Seiten mit lebendiger Beweglichkeit und nehmen sein Ich mit fort. Er
kann dieses Spiel oft gleich wieder vernichten, indem er seine Aufmerksamkeit wieder teilt oder nach Willkür herumschweifen läßt, denn sie scheinen
nichts als Strahlen und Wirkungen, die jenes Ich nach allen Seiten zu in 5
jenem elastischen Medium erregt, oder seine Brechungen in demselben, oder
überhaupt ein seltsames Spiel der Wellen dieses Meers mit der starren
Aufmerksamkeit zu sein. Höchst merkwürdig ist es, daß der Mensch erst in
diesem Spiele seine Eigentümlichkeit, seine spezifische Freiheit recht gewahr
wird, und daß es ihm vorkommt, als erwache er aus einem tiefen Schlafe, 10
als sei er nun erst in der Welt zu Hause, und verbreite jetzt erst das Licht
des Tages sich über seine innere Welt. Er glaubt es am höchsten gebracht
zu haben, wenn er, ohne jenes Spiel zu stören, zugleich die gewöhnlichen
Geschäfte der Sinne vornehmen, und empfinden und denken zugleich kann.
Dadurch gewinnen beide Wahrnehmungen: die Außenwelt wird durch- 15
sichtig, und die Innenwelt mannigfaltig und bedeutungsvoll, und so befindet
sich der Mensch in einem innig lebendigen Zustande zwischen zwei Welten
in der vollkommensten Freiheit und dem freudigsten Machtgefühl. Es ist
natürlich, daß der Mensch diesen Zustand zu verewigen und ihn über die
ganze Summe seiner Eindrücke zu verbreiten sucht; daß er nicht müde wird, 20
diese Assoziationen beider Welten zu verfolgen, und ihren Gesetzen und ihren
Sympathien und Antipathien nachzuspüren. Den Inbegriff dessen, was uns
rührt, nennt man die Natur, und also steht die Natur in einer unmittelbaren
Beziehung auf die Gliedmaßen unsers Körpers, die wir Sinne nennen. Unbekannte und geheimnisvolle Beziehungen unsers Körpers lassen unbekannte 25
und geheimnisvolle Verhältnisse der Natur vermuten, und so ist die Natur
jene wunderbare Gemeinschaft, in die unser Körper uns einführt, und die
wir nach dem Maße seiner Einrichtungen und Fähigkeiten kennenlernen.
Es frägt sich, wo wir die Natur der Naturen durch diese spezielle Natur
wahrhaft begreifen lernen können, und inwiefern unsre Gedanken und die 30
Intensität unsrer Aufmerksamkeit durch dieselbe bestimmt werden, oder sie
bestimmen, und dadurch von der Natur losreißen und vielleicht ihre zarte
Nachgiebigkeit verderben. Man sieht wohl, daß diese innern Verhältnisse
und Einrichtungen unsers Körpers vor allen Dingen erforscht werden
müssen, ehe wir diese Frage zu beantworten und in die Natur der Dinge 35
zu bringen hoffen können. Es ließe sich jedoch auch denken, daß wir über-

haupt erst uns mannigfach im Denken müßten geübt haben, ehe wir uns an
dem innern Zusammenhang unsers Körpers versuchen und seinen Verstand
zum Verständnis der Natur gebrauchen könnten, und da wäre freilich nichts
natürlicher, als alle mögliche Bewegungen des Denkens hervorzubringen
5 und eine Fertigkeit in diesem Geschäft, sowie eine Leichtigkeit zu erwerben,
von einer zur andern überzugehen und sie mannigfach zu verbinden und zu
zerlegen. Zu dem Ende müßte man alle Eindrücke aufmerksam betrachten,
das dadurch entstehende Gedankenspiel ebenfalls genau bemerken, und sollten dadurch abermals neue Gedanken entstehn, auch diesen zusehn, um so
10 allmählich ihren Mechanismus zu erfahren und durch eine oftmalige Wiederholung die mit jedem Eindruck beständig verbundnen Bewegungen von
den übrigen unterscheiden und behalten zu lernen. Hätte man dann nur erst
einige Bewegungen, als Buchstaben der Natur, herausgebracht, so würde
das Dechiffrieren immer leichter vonstatten gehn, und die Macht über die
15 Gedankenerzeugung und Bewegung den Beobachter instand setzen, auch ohne
vorhergegangenen wirklichen Eindruck, Naturgedanken hervorzubringen und
Naturkompositionen zu entwerfen, und dann wäre der Endzweck erreicht."

„Es ist wohl viel gewagt", sagte ein anderer, „so aus den äußerlichen
Kräften und Erscheinungen der Natur sie zusammensetzen zu wollen und
20 sie bald für ein ungeheures Feuer, bald für einen wunderbar gestalteten
Fall, bald für eine Zweiheit oder Dreiheit, oder für irgendeine andere selt-
samliche Kraft auszugeben. Es wäre denkbarer, daß sie das Erzeugnis eines
unbegreiflichen Einverständnisses unendlich verschiedner Wesen wäre, das
wunderbare Band der Geisterwelt, der Vereinigungs- und Berührungs-
25 punkt unzähliger Welten."

„Laß es gewagt sein", sprach ein Dritter; „je willkürlicher das Netz
gewebt ist, das der kühne Fischer auswirft, desto glücklicher ist der Fang.
Man ermuntre nur jeden, seinen Gang so weit als möglich fortzusetzen, und
jeder sei willkommen, der mit einer neuen Phantasie die Dinge überspinnt.
30 Glaubst du nicht, daß es gerade die gut ausgeführten Systeme sein werden,
aus denen der künftige Geograph der Natur die Data zu seiner großen
Naturkarte nimmt? Sie wird er vergleichen, und diese Vergleichung wird
uns das sonderbare Land erst kennen lehren. Die Erkenntnis der Natur
wird aber noch himmelweit von ihrer Auslegung verschieden sein. Der
35 eigentliche Chiffrierer wird vielleicht dahin kommen, mehrere Naturkräfte
zugleich zu Hervorbringung herrlicher und nützlicher Erscheinungen in

Bewegung zu setzen, er wird auf der Natur wie auf einem großen
Instrument phantasieren können, und doch wird er die Natur nicht verstehn.
Dies ist die Gabe des Naturhistorikers, des Zeitensehers, der vertraut mit
der Geschichte der Natur, und bekannt mit der Welt, diesem höheren Schauplatz der Naturgeschichte, ihre Bedeutungen wahrnimmt und weissagend 5
verkündigt. Noch ist dieses Gebiet ein unbekanntes, ein heiliges Feld.
Nur göttliche Gesandte haben einzelne Worte dieser höchsten Wissenschaft
fallen lassen, und es ist nur zu verwundern, daß die ahndungsvollen Geister
sich diese Ahndung haben entgehn lassen und die Natur zur einförmigen
Maschine, ohne Vorzeit und Zukunft, erniedrigt haben. Alles Göttliche 10
hat eine Geschichte, und die Natur, dieses einzige Ganze, womit der Mensch
sich vergleichen kann, sollte nicht so gut wie der Mensch in einer Geschichte
begriffen sein oder, welches eins ist, einen Geist haben? Die Natur wäre
nicht die Natur, wenn sie keinen Geist hätte, nicht jenes einzige Gegenbild
der Menschheit, nicht die unentbehrliche Antwort dieser geheimnisvollen 15
Frage, oder die Frage zu dieser unendlichen Antwort."

„Nur die Dichter haben es gefühlt, was die Natur den Menschen sein
kann", begann ein schöner Jüngling, „und man kann auch hier von ihnen
sagen, daß sich die Menschheit in ihnen in der vollkommensten Auflösung
befindet, und daher jeder Eindruck durch ihre Spiegelhelle und Beweglich- 20
keit rein in allen seinen unendlichen Veränderungen nach allen Seiten fort-
gepflanzt wird. Alles finden sie in der Natur. Ihnen allein bleibt die Seele
derselben nicht fremd, und sie suchen in ihrem Umgang alle Seligkeiten der
goldnen Zeit nicht umsonst. Für sie hat die Natur alle Abwechselungen
eines unendlichen Gemüts, und mehr als der geistvollste, lebendigste Mensch 25
überrascht sie durch sinnreiche Wendungen und Einfälle, Begegnungen und
Abweichungen, große Ideen und Bizarrerien. Der unerschöpfliche Reichtum ihrer Phantasie läßt keinen vergebens ihren Umgang aufsuchen. Alles
weiß sie zu verschönern, zu beleben, zu bestätigen, und wenn auch im einzelnen
ein bewußtloser, nichtsbedeutender Mechanismus allein zu herrschen scheint, 30
so sieht doch das tiefer sehende Auge eine wunderbare Sympathie mit dem
menschlichen Herzen im Zusammentreffen und in der Folge der einzelnen
Zufälligkeiten. Der Wind ist eine Luftbewegung, die manche äußere Ursachen
haben kann, aber ist er dem einsamen, sehnsuchtsvollen Herzen nicht mehr,
wenn er vorübersaust, von geliebten Gegenden herweht und mit tausend 35
dunkeln, wehmütigen Lauten den stillen Schmerz in einen tiefen melodischen

Seufzer der ganzen Natur aufzulösen scheint? Fühlt nicht so auch im jungen, bescheidnen Grün der Frühlingswiesen der junge Liebende seine ganze blumenschwangre Seele mit entzückender Wahrheit ausgesprochen, und ist je die Üppigkeit einer nach süßer Auflösung in goldnen Wein lüsternen
5 Seele köstlicher und erwecklicher erschienen als in einer vollen, glänzenden Traube, die sich unter den breiten Blättern halb versteckt? Man beschuldigt die Dichter der Übertreibung, und hält ihnen ihre bildliche uneigentliche Sprache gleichsam nur zugute, ja man begnügt sich ohne tiefere Unter- suchung, ihrer Phantasie jene wunderliche Natur zuzuschreiben, die manches
10 sieht und hört, was andere nicht hören und sehen, und die in einem lieblichen Wahnsinn mit der wirklichen Welt nach ihrem Belieben schaltet und waltet; aber mir scheinen die Dichter noch bei weitem nicht genug zu übertreiben, nur dunkel den Zauber jener Sprache zu ahnden und mit der Phantasie nur so zu spielen, wie ein Kind mit dem Zauberstabe seines Vaters spielt.
15 Sie wissen nicht, welche Kräfte ihnen untertan sind, welche Welten ihnen gehorchen müssen. Ist es denn nicht wahr, daß Steine und Wälder der Musik gehorchen und, von ihr gezähmt, sich jedem Willen wie Haustiere fügen? — Blühen nicht wirklich die schönsten Blumen um die Geliebte und freuen sich sie zu schmücken? Wird für sie der Himmel nicht heiter und
20 das Meer nicht eben? — Drückt nicht die ganze Natur, so gut wie das Gesicht und die Gebärden, der Puls und die Farben, den Zustand eines jeden der höheren, wunderbaren Wesen aus, die wir Menschen nennen? Wird nicht der Fels ein eigentümliches Du, eben wenn ich ihn anrede? Und was bin ich anders als der Strom, wenn ich wehmütig in seine Wellen
25 hinabschaue, und die Gedanken in seinem Gleiten verliere? Nur ein ruhiges, genußvolles Gemüt wird die Pflanzenwelt, nur ein lustiges Kind oder ein Wilder die Tiere verstehn. — Ob jemand die Steine und Gestirne schon verstand, weiß ich nicht, aber gewiß muß dieser ein erhabnes Wesen gewesen sein. In jenen Statuen, die aus einer untergegangenen Zeit der Herrlich-
30 keit des Menschengeschlechts übriggeblieben sind, leuchtet allein so ein tiefer Geist, so ein seltsames Verständnis der Steinwelt hervor, und überzieht den sinnvollen Betrachter mit einer Steinrinde, die nach innen zu wachsen scheint. Das Erhabne wirkt versteinernd, und so dürften wir uns nicht über das Erhabne der Natur und seine Wirkungen wundern, oder nicht wissen,
35 wo es zu suchen sei. Könnte die Natur nicht über den Anblick Gottes zu Stein geworden sein? Oder vor Schrecken über die Ankunft des Menschen?"

Über diese Rede war der, welcher zuerst gesprochen hatte, in tiefe Betrachtung gesunken, die fernen Berge wurden buntgefärbt, und der Abend
legte sich mit süßer Vertraulichkeit über die Gegend. Nach einer langen
Stille hörte man ihn sagen: „Um die Natur zu begreifen, muß man die
Natur innerlich in ihrer ganzen Folge entstehen lassen. Bei dieser Unter- 5
nehmung muß man sich bloß von der göttlichen Sehnsucht nach Wesen, die
uns gleich sind, und den notwendigen Bedingungen dieselben zu vernehmen,
bestimmen lassen, denn wahrhaft die ganze Natur ist nur als Werkzeug
und Medium des Einverständnisses vernünftiger Wesen begreiflich. Der
denkende Mensch kehrt zur ursprünglichen Funktion seines Daseins, zur 10
schaffenden Betrachtung, zu jenem Punkte zurück, wo Hervorbringen und
Wissen in der wundervollsten Wechselverbindung standen, zu jenem schöpferischen Moment des eigentlichen Genusses, des innern Selbstempfäng-
nisses. Wenn er nun ganz in die Beschauung dieser Urerscheinung versinkt, so entfaltet sich vor ihm in neu entstehenden Zeiten und Räumen, wie 15
ein unermeßliches Schauspiel, die Erzeugungsgeschichte der Natur, und jeder
feste Punkt, der sich in der unendlichen Flüssigkeit ansetzt, wird ihm eine
n˗ue Offenbarung des Genius der Liebe, ein neues Band des Du und des
Ich. Die sorgfältige Beschreibung dieser innern Weltgeschichte ist die wahre
Theorie der Natur; durch den Zusammenhang seiner Gedankenwelt in sich, 20
und ihre Harmonie mit dem Universum, bildet sich von selbst ein Gedanken-
system zur getreuen Abbildung und Formel des Universums. Aber die Kunst
des ruhigen Beschauens, der schöpferischen Weltbetrachtung ist schwer, un-
aufhörliches ernstes Nachdenken und strenge Nüchternheit fordert die Ausführung, und die Belohnung wird kein Beifall der mühescheuenden Zeit- 25
genossen, sondern nur eine Freude des Wissens und Wachens, eine innigere
Berührung des Universums sein.“

„Ja“, sagte der Zweite, „nichts ist so bemerkenswert als das große Zugleich in der Natur. Überall scheint die Natur ganz gegenwärtig. In der
Flamme eines Lichts sind alle Naturkräfte tätig, und so repräsentiert und 30
verwandelt sie sich überall und unaufhörlich, treibt Blätter, Blüten und
Früchte zusammen, und ist mitten in der Zeit gegenwärtig, vergangen und
zukünftig zugleich; und wer weiß, in welche eigne Art von Ferne sie ebenfalls wirkt und ob nicht dieses Natursystem nur eine Sonne ist im Universo,
die durch Bande an dasselbe geknüpft ist, durch ein Licht und einen Zug 35
und Einflüsse, die zunächst in unserm Geiste sich deutlicher vernehmen lassen,

und aus ihm heraus den Geist des Universums über diese Natur ausgießen,
und den Geist dieser Natur an andere Natursysteme verteilen."

„Wenn der Denker", sprach der Dritte, „mit Recht als Künstler den
tätigen Weg betritt, und durch eine geschickte Anwendung seiner geistigen
5 Bewegungen das Weltall auf eine einfache, rätselhaft scheinende Figur
zu reduzieren sucht, ja man möchte sagen die Natur tanzt, und mit Worten
die Linien der Bewegungen nachschreibt, so muß der Liebhaber der Natur
dieses kühne Unternehmen bewundern, und sich auch über das Gedeihen
dieser menschlichen Anlage freuen. Billig stellt der Künstler die Tätigkeit
10 obenan, denn sein Wesen ist Tun und Hervorbringen mit Wissen und
Willen, und seine Kunst ist, sein Werkzeug zu allem gebrauchen, die Welt
auf seine Art nachbilden zu können, und darum wird das Prinzip seiner
Welt Tätigkeit, und seine Welt seine Kunst. Auch hier wird die Natur
in neuer Herrlichkeit sichtbar, und nur der gedankenlose Mensch wirft die
15 unleserlichen, wunderlich gemischten Worte mit Verachtung weg. Dankbar
legt der Priester diese neue, erhabene Meßkunst auf den Altar zu der
magnetischen Nadel, die sich nie verirrt, und zahllose Schiffe auf dem pfad-
losen Ozean zu bewohnten Küsten und den Häfen des Vaterlandes zurück-
führte. Außer dem Denker gibt es aber noch andre Freunde des Wissens,
20 die dem Hervorbringen durch Denken nicht vorzüglich zugetan, und also
ohne Beruf zu dieser Kunst, lieber Schüler der Natur werden, ihre Freude
im Lernen, nicht im Lehren, im Erfahren, nicht im Machen, im Empfangen,
nicht im Geben finden. Einige sind geschäftig und nehmen im Vertrauen
auf die Allgegenwart und die innige Verwandtschaft der Natur, mithin
25 auch im voraus von der Unvollständigkeit und der Kontinuität alles einzelnen überzeugt, irgendeine Erscheinung mit Sorgfalt auf und halten den
in tausend Gestalten sich verwandelnden Geist derselben mit stetem Blicke
fest, und gehn dann an diesem Faden durch alle Schlupfwinkel der geheimen
Werkstätte, um eine vollständige Verzeichnung dieser labyrinthischen Gänge
30 entwerfen zu können. Sind sie mit dieser mühseligen Arbeit fertig, so ist
auch unvermerkt ein höherer Geist über sie gekommen, und es wird ihnen
dann leicht, über die vorliegende Karte zu reden und jedem Suchenden seinen
Weg vorzuschreiben. Unermeßlicher Nutzen segnet ihre mühsame Arbeit,
und der Grundriß ihrer Karte wird auf eine überraschende Weise mit dem
35 Systeme des Denkers übereinstimmen, und sie werden diesem zum Trost
gleichsam den lebendigen Beweis seiner abstrakten Sätze unwillkürlich ge-

führt haben. Die Müßigsten unter ihnen erwarten kindlich von liebevoller
Mitteilung höherer, von ihnen mit Inbrunst verehrter Wesen die ihnen
nützliche Kenntnis der Natur. Sie mögen Zeit und Aufmerksamkeit in
diesem kurzen Leben nicht Geschäften widmen, und dem Dienste der Liebe
entziehn. Durch frommes Betragen suchen sie nur Liebe zu gewinnen, nur 5
Liebe mitzuteilen, unbekümmert um das große Schauspiel der Kräfte,
ruhig ihrem Schicksale in diesem Reiche der Macht ergeben, weil das innige
Bewußtsein ihrer Unzertrennlichkeit von den geliebten Wesen sie erfüllt,
und die Natur sie nur als Abbild und Eigentum derselben rührt. Was
brauchen diese glücklichen Seelen zu wissen, die das beste Teil erwählt haben, 10
und als reine Flammen der Liebe in dieser irdischen Welt nur auf den
Spitzen der Tempel oder auf umhergetriebenen Schiffen als Zeichen des
überströmenden himmlischen Feuers lodern? Oft erfahren diese liebenden
Kinder in seligen Stunden herrliche Dinge aus den Geheimnissen der
Natur, und tun sie in unbewußter Einfalt kund. Ihren Tritten folgt der 15
Forscher, um jedes Kleinod zu sammeln, was sie in ihrer Unschuld und
Freude haben fallen lassen, ihrer Liebe huldigt der mitfühlende Dichter
und sucht durch seine Gesänge diese Liebe, diesen Keim des goldnen Alters,
in andre Zeiten und Länder zu verpflanzen."

„Wem regt sich nicht", rief der Jüngling mit funkelndem Auge, „das 20
Herz in hüpfender Lust, wenn ihm das innerste Leben der Natur in seiner
ganzen Fülle in das Gemüt kommt! wenn dann jenes mächtige Gefühl,
wofür die Sprache keine andere Namen als Liebe und Wollust hat, sich in
ihm ausdehnt, wie ein gewaltiger, alles auflösender Dunst, und er bebend
in süßer Angst in den dunkeln lockenden Schoß der Natur versinkt, die 25
arme Persönlichkeit in den überschlagenden Wogen der Lust sich verzehrt,
und nichts als ein Brennpunkt der unermeßlichen Zeugungskraft, ein ver-
schluckender Wirbel im großen Ozean übrigbleibt! Was ist die überall
erscheinende Flamme? Eine innige Umarmung, deren süße Frucht in
wollüstigen Tropfen heruntertaut. Das Wasser, dieses erstgeborne Kind 30
luftiger Verschmelzungen, kann seinen wollüstigen Ursprung nicht verleugnen und zeigt sich als Element der Liebe und der Mischung mit himmlischer Allgewalt auf Erden. Nicht unwahr haben alte Weisen im Wasser
den Ursprung der Dinge gesucht, und wahrlich sie haben von einem höhern
Wasser als dem Meer- und Quellwasser gesprochen. In jenem offenbaret 35
sich nur das Urflüssige, wie es im flüssigen Metall zum Vorschein kommt,

und darum mögen die Menschen es immer auch nur göttlich verehren. Wie
wenige haben sich noch in die Geheimnisse des Flüssigen vertieft und manchem
ist diese Ahndung des höchsten Genusses und Lebens wohl nie in der trun-
kenen Seele aufgegangen. Im Durste offenbaret sich diese Weltseele, diese
5 gewaltige Sehnsucht nach dem Zerfließen. Die Berauschten fühlen nur zu
gut diese überirdische Wonne des Flüssigen, und am Ende sind alle angenehme Empfindungen in uns mannigfache Zerfließungen, Regungen jener
Urgewässer in uns. Selbst der Schlaf ist nichts als die Flut jenes unsichtbaren Weltmeers, und das Erwachen das Eintreten der Ebbe. Wie viele
10 Menschen stehn an den berauschenden Flüssen und hören nicht das Wiegen-
lied dieser mütterlichen Gewässer, und genießen nicht das entzückende Spiel
ihrer unendlichen Wellen! Wie diese Wellen, lebten wir in der goldnen
Zeit; in buntfarbigen Wolken, diesen schwimmenden Meeren und Urquellen
des Lebendigen auf Erden, liebten und erzeugten sich die Geschlechter der
15 Menschen in ewigen Spielen; wurden besucht von den Kindern des Himmels
und erst in jener großen Begebenheit, welche heilige Sagen die Sündflut
nennen, ging diese blühende Welt unter; ein feindliches Wesen schlug die
Erde nieder, und einige Menschen blieben geschwemmt auf die Klippen
der neuen Gebirge in der fremden Welt zurück. Wie seltsam, daß gerade die
20 heiligsten und reizendsten Erscheinungen der Natur in den Händen so toter
Menschen sind, als die Scheidekünstler zu sein pflegen! Sie, die den schöpferischen Sinn der Natur mit Macht erwecken, nur ein Geheimnis der
Liebenden, Mysterien der höhern Menschheit sein sollten, werden mit
Schamlosigkeit und sinnlos von rohen Geistern hervorgerufen, die nie
25 wissen werden, welche Wunder ihre Gläser umschließen. Nur Dichter sollten mit dem Flüssigen umgehn, und von ihm der glühenden Jugend erzählen
dürfen; die Werkstätten wären Tempel und mit neuer Liebe würden die
Menschen ihre Flamme und ihre Flüsse verehren und sich ihrer rühmen.
Wie glücklich würden die Städte sich wieder dünken, die das Meer oder
30 ein großer Strom bespült, und jede Quelle würde wieder die Freistätte der
Liebe und der Aufenthalt der erfahrnen und geistreichen Menschen. Darum
lockt auch die Kinder nichts mehr als Feuer und Wasser, und jeder Strom
verspricht ihnen, in die bunte Ferne, in schönere Gegenden sie zu führen.
Es ist nicht bloß Widerschein, daß der Himmel im Wasser liegt, es ist eine
35 zarte Befreundung, ein Zeichen der Nachbarschaft, und wenn der unerfüllte
Trieb in die unermeßliche Höhe will, so versinkt die glückliche Liebe gern

in die endlose Tiefe. Aber es ist umsonst, die Natur lehren und predigen
zu wollen. Ein Blindgeborner lernt nicht sehen, und wenn man ihm noch
soviel von Farben und Lichtern und fernen Gestalten erzählen wollte.
So wird auch keiner die Natur begreifen, der kein Naturorgan, kein innres
naturerzeugendes und absonderndes Werkzeug hat, der nicht, wie von selbst,   5
überall die Natur an allem erkennt und unterscheidet und mit angeborner
Zeugungslust, in inniger mannigfaltiger Verwandtschaft mit allen Körpern,
durch das Medium der Empfindung sich mit allen Naturwesen vermischt,
sich gleichsam in sie hineinfühlt. Wer aber einen richtigen und geübten
Natursinn hat, der genießt die Natur, indem er sie studiert, und freut sich   10
ihrer unendlichen Mannigfaltigkeit, ihrer Unerschöpflichkeit im Genusse,
und bedarf nicht, daß man ihn mit unnützen Worten in seinen Genüssen
störe. Ihm dünkt vielmehr, daß man nicht heimlich genug mit der Natur
umgehen, nicht zart genug von ihr reden, nicht ungestört und aufmerksam
genug sie beschauen kann. Er fühlt sich in ihr wie am Busen seiner züchtigen   15
Braut und vertraut auch nur dieser seine erlangten Einsichten in süßen ver-
traulichen Stunden. Glücklich preis' ich diesen Sohn, diesen Liebling der
Natur, dem sie verstattet sie in ihrer Zweiheit, als erzeugende und gebärende
Macht, und in ihrer Einheit, als eine unendliche, ewigdauernde Ehe, zu
betrachten. Sein Leben wird eine Fülle aller Genüsse, eine Kette der Wollust   20
und seine Religion der eigentliche, echte Naturalismus sein."

Unter dieser Rede hatte sich der Lehrer mit seinen Lehrlingen der Gesellschaft genähert. Die Reisenden standen auf und begrüßten ihn ehrfuchts-
voll. Eine erfrischende Kühlung verbreitete sich aus den dunkeln Laub-
gängen über den Platz und die Stufen. Der Lehrer ließ einen jener seltnen   25
leuchtenden Steine bringen, die man Karfunkel nennt, und ein hellrotes,
kräftiges Licht goß sich über die verschiednen Gestalten und Kleidungen aus.
Es entspann sich bald eine freundliche Mitteilung unter ihnen. Während
eine Musik aus der Ferne sich hören ließ und eine kühlende Flamme aus
Kristallschalen in die Lippen der Sprechenden hineinloderte, erzählten die   30
Fremden merkwürdige Erinnerungen ihrer weiten Reisen. Voll Sehnsucht
und Wißbegierde hatten sie sich aufgemacht, um die Spuren jenes verlorengegangenen Urvolks zu suchen, dessen entartete und verwilderte Reste die heutige Menschheit zu sein schiene, dessen hoher Bildung sie noch die wichtigsten
und unentbehrlichsten Kenntnisse und Werkzeuge zu danken hat. Vorzüglich   35

hatte sie jene heilige Sprache gelockt, die das glänzende Band jener königlichen Menschen mit überirdischen Gegenden und Bewohnern gewesen war, und von der einige Worte, nach dem Verlaut mannigfaltiger Sagen, noch im Besitz einiger glücklichen Weisen unter unsern Vorfahren gewesen sein 5 mögen. Ihre Aussprache war ein wunderbarer Gesang, dessen unwiderstehliche Töne tief in das Innere jeder Natur eindrangen und sie zerlegten. Jeder ihrer Namen schien das Losungswort für die Seele jedes Naturkörpers. Mit schöpferischer Gewalt erregten diese Schwingungen alle Bilder der Welterscheinungen, und von ihnen konnte man mit Recht sagen, daß 10 das Leben des Universums ein ewiges tausendstimmiges Gespräch sei; denn in ihrem Sprechen schienen alle Kräfte, alle Arten der Tätigkeit auf das unbegreiflichste vereinigt zu sein. Die Trümmer dieser Sprache, wenigstens alle Nachrichten von ihr, aufzusuchen, war ein Hauptzweck ihrer Reise gewesen, und der Ruf des Altertums hatte sie auch nach Sais gezogen. Sie 15 hofften hier von den erfahrnen Vorstehern des Tempelarchivs wichtige Nachrichten zu erhalten, und vielleicht in den großen Sammlungen aller Art selbst Aufschlüsse zu finden. Sie baten den Lehrer um die Erlaubnis, eine Nacht im Tempel schlafen, und seinen Lehrstunden einige Tage beiwohnen zu dürfen. Sie erhielten was sie wünschten, und freuten sich innig, 20 wie der Lehrer aus dem Schatze seiner Erfahrungen ihre Erzählungen mit mannigfaltigen Bemerkungen begleitete und eine Reihe lehrreicher und anmutiger Geschichten und Beschreibungen vor ihnen entwickelte. Endlich kam er auch auf das Geschäft seines Alters, den unterschiednen Natursinn in jungen Gemütern zu erwecken, zu üben, zu schärfen und ihn mit den 25 andern Anlagen zu höheren Blüten und Früchten zu verknüpfen.

„Ein Verkündiger der Natur zu sein, ist ein schönes und heiliges Amt", sagte der Lehrer. „Nicht der bloße Umfang und Zusammenhang der Kenntnisse, nicht die Gabe, diese Kenntnisse leicht und rein an bekannte Begriffe und Erfahrungen anzuknüpfen, und die eigentümlichen fremd klingenden 30 Worte mit gewöhnlichen Ausdrücken zu vertauschen, selbst nicht die Geschicklichkeit einer reichen Einbildungskraft, die Naturerscheinungen in leicht faßliche und treffend beleuchtete Gemälde zu ordnen, die entweder durch den Reiz der Zusammenstellung und den Reichtum des Inhalts die Sinne spannen und befriedigen, oder den Geist durch eine tiefe Bedeutung ent- 35 zücken, alles dies macht noch nicht das echte Erfordernis eines Naturkündigers aus. Wem es um etwas anders zu tun ist als um die Natur,

dem ist es vielleicht genug, aber wer eine innige Sehnsucht nach der Natur
spürt, wer in ihr alles sucht, und gleichsam ein empfindliches Werkzeug
ihres geheimen Tuns ist, der wird nur den für seinen Lehrer und für den
Vertrauten der Natur erkennen, der mit Andacht und Glauben von ihr
spricht, dessen Reden die wunderbare, unnachahmliche Eindringlichkeit und   5
Unzertrennlichkeit haben, durch die sich wahre Evangelia, wahre Eingebungen ankündigen. Die ursprünglich günstige Anlage eines solchen natürlichen
Gemüts muß durch unabläſſigen Fleiß von Jugend auf, durch Einsamkeit
und Stillschweigen, weil vieles Reden sich nicht mit der steten Aufmerksamkeit verträgt, die ein solcher anwenden muß, durch kindliches, bescheidnes   10
Wesen und unermüdliche Geduld unterstützt und ausgebildet sein. Die Zeit
läßt sich nicht bestimmen, wie bald einer ihrer Geheimnisse teilhaftig wird.
Manche Beglückte gelangten früher, manche erst im hohen Alter dazu. Ein
wahrer Forscher wird nie alt, jeder ewige Trieb ist außer dem Gebiete der
Lebenszeit, und je mehr die äußere Hülle verwittert, desto heller und glän-   15
zender und mächtiger wird der Kern. Auch haftet diese Gabe nicht an äußerer
Schönheit, oder Kraft, oder Einsicht, oder irgendeinem menschlichen Vorzug. In allen Ständen, unter jedem Alter und Geschlecht, in allen Zeitaltern und unter jedem Himmelsstriche hat es Menschen gegeben, die von
der Natur zu ihren Lieblingen ausersehn und durch inneres Empfängnis   20
beglückt waren. Oft schienen diese Menschen einfältiger und ungeschickter
zu sein als andere, und blieben ihr ganzes Leben hindurch in der Dunkelheit
des großen Haufens. Es ist sogar als eine rechte Seltenheit zu achten,
wenn man das wahre Naturverständnis bei großer Beredsamkeit, Klugheit
und einem prächtigen Betragen findet, da es gemeiniglich die einfachen   25
Worte, den geraden Sinn, und ein schlichtes Wesen hervorbringt oder begleitet. In den Werkstätten der Handwerker und Künstler, und da, wo die
Menschen in vielfältigem Umgang und Streit mit der Natur sind, als da
ist beim Ackerbau, bei der Schiffahrt, bei der Viehzucht, bei den Erzgruben,
und so bei vielen andern Gewerben, scheint die Entwickelung dieses Sinns   30
am leichtesten und öftersten stattzufinden. Wenn jede Kunst in der Erkenntnis der Mittel, einen gesuchten Zweck zu erreichen, eine bestimmte Wirkung
und Erscheinung hervorzubringen, und in der Fertigkeit, diese Mittel zu
wählen und anzuwenden, besteht, so muß derjenige, der den innern Beruf
fühlt, das Naturverständnis mehreren Menschen gemein zu machen, diese   35
Anlage in den Menschen vorzüglich zu entwickeln, und zu pflegen, zuerst auf

die natürlichen Anläſſe dieſer Entwicklung ſorgfältig zu achten und die
Grundzüge dieſer Kunſt der Natur abzulernen ſuchen. Mit Hilfe dieſer
erlangten Einſichten wird er ſich ein Syſtem der Anwendung dieſer Mittel
bei jedem gegebenen Individuum, auf Verſuche, Zergliederung und Ver-
5 gleichung gegründet, bilden, ſich dieſes Syſtem bis zur andern Natur an-
eignen und dann mit Enthuſiasmus ſein belohnendes Geſchäft anfangen.
Nur dieſen wird man mit Recht einen Lehrer der Natur nennen können,
da jeder andre bloße Naturaliſt nur zufällig und ſympathetiſch, wie ein
Naturerzeugnis ſelbſt, den Sinn für die Natur erwecken wird."

*

10 # Fragmente von Novalis

Der Phyſiker

... Zur Wiſſenſchaft iſt der Menſch nicht allein beſtimmt, der Menſch
muß Menſch ſein, zur Menſchheit iſt er beſtimmt, Univerſaltendenz iſt dem
eigentlichen Gelehrten unentbehrlich. Aber nie muß der Menſch wie ein
15 Phantaſt etwas Unbeſtimmtes, ein Kind der Phantaſie, ein Ideal ſuchen.
Er gehe nur von beſtimmter Aufgabe zu beſtimmter Aufgabe fort. Eine unbekannte Geliebte hat freilich einen magiſchen Reiz. Das Streben nach dem
Unbekannten, Unbeſtimmten iſt äußerſt gefährlich und nachteilig. Offenbarungen laſſen ſich nicht mit Gewalt erzwingen.
20 Der echt idealiſtiſche Weg des Phyſikers iſt nicht, aus dem Einfachen,
Zerſplitterten das Zuſammengeſetzte, Verbundene, ſondern umgekehrt zu
erklären. Aus einem Naturſtand wird nie ein Staat, aber wohl aus
einem Staat ein Naturſtand entſtehen. Durch Ausartung iſt die Natur
entſtanden. Aus der Senſibilität erklärt die Schwere, nicht aus Schwere,
25 Elektrizität etc. die Senſibilität. Aus Gedanken erklärt die Entſtehung
der Schwere. Der Geiſterwelt gehört das erſte Kapitel in der Phyſik. Die
Natur kann nicht ſtillſtehend, ſie kann nur fortgehend zur Moralität erklärt werden.
Einſt ſoll keine Natur mehr ſein. In eine Geiſterwelt ſoll ſie allmählich
30 übergehn.
Sollten die unabänderlichen Geſetze der Natur nicht Täuſchung, nicht
höchſt unnatürlich ſein?

Alles geht nach Gesetzen und nichts geht nach Gesetzen.

Ein Gesetz ist ein einfaches, leicht zu übersehendes Verhältnis.

Aus Bequemlichkeit suchen wir nach Gesetzen. Hat die Natur einen bestimmten Willen oder gar keinen? Ich glaube beides: Sie ist jedem alles. . . . (VIII, 157.)   5

Eine ganz eigne Liebe und Kindlichkeit gehört, nebst dem deutlichsten Verstande und dem ruhigsten Sinn, zum Studium der Natur. Wenn erst eine ganze Nation Leidenschaft für die Natur empfäht, und hier ein neues Band unter den Bürgern geknüpft wird, jeder Ort seine Naturforscher und Laboratorien hat, dann wird man erst Fortschritte auf dieser kolossalischen 10 Bahn machen, die mit ihr im Verhältnis stehn. (VIII, 175.)

Wie wenig Menschen haben Genie zum Experimentieren. Der echte Experimentator muß ein dunkles Gefühl der Natur in sich haben, das ihn, je vollkommner seine Anlagen sind, um so sicherer auf seinem Gange leitet und mit desto größerer Genauigkeit das versteckte, entscheidende Phäno- 15 men finden und bestimmen läßt. Die Natur inspiriert gleichsam den echten Liebhaber und offenbart sich um so vollkommner durch ihn — je harmonischer seine Konstitution mit ihr ist. Der echte Naturliebhaber zeichnet sich eben durch seine Fertigkeit, die Experimente zu vervielfältigen, zu vereinfachen, zu kombinieren und zu analysieren, zu romantisieren und 20 polarisieren, durch seinen Erfindungsgeist neuer Experimente — durch seine naturgeschmackvolle oder natursinnreiche Auswahl und Anordnung derselben, durch Schärfe und Deutlichkeit der Beobachtung und artistische sowohl zusammengefaßte als ausführliche Beschreibung oder Darstellung der Beobachtung aus. Also —   25

Auch Experimentator ist nur das Genie. (IX, 94.)

Schon das Gewissen beweist unser Verhältnis — Verknüpfung — (die Übergangsmöglichkeit) mit einer andern Welt — eine innre unabhängige Macht und einen Zustand außer der gemeinen Individualität. Die Vernunft ist nichts anders. Der Etat de Raison ist ekstatisch. (Durch die 30 Konnexion mit den Worten kann man Wunder tun.)

Auf diesem Beweise beruht die Möglichkeit des tätigen Empirismus. Wir werden erst Physiker werden, wenn wir imaginative — Stoffe

und Kräfte zum regulativen Maßstab der Naturstoffe und Kräfte machen.
(IX, 936.)

In meiner Philosophie des täglichen Lebens bin ich auf die Idee einer
moralischen (im Hemsterhuisischen Sinn) Astronomie gekommen und
5 habe die interessante Entdeckung der Religion des sichtbaren Weltalls gemacht. Du glaubst nicht, wie weit das greift. Ich denke hier Schelling weit
zu überfliegen. Was denkst Du, ob das nicht der rechte Weg ist, die Physik
im allgemeinsten Sinn, schlechterdings symbolisch zu behandeln? Auf
diesem Wege denk' ich tiefer als je einzudringen und aller Kampanen und
10 Öfen entübrigt zu sein. (An Friedrich Schlegel, 20. 7. 1798.)

Unsre neueren Physiker arbeiten ins Große — sprechen vom Bau des
Universums — und darüber wird nichts fertig — kein wahrer Schritt
getan. Entweder zaubern — oder handwerksmäßig, mit Nachdenken und Geist — arbeiten. (IX, 1093.)

15   Der Poet versteht die Natur besser wie der wissenschaftliche Kopf.
(IX, 1095.)

Das Beste in der Natur sehn indes diese Herrn doch nicht klar. Fichte
wird hier noch seine Freunde beschämen, und Hemsterhuis ahndete diesen
heiligen Weg zur Physik deutlich genug. Auch in Spinoza lebt schon dieser
20 göttliche Funken des Naturverstandes. Plotin betrat, vielleicht durch Plato
erregt, zuerst mit echtem Geiste das Heiligtum — und noch ist keiner nach
ihm wieder so weit in demselben vorgedrungen.
In manchen ältern Schriften klopft ein geheimnisvoller Pulsschlag und
bezeichnet die Berührungsstelle mit der unsichtbaren Welt — ein Lebendig-
25 werden. Goethe soll der Liturg dieser Physik werden — er versteht vollkommen den Dienst im Tempel. Leibnizens Theodicee ist immer ein herrlicher
Versuch in diesem Felde gewesen. Etwas Ähnliches wird die künftige Physik,
aber freilich in einem höhern Stile. Wenn man bisher in der sogenannten
Physikotheologie nur statt Bewunderung ein ander Wort gesetzt hätte.
30 (IX, 1098.)

Natur und Menschheit

Die Menschheit ist gleichsam der höhere Sinn unsers Planeten, das Auge, was er gen Himmel hebt, der Nerv, der dieses Glied mit der obern Welt verknüpft. (VI, 181.)

Die Welt ist ein Universaltropus des Geistes, ein symbolisches Bild des- 5 selben. (VI, 347.)

Die Welt ist die Sphäre der unvollkommnen Vereinigungen des Geistes und der Natur. Ihre vollkommne Indifferentierung bildet das sittliche Wesen par excellence — Gott. Das Wesen Gottes besteht in der un- aufhörlichen Moralisierung ... (VIII, 79.)   10

Der Mensch ... verkündigt sich und sein Evangelium der Natur. Er ist der Messias der Natur ... (IX, 52.)

Gott und Natur muß man trennen. Gott hat gar nichts mit der Natur zu schaffen. — Er ist das Ziel der Natur — dasjenige, mit dem sie einst harmonieren soll. Die Natur soll moralisch werden, und so erscheint aller- 15 dings der Kantische Moralgott und die Moralität in einem ganz andern Lichte. Der moralische Gott ist etwas weit Höheres als der magische Gott. (IX, 58.)

Die Natur soll moralisch werden. Wir sind ihre Erzieher — ihre mora- lischen Tangenten — ihre moralischen Reize.
Läßt sich die Moralität wie der Verstand etc. objektivieren und organi-   20 sieren? — Sichtbare Moral.

Weil wir jetzt noch ein fremder Reiz für die Natur sind, so ist unser Kontakt mit der Natur auch nur zeitlich. Sie sezerniert uns allmählich wieder — vielleicht ist es eine Wechselsekretion.
                                                                              25

Wir sind zugleich in und außer der Natur. (IX, 71 ff.)

Zukunftslehre (Kosmogogik). Die Natur wird moralisch sein — wenn sie aus echter Liebe zur Kunst — sich der Kunst hingibt — tut, was die Kunst will — die Kunst, wenn sie aus echter Liebe zur Natur — für die Natur lebt und nach der Natur arbeitet. Beide müssen es zugleich, aus 30

eigner Wahl — um ihrer selbst willen — und aus fremder Wahl um des
andern willen tun. Sie müssen in sich selbst mit dem andern und mit sich
selbst im andern zusammentreffen.

Wenn unsre Intelligenz und unsre Welt harmonieren — so sind wir
5 Gott gleich. (IX, 77.)

Ein Kind ist eine sichtbar gewordne Liebe.
Wir selbst sind ein sichtbar gewordner Keim der Liebe zwischen Natur
und Geist oder Kunst. (IX, 78.)

Der Stein ist nur in diesem Weltsystem Stein und von Pflanze und
10 Tier verschieden.

Die jetzige Bestimmung und Verteilung eines jeden Individuums in
diesem Weltsystem ist wohl nur scheinbar oder relativ, zufällig —
historisch — unmoralisch?

Jedes hat nach seinem mitgebrachten Anteil, nach seiner inferier-
15 ten Relation von Welt (Synthesis von Quantität und Qualität) seinen
Platz im Weltsystem erhalten. (IX, 83.)

Ich weiß nicht, warum man immer von einer abgesonderten Menschheit
spricht. Gehören Tiere, Pflanzen und Steine, Gestirne und Lüfte nicht auch
zur Menschheit und ist sie nicht ein bloßer Nervenknoten, in dem unendlich
20 verschieden laufende Fäden sich kreuzen? Läßt sie sich ohne die Natur begreifen und ist sie denn so sehr anders als die übrigen Naturgeschlechter?
(Bemerkung zu Fr. Schlegels „Ideen", Nr. 51.)

Sollte der Mensch die Einheit für die Natur (das Weltall) sein, id est
das Differential der unendlich großen, und das Integral der unendlich
25 kleinen Natur — das allgemeine, homogeneisierende Prinzip — das Maß
aller Dinge — ihr gegenseitiges Realisierungsprinzip — das Organ ihres
Kontakts? (IX, 262.)

Die wirkliche Natur ist nicht die ganze Natur. Was einmal da gewesen
ist — lebt fort, nur nicht in der wirklichen Natur. Alle diese Gesetze beziehn
30 sich schon von fern auf die Moralität der Natur. (IX, 490.)

Eigentlich ist der Kritizism — (oder die Erschöpfungsmethode, welche die Umkehrungsmethode mit begreift) diejenige Lehre, die uns beim Studium der Natur auf uns selbst, auf innre Beobachtung und Versuch, und beim Studium unsrer Selbst auf die Außenwelt, auf äußre Beobachtungen und Versuche verweist — philosophisch betrachtet die fruchtbarste 5 aller Indikationen.

Sie läßt uns die Natur oder Außenwelt als ein menschliches Wesen ahnden. — Sie zeigt, daß wir alles nur so verstehen können und sollen, wie wir uns selbst und unsre Geliebten, uns und euch verstehn.

Wir erblicken uns im System als Glied — mithin in auf- und ab- 10 steigender Linie, vom unendlich Kleinen bis zum unendlich Großen — Menschen von unendlichen Variationen.

Wir verstehn natürlich alles Fremde nur durch Selbstfremdmachung — Selbstveränderung — Selbstbeobachtung.

Jetzt sehn wir die wahren Bande der Verknüpfung von Subjekt und 15 Objekt — sehn, daß es auch eine Außenwelt in uns gibt, die mit unserm Innern in einer analogen Verbindung, wie die Außenwelt außer uns mit unserm Äußern, und jene und diese so verbunden sind, wie unser Innres und Äußres. Daß wir also nur durch Gedanken das Innre und die Seele der Natur vernehmen können, wie nur durch Sensationen das Äußre und 20 den Körper der Natur.

Nun erscheint die sogenannte Transzendentalphilosophie — die Zurückweisung ans Subjekt — der Idealism und die Kategorien — der Zusammenhang zwischen Objekt und Vorstellung in einem ganz neuen Lichte.

Demonstration, warum etwas zur äußern und innern Natur gehört 25 — Demonstrabilität jeder Existenz und ihrer Modifikation.

Die Natur ist das Ideal. Das wahre Ideal ist möglich, wirklich und notwendig zugleich. (IX, 532.)

Die musikalischen Verhältnisse scheinen mir recht eigentlich die Grundverhältnisse der Natur zu sein.   30

Kristallisationen: akustische Figuren chemischer Schwingungen (chemischer Sinn).

Genialische, edle, divinatorische, wundertätige, kluge, dumme etc. Pflanzen, Tiere, Steine, Elemente etc. Unendliche Individualität dieser

Wesen — Ihr musikalischer und Individualsinn — ihr Charakter — ihre Neigungen etc.

Es sind vergangene, geschichtliche Wesen. Die Natur ist eine versteinerte Zauberstadt. (X, 70.)

5   Wunderbarkeit der Mathematik. Sie ist ein schriftliches Instrument — was noch unendlicher Perfektion fähig ist — Ein Hauptbeweis der Sympathie und Identität der Natur und des Gemüts. (X, 400.)

... Es ist sehr wahrscheinlich, daß in der Natur auch eine wunderbare Zahlenmystik stattfinde. Auch in der Geschichte — Ist nicht alles voll Be-
10 deutung, Symmetrie, Anspielung und seltsamem Zusammenhang? Kann sich Gott nicht auch in der Mathematik offenbaren wie in jeder andern Wissenschaft? ... (X, 405.)

... In der Schellingschen Naturphilosophie wird ein beschränkter Begriff der Natur und der Philosophie vorausgesetzt. Was die Schellingsche
15 Naturphilosophie eigentlich sei? (X, 407.)

Ritter sucht durchaus die eigentliche Weltseele der Natur auf. Er will die sichtbaren und ponderablen Lettern lesen lernen und das Setzen der höhern geistigen Kräfte erklären. Alle äußre Prozesse sollen als Symbole und letzte Wirkungen innerer Prozesse begreiflich werden. Die Unvollständig-
20 keit jener soll das Organ für diese und die Notwendigkeit einer Annahme des Personellen, als letzten Motivs, Resultat jedes Experiments werden. (X, 422.)

Man kann sagen, daß die Natur — oder die Außenwelt über dem Menschen in Rücksicht auf Organisation sei — man kann sagen, daß sie unter
25 ihm, und er das höchste Wesen sei.

Sie scheint einem weit höhern Ganzen anzugehören. Ihr Wille — Verstand und Phantasie scheinen sich zu den unsrigen zu verhalten — wie unser Körper zu ihrem Körper. (X, 336.)

Die Natur fängt, um mich so auszudrücken, mit dem Abstrakten an.
30 Der Grund der Natur ist, wie Mathematik, durchaus notwendige Hypothese. Die Natur geht auch a priori ad posterius — wenigstens für uns.

Die Personalität ist ihr entgegen. Sie ist ein gehemmter Personifikations-
prozeß. Je gehemmter, desto natürlicher. (X, 410.)

Das System der Moral muß System der Natur werden. Alle Krankheiten gleichen der Sünde, darin, daß sie Transzendenzen sind. Unsre Krankheiten sind alle Phänomene erhöhter Sensation, die in höhere Kräfte über- 5
gehn will. Wie der Mensch Gott werden wollte, sündigte er.

Krankheiten der Pflanzen sind Animalisationen, Krankheiten der Tiere
Rationalisationen, Krankheiten der Steine Vegetationen.

Sollte nicht jeder Pflanze ein Stein und ein Tier entsprechen?

Realität der Sympathie. Parallelismus der Naturreiche.   10

Pflanzen sind gestorbene Steine. Tiere gestorbene Pflanzen.

Theorie der Metempsychose...

Die Himmelskörper machen ein viertes Reich aus, unter den Steinen.

Tod

Der vollkommen Besonnene heißt der Seher.   15

Als irdische Wesen streben wir nach geistiger Ausbildung — nach Geist
überhaupt.

Als außerirdische, geistige Wesen nach irdischer Ausbildung — nach Körper überhaupt.

Nur durch Sittlichkeit gelangen wir beide zu unsern Zwecken. Ein 20
Dämon, der erscheinen kann — wirklich erscheinen — muß ein guter
Geist sein. So wie der Mensch (der wirklich Wunder tun kann) — der
wirklich mit den Geistern Umgang pflegen kann. Ein Mensch, der
Geist wird — ist zugleich ein Geist, der Körper wird. Diese höhere Art von
Tod, wenn ich mich so ausdrücken darf, hat mit dem gemeinen Tode nichts 25
zu schaffen — es wird etwas sein, was wir Verklärung nennen können.

Der Jüngste Tag wird kein einzelner Tag, sondern nichts als diejenige
Periode sein, die man auch das tausendjährige Reich nennt.

Jeder Mensch kann seinen Jüngsten Tag durch Sittlichkeit herbei-
rufen. Unter uns währt das tausendjährige Reich beständig. Die Besten 30
unter uns, die schon bei ihren Lebzeiten zu der Geisterwelt gelangten —
sterben nur scheinbar; sie lassen sich nur scheinbar sterben — so erscheinen
auch die guten Geister, die bis zur Gemeinschaft mit der Körperwelt ihrer-

seits gelangten — nicht, um uns nicht zu stören. Wer hier nicht zur Vollendung gelangt, gelangt vielleicht drüben — oder muß eine abermalige
irdische Laufbahn beginnen.

Sollte es nicht auch drüben einen Tod geben, dessen Resultat irdische
5 Geburt wäre.

So wäre das Menschengeschlecht kleiner — an Zahl geringer als wir
dächten. Doch läßt es sich auch noch anders denken.

Gespenster — indirekte, falsche, täuschende Verklärung — Resultat der
Verfinsterung. Nur dem Weisen, dem schon hienieden Verklärten,
10 erscheinen verkörperte Geister. (VIII, 81.)

Der Jüngste Tag ist die Synthesis des jetzigen Lebens und des Todes (des
Lebens nach dem Tode). (VI, 171.)

Wenn ein Geist stirbt, wird er Mensch. Wenn der Mensch stirbt, wird
er Geist. Freier Tod des Geistes, freier Tod des Menschen.
15 Was korrespondiert der menschlichen Existenz drüben? Die Dämonen-
oder Genienexistenzen, denen der Körper das ist, was uns die Seele ist. . . .
(VIII, 130.)

. . . In der künftigen Welt ist alles wie in der ehmaligen Welt —
und doch alles ganz anders. Die künftige Welt ist das vernünftige
20 Chaos — das Chaos, das sich selbst durchdrang — in sich und außer sich
ist — Chaos² oder ∞ . . . (IX, 238.)

Über den gegenwärtigen Moment — oder den immerwährenden Erstarrungsprozeß der irdischen Zeit. — Sie hat eine sonderbare Lebens-
flamme. Die Zeit macht auch alles, wie sie auch alles zerstört — bindet —
25 trennt.

Natur der Erinnerung — Seelenflamme — besondres Leben der
Seele — innre Lebensweise — der Erstarrungsprozeß.

Dies rührt von der Berührung einer zweiten Welt — eines zweiten
Lebens her — wo alles entgegengesetzt ist.
30 Wir springen, wie ein elektrischer Funken, in die andre Welt hinüber etc.
Zunahme der Kapazität. Tod ist Verwandlung — Verdrängung des

Individualprinzips — das nun eine neue, haltbarere, fähigere Verbindung eingeht. (IX, 105.)

Der Tod ist das romantisierende Prinzip unsers Lebens. Der Tod ist —, das Leben +. — Durch den Tod wird das Leben verstärkt. (X, 34.)

*

Franz von Baader

Liebe ist das allgemeine Band, das alle Wesen im Universum an- und ineinander bindet und verwebt. Man nenne es nun allgemeine Schwere, Attraktion, Kohäsion, Affinität, Ätzbarkeit etc., lauter Wörter, wenn man will, die freilich alle nichts erklären; aber wie könnten sie je auch das? — Genug, das allgemeine Streben aller Teile der Materie gegeneinander zur Vereinigung ist (und wirkt sichtbar unter und über unserm Monde). Attraktion, Bindung ist hiemit unantastbares Faktum, Phänomen, das vielleicht keine weitere Erklärung verträgt, aber als solches auch keiner bedarf. Ohne Affinität kein Ganzes, keine Welt, nicht einmal gedenkbar; unser Erdball ein wüstes ewig totes Chaos, ein Brei ohne Gestaltung und Form, hiemit ein wahres Unding.

*

Schelling

Aus dem „Ältesten Systemprogramm"

...Hier werde ich auf die Felder der Physik herabsteigen; die Frage ist diese: Wie muß eine Welt für ein moralisches Wesen beschaffen sein? Ich möchte unsrer langsamen an Experimenten mühsam schreitenden — Physik einmal wieder Flügel geben.

So — wenn die Philosophie die Ideen, die Erfahrung die Data angibt, können wir endlich die Physik im großen bekommen, die ich von spätern Zeitaltern erwarte. Es scheint nicht, daß die jetzige Physik einen schöpferischen Geist, wie der unsrige ist, oder sein soll, befriedigen könne.

...

Zu gleicher Zeit hören wir so oft, der große Haufen müsse eine sinnliche Religion haben. Nicht nur der große Haufen, auch der Philosoph bedarf ihrer. Monotheismus der Vernunft und des Herzens, Polytheismus der Einbildungskraft und der Kunst, dies ist's, was wir bedürfen.

5 Zuerst werde ich hier von einer Idee sprechen, die, soviel ich weiß, noch in keines Menschen Sinn gekommen ist — wir müssen eine neue Mythologie haben, diese Mythologie aber muß im Dienste der Ideen stehen, sie muß eine Mythologie der Vernunft werden.

Ehe wir die Ideen ästhetisch d. h. mythologisch machen, haben sie für 10 das Volk kein Interesse und umgekehrt, ehe die Mythologie vernünftig ist, muß sich der Philosoph ihrer schämen. So müssen endlich Aufgeklärte und Unaufgeklärte sich die Hand reichen, die Mythologie muß philosophisch werden, und das Volk vernünftig, und die Philosophie muß mythologisch werden, um die Philosophen sinnlich zu machen. Dann herrscht ewige Ein-15 heit unter uns. Nimmer der verachtende Blick, nimmer das blinde Zittern des Volks vor seinen Weisen und Priestern. Dann erst erwartet uns gleiche Ausbildung aller Kräfte, des Einzelnen sowohl als aller Individuen. Keine Kraft wird mehr unterdrückt werden, dann herrscht allgemeine Freiheit und Gleichheit der Geister! — Ein höherer Geist vom Himmel 20 gesandt, muß diese neue Religion unter uns stiften, sie wird das letzte, größte Werk der Menschheit sein.

*

Kernsätze der Naturphilosophie

Was ist denn nun jenes geheime Band, das unsern Geist mit der Natur verknüpft, oder jenes verborgene Organ, durch welches die Natur zu unserm 25 Geiste oder unser Geist zur Natur spricht? Wir schenken euch zum voraus alle eure Erklärungen, wie eine solche zweckmäßige Natur außer uns wirklich geworden. Denn diese Zweckmäßigkeit daraus erklären, daß ein göttlicher Verstand ihr Urheber sei, heißt nicht philosophieren, sondern fromme Betrachtungen anstellen. Ihr habt uns damit so gut wie nichts erklärt; 30 denn wir verlangen zu wissen, nicht, wie eine solche Natur außer uns entstanden, sondern, wie auch nur die Idee einer solchen Natur in uns gekommen sei; nicht etwa nur, wie wir sie willkürlich erzeugt haben, sondern

wie und warum sie ursprünglich und notwendig allem, was unser Geschlecht über Natur von jeher gedacht hat, zugrunde liegt. Denn die Existenz
einer solchen Natur außer mir erklärt noch lange nicht die Existenz einer
solchen Natur in mir: denn wenn ihr annehmt, daß zwischen beiden eine
vorherbestimmte Harmonie stattfinde, so ist ja eben das der Gegenstand 5
unserer Frage. Oder wenn ihr behauptet, daß wir eine solche Idee auf die
Natur nur übertragen, so ist nie eine Ahndung von dem, was uns Natur
ist und sein soll, in eure Seele gekommen. Denn wir wollen, nicht daß die
Natur mit den Gesetzen unsers Geistes zufällig (etwa durch Vermittelung
eines Dritten) zusammentreffe, sondern daß sie selbst notwendig und 10
ursprünglich die Gesetze unsers Geistes nicht nur ausdrücke, sondern selbst
realisiere, und daß sie nur insofern Natur sei und Natur heiße, als sie
dies tut.

Die Natur soll der sichtbare Geist, der Geist die unsichtbare Natur sein.
Hier also, in der absoluten Identität des Geistes in uns und der Natur 15
außer uns, muß sich das Problem, wie eine Natur außer uns möglich sei,
auflösen. Das letzte Ziel unserer weiteren Nachforschung ist daher diese
Idee der Natur; gelingt es uns, diese zu erreichen, so können wir auch
gewiß sein, jenem Problem Genüge getan zu haben.

Einleitung zu dem Entwurf eines Systems der 20
Naturphilosophie
Oder über den Begriff der spekulativen Physik
und die innere Organisation eines Systems dieser Wissenschaft

§ 1
Was wir Naturphilosophie nennen, ist eine im 25
System des Wissens notwendige Wissenschaft

Die Intelligenz ist auf doppelte Art, entweder blind und bewußtlos,
oder frei und mit Bewußtsein produktiv; bewußtlos produktiv in der Weltanschauung, mit Bewußtsein in dem Erschaffen einer ideellen Welt.

Die Philosophie hebt diesen Gegensatz auf, dadurch, daß sie die bewußt- 30
lose Tätigkeit als ursprünglich identisch und gleichsam aus derselben Wurzel

mit der bewußten entsprossen annimmt: diese Identität wird von ihr un=
mittelbar nachgewiesen in einer entschieden zugleich bewußten und bewußt=
losen Tätigkeit, welche in den Produktionen des Genies sich äußert;
mittelbar, außer dem Bewußtsein in den Naturprodukten, insofern
5 in ihnen allen die vollkommenste Verschmelzung des Ideellen mit dem
Reellen wahrgenommen wird.

Da die Philosophie die bewußtlose oder, wie sie auch genannt werden
kann, reelle Tätigkeit als identisch setzt mit der bewußten oder ideellen, so
wird ihre Tendenz ursprünglich darauf gehen, das Reelle überall auf das
10 Ideelle zurückzuführen, wodurch das entsteht, was man Transzendental=
philosophie nennt. Die Regelmäßigkeit in allen Bewegungen der Natur,
die erhabene Geometrie z. B., welche in den Bewegungen der Himmels=
körper ausgeübt wird, wird nicht daraus erklärt, daß die Natur die voll=
kommenste Geometrie, sondern umgekehrt daraus, daß die vollkommenste
15 Geometrie das Produzierende der Natur ist, durch welche Erklärungsart
das Reelle selbst in die ideelle Welt versetzt wird, und jene Bewegungen in
Anschauungen, die nur in uns selbst vorgehen, und denen nichts außer uns
entspricht, verwandelt werden. Oder daß die Natur da, wo sie ganz sich selbst
überlassen ist, in jedem Übergange aus flüssigem in festen Zustand freiwillig
20 gleichsam regelmäßige Gestalten hervorbringt, welche Regelmäßigkeit in den
Kristallisationen höherer Art, den organischen, sogar nach Zweckmäßigkeit
zu werden scheint, oder daß wir im Tierreich, diesem Produkt blinder Natur=
kräfte, Handlungen, die mit Bewußtsein geschehenen an Regelmäßigkeit
gleichkommen, oder selbst äußere in ihrer Art vollendete Kunstwerke ent=
25 stehen sehen — dies alles wird daraus erklärt, daß es eine bewußtlose, aber
der bewußten ursprünglich verwandte Produktivität ist, deren bloßen Reflex
wir in der Natur sehen, und die auf dem Standpunkt der natürlichen An=
sicht als ein und derselbe blinde Trieb erscheinen muß, der von der Kristalli=
sation an bis herauf zum Gipfel organischer Bildung (wo er auf der einen
30 Seite durch den Kunsttrieb wieder zur bloßen Kristallisation zurückkehrt)
nur auf verschiedenen Stufen wirksam ist.

Nach dieser Ansicht, da die Natur nur der sichtbare Organismus unseres
Verstandes ist, kann die Natur nichts anderes als das Regel= und Zweck=
mäßige produzieren, und die Natur ist gezwungen es zu produzieren.
35 Aber kann die Natur nichts als das Regelmäßige produzieren, und produ=
ziert sie es mit Notwendigkeit, so folgt, daß sich auch in der als selbständig

und reell gedachten Natur und dem Verhältnis ihrer Kräfte wiederum der
Ursprung solcher regel- und zweckmäßigen Produkte als notwendig muß
nachweisen lassen, daß also das Ideelle auch hinwiederum aus dem
Reellen entspringen und aus ihm erklärt werden muß.

Wenn es nun Aufgabe der Transzendentalphilosophie ist, das Reelle 5
dem Ideellen unterzuordnen, so ist es dagegen Aufgabe der Naturphilosophie,
das Ideelle aus dem Reellen zu erklären: beide Wissenschaften sind also
eine, nur durch die entgegengesetzten Richtungen ihrer Aufgaben sich unter-
scheidende Wissenschaft; da ferner beide Richtungen nicht nur gleich möglich,
sondern gleich notwendig sind, so kommt auch beiden im System des Wissens 10
gleiche Notwendigkeit zu.

§ 2
Wissenschaftlicher Charakter der Natur-
philosophie

Die Naturphilosophie als das Entgegengesetzte der Transzendental- 15
philosophie ist von der letzteren hauptsächlich dadurch geschieden, daß sie die
Natur (nicht zwar insofern sie Produkt, aber insofern sie produktiv zugleich
und Produkt ist) als das Selbständige setzt, daher sie am kürzesten als der
Spinozismus der Physik bezeichnet werden kann. Es folgt von selbst
daraus, daß in dieser Wissenschaft keine idealistischen Erklärungsarten 20
stattfinden, dergleichen die Transzendentalphilosophie wohl geben kann, da
ihr die Natur nichts anderes als Organ des Selbstbewußtseins und alles
in der Natur nur darum notwendig ist, weil nur durch eine solche Natur
das Selbstbewußtsein vermittelt werden kann, welche Erklärungsart aber
für die Physik und unsere mit ihr auf gleichem Standpunkt stehende Wissen- 25
schaft so sinnlos ist, als die ehemaligen teleologischen Erklärungsarten und
die Einführung einer allgemeinen Finalität der Ursachen in die dadurch ent-
staltete Naturwissenschaft. Denn jede idealistische Erklärungsart aus ihrem
eigentümlichen Gebiet in das der Naturerklärung herübergezogen, artet
in den abenteuerlichsten Unsinn aus, wovon die Beispiele bekannt sind. Die 30
erste Maxime aller wahren Naturwissenschaft, alles auch aus Naturkräften
zu erklären, wird daher von unsrer Wissenschaft in ihrer größten Ausdehnung angenommen und selbst bis auf dasjenige Gebiet ausgedehnt, vor
welchem alle Naturerklärung bis jetzt stillzustehen gewohnt ist, z. B. selbst

auf diejenigen organischen Erscheinungen, welche ein Analogon der Vernunft vorauszusetzen scheinen. Denn gesetzt, daß in den Handlungen der Tiere wirklich etwas ist, was ein solches Analogon voraussetzt, so würde, den Realismus als Prinzip angenommen, nichts weiter daraus folgen, als daß auch das, was wir Vernunft nennen, ein bloßes Spiel höherer uns notwendig unbekannter Naturkräfte ist. Denn da alles Denken zuletzt auf ein Produzieren und Reproduzieren zurückkommt, so ist nichts Unmögliches in dem Gedanken, daß dieselbe Tätigkeit, durch welche die Natur in jedem Moment sich neu reproduziert, im Denken nur durch das Mittelglied des Organismus reproduktiv sei (ungefähr ebenso, wie durch die Einwirkung und das Spiel des Lichts die von ihm unabhängig existierende Natur wirklich immateriell und gleichsam zum zweitenmal geschaffen wird), wobei es natürlich ist, daß, was die Grenze unseres Anschauungsvermögens macht, auch nicht mehr in die Sphäre unsrer Anschauung selbst fallen kann.

§ 3

Die Naturphilosophie ist spekulative Physik

Unsere Wissenschaft ist dem Bisherigen zufolge ganz und durchein realistisch, sie ist also nichts anderes als Physik, sie ist nur spekulative Physik; der Tendenz nach ganz dasselbe, was die Systeme der alten Physiker und was in neuern Zeiten das System des Wiederherstellers der Epikurischen Philosophie, Le Sage's mechanische Physik ist, durch welche nach langem wissenschaftlichem Schlaf der spekulative Geist in der Physik zuerst wieder geweckt worden ist. Es kann hier nicht umständlich bewiesen werden (denn der Beweis dafür fällt selbst in die Sphäre unsrer Wissenschaft), daß auf dem mechanischen oder atomistischen Wege, der von Le Sage und seinen glücklichsten Vorgängern eingeschlagen worden ist, die Idee einer spekulativen Physik nicht zu realisieren ist. Denn da das erste Problem dieser Wissenschaft, die absolute Ursache der Bewegung (ohne welche die Natur nichts in sich Ganzes und Beschlossenes ist) zu erforschen, mechanisch schlechterdings nicht aufzulösen ist, weil mechanisch ins Unendliche fort Bewegung nur aus Bewegung entspringt, so bleibt für die wirkliche Errichtung einer spekulativen Physik nur ein Weg offen, der dynamische, mit der Voraussetzung, daß Bewegung nicht nur aus Bewegung, sondern selbst aus

der Ruhe entspringe, daß also auch in der Ruhe der Natur Bewegung sei,
und daß alle mechanische Bewegung die bloß sekundäre und abgeleitete der
einzig primitiven und ursprünglichen sei, die schon aus den ersten Faktoren
der Konstruktion einer Natur überhaupt (den Grundkräften) hervorquillt.

Indem wir dadurch deutlich machen, wodurch unser Unternehmen sich von 5
allen ähnlichen bisher gewagten unterscheide, haben wir zugleich den Unterschied der spekulativen Physik von der sogenannten empirischen angedeutet;
welcher Unterschied sich hauptsächlich darauf reduziert, daß jene einzig und
allein mit den ursprünglichen Bewegungsursachen in der Natur, also allein
mit den dynamischen Erscheinungen, diese dagegen, weil sie nie auf einen 10
letzten Bewegungsquell in der Natur kommt, nur mit den sekundären Bewegungen, und selbst mit den ursprünglichen nur als mechanischen (also auch
der mathematischen Konstruktion fähigen) sich beschäftigt, da jene überhaupt
auf das innere Triebwerk und das, was an der Natur nicht-objektiv
ist, diese hingegen nur auf die Oberfläche der Natur, und das, was an ihr 15
objektiv und gleichsam Außenseite ist, sich richtet.

———

... Nach unserer Weise zu reden, können wir also sagen: alle Qualitäten
seien Empfindungen, alle Körper Anschauungen der Natur — die Natur
selbst eine mit allen ihren Empfindungen und Anschauungen gleichsam erstarrte Intelligenz ...
                                                                        20

———

Ihrem Exponenten nach betrachtet, erscheint die Natur in jedem Ding
als bewußtlos schaffend, und mehr als Organ oder Gegenbild der Idee,
denn als die Idee selbst; an sich betrachtet, ist sie aber die schaffende und
produktive Idee selbst. (Erläuterung. Der Begriff der Natur, der sich
selbst der bloßen Anschauung aufdringt, ist der, daß sie sei unendliche, wenn- 25
gleich bewußtlose Kunst, ein Bild göttlicher Weisheit, selbst nicht wissend,
was sie ausführt, und doch die intelligiblen Formen einer ewigen Vernunft
in sich ausprägend. Dieses ganz eigentümliche Verhältnis ist es, was selbst
dem nicht philosophischen Betrachter eine Ahndung von dem wahren Wesen
der Natur erregt, daß sie nämlich nicht sowohl göttlich hervorgebracht als 30
selbst göttlich sei, daß die Ideen nicht übergehen in die Dinge aus einer

ihnen fremden Vernunft, sondern daß die Dinge die Ideen selbst seien. Offenbar ist in der Natur der Gedanke nicht von der Tat, der Entwurf nicht von der Ausführung, der Künstler nicht von seinem Werke verschieden, sondern eins. Diese der Natur inwohnende Kunst wird nie begreifen, wer
5 sie nicht selbst als schaffend, als das Göttliche begreift, das hier nur in der völligen Objektivität seiner ewigen Affirmation erscheint. Die Reflexionsmenschen haben keine Vorstellung von einer objektiven Vernunft, von einer Idee, die doch als solche ganz objektiv und real ist; alle Vernunft ist ihnen etwas Subjektives, ebenso alles Ideale, und die Idee selbst hat
10 für sie nur den Sinn einer Subjektivität, daher sie nur zwei Welten kennen, die eine bestehend aus Steinen und Schutt, die andere aus Anschauen jener Steine und den Gedanken darüber.)

Aphorismen zur Einleitung in die Naturphilosophie

1. Es gibt keine höhere Offenbarung weder in Wissenschaft noch in
15 Religion oder Kunst als die der Göttlichkeit des All: ja von dieser Offenbarung fangen jene erst an und haben Bedeutung nur durch sie.

2. Wo nur immer, auch bloß vorübergehend, jene Offenbarung geschehen ist, da war Begeisterung, Abwerfung endlicher Formen, Aufhören alles Widerstreits, Einigkeit und wunderbare Übereinstimmung, oft durch
20 lange Zeitalter getrennt, bei der größten Eigentümlichkeit der Geister, allgemeines Bündnis der Künste und Wissenschaften ihre Frucht.

3. Wo das Licht jener Offenbarung schwand, und die Menschen die Dinge nicht aus dem All, sondern aus einander, nicht in der Einheit, sondern in der Trennung erkennen, und ebenso sich selbst in der Vereinzelung und Ab
25 sonderung von dem All begreifen wollten: da seht ihr die Wissenschaft in weiten Räumen verödet, mit großer Anstrengung geringe Fortschritte im Wachstum der Erkenntnis, Sandkorn zu Sandkorn gezählt, um das Universum zu erbauen; ihr seht zugleich die Schönheit des Lebens verschwunden, einen wilden Krieg der Meinungen über die ersten und wichtigsten Dinge
30 verbreitet, alles in Einzelheit zerfallen.

4. Aller Widerstreit in der Wissenschaft kann seiner Natur nach nur eine Quelle haben, das Absehen von dem, welches als das Allselige keinen Widerstreit in sich haben kann. Die sich gegen die Idee der Einheit setzen, streiten für nichts anderes als für den Widerstreit selbst, an welchem ihr

Dasein hängt. Sind alle falschen Systeme, sind die Ausartungen in der
Kunst, die Verirrungen in der Religion nur ebensoviele Folgen jener
Abstraktion, so kann auch die Wiedergeburt aller Wissenschaften und aller
Teile der Bildung nur von der Wiedererkennung des All und seiner ewigen
Einheit beginnen.   5

44. Das Ich denke, Ich bin, ist, seit Cartesius, der Grundirrtum in
aller Erkenntnis; das Denken ist nicht mein Denken, und das Sein nicht
mein Sein, denn alles ist nur Gottes oder des Alls.

197. In jedem organischen Wesen, ja in jedem, auch dem kleinsten Teil
desselben, erkennst du die aktuelle Unendlichkeit und die Einheit jede für   10
sich und dennoch als eins. Aber jeder Atom der Materie ist eine ebenso
unendliche Welt als das ganze Universum; im kleinsten Teil tönt das ewige
Wort der göttlichen Bejahung wieder. Die Weise aber, wie er die Fülle des
Ganzen in sich abbildet, gehört nicht mehr zum Wesen; sie ist bloß, inwiefern
verglichen wird, und gehört zu dem Schatten, den die Dinge in der unend-   15
lichen Substanz aufeinander werfen.

Tier und Pflanze

Kurz nur ist das Verweilen des Frühlinges, Himmel und Erde,
    Eurer Vermählung Zeit, kurz die Berührung des Lichts.
Pflanze, du Erdentsproßne, warum so strebst du mit deinen
    Faden und Blüten empor? Pflanze, dir ist es bewußt.   20
Dich verknüpfet der Sonn' und dem Reiche des Lichts das Geschlecht nur;
    Anders verhält sich das Tier, anders verhält sich der Mensch,
Welcher, sonnengeboren, nur durch das Geschlecht in der Erde
    Wurzelnd, den Himmel dadurch zaubert zur Erde herab.   25
Durch die ganze Natur wohnt zeugende Kraft nur im Manne.
    Dir, du zärtlich Geschlecht, gab sie das Pflanzengeschäft,
Auszubilden durch Sprossen den Sonnenschößling von innen,
    Welchen mit Liebe der Mann impft auf den herrlichen Grund.
Pflanzennatur auch gab sie dem Weib: ich nenn' es die Pflanze   30
    Unter den Tieren, den Mann unter den Tieren das Tier,
Zarter ist Liebe des Weibs, notwendiger, stiller, auch kürzer;
    Tierischer, freier, allein dauernder liebt auch der Mann.

Henrich Steffens

Wirkung der Naturphilosophie Schellings

Aus einem Brief an Schelling

... Von meiner frühesten Kindheit lebte und webte ich in der Natur,
5 all das mannigfaltige Leben umfaßte meine Einbildungskraft, zog mich
unwiderstehlich an, und ich war ein Dichter, wie Raffael ein Maler gewesen sein würde, wenn er ohne Hände geboren wäre. ... Aber es sollte ein
neues, wesentliches Unglück meinen bis dahin festen und fröhlichen Mut
erschüttern. — Ich suchte unverdrossen alles zusammen, lernte Tiere und
10 Pflanzen und Steine kennen, strich herum in den Gebirgen und auf den
Feldern, zu Wasser und Lande, und sammelte vielleicht nicht ganz gewöhnliche Kenntnisse. Das leidige stückweise Theoretisieren steckte mich an, das
herrliche Ganze, was von meiner Kindheit meine Seele durchdrang, erstarb
mir unter den Händen, es zerfiel in tausend Trümmer, und ich suchte ver-
15 gebens aus dem zerschlagenen Gotte ein Ganzes kärglich zusammenzuleimen. — Meine Freude war dahin, alles, was ich noch immer emsig zu-
sammensammelte — ward mehr eine drückende Last, die mich ängstigte, als
ein erworbener Reichtum, der mich erfrischen könnte. Von jetzt an war der
innere Frieden verloren ...
20 Warum soll ich weitläufig sein? Was kommen wird, können Sie leicht
erraten. — Ich lernte Sie kennen. — Es war, als hätten Sie für mich
geschrieben, durchaus für mich. — Wie belebte sich die Hoffnung, meine
verlorene Jugend wieder zu erleben? Wie klar war mir alles, wie hell,
wie einleuchtend! Es war natürlich, daß ich Ihre Philosophie mit einer
25 stürmischen Unruhe ergriff, daß ich das verworrene Gewebe, das mich an die
Welt fesselte, nicht auf einmal zerreißen konnte. — Aber allmählich ordnete
sich das meiste, was mir im Anfange Hoffnung war, wurde mir Überzeugung. — Die Welt wurde mir heller, mein eignes Wesen verständlicher
und meine Tätigkeit ruhiger und geordneter. Ich fing an, meine Jugend
30 wieder zu leben, die Träume meiner Kindheit wurden mir lieb, und das
ganze Leben der Natur faßte mich — stärker, unwiderstehlicher als jemals. — Was Ihre Naturphilosophie anfing, vollendete der transzenden-
tale Idealismus — das Meisterstück Ihres Geistes — das — warum

sollte ich verhehlen, was meine innigste Überzeugung mir sagt? — das wichtigste philosophische Produkt unseres Zeitalters. — Wenn auch einige Anfälle
mir wieder zustoßen, so sind sie doch mit jenen älteren nicht zu vergleichen,
es sind gleichsam die letzten Anstrengungen der Furie, die mich verlassen
muß. Im ganzen genommen lebe ich lebendiger als je. — Ich weiß, daß ich 5
für mein Fach geboren bin.

Ich bin Ihr Schüler, durchaus Ihr Schüler, alles, was ich leisten
werde, gehört Ihnen ursprünglich zu. — Es ist keine vorübergehende
Empfindung, es ist feste Überzeugung, daß es so ist, und ich schätze mich deshalb nicht geringer ...   10

Aus „Was ich erlebte"

Wenn ich nun sagen soll, was ich Schelling verdankte, und zwar so, daß
es nicht ein Geliehenes war, sondern ein Ursprüngliches, aus meiner eigensten Natur Entsprungenes genannt werden mußte, so glaube ich diese mir
verliehene Gabe am deutlichsten zu bezeichnen, wenn ich sie als ein an- 15
schauendes Erkennen des ganzen Daseins, als eine Organisation auffasse.
So wie in einer jeden organischen Gestalt ein jedes, selbst das geringste
Gebilde, nur in seiner Einheit mit dem Ganzen begriffen werden kann,
so war mir das Universum, selbst geschichtlich aufgefaßt, eine organische
Entwickelung geworden, aber eine solche, die erst durch das höchste Gebilde, 20
durch den Menschen, ihre Vollendung erhielt. Dadurch nun war allerdings
eine Teleologie entstanden, die, tiefer begründet, die Stelle der früher ver-
schmähten ersetzte. Denn als ein sich organisch Entwickelndes kann das
Dasein nur dann begriffen werden, wenn die Zukunft der Entwickelung
schon als eine vollendete uns vorschwebt, und nur in dieser abgeschlossenen 25
Vollendung betrachtet, erhalten die früheren Momente eine lebendige Bedeutung.

„Beiträge zur inneren Naturgeschichte der Erde"

Was ich in dieser Schrift zu entwickeln suchte, bildete das Grundthema 30
meines ganzen Lebens. Es lagen in ihr dunkle Erinnerungen aus meiner
frühesten Kindheit, aus den träumerischen Beschäftigungen meiner Jugend,

die durch einen überwiegend sinnlich reflektierenden Moment gewaltsam
zurückgedrängt wurden, verborgen. Es verband sich mit diesen die Gewalt
der Einheit des Daseins in allen seinen Richtungen, die mich, als ich
Spinoza kennen lernte, für immer an sich riß. Am tiefsten aber ergriff mich
5 die Hoffnung, die immer stärker ward, die Elemente der Physik selber für
eine höhere geistige Bedeutung zu gewinnen. Und diese letzte Epoche meines
Daseins verdankte ich Schelling. Aber ich konnte mich nicht mit den bloßen
abstrakten Gedanken beschäftigen. Von meiner frühesten Kindheit an sprach
mich die Natur selber als ein Lebendiges an. Sie schloß das Geheimnis eines
10 tiefen Denkprozesses in sich. Sie mußte aussprechen, nicht bloß was der Urheber der Natur dachte, auch was er mit dem Denken wollte. Durch
Spinoza war es mir klar geworden, daß nur Er eine Geltung hätte. Auch
Schelling hatte Gott absolut, real an die Spitze der Philosophie gestellt.
Ich fragte die empirische Wissenschaft, wie sie vor mir lag. Ihre Facta soll-
15 ten Tatsachen werden, und ich wünschte zu erfahren, ob diese vielfältigen
Sachen, die als solche, seit meiner Kindheit, einen geheimen Zauber über
mich ausgeübt hatten, wirklich die verborgenste göttliche Tat zu enthalten
vermöchten. Das war die Hoffnung, die mich leitete, die ich nie aufgab. Ich
verdankte Schelling viel, ja alles; aber dennoch ist es mir klar, daß durch
20 meine Beiträge ein neues Element in die Naturphilosophie hineinkam.
Auch dieses verdankte ich einem anderen Lehrer, Werner nämlich. Wenn
Schelling mir den Grundtypus, der als das Bleibende, also als eine durch
Konstruktion in sich gesicherte Denkbestimmung das ganze Dasein umfaßte,
gegeben hat: so entstand durch Werner in mir die Hoffnung, diesen bleiben-
25 den Grundtypus selbst, als das Element einer Bewegung, die etwas
Höheres, nämlich einen Willen, eine Absicht enthüllte, zu erkennen und darzustellen. Das ganze Dasein sollte Geschichte werden, ich nannte sie die
innere Natur-Geschichte der Erde. Es war nicht bloß von jenem Einflusse
der Naturgegenstände auf menschliche Begebenheiten, durch welche sie, wie
30 Schelling äußerte, einen echt geschichtlichen Charakter annahmen, die Rede;
der Mensch selbst sollte ganz und gar ein Produkt der Naturentwickelung
sein. Nur dadurch, daß er als ein solches, nicht bloß teilweise, sondern ganz
hervortrat, konnte die Natur ihr innerstes Mysterium in dem Menschen
konzentrieren. Mir ward es immer klarer, daß die Naturwissenschaft selbst,
35 wie sie ein durchaus neues Element in die Geschichte hineingebracht hatte,
durch welches unsere Zeit sich von der ganzen Vergangenheit unterschied,

die wichtigste aller Wissenschaften, die Grundlage der ganzen geistigen Zukunft des Geschlechts werden müßte. Die Geschichte selbst mußte ganz
Natur werden, wenn sie mit der Natur, d. h. in allen Richtungen ihres
Daseins sich als Geschichte behaupten wollte. Ich ging mit dem mehr
künstlerisch instinktartigen Mute der Jugend, als mit kühler Besonnen-   5
heit ans Werk, und dennoch suchte ich mich so angestrengt, wie möglich, zusammenzufassen. Die Erfahrungen der Naturwissenschaft selbst, das war
die Absicht der Schrift, sollten ihren höheren Sinn, die geistige Bedeutung, die in ihnen schlummerte, wenn man sie unter dem Gesichtspunkte
der Einheit zusammenzufassen wagte, teils aussprechen, teils für die Zu-   10
kunft andeuten. Diese Methode, nicht bloß einzelne Erscheinungen in der
Einheit partikulärer Hypothesen, sondern alle Erscheinungen des Lebens in
der Einheit der Natur und Geschichte zu verbinden, und aus diesem Standpunkte der Einheit beider, die Spuren einer göttlichen Absichtlichkeit in der
großartigen Entwicklung des Alls zu verfolgen, war die offenbare Absicht   15
dieser Schrift. („Was ich erlebte".)

... So tritt die Natur durch immer größeres Individualisieren dem
Reiche der Intelligenzen immer näher, und alles, was sich da zeigt, das
liegt, als dunkle Anlage schon in der bewußtlosen Natur. — Auch in der
intelligenten Welt bildet eine schaffende Natur Stufen, die einem jeden   20
seine Grenzen anweist. — Was in der Natur Geschlechtstrieb ist, erhebt
sich da zur Liebe — was in der Natur die Ernährung ist (der Egoismus
des Produkts), wird da Glückseligkeitstrieb — was in der Natur
Instinkt ist (insofern es zur Erhaltung der Gattung wirkt), veredelt sich
in der intelligenten Welt zur Moralität, die die ganze Gattung und die   25
Natur umfaßt.

Wem die Natur vergönnte in sich ihre Harmonie zu finden, — der trägt
eine ganze, unendliche Welt in seinem Innern — er ist die individuellste
Schöpfung — und der geheiligte Priester der Natur.

———

[Gemüt und Natur]   30

In sich geschlossen und mit sich einig ist das göttliche Gemüt, in sich geschlossen und mit sich einig die göttliche Natur. Vergebens sucht ihr eine
äußere Verbindung zwischen beiden zu bewirken, einen Übergang zu finden,

die Natur mit dem Gemüte in eine äußere, vermittelnde Beziehung zu
setzen. Ewig getrennt, nur mit sich selbst einig, nur selbst eigene Geburt verschmäht das Gemüt, wie die Natur, alle Vergleichung. Setzt, welches ihr
wollt, über das andere, und das Entgegengesetzte wird den Frevel der
5 Relation selbst vernichten. Aber diese ewige Trennung ist die ewige Vereinigung und eins mit ihr. So sehen wir in den Geschlechtern das eine
des andern Außenwelt sein, und die höchste Vereinigung durch Liebe eins
sein mit der höchsten Trennung beider.

Der Geist umfaßt die Natur, wie der Liebende seine Geliebte, sich ganz
10 ihr hingebend, sich selbst in ihr findend, ursprünglich, unvermittelt, un-
betrübt. Ihr ewig frisches Dasein ist sein eignes, und in allem Wechsel,
mit diesem eins, herrscht und waltet das Leben, das nie vergeht und die
Liebe selbst ist. Faßt das Besondere des Gemüts, und das Allgemeine des
Daseins wird euch in den unwandelbaren Gesetzen eines Universums,
15 als der Typus alles Besondern liebevoll ergreifen; faßt das Besondere des
Daseins, und ein ewiger Wechsel wird euch das, durch das Werden Seiende,
Allgemeine des Bewußtseins auf alle Wege entgegentragen; faßt beide
gegeneinander, und ein eigenes Leben wird als Organisation zwischen beide
treten, die Vereinigung sofort auf jedem Punkte zu beurkunden.

20 Ergriffen von dieser unendlichen Liebe, findet das Gemüt sich in den
Dingen wieder, und die Relation, das Maß der Beziehungen, durch welches
uns die Gedanken verwandter und verständlicher, die Dinge entfernter und
fremder erschienen, ist verschwunden. Ganz in dem Ewigen der Natur versunken, finden wir uns selbst ohne Furcht, als Natur, und retten die Frei-
25 heit, indem wir sie hingeben. Da hat eine jede Gestalt ihr Wort, ein jedes
Einzelne seine Gattung, nicht außer sich, sondern in sich gefunden, und ein
jedes Dasein ist durch die höchste Reinheit des Eigentümlichen getrennt
und vereinigt zugleich.

Wie die Freiheit oder das göttliche Gemüt sich selbst findet in der Not-
30 wendigkeit oder in der göttlichen Natur, so findet sich die Notwendigkeit
auch selbst in der Freiheit, und wie die Notwendigkeit in ewiger Verbindung
mit der Freiheit lebendig, so ist die Freiheit in ewiger Verbindung
mit der Notwendigkeit sittlich.

Einem ward es vergönnt, in dem sich selbst wiedergegebenen Gemüte die
35 Formen des Menschlichen in reiner Eigentümlichkeit zu fassen, alle trübende
Beziehungen zu zerstören, auf jedem Punkte des geschichtlichen und bewußten

Daseins alles Äußere Verunreinigende mit sicherer Hand zu sondern, daß
das sorgfältig Getrennte nur mit sich selbst vereinigt sei und mit dem Ganzen; dadurch den Frevel der trennenden Zeit zu zerstören, und die ewige
Liebe des Gemüts und der Natur, die Religion kundzutun. Als diesen
nenne ich Schleiermacher.   5

Seine Bestrebungen mögen wir uns eigen machen; denn nur dem ge-
reinigten Gemüte ergibt sich die göttliche Natur.

*

J. W. Ritter
„Fragmente aus dem Nachlaß eines jungen Physikers"   10

Die Erde ist um des Menschen willen da. Sie selbst nur ist sein Organ
— sein physischer Körper. Die Erde selbst ist Mensch. Erdbeschreibung,
physische, chemische etc. wird Menschenbeschreibung, Erdgeschichte —
Menschengeschichte. Das physiologische Schema des Individuums ist das
physiologische Schema der Erde. Die ganze Welt muß sich im Menschen   15
en miniature wiederfinden. Seine Anatomie, und die des Erdkörpers,
und die des großen Menschenkörpers, sind eine. — (420.)

Wer in der unendlichen Natur nichts als ein Ganzes nur, ein vollen-
detes Gedicht, findet, wo in jedem Wort, in jeder Silbe, die Harmonie des
Ganzen wiedertönt, und nichts sie stört, der hat den Preis errungen, der   20
unter allen der höchste, und das ausschließliche Geschenk der Liebe ist. (631.)

Wir haben einen innern Sinn zur Welterkenntnis, der noch ganz zurück
ist. Er sieht nicht, hört nicht, usw. aber er weiß, weiß nicht, warum? —,
weiß es ganz gewiß, weiß aus allen Welten, und das alles so, wie das Auge
sieht ohne zu wissen, warum? — Es sieht eben, und muß sehen, oder ganz   25
und gar nicht. Jener innere Sinn sollte wohl mehr hervorgerufen werden. — (628.)

Alles, was der Mensch erfährt, ist nur die Anschauung seines Wachs-
tums. — (642.)

Blind führt uns die Natur den Weg zu den größesten Wahrheiten; darum ist es so schwer, ihn wiederzufinden, und sehend mit andern zu gehen. — (671.)

Wie im Verbrennungsprozeß die Sonne hervorbricht, so im Dichter das
5 allgemeine Naturlicht. — (673.)

[S ch l a f   u n d   T o d]

Im Schlafe sinkt der Mensch in den allgemeinen Organismus zurück. Hier ist sein Wille unmittelbar der der Natur, und umgekehrt. Beide sind jetzt eins. Hier ist der Mensch wirklich physisch allmächtig, und wahrer
10 Zauberer. Alles gehorcht ihm, und sein Wille selbst ist das allem übrigen Gehorchen. Hier wird jeder Wunsch befriedigt, denn er hat keinen andern, als den er haben soll und muß. Ein solches Dokument davon ist der Traum. Sein Gehalt ist nicht unmittelbar der jener Einheit mit dem allgemeinen Organismus, als welcher an sich nie Gegenstand künftiger Erinnerung
15 werden könnte. Aber er ist der Übergang zu ihm, ein Zwischenzustand zwischen Schlaf und Wachen: partielles Begriffensein in jener Einheit, mit Selbstgegenwart genug, damit es Eigentum des Individuellen sei und scheine. Nur um so mehr aber erscheint der Mensch hier als Zauberer usw. — (475.)

20 Schlaf ist Liebe, Wachen Leben. Im Leben ist man des Tages, im Lieben der Nacht. Liebe ist Schlaf im Wachen — der Tag auf Erden, da der gewöhnliche der Sonne dienen muß. Im Tage hält das Licht die Liebe aufgelöst, wie Wasser Salz. In der Nacht schlägt sich die Liebe nieder, weil das Auflösungsmittel verdünstet. — (491.)

25 Ist das Leben ein Traum, in welchem ich mir des vorhergehenden nicht mehr bewußt bin, mir dessen aber mit dem Erwachen (im Tode), von neuem bewußt werde? — So könnte ich allerdings von Ewigkeit her sein. — (578.)

Nur die Gattung ist ewig. Darum soll der Mensch lieben. Sterben und Lieben sind Synonime. In beiden wird die Individualität aufgehoben, und
30 der Tod ist die Pforte des Lebens. Beides ist Vermählung mit der himmlischen Jungfrau, nur daß sie im Weibe inkognito erscheint. — (629.)

Mit verbundenen Augen führen unbekannte Hände uns den dunklen unterird'schen Gang durchs Leben. — Wir sind hindurch, es fällt die Binde, Gott in aller seiner Herrlichkeit steht vor uns, um uns, Sternen ähnlich, selig glänzend, scheinen wir uns selbst dem Gott des Himmels gleich geworden, und — dies nennt man Tod? — (668.)   5

[Mann und Weib]

... Nur das Organische ist gut; nur Liebe ist schön und herrlich. Alles Böse ist nur das Phänomen der Hemmung des Triebs zum Guten, der Verzehrung des Guten. — Das Weib ist gut; der Mann allein hat das Böse in sich zu überwinden. (481.)   10

Der Mann entbindet nur. So stolz sei er nicht, zu glauben, sein Kind sei seine Frucht. Er gibt allein dem Weibe ihre Natur zurück, er löst die Fesseln der Frau, und treibend gebiert die Erde durch sie. Sie ist die Fortsetzung der Erde. Der Mann ist das Fremde, die Frau das Einheimische auf Erden. Sie zu ehren ist sein Geschäft. Es ist daher nichts schrecklicher,   15 als einseitige Unterwürfigkeit des Weibes; es heißt von ihrer Seite, der Erde ihr Recht vergeben. Man liebt nur die Erde, und durch das Weib liebt uns wieder die Erde. Darum findest du in der Liebe aller Geheimnisse Enträtselung. Kenne die Frau, so fällt das übrige dir alles zu. — (482.)

Daß das Weib das Gebärende in der Natur ist, zeigt die höhere Stufe   20 an, auf der es steht. Das Weib eigentlich ist die letzte Grenze der Erde, und der Mann steht durchaus eine Stufe niedriger. — (483.)

Über die Religion

Reden an die
Gebildeten unter ihren Verächtern
[von Schleiermacher]

5

Erste Rede

Apologie

Es mag ein unerwartetes Unternehmen sein, und Ihr mögt Euch billig
darüber wundern, daß jemand gerade von denen, welche sich über das
Gemeine erhoben haben und von der Weisheit des Jahrhunderts durch-
10 drungen sind, Gehör verlangen kann für einen von ihnen so ganz vernach-
lässigten Gegenstand. Ich bekenne, daß ich nichts anzugeben weiß, was mir
einen glücklichen Ausgang weissagete, nicht einmal den, meinen Bemühungen
Euren Beifall zu gewinnen, viel weniger jenen, Euch meinen Sinn und
meine Begeisterung mitzuteilen. Von alters her ist der Glaube nicht jeder-
15 manns Ding gewesen, von der Religion haben immer nur wenige etwas
verstanden, wenn Millionen auf mancherlei Art mit den Umhüllungen ge-
gaukelt haben, mit denen sie sich aus Herablassung willig umhängen ließ.
Jetzt besonders ist das Leben der gebildeten Menschen fern von allem, was
ihr auch nur ähnlich wäre. Ich weiß, daß Ihr ebensowenig in heiliger Stille
20 die Gottheit verehrt, als Ihr die verlassenen Tempel besucht, daß es in
Euren geschmackvollen Wohnungen keine andere Hausgötter gibt, als die
Sprüche der Weisen und die Gesänge der Dichter, und daß Menschheit und
Vaterland, Kunst und Wissenschaft, denn Ihr glaubt dies alles ganz umfassen zu können, so völlig von Eurem Gemüte Besitz genommen haben,
25 daß für das ewige und heilige Wesen, welches Euch jenseit der Welt liegt,
nichts übrigbleibt, und Ihr keine Gefühle habt für dasselbe und mit ihm.

Es ist Euch gelungen, das irdische Leben so reich und vielseitig zu machen,
daß Ihr der Ewigkeit nicht mehr bedürfet, und nachdem Ihr Euch selbst ein
Universum geschaffen habt, seid Ihr überhoben an dasjenige zu denken,
welches Euch schuf. Ihr seid darüber einig, ich weiß es, daß nichts Neues
und nichts Triftiges mehr gesagt werden kann über diese Sache, die von 5
Philosophen und Propheten, und dürfte ich nur nicht hinzusetzen, von Spöt-
tern und Priestern, nach allen Seiten zur Genüge bearbeitet ist. Am wenigsten — das kann niemandem entgehen — seid Ihr geneigt, von den letzteren
darüber etwas zu hören, welche sich Eueres Vertrauens schon längst unwürdig gemacht haben, als solche, die nur in den verwitterten Ruinen des 10
Heiligtums am liebsten wohnen, und auch dort nicht leben können, ohne es
noch mehr zu verunstalten und zu verderben. Dies alles weiß ich, und bin
dennoch von einer innern und unwiderstehlichen Notwendigkeit, die mich
göttlich beherrscht, gedrungen, zu reden, und kann meine Einladung, daß
gerade Ihr mich hören mögt, nicht zurücknehmen. . . . 15

Als Mensch rede ich zu Euch von den heiligen Mysterien der Menschheit
nach meiner Ansicht, von dem was in mir war, als ich noch in jugendlicher
Schwärmerei das Unbekannte suchte, von dem was, seitdem ich denke und
lebe, die innerste Triebfeder meines Daseins ist, und was mir auf ewig das
Höchste bleiben wird, auf welche Weise auch noch die Schwingungen der 20
Zeit und der Menschheit mich bewegen mögen. Daß ich rede, rührt nicht her
aus einem vernünftigen Entschlusse, auch nicht aus Hoffnung oder Furcht,
noch geschiehet es einem Endzwecke gemäß oder aus irgendeinem willkürlichen
oder zufälligen Grunde: es ist die innere unwiderstehliche Notwendigkeit
meiner Natur, es ist ein göttlicher Beruf, es ist das, was meine Stelle im 25
Universum bestimmt und mich zu dem Wesen macht, welches ich bin. Sei
es also weder schicklich noch ratsam von der Religion zu reden, dasjenige,
was mich also dringt, erdrückt mit seiner himmlischen Gewalt diese kleinen
Begriffe. . . . Darum sendet die Gottheit zu allen Zeiten hie und da einige,
in denen beides auf eine fruchtbarere Weise verbunden ist, rüstet sie aus 30
mit wunderbaren Gaben, ebnet ihren Weg durch ein allmächtiges Wort, und
setzt sie ein zu Dolmetschern ihres Willens und ihrer Werke, und zu Mitt-
lern desjenigen, was sonst ewig geschieden geblieben wäre. Sehet auf diejenigen, welche einen hohen Grad von jener anziehenden Kraft, die sich der
umgebenden Dinge tätig bemächtigt, in ihrem Wesen ausdrückten, zugleich 35
aber auch von dem geistigen Durchdringungstriebe, der nach dem Unendlichen

strebt, und in alles Geist und Leben hineinträgt, so viel besitzen, daß sie ihn
in den Handlungen äußern, wozu jener sie antreibt; diesen genügt es nicht
eine rohe Masse irdischer Dinge gleichsam zerstörend zu verschlingen, sondern
sie müssen etwas vor sich hinstellen, es in eine kleine Welt, die das Gepräge
5 ihres Geistes trägt, ordnen und gestalten, und so herrschen sie vernünftiger,
genießen bleibender und menschlicher, so werden sie Helden, Gesetzgeber,
Erfinder, Bezwinger der Natur, gute Dämonen, die eine edlere Glückseligkeit im stillen schaffen und verbreiten. Solche beweisen sich durch ihr bloßes
Dasein als Gesandte Gottes und als Mittler zwischen dem eingeschränkten
10 Menschen und der unendlichen Menschheit. Sie zeigen dem untätigen bloß
spekulativen Idealisten, der sein Wesen in einzelnen leeren Gedanken zersplittert, dasjenige tätig, was in ihm bloß träumend war, und in dem, was
er bisher verachtete, den Stoff, den er eigentlich bearbeiten soll; sie deuten
ihm die verkannte Stimme Gottes, sie söhnen ihn aus mit der Erde und mit
15 seinem Platze auf derselben. Noch weit mehr aber bedürfen die bloß Irdischen und Sinnlichen solcher Mittler, die ihnen jene höhere Grundkraft
der Menschheit begreifen lehren, indem sie ohne ein Treiben und Tun wie
das ihrige beschauend und erleuchtend alles umfassen, und keine andere
Grenzen kennen wollen als das Universum, welches sie gefunden haben.
20 Gibt Gott einem, der in dieser Laufbahn sich bewegt, zu seinem Streben
nach Ausdehnung und Durchdringung auch jene mystische und schöpferische
Sinnlichkeit, die allem Innern auch ein äußeres Dasein zu geben strebt,
so muß er nach jedem Ausfluge seines Geistes ins Unendliche den Eindruck,
den es ihm gegeben hat, hinstellen außer sich, als einen mitteilbaren Gegen-
25 stand in Bildern oder Worten, um ihn selbst aufs neue in eine andere Gestalt
und in eine endliche Größe verwandelt zu genießen, und er muß also auch
unwillkürlich und gleichsam begeistert — denn er täte es, wenn auch niemand da wäre — das was ihm begegnet ist, für andere darstellen, als
Dichter oder Seher, als Redner oder als Künstler. Ein solcher ist ein wahrer
30 Priester des Höchsten, indem er ihn denjenigen näher bringt, die nur das
Endliche und Geringe zu fassen gewohnt sind; er stellt ihnen das Himmlische
und Ewige dar als einen Gegenstand des Genusses und der Vereinigung,
als die einzige unerschöpfliche Quelle desjenigen, worauf ihr ganzes Dichten
gerichtet ist. So strebt er den schlafenden Keim der besseren Menschheit zu
35 wecken, die Liebe zum Höchsten zu entzünden, das gemeine Leben in ein
höheres zu verwandeln, die Söhne der Erde auszusöhnen mit dem Himmel,

der ihnen gehört, und das Gegengewicht zu halten gegen die schwerfällige
Anhänglichkeit des Zeitalters an den gröberen Stoff. Dies ist das höhere
Priestertum, welches das innere aller geistigen Geheimnisse verkündigt, und
aus dem Reiche Gottes herabspricht; dies ist die Quelle aller Gesichte und
Weissagungen, aller heiligen Kunstwerke und begeisterten Reden, welche 5
ausgestreut werden, aufs Ohngefähr, ob ein empfängliches Gemüt sie finde
und bei sich Frucht bringen lasse. ...

Vergönnet mir von mir selbst zu reden: Ihr wißt, was Religion sprechen
heißt, kann nie stolz sein; denn sie ist immer voll Demut. Religion war der
mütterliche Leib, in dessen heiligem Dunkel mein junges Leben genährt und 10
auf die ihm noch verschlossene Welt vorbereitet wurde, in ihr atmete mein
Geist, ehe er noch seine äußere Gegenstände, Erfahrung und Wissenschaft
gefunden hatte, sie half mir, als ich anfing den väterlichen Glauben zu sichten und das Herz zu reinigen von dem Schutte der Vorwelt, sie blieb mir,
als Gott und Unsterblichkeit dem zweifelnden Auge verschwanden, sie leitete 15
mich ins tätige Leben, sie hat mich gelehrt mich selbst mit meinen Tugenden
und Fehlern in meinem ungeteilten Dasein heiligzuhalten, und nur durch
sie habe ich Freundschaft und Liebe gelernt. Wenn von andern Vorzügen
und Eigenschaften der Menschen die Rede ist, so weiß ich wohl, daß es vor
Eurem Richterstuhle, Ihr Weisen und Verständigen des Volks, wenig be- 20
weiset, wenn einer sagen kann, wie er sie besitzt; denn er kann sie kennen aus
Beschreibungen, aus Beobachtungen anderer, oder wie alle Tugenden gekannt werden, aus der gemeinen alten Sage von ihrem Dasein; aber so
liegt die Sache der Religion und so selten ist sie, daß wer von ihr etwas
ausspricht, muß es notwendig gehabt haben, denn er hat es nirgends gehört. 25
Von allem, was ich als ihr Werk preise und fühle, steht wohl wenig in
heiligen Büchern, und wem, der es nicht selbst erfuhr, wäre es nicht ein
Ärgernis oder eine Torheit? ...

Wäre es nicht glücklich genug, wenn Euere Weisen dann nur von den
Besten unter Euch verstanden würden? Eben das ist aber mein Endzweck 30
mit der Religion. Nicht einzelne Empfindungen will ich aufregen, die vielleicht in ihr Gebiet gehören, nicht einzelne Vorstellungen rechtfertigen oder
bestreiten; in die innerste Tiefen möchte ich Euch geleiten, aus denen sie zuerst
das Gemüt anspricht; zeigen möchte ich Euch, aus welchen Anlagen der
Menschheit sie hervorgeht, und wie sie zu dem gehört, was Euch das Höchste 35
und Teuerste ist; auf die Zinnen des Tempels möchte ich Euch führen, daß

Ihr das ganze Heiligtum übersehen und seine innersten Geheimnisse entdecken möget. . . .

Besorget nur nicht, daß ich am Ende doch noch zu jenen gemeinen Mitteln meine Zuflucht nehmen möchte, Euch vorzustellen, wie notwendig sie sei, um
5 Recht und Ordnung in der Welt zu erhalten, und mit dem Andenken an ein allsehendes Auge und eine unendliche Macht der Kurzsichtigkeit menschlicher Aufsicht und den engen Schranken menschlicher Gewalt zu Hilfe zu kommen; oder wie sie eine treue Freundin und eine heilsame Stütze der Sittlichkeit sei, indem sie mit ihren heiligen Gefühlen und ihren glänzenden
10 Aussichten den schwachen Menschen den Streit mit sich selbst und das Vollbringen des Guten gar mächtig erleichtere. So reden freilich diejenigen, welche die besten Freunde und die eifrigsten Verteidiger der Religion zu sein vorgeben; ich aber will nicht entscheiden, gegen wen in dieser Gedankenverbindung die meiste Verachtung liege, gegen Recht und Sittlichkeit,
15 welche als einer Unterstützung bedürftig vorgestellt werden, oder gegen die Religion, welche sie unterstützen soll, oder gegen Euch, zu denen also gesprochen wird. Mit welcher Stirne könnte ich Euch wohl zumuten, wenn anders Euch selbst dieser weise Rat gegeben werden soll, daß Ihr mit Euch selbst in Eurem Innern ein loses Spiel treiben, und durch etwas, das
20 Ihr sonst keine Ursache hättet zu achten und zu lieben, Euch zu etwas anderem solltet antreiben lassen, was Ihr ohnedies schon verehrt, und dessen Ihr Euch befleißiget? Oder wenn Euch etwa durch diese Reden nur ins Ohr gesagt werden soll, was Ihr dem Volke zuliebe zu tun habt, wie solltet dann Ihr, die Ihr dazu berufen seid die andern zu bilden und sie
25 Euch ähnlich zu machen, damit anfangen, daß Ihr sie betrügt, und ihnen etwas für heilig und wirksam hingebt, was Euch selbst höchst gleichgültig ist, und was sie wegwerfen sollen, sobald sie sich auf dieselbe Stufe mit Euch erhoben haben? Ich kann zu einer solchen Handlungsweise nicht auffordern, sie enthält die verderblichste Heuchelei gegen die Welt und gegen
30 Euch selbst, und wer die Religion so empfehlen will, muß nur die Verachtung vergrößern, der sie schon unterliegt. . . .

Ebensowenig aber darf die Sittlichkeit mit der Religion zu teilen haben; wer einen Unterschied macht zwischen dieser und jener Welt, betört sich selbst, alle wenigstens, welche Religion haben, glauben nur an eine. Ist also das
35 Verlangen nach Wohlbefinden der Sittlichkeit etwas Fremdes, so darf das Spätere nicht mehr gelten als das Frühere, und die Scheu vor dem

Ewigen nicht mehr als die vor einem weisen Manne. Wenn die Sittlichkeit
durch jeden Zusatz ihren Glanz und ihre Festigkeit verlieret, wieviel mehr
durch einen solchen, der seine hohe und ausländische Farbe niemals verleugnen kann. Doch dies habt Ihr genug von denen gehört, welche die
Unabhängigkeit und die Allgewalt moralischer Gesetze verteidigen, ich aber 5
setze hinzu, daß es auch die größte Verachtung gegen die Religion beweiset,
sie in ein anderes Gebiet verpflanzen zu wollen, daß sie da diene und arbeite.
Auch herrschen möchte sie nicht in einem fremden Reiche: denn sie ist nicht so
eroberungssüchtig das ihrige vergrößern zu wollen. Die Gewalt die ihr
gebührt, und die sie sich in jedem Augenblick aufs neue verdient, genügt ihr, 10
und ihr, die alles heilig hält, ist noch viel mehr das heilig, was mit ihr
gleichen Rang in der menschlichen Natur behauptet. Aber sie soll ganz
eigentlich dienen, wie jene es wollen, einen Zweck soll sie haben, und nützlich
soll sie sich erweisen. Welche Erniedrigung! und ihre Verteidiger sollten
geizig darauf sein ihr diese zu verschaffen? Daß doch diejenigen, die so auf 15
den Nutzen ausgehen, und denen doch am Ende auch Sittlichkeit und Recht
um eines andern Vorteils willen da sind, daß sie doch lieber selbst untergehen möchten in diesem ewigen Kreislaufe eines allgemeinen Nutzens,
in welchem sie alles Gute untergehen lassen, und von dem kein Mensch, der
selbst für sich etwas sein will, ein gesundes Wort versteht, lieber als daß 20
sie sich zu Verteidigern der Religion aufwerfen möchten, deren Sache zu
führen sie gerade die ungeschicktesten sind. ... Daß sie aus dem Inneren
jeder bessern Seele notwendig von selbst entspringt, daß ihr eine eigne
Provinz im Gemüte angehört, in welcher sie unumschränkt herrscht, daß
sie es würdig ist durch ihre innerste Kraft die Edelsten und Vortrefflichsten 25
zu bewegen, und von ihnen ihrem innersten Wesen nach gekannt zu werden;
das ist es was ich behaupte, und was ich ihr gern sichern möchte, und Euch
liegt es nun ob, zu entscheiden, ob es der Mühe wert sein wird, mich zu
hören, ehe Ihr Euch in Eurer Verachtung noch mehr befestiget.

Zweite Rede   30

Über das Wesen der Religion

... Sie entsagt hiermit, um den Besitz ihres Eigentums anzutreten,
allen Ansprüchen auf irgend etwas, was jenen angehört, und gibt alles

zurück, was man ihr aufgedrungen hat. Sie begehrt nicht, das Universum
seiner Natur nach zu bestimmen und zu erklären wie die Metaphysik, sie
begehrt nicht, aus Kraft der Freiheit und der göttlichen Willkür des Menschen es fortzubilden und fertig zu machen wie die Moral. Ihr Wesen ist
5 weder Denken noch Handeln, sondern Anschauung und Gefühl. Anschauen
will sie das Universum, in seinen eigenen Darstellungen und Handlungen
will sie es andächtig belauschen, von seinen unmittelbaren Einflüssen will
sie sich in kindlicher Passivität ergreifen und erfüllen lassen. So ist sie beiden
in allem entgegengesetzt, was ihr Wesen ausmacht, und in allem, was ihre
10 Wirkungen charakterisiert. Jene sehen im ganzen Universum nur den Menschen als Mittelpunkt aller Beziehungen, als Bedingung alles Seins und
Ursach' alles Werdens; sie will im Menschen nicht weniger als in allem
andern Einzelnen und Endlichen das Unendliche sehen, dessen Abdruck, dessen
Darstellung. Die Metaphysik geht aus von der endlichen Natur des Men-
15 schen, und will aus ihrem einfachsten Begriff, und aus dem Umfang ihrer
Kräfte und ihrer Empfänglichkeit mit Bewußtsein bestimmen, was das
Universum für ihn sein kann, und wie er es notwendig erblicken muß. Die
Religion lebt ihr ganzes Leben auch in der Natur, aber in der unendlichen
Natur des Ganzen, des Einen und Allen; was in dieser alles einzelne und
20 so auch der Mensch gilt, und wo alles und auch er treiben und bleiben
mag in dieser ewigen Gärung einzelner Formen und Wesen, das will sie in
stiller Ergebenheit in einzelnen anschauen und ahnden. Die Moral geht
vom Bewußtsein der Freiheit aus, deren Reich will sie ins Unendliche erweitern, und ihr alles unterwürfig machen; die Religion atmet da, wo die
25 Freiheit selbst schon wieder Natur geworden ist, jenseit des Spiels seiner
besondern Kräfte und seiner Personalität faßt sie den Menschen, und sieht
ihn aus dem Gesichtspunkte, wo er das sein muß, was er ist, er wolle oder
wolle nicht. So behauptet sie ihr eigenes Gebiet und ihren eigenen Charakter
nur dadurch, daß sie aus dem der Spekulation sowohl als aus dem der Praxis
30 gänzlich herausgeht, und indem sie sich neben beide hinstellt, wird erst das
gemeinschaftliche Feld vollkommen ausgefüllt, und die menschliche Natur
von dieser Seite vollendet. Sie zeigt sich Euch als das notwendige und unentbehrliche Dritte zu jenen beiden, als ihr natürliches Gegenstück, nicht
geringer an Würde und Herrlichkeit, als welches von ihnen Ihr wollt.
35 Spekulation und Praxis haben zu wollen ohne Religion, ist verwegener
Übermut, es ist freche Feindschaft gegen die Götter, es ist der unheilige

Sinn des Prometheus, der feigherzig stahl, was er in ruhiger Sicherheit
hätte fordern und erwarten können. Geraubt nur hat der Mensch das
Gefühl seiner Unendlichkeit und Gottähnlichkeit, und es kann ihm als
unrechtes Gut nicht gedeihen, wenn er nicht auch seiner Beschränktheit
sich bewußt wird, der Zufälligkeit seiner ganzen Form, des geräuschlosen 5
Verschwindens seines ganzen Daseins im Unermeßlichen. Auch haben die
Götter von je an diesen Frevel gestraft. Praxis ist Kunst, Spekulation ist
Wissenschaft, Religion ist Sinn und Geschmack fürs Unendliche. Ohne diese,
wie kann sich die erste über den gemeinen Kreis abenteuerlicher und her-
gebrachter Formen erheben? wie kann die andere etwas Besseres werden als 10
ein steifes und mageres Skelett? Oder warum vergißt über alles Wirken
nach außen und aufs Universum hin Euere Praxis am Ende eigentlich
immer den Menschen selbst zu bilden? weil Ihr ihn dem Universum
entgegengesetzt und ihn nicht als einen Teil desselben und als etwas
Heiliges aus der Hand der Religion empfangt. Wie kommt sie zu der 15
armseligen Einförmigkeit, die nur ein einziges Ideal kennt und dieses
überall unterlegt? weil es Euch an dem Grundgefühl der unendlichen
und lebendigen Natur fehlt, deren Symbol Mannigfaltigkeit und
Individualität ist. Alles Endliche besteht nur durch die Bestimmung
seiner Grenzen, die aus dem Unendlichen gleichsam herausgeschnitten werden 20
müssen. Nur so kann es innerhalb dieser Grenzen selbst unendlich sein und
eigen gebildet werden, und sonst verliert Ihr alles in der Gleichförmigkeit
eines allgemeinen Begriffs. Warum hat Euch die Spekulation so lange statt
eines Systems Blendwerke, und statt der Gedanken Worte gegeben? warum
war sie nichts als ein leeres Spiel mit Formeln, die immer anders wieder- 25
kamen, und denen nie etwas entsprechen wollte? Weil es an Religion gebrach, weil das Gefühl des Unendlichen sie nicht beseelte, und die Sehnsucht nach ihm, und die Ehrfurcht vor ihm ihre feinen luftigen Gedanken
nicht nötigte, eine festere Konsistenz anzunehmen, um sich gegen diesen gewaltigen Druck zu erhalten. Vom Anschauen muß alles ausgehen, und wem 30
die Begierde fehlt das Unendliche anzuschauen, der hat keinen Prüfstein und
braucht freilich auch keinen, um zu wissen, ob er etwas Ordentliches darüber
gedacht hat.

Und wie wird es dem Triumph der Spekulation ergehen, dem vollendeten
und gerundeten Idealismus, wenn Religion ihm nicht das Gegengewicht 35
hält, und ihn einen höhern Realismus ahnden läßt als den, welchen er so

kühn und mit so vollem Recht sich unterordnet? Er wird das Universum
vernichten, indem er es zu bilden scheint, er wird es herabwürdigen zu einer
bloßen Allegorie, zu einem nichtigen Schattenbilde unserer eignen Beschränktheit. Opfert mit mir ehrerbietig eine Locke den Manen des heiligen
5 verstoßenen Spinoza! Ihn durchdrang der hohe Weltgeist, das Unendliche
war sein Anfang und Ende, das Universum seine einzige und ewige Liebe,
in heiliger Unschuld und tiefer Demut spiegelte er sich in der ewigen Welt,
und sah zu, wie auch Er ihr liebenswürdigster Spiegel war; voller Religion
war Er und voll heiligen Geistes; und darum steht Er auch da, allein und
10 unerreicht, Meister in seiner Kunst, aber erhaben über die profane Zunft,
ohne Jünger und ohne Bürgerrecht.

Anschauen des Universums, ich bitte befreundet Euch mit diesem Begriff,
er ist der Angel meiner ganzen Rede, er ist die allgemeinste und höchste
Formel der Religion, woraus Ihr jeden Ort in derselben finden könnt,
15 woraus sich ihr Wesen und ihre Grenzen aufs genaueste bestimmen lassen.
Alles Anschauen gehet aus von einem Einfluß des Angeschaueten auf den
Anschauenden, von einem ursprünglichen und unabhängigen Handeln des
ersteren, welches dann von dem letzteren seiner Natur gemäß aufgenommen,
zusammengefaßt und begriffen wird. Wenn die Ausflüsse des Lichtes nicht
20 — was ganz ohne Euere Veranstaltung geschieht — Euer Organ berührten,
wenn die kleinsten Teile der Körper die Spitzen Eurer Finger nicht
mechanisch oder chemisch affizierten, wenn der Druck der Schwere Euch
nicht einen Widerstand und eine Grenze Eurer Kraft offenbarte, so würdet
Ihr nichts anschauen und nichts wahrnehmen, und was Ihr also anschaut
25 und wahrnehmt, ist nicht die Natur der Dinge, sondern ihr Handeln auf
Euch. Was Ihr über jene wißt oder glaubt, liegt weit jenseits des Gebiets
der Anschauung. So die Religion; das Universum ist in einer ununter-
brochenen Tätigkeit und offenbart sich uns jeden Augenblick. Jede Form,
die es hervorbringt, jedes Wesen, dem es nach der Fülle des Lebens ein
30 abgesondertes Dasein gibt, jede Begebenheit, die es aus seinem reichen, immer
fruchtbaren Schoße herausschüttet, ist ein Handeln desselben auf uns; und
so alles Einzelne als einen Teil des Ganzen, alles Beschränkte als eine
Darstellung des Unendlichen hinnehmen, das ist Religion; was aber darüber
hinaus will, und tiefer hineindringen in die Natur und Substanz des
35 Ganzen, ist nicht mehr Religion und wird, wenn es doch noch dafür angesehen sein will, unvermeidlich zurücksinken in leere Mythologie. So war

es Religion, wenn die Alten die Beschränkungen der Zeit und des Raumes
vernichtend jede eigentümliche Art des Lebens durch die ganze Welt hin als
das Werk und Reich eines allgegenwärtigen Wesens ansahen; sie hatten
eine eigentümliche Handelsweise des Universums in ihrer Einheit angeschaut
und bezeichneten so diese Anschauung; es war Religion, wenn sie für jede 5
hülfreiche Begebenheit, wobei die ewigen Gesetze der Welt sich im Zufälligen
auf eine einleuchtende Art offenbaren, den Gott, dem sie angehörte, mit
einem eigenen Beinamen begabten und einen eignen Tempel ihm bauten; sie
hatten eine Tat des Universums aufgefaßt, und bezeichneten so ihre Individualität und ihren Charakter. Es war Religion, wenn sie sich über das 10
spröde eiserne Zeitalter der Welt voller Risse und Unebenen erhoben, und
das goldene wiedersuchten im Olymp unter dem lustigen Leben der Götter;
so schauten sie an die immer rege, immer lebendige und heitere Tätigkeit der
Welt und ihres Geistes, jenseits alles Wechsels und alles scheinbaren Übels,
das nur aus dem Streit endlicher Formen hervorgehet. Aber wenn sie von 15
den Abstammungen dieser Götter eine wunderbare Chronik halten, oder
wenn ein späterer Glaube uns eine lange Reihe von Emanationen und Er-
zeugungen vorführt, das ist leere Mythologie. Alle Begebenheiten in der
Welt als Handlungen eines Gottes vorstellen, das ist Religion, es drückt
ihre Beziehung auf ein unendliches Ganzes aus, aber über dem Sein dieses 20
Gottes vor der Welt und außer der Welt grübeln, mag in der Metaphysik
gut und nötig sein, in der Religion wird auch das nur leere Mythologie,
eine weitere Ausbildung desjenigen, was nur Hilfsmittel der Darstellung
ist, als ob es selbst das Wesentliche wäre, ein völliges Herausgehen aus dem
eigentümlichen Boden. — Anschauung ist und bleibt immer etwas Ein- 25
zelnes, Abgesondertes, die unmittelbare Wahrnehmung, weiter nichts; sie
zu verbinden und in ein Ganzes zusammenzustellen, ist schon wieder nicht das
Geschäft des Sinnes, sondern des abstrakten Denkens. So die Religion;
bei den unmittelbaren Erfahrungen vom Dasein und Handeln des Universums, bei den einzelnen Anschauungen und Gefühlen bleibt sie stehen; jede 30
derselben ist ein für sich bestehendes Werk ohne Zusammenhang mit andern
oder Abhängigkeit von ihnen; von Ableitung und Anknüpfung weiß sie
nichts, es ist unter allem was ihr begegnen kann das, dem ihre Natur am
meisten widerstrebt. Nicht nur eine einzelne Tatsache oder Handlung, die
man ihre ursprüngliche und erste nennen könnte, sondern alles ist in ihr 35
unmittelbar und für sich wahr. — Ein System von Anschauungen, könnt

Ihr Euch selbst etwas Wunderlicheres denken? Lassen sich Ansichten, und
gar Ansichten des Unendlichen in ein System bringen? Könnt Ihr sagen,
man muß dieses so sehen, weil man jenes so sehen mußte? Dicht hinter Euch,
dicht neben Euch mag einer stehen, und alles kann ihm anders erscheinen.
5 Oder rücken etwa die möglichen Standpunkte, auf denen ein Geist stehen
kann, um das Universum zu betrachten, in abgemessenen Entfernungen fort,
daß Ihr erschöpfen und aufzählen und das Charakteristische eines jeden genau
bestimmen könnt? Sind ihrer nicht unendlich viele, und ist nicht jeder nur
ein stetiger Übergang zwischen zwei andern? Ich rede Euere Sprache bei
10 dieser Frage; es wäre ein unendliches Geschäft, und den Begriff von etwas
Unendlichem seid Ihr nicht gewohnt mit dem Ausdruck System zu verbinden,
sondern den von etwas Beschränktem und in seiner Beschränkung Vollendetem. Erhebt Euch einmal — es ist doch für die meisten unter Euch ein
Erheben — zu jenem Unendlichen der sinnlichen Anschauung, dem be-
15 wunderten und gefeierten Sternenhimmel. Die astronomischen Theorien,
die tausend Sonnen mit ihren Weltsystemen um eine gemeinschaftliche
führen, und für diese wiederum ein höheres Weltsystem suchen, welches ihr
Mittelpunkt sein könnte, und so fort ins Unendliche nach innen und nach
außen, diese werdet Ihr doch nicht ein System von Anschauungen als solchen
20 nennen wollen? Das einzige, dem Ihr diesen Namen beilegen könnt, wäre
die uralte Arbeit jener kindlichen Gemüter, die die unendliche Menge dieser
Erscheinungen in bestimmte aber dürftige und unschickliche Bilder gefaßt
haben. Ihr wißt aber, daß darin kein Schein von System ist, daß noch
immer Gestirne zwischen diesen Bildern entdeckt werden, daß auch innerhalb
25 ihrer Grenzen alles unbestimmt und unendlich ist, und daß sie selbst etwas
rein Willkürliches und höchst Bewegliches bleiben. Wenn Ihr einen überredet habt mit Euch das Bild des Wagens in die blaue Folie der Welten
hineinzuzeichnen, bleibt es ihm nicht demohngeachtet frei die nächstgelegenen
Welten in ganz andere Umrisse zusammenzufassen als die Eurigen sind?
30 Dieses unendliche Chaos, wo freilich jeder Punkt eine Welt vorstellt, ist
eben als solches in der Tat das schicklichste und höchste Sinnbild der Religion; in ihr wie in ihm ist nur das Einzelne wahr und notwendig, nichts
kann oder darf aus dem andern bewiesen werden, und alles Allgemeine,
worunter das Einzelne befaßt werden soll, alle Zusammenstellung und Ver-
35 bindung liegt entweder in einem fremden Gebiet, wenn sie auf das Innre
und Wesentliche bezogen werden soll, oder ist nur ein Werk der spielenden

Phantaſie und der freieſten Willkür. Wenn Tauſende von Euch dieſelben religiöſen Anſchauungen haben könnten, ſo würde gewiß jeder andere Umriſſe ziehen, um feſtzuhalten, wie er ſie neben- oder nacheinander erblickt hat; es würde dabei nicht etwa auf ſein Gemüt, nur auf einen zufälligen Zuſtand, auf eine Kleinigkeit ankommen. Jeder mag ſeine eigne Anordnung haben 5 und ſeine eigene Rubriken, das Einzelne kann dadurch weder gewinnen noch verlieren, und wer wahrhaft um ſeine Religion und ihr Weſen weiß, wird jeden ſcheinbaren Zuſammenhang dem Einzelnen tief unterordnen, und ihm nicht das kleinſte von dieſem aufopfern. Eben wegen dieſer ſelbſtändigen Einzelnheit iſt das Gebiet der Anſchauung ſo unendlich.   10

Stellt Euch an den entfernteſten Punkt der Körperwelt, Ihr werdet von dort aus nicht nur dieſelben Gegenſtände in einer andern Ordnung ſehen und, wenn Ihr Euch an Eure vorigen willkürlichen Bilder halten wollt, die Ihr dort nicht wiederfindet, ganz verirrt ſein; ſondern Ihr werdet in neuen Regionen noch ganz neue Gegenſtände entdecken. Ihr könnt nicht ſagen, 15 daß Euer Horizont, auch der weiteſte, alles umfaßt, und daß jenſeits deſſelben nichts mehr anzuſchauen ſei, oder daß Euerem Auge, auch dem bewaffnetſten, innerhalb deſſelben nichts entgehe: Ihr findet nirgends Grenzen, und könnt Euch auch keine denken. Von der Religion gilt dies in einem noch weit höheren Sinne; von einem entgegengeſetzten Punkte aus würdet 20 Ihr nicht nur in neuen Gegenden neue Anſchauungen erhalten, auch in dem alten wohlbekannten Raume würden ſich die erſten Elemente in andere Geſtalten vereinigen und alles würde anders ſein. Sie iſt nicht nur deswegen unendlich, weil Handeln und Leiden auch zwiſchen demſelben beſchränkten Stoff und dem Gemüt ohne Ende wechſelt — Ihr wißt, daß dies die einzige 25 Unendlichkeit der Spekulation iſt —, nicht nur deswegen, weil ſie nach innen zu unvollendbar iſt wie die Moral, ſie iſt unendlich nach allen Seiten, ein Unendliches des Stoffs und der Form, des Seins, des Sehens und des Wiſſens darum. Dieſes Gefühl muß jeden begleiten, der wirklich Religion hat. Jeder muß ſich bewußt ſein, daß die ſeinige nur ein Teil des Ganzen iſt, 30 daß es über dieſelben Gegenſtände, die ihn religiös affizieren, Anſichten gibt, die ebenſo fromm ſind und doch von den ſeinigen gänzlich verſchieden, und daß aus andern Eelementen der Religion Anſchauungen und Gefühle ausfließen, für die ihm vielleicht gänzlich der Sinn fehlt. Ihr ſeht, wie unmittelbar dieſe ſchöne Beſcheidenheit, dieſe freundliche einladende Duld- 35 ſamkeit aus dem Begriff der Religion entſpringt, und wie innig ſie ſich an

ihn anschmiegt. Wie unrecht wendet Ihr Euch also an die Religion mit
Eueren Vorwürfen, daß sie verfolgungssüchtig sei und gehässig, daß sie die
Gesellschaft zerrütte und Blut fließen lasse wie Wasser. Klaget dessen diejenigen an, welche die Religion verderben, welche sie mit Philosophie über-
5 schwemmen und sie in die Fesseln eines Systems schlagen wollen. Worüber
denn in der Religion hat man gestritten, Partei gemacht und Kriege entzündet? Über die Moral bisweilen und über die Metaphysik immer, und
beide gehören nicht hinein. Die Philosophie wohl strebt diejenigen, welche
wissen wollen, unter ein gemeinschaftliches Wissen zu bringen, wie Ihr das
10 täglich sehet, die Religion aber nicht diejenigen, welche glauben und fühlen,
unter einen Glauben und ein Gefühl. Sie strebt wohl denen, welche
noch nicht fähig sind das Universum anzuschauen, die Augen zu öffnen,
denn jeder Sehende ist ein neuer Priester, ein neuer Mittler, ein neues
Organ; aber eben deswegen flieht sie mit Widerwillen die kahle Einförmig-
15 keit, welche diesen göttlichen Überfluß wieder zerstören würde. Die System-
sucht stößt freilich das Fremde ab, sei es auch noch so denkbar und wahr, weil
es die wohlgeschloßnen Reihen des Eigenen verderben, und den schönen
Zusammenhang stören könnte, indem es seinen Platz forderte; in ihr ist der
Sitz der Widersprüche, sie muß streiten und verfolgen; denn insofern das
20 Einzelne wieder auf etwas Einzelnes und Endliches bezogen wird, kann freilich eins das andere zerstören durch sein Dasein; im Unendlichen aber steht
alles Endliche ungestört nebeneinander, alles ist eins und alles ist wahr. Auch
haben nur die Systematiker dies alles angerichtet. Das neue Rom, das
gottlose aber konsequente, schleudert Bannstrahlen und stößt Ketzer aus;
25 das alte, wahrhaft fromm und religiös im hohen Stil, war gastfrei gegen
jeden Gott, und so wurde es der Götter voll. Die Anhänger des toten Buch-
stabens, den die Religion auswirft, haben die Welt mit Geschrei und Getümmel erfüllt, die wahren Beschauer des Ewigen waren immer ruhige
Seelen, entweder allein mit sich und dem Unendlichen, oder wenn sie sich
30 umsahen, jedem, der das große Wort nur verstand, seine eigne Art gern ver-
gönnend. Mit diesem weiten Blick und diesem Gefühl des Unendlichen sieht
sie aber auch das an, was außer ihrem eigenen Gebiete liegt, und enthält in
sich die Anlage zur unbeschränktesten Vielseitigkeit im Urteil und in der Betrachtung, welche in der Tat anderswoher nicht zu nehmen ist. Lasset irgend
35 etwas anders den Menschen beseelen — ich schließe die Sittlichkeit nicht
aus noch die Philosophie, und berufe mich vielmehr ihretwegen auf Eure

eigne Erfahrung — sein Denken und sein Streben, worauf es auch gerichtet
sei, zieht einen engen Kreis um ihn, in welchem sein Höchstes eingeschlossen
liegt, und außer welchem ihm alles gemein und unwürdig erscheint. Wer
nur systematisch denken und nach Grundsatz und Absicht handeln, und dies
und jenes ausrichten will in der Welt, der umgrenzt unvermeidlich sich selbst 5
und setzt immerfort dasjenige sich entgegen zum Gegenstande des Wider-
willens, was sein Tun und Treiben nicht fördert. Nur der Trieb anzuschauen,
wenn er aufs Unendliche gerichtet ist, setzt das Gemüt in unbeschränkte Freiheit, nur die Religion rettet es von den schimpflichsten Fesseln der Meinung
und der Begierde. Alles was ist, ist für sie notwendig, und alles was sein 10
kann, ist ihr ein wahres unentbehrliches Bild des Unendlichen; wer nur den
Punkt findet, woraus seine Beziehung auf dasselbe sich entdecken läßt. Wie
verwerflich auch etwas in andern Beziehungen oder an sich selbst sei, in
dieser Rücksicht ist es immer wert, zu sein und aufbewahrt und betrachtet zu
werden. Einem frommen Gemüte macht die Religion alles heilig und wert, 15
sogar die Unheiligkeit und die Gemeinheit selbst, alles was es faßt und nicht
faßt, was in dem System seiner eigenen Gedanken liegt und mit seiner
eigentümlichen Handelsweise übereinstimmt oder nicht; sie ist die einzige und
geschworne Feindin aller Pedanterie und aller Einseitigkeit. — Endlich
um das allgemeine Bild der Religion zu vollenden, erinnert Euch, daß jede 20
Anschauung ihrer Natur nach mit einem Gefühl verbunden ist. Euere
Organe vermitteln den Zusammenhang zwischen dem Gegenstande und Euch,
derselbe Einfluß des letztern, der Euch sein Dasein offenbaret, muß sie auf
mancherlei Weise erregen, und in Eurem innern Bewußtsein eine Veränderung hervorbringen. Dieses Gefühl, das Ihr freilich oft kaum gewahr 25
werdet, kann in andern Fällen zu einer solchen Heftigkeit heranwachsen, daß
Ihr des Gegenstandes und Euerer selbst darüber vergeßt, Euer ganzes
Nervensystem kann so davon durchdrungen werden, daß die Sensation lange
allein herrscht und lange noch nachklingt, und der Wirkung anderer Eindrücke widersteht; aber daß ein Handeln in Euch hervorgebracht, die Selbst- 30
tätigkeit Eures Geistes in Bewegung gesetzt wird, das werdet Ihr doch nicht
den Einflüssen äußerer Gegenstände zuschreiben? Ihr werdet doch gestehen,
daß das weit außer der Macht auch der stärksten Gefühle liege, und eine
ganz andere Quelle haben müsse in Euch. So die Religion; dieselben Handlungen des Universums, durch welche es sich Euch im Endlichen offenbart, 35
bringen es auch in ein neues Verhältnis zu Eurem Gemüt und Eurem Zu-

stand; indem Ihr es anschauet, müßt Ihr notwendig von mancherlei Gefühlen ergriffen werden. Nur daß in der Religion ein anderes und festeres
Verhältnis zwischen der Anschauung und dem Gefühl stattfindet, und nie
jene so sehr überwiegt, daß dieses beinahe verlöscht wird. Im Gegenteil ist
5 es wohl ein Wunder, wenn die ewige Welt auf die Organe unseres Geistes
so wirkt wie die Sonne auf unser Auge? wenn sie uns so blendet, daß nicht
nur in dem Augenblick alles übrige verschwindet, sondern auch noch lange
nachher alle Gegenstände, die wir betrachten, mit dem Bilde derselben bezeichnet und von ihrem Glanz übergossen sind? So wie die besondere Art,
10 wie das Universum sich Euch in Euren Anschauungen darstellt, das Eigentümliche Eurer individuellen Religion ausmacht, so bestimmt die Stärke
dieser Gefühle den Grad der Religiosität. Je gesunder der Sinn, desto
schärfer und bestimmter wird er jeden Eindruck auffassen, je sehnlicher der
Durst, je unaufhaltsamer der Trieb das Unendliche zu ergreifen, desto
15 mannigfaltiger wird das Gemüt selbst überall und ununterbrochen von ihm
ergriffen werden, desto vollkommner werden diese Eindrücke es durchdringen,
desto leichter werden sie immer wieder erwachen, und über alle andere die
Oberhand behalten. So weit geht an dieser Seite das Gebiet der Religion,
ihre Gefühle sollen uns besitzen, wir sollen sie aussprechen, festhalten, dar-
20 stellen; wollt Ihr aber darüber hinaus mit ihnen, sollen sie eigentliche Handlungen veranlassen, und zu Taten antreiben, so befindet Ihr Euch auf einem
fremden Gebiet; und haltet Ihr dies dennoch für Religion, so seid Ihr, wie
vernünftig und löblich Euer Tun auch aussehe, versunken in unheilige
Superstition. Alles eigentliche Handeln soll moralisch sein und kann es
25 auch, aber die religiösen Gefühle sollen wie eine heilige Musik alles Tun
des Menschen begleiten; er soll alles mit Religion tun, nichts aus Religion.
Wenn Ihr es nicht versteht, daß alles Handeln moralisch sein soll, so setze
ich hinzu, daß dies auch von allem andern gilt. Mit Ruhe soll der Mensch
handeln, und was er unternehme, das geschehe mit Besonnenheit. Fraget
30 den sittlichen Menschen, fraget den politischen, fraget den künstlerischen, alle
werden sagen, daß dies ihre erste Vorschrift sei; aber Ruhe und Besonnenheit ist verloren, wenn der Mensch sich durch die heftigen und erschütternden
Gefühle der Religion zum Handeln treiben läßt. Auch ist es unnatürlich,
daß dieses geschehe, die religiösen Gefühle lähmen ihrer Natur nach die
35 Tatkraft des Menschen, und laden ihn ein zum stillen hingegebenen Genuß;
daher auch die religiösesten Menschen, denen es an andern Antrieben zum

Handeln fehlte, und die nichts waren als religiös, die Welt verließen, und
sich ganz der müßigen Beschauung ergaben. Zwingen muß der Mensch erst
sich und seine frommen Gefühle, ehe sie Handlungen aus ihm herauspressen,
und ich darf mich nur auf Euch berufen, es gehört ja mit zu Euren Anklagen,
daß so viel sinnlose und unnatürliche auf diesem Wege zustande gekommen   5
sind. Ihr seht, ich gebe Euch nicht nur diese preis, sondern auch die vortrefflichsten und löblichsten. Ob bedeutungslose Gebräuche gehandhabt oder
gute Werke verrichtet, ob auf blutenden Altären Menschen geschlachtet oder
ob sie mit wohltätiger Hand beglückt werden, ob in toter Untätigkeit das
Leben hingebracht wird, oder in schwerfälliger geschmackloser Ordnung, oder   10
in leichter üppiger Sinnenlust, das sind freilich, wenn von Moral oder vom
Leben und von weltlichen Beziehungen die Rede ist, himmelweit voneinander
unterschiedene Dinge; sollen sie aber zur Religion gehören und aus ihr her-
vorgegangen sein, so sind sie alle einander gleich, nur sklavischer Aberglaube
eins wie das andere. Ihr tadelt denjenigen, der durch den Eindruck, welchen   15
ein Mensch auf ihn macht, sein Verhalten gegen ihn bestimmen läßt, Ihr
wollt, daß auch das richtigste Gefühl über die Gegenwirkung des Menschen
uns nicht zu Handlungen verleiten soll, wozu wir keinen bessern Grund
haben; so ist also auch derjenige zu tadeln, dessen Handlungen, die immer
aufs ganze gerichtet sein sollten, lediglich durch die Gefühle bestimmt werden,   20
die eben dieses Ganze in ihm erweckt; er wird ausgezeichnet als ein solcher,
der seine Würde preisgibt nicht nur aus dem Standpunkt der Moral, weil er
fremden Beweggründen Raum läßt, sondern auch aus dem der Religion
selbst, weil er aufhört zu sein, was ihm allein in ihren Augen einen eigentümlichen Wert gibt, ein freier, durch eigene Kraft tätiger Teil des Ganzen.   25
Dieser gänzliche Mißverstand, daß die Religion handeln soll, kann nicht
anders als zugleich ein furchtbarer Mißbrauch sein, und auf welche Seite sich
auch die Tätigkeit wende, in Unheil und Zerrüttung endigen. Aber bei
ruhigem Handeln, welches aus seiner eigenen Quelle hervorgehn muß, die
Seele voll Religion haben, das ist das Ziel des Frommen. Nur böse Geister,   30
nicht gute, besitzen den Menschen und treiben ihn und die Legion von Engeln,
womit der himmlische Vater seinen Sohn ausgestattet hatte, waren nicht in
ihm, sondern um ihn her; sie halfen ihm auch nicht in seinem Tun und
Lassen, und sollten es auch nicht, aber sie flößten Heiterkeit und Ruhe in die
von Tun und Denken ermattete Seele; er verlor sie wohl bisweilen aus   35
den Augen, in Augenblicken, wo seine ganze Kraft zum Handeln aufgeregt

war, aber dann umschwebten sie ihn wieder in fröhlichem Gedränge und
dienten ihm. — Ehe ich Euch aber in das einzelne dieser Anschauungen und
Gefühle hineinführe, welches allerdings mein nächstes Geschäft an Euch
sein muß, so vergönnt mir zuvor einen Augenblick darüber zu trauern, daß
5 ich von beiden nicht anders als getrennt reden kann; der feinste Geist der
Religion geht dadurch verloren für meine Rede, und ich kann ihr innerstes
Geheimnis nur schwankend und unsicher enthüllen. Aber eine notwendige
Reflexion trennt beide, und wer kann über irgend etwas, das zum Bewußtsein gehört, reden, ohne erst durch dieses Medium hindurchzugehen? Nicht
10 nur wenn wir eine innere Handlung des Gemüts mitteilen, auch wenn wir
sie nur in uns zum Stoff der Betrachtung machen, und zum deutlichen Bewußtsein erhöhen wollen, geht gleich diese unvermeidliche Scheidung vor sich:
das Faktum vermischt sich mit dem ursprünglichen Bewußtsein unserer doppelten Tätigkeit, der herrschenden und nach außen wirkenden, und der bloß
15 zeichnenden und nachbildenden, welche den Dingen vielmehr zu dienen scheint,
und sogleich bei dieser Berührung zerlegt sich der einfachste Stoff in zwei
entgegengesetzte Elemente: die einen treten zusammen zum Bilde eines
Objekts, die andern dringen durch zum Mittelpunkt unsers Wesens, brausen
dort auf mit unsern ursprünglichen Trieben und entwickeln ein flüchtiges
20 Gefühl. Auch mit dem innersten Schaffen des religiösen Sinnes können
wir diesem Schicksal nicht entgehen; nicht anders als in dieser getrennten
Gestalt können wir seine Produkte wieder zur Oberfläche herauffördern und
mitteilen. Nur denkt nicht — dies ist eben einer von den gefährlichsten Irr-
tümern — daß religiöse Anschauungen und Gefühle auch ursprünglich in der
25 ersten Handlung des Gemüts so abgesondert sein dürfen, wie wir sie leider
hier betrachten müssen. Anschauung ohne Gefühl ist nichts und kann weder
den rechten Ursprung noch die rechte Kraft haben, Gefühl ohne Anschauung
ist auch nichts: beide sind nur dann und deswegen etwas, wenn und weil sie
ursprünglich eins und ungetrennt sind. Jener erste geheimnisvolle Augen-
30 blick, der bei jeder sinnlichen Wahrnehmung vorkommt, ehe noch Anschauung
und Gefühl sich trennen, wo der Sinn und sein Gegenstand gleichsam in-
einandergeflossen und eins geworden sind, ehe noch beide an ihren ursprünglichen Platz zurückkehren — ich weiß wie unbeschreiblich er ist, und wie
schnell er vorübergeht, ich wollte aber, Ihr könntet ihn festhalten und auch
35 in der höheren und göttlichen religiösen Tätigkeit des Gemüts ihn wieder
erkennen. Könnte und dürfte ich ihn doch aussprechen, andeuten wenigstens,

ohne ihn zu entheiligen! Flüchtig ist er und durchsichtig wie der erste Duft,
womit der Tau die erwachten Blumen anhaucht, schamhaft und zart wie ein
jungfräulicher Kuß, heilig und fruchtbar wie eine bräutliche Umarmung;
ja nicht wie dies, sondern er ist alles dieses selbst. Schnell und zauberisch
entwickelt sich eine Erscheinung, eine Begebenheit zu einem Bilde des Uni-   5
versums. Sowie sie sich formt die geliebte und immer gesuchte Gestalt, flieht
ihr meine Seele entgegen, ich umfange sie nicht wie einen Schatten, sondern
wie das heilige Wesen selbst. Ich liege am Busen der unendlichen Welt:
ich bin in diesem Augenblick ihre Seele, denn ich fühle alle ihre Kräfte und
ihr unendliches Leben, wie mein eigenes, sie ist in diesem Augenblicke mein   10
Leib, denn ich durchdringe ihre Muskeln und ihre Glieder wie meine eigenen,
und ihre innersten Nerven bewegen sich nach meinem Sinn und meiner
Ahndung wie die meinigen. Die geringste Erschütterung, und es verweht die
heilige Umarmung, und nun erst steht die Anschauung vor mir als eine ab-
gesonderte Gestalt, ich messe sie, und sie spiegelt sich in der offnen Seele wie   15
das Bild der sich entwindenden Geliebten in dem aufgeschlagenen Auge des
Jünglings, und nun erst arbeitet sich das Gefühl aus dem Innern empor,
und verbreitet sich wie die Röte der Scham und der Lust auf seiner Wange.
Dieser Moment ist die höchste Blüte der Religion. Könnte ich ihn Euch
schaffen, so wäre ich ein Gott — das heilige Schicksal verzeihe mir nur, daß   20
ich mehr als Eleusische Mysterien habe aufdecken müssen — Er ist die Ge-
burtsstunde alles Lebendigen in der Religion. Aber es ist damit wie mit dem
ersten Bewußtsein des Menschen, welches sich in das Dunkel einer ursprünglichen und ewigen Schöpfung zurückzieht, und ihm nur das hinterläßt, was
es erzeugt hat. Nur die Anschauungen und Gefühle kann ich Euch vergegen-   25
wärtigen, die sich aus solchen Momenten entwickeln. Das aber sei Euch
gesagt: wenn Ihr diese noch so vollkommen versteht, wenn Ihr sie in Euch
zu haben glaubt im klarsten Bewußtsein, aber Ihr wißt nicht und könnt es
nicht aufzeigen, daß sie aus solchen Augenblicken in Euch entstanden und
ursprünglich eins und ungetrennt gewesen sind, so überredet Euch und mich   30
nicht weiter, es ist dem doch nicht so, Euere Seele hat nie empfangen, es
sind nur untergeschobene Kinder, Erzeugnisse anderer Seelen, die Ihr im
heimlichen Gefühl der eignen Schwäche adoptiert habt. Als Unheilige und
entfernt von allem göttlichen Leben bezeichne ich Euch diejenigen, die also
herumgehen und sich brüsten mit Religion. Da hat der eine Anschauungen   35
der Welt und Formeln, welche sie ausdrücken sollen, und der andre hat Ge-

fühle und innere Erfahrungen, wodurch er sie dokumentiert. Jener flicht
seine Formeln übereinander, und dieser webt eine Heilsordnung aus seinen
Erfahrungen, und nun ist Streit, wieviel Begriffe und Erklärungen man
nehmen müsse, und wieviel Rührungen und Empfindungen, um daraus eine
5 tüchtige Religion zusammenzusetzen, die weder kalt noch schwärmerisch
wäre. Ihr Toren und träges Herzens! wißt Ihr nicht, daß das alles nur
Zersetzungen des religiösen Sinnes sind, die Eure eigne Reflexion hätte
machen müssen, und wenn Ihr Euch nun nicht bewußt seid etwas gehabt zu
haben, was sie zersetzen konnte, wo habt Ihr denn dieses her? Gedächtnis habt
10 Ihr und Nachahmung, aber keine Religion. Erzeugt habt Ihr die Anschauungen nicht, wozu Ihr die Formeln wißt, sondern diese sind auswendig
gelernt und aufbewahrt, und Euere Gefühle sind mimisch nachgebildet wie
fremde Physiognomien, und eben deswegen Karikatur. Und aus diesen ab-
gestorbenen und verderbten Teilen wollt Ihr eine Religion zusammensetzen?
15 Zerlegen kann man wohl die Säfte eines organischen Körpers in seine nächsten Bestandteile; aber nehmt nun diese ausgeschiedenen Elemente, mischt sie in
jedem Verhältnis, behandelt sie auf jedem Wege, werdet Ihr wieder Herzens-
blut daraus machen können? Wird das, was einmal tot ist, sich wieder in
einem lebenden Körper bewegen und mit ihm einigen können? Die Er-
20 zeugnisse der lebenden Natur aus ihren getrennten Bestandteilen zu resti-
tuieren, daran scheitert jede menschliche Kunst, und so wird es Euch mit der
Religion nicht gelingen, wenn Ihr Euch ihre einzelnen Elemente auch noch
so vollkommen von außen an= und eingebildet habt; von innen muß sie
hervorgehen. Das göttliche Leben ist wie ein zartes Gewächs, dessen Blüten
25 sich noch in der umschlossenen Knospe befruchten, und die heiligen Anschauungen und Gefühle, die Ihr trocknen und aufbewahren könnt, sind
die schönen Kelche und Kronen, die sich bald nach jener verborgenen Handlung öffnen, aber auch bald wieder abfallen. Es treiben aber immer wieder
neue aus der Fülle des innern Lebens — denn das göttliche Gewächs bildet
30 um sich her ein paradiesisches Klima, dem keine Jahreszeit schadet — und
die alten bestreuen und zieren dankbar den Boden, der die Wurzeln deckt,
von denen sie genährt wurden, und duften noch in lieblicher Erinnerung
zu dem Stamme empor, der sie trug. Aus diesen Knospen und Kronen und
Kelchen will ich Euch jetzt einen heiligen Kranz winden.
35   Zur äußeren Natur, welche von so vielen für den ersten und vornehmsten
Tempel der Gottheit, für das innerste Heiligtum der Religion gehalten

wird, führe ich Euch nur als zum äußersten Vorhof derselben. Weder
Furcht vor den materiellen Kräften, die Ihr auf dieser Erde geschäftig seht,
noch Freude an den Schönheiten der körperlichen Natur, soll oder kann Euch
die erste Anschauung der Welt und ihres Geistes geben. Nicht im Donner
des Himmels noch in den furchtbaren Wogen des Meeres sollt Ihr das all- 5
mächtige Wesen erkennen, nicht im Schmelz der Blumen noch im Glanz der
Abendröte das Liebliche und Gütevolle. Es mag sein, daß beides, Furcht und
freudiger Genuß, die roheren Söhne der Erde zuerst auf die Religion vor-
bereitete, aber diese Empfindungen selbst sind nicht Religion. Alle Ahndungen des Unsichtbaren, die den Menschen auf diesem Wege gekommen sind, 10
waren nicht religiös, sondern philosophisch, nicht Anschauungen der Welt und
ihres Geistes — denn es sind nur Blicke auf das unbegreifliche und unermeßliche Einzelne — sondern Suchen und Forschen nach Ursach und erster
Kraft. Es ist mit diesen rohen Anfängen in der Religion wie mit allem, was
zur ursprünglichen Einfalt der Natur gehört. Nur so lange diese noch da 15
ist, hat es die Kraft das Gemüt so zu bewegen; es kommt auf den Gipfel der
Vollendung, auf dem wir aber noch nicht stehen, vielleicht wieder durch
Kunst und Willkür in eine höhere Gestalt verwandelt, auf dem Wege der
Bildung aber geht es unvermeidlich und glücklicherweise verloren, denn es
würde ihren Gang nur hemmen. Auf diesem Wege befinden wir uns, und 20
uns kann also durch diese Bewegungen des Gemüts keine Religion kommen.
Das ist ja das große Ziel alles Fleißes, der auf die Bildung der Erde verwendet wird, daß die Herrschaft der Naturkräfte über den Menschen vernichtet werde, und alle Furcht vor ihnen aufhöre; wie können wir also in
dem, was wir zu bezwingen trachten, und zum Teil schon bezwungen haben, 25
das Universum anschauen? . . .

Betrachtet das Gesetz, nach welchem sich überall in der Welt, so weit Ihr
sie übersehst, das Lebende zu dem verhält, was in Rücksicht desselben für tot
zu halten ist, wie alles sich nährt und den toten Stoff gewaltsam hinein-
zieht in sein Leben, wie sich uns von allen Seiten entgegendrängt der auf- 30
gespeicherte Vorrat für alles Lebende, der nicht tot daliegt, sondern selbst
lebend sich überall aufs neue wieder erzeugt, wie bei aller Mannigfaltigkeit
der Lebensformen und der ungeheuren Menge von Materien, den jede
wechselnd verbraucht, dennoch jede zur Genüge hat, um den Kreis ihres
Daseins zu durchlaufen, und jede nur einem innern Schicksal unterliegt 35
und nicht einem äußeren Mangel, welche unendliche Fülle offenbart sich

da — welch überfließender Reichtum! Wie werden wir ergriffen von dem
Eindruck der mütterlichen Vorsorge und von kindlicher Zuversicht das süße
Leben sorglos wegzuspielen in der vollen und reichen Welt. Sehet die Lilien
auf dem Felde, sie säen nicht und ernten nicht, und Euer himmlischer Vater
5 ernährt sie doch, darum sorget nicht. Dieser fröhliche Anblick, dieser heitere
leichte Sinn war aber auch das Höchste, ja das Einzige, was einer der
größten Heroen der Religion für die seinige aus der Anschauung der
Natur gewann; wie sehr muß sie ihm also nur im Vorhof derselben gelegen
haben! — Eine größere Ausbeute gewährt sie freilich uns, denen ein
10 reicheres Zeitalter tiefer in ihr Innerstes zu dringen vergönnt hat; ihre
chemischen Kräfte, die ewigen Gesetze, nach denen die Körper selbst gebildet
und zerstört werden, diese sind es, in denen wir am klarsten und heiligsten
das Universum anschauen. Sehet, wie Neigung und Widerstreben alles
bestimmt und überall ununterbrochen tätig ist; wie alle Verschiedenheit und
15 alle Entgegensetzung nur scheinbar und relativ ist, und alle Individualität
nur ein leerer Namen; seht, wie alles Gleiche sich in tausend verschiedene
Gestalten zu verbergen und zu verteilen strebt, und wie Ihr nirgends etwas
Einfaches findet, sondern alles künstlich zusammengesetzt und verschlungen;
das ist der Geist der Welt, der sich im kleinsten ebenso vollkommen und
20 sichtbar offenbart als im größten, das ist eine Anschauung des Universums,
die sich aus allem entwickelt und das Gemüt ergreift, und nur derjenige,
der sie in der Tat überall erblickt, der nicht nur in allen Veränderungen,
sondern in allem Dasein selbst nichts findet als ein Werk dieses Geistes
und eine Darstellung und Ausführung dieser Gesetze, nur dem ist alles
25 Sichtbare auch wirklich Welt, gebildet, von der Gottheit durchdrungen und
eins. Bei einem gänzlichen Mangel aller Kenntnisse, die unser Jahrhundert
verherrlichen, fehlte doch schon den ältesten Weisen der Griechen nicht diese
Ansicht der Natur, zum deutlichen Beweise, wie alles, was Religion ist, jede
äußere Hülfe verschmäht und leicht entbehrt; und wäre diese von den Weisen
30 zum Volk hindurchgedrungen, wer weiß welchen erhabenen Gang seine
Religion würde genommen haben!

Aber was ist Liebe und Widerstreben? was ist Individualität und Einheit? Diese Begriffe, wodurch Euch die Natur erst im eigentlichen Sinne
Anschauung der Welt wird, habt Ihr sie aus der Natur? Stammen sie nicht
35 ursprünglich aus dem Innern des Gemüts her, und sind erst von da auf
jenes gedeutet? Darum ist es auch das Gemüt eigentlich, worauf die Religion

hinsieht und woher sie Anschauungen der Welt nimmt; im innern Leben
bildet sich das Universum ab, und nur durch das innere wird erst das äußere
verständlich. Aber auch das Gemüt muß, wenn es Religion erzeugen und
nähren soll, in einer Welt angeschaut werden. Laßt mich Euch ein Geheimnis aufdecken, welches in einer der ältesten Urkunden der Dichtkunst und der 5
Religion verborgen liegt. So lange der erste Mensch allein war mit sich
und der Natur, waltete freilich die Gottheit über ihm, sie sprach ihn an
auf verschiedene Art, aber er verstand sie nicht, denn er antwortete ihr nicht;
sein Paradies war schön, und von einem schönen Himmel glänzten ihm
die Gestirne herab, aber der Sinn für die Welt ging ihm nicht auf; auch aus 10
dem Innern seiner Seele entwickelte er sich nicht; aber von der Sehnsucht
nach einer Welt wurde sein Gemüt bewegt, und so trieb er vor sich zusammen
die tierische Schöpfung, ob etwa sich eine daraus bilden möchte. Da erkannte
die Gottheit, daß ihre Welt nichts sei, solange der Mensch allein wäre, sie
schuf ihm die Gehilfin, und nun erst regten sich in ihm lebende und geistvolle 15
Töne, nun erst ging seinen Augen die Welt auf. In dem Fleische von seinem
Fleische und Bein von seinem Beine entdeckte er die Menschheit, und in der
Menschheit die Welt; von diesem Augenblick an wurde er fähig die Stimme
der Gottheit zu hören und ihr zu antworten, und die frevelhafteste Über-
tretung ihrer Gesetze schloß ihn von nun an nicht mehr aus von dem Um- 20
gange mit dem ewigen Wesen. Unser aller Geschichte ist erzählt in dieser
heiligen Sage. Umsonst ist alles für denjenigen da, der sich selbst allein
stellt; denn um die Welt anzuschauen und um Religion zu haben, muß
der Mensch erst die Menschheit gefunden haben, und er findet sie nur in
Liebe und durch Liebe. Darum sind beide so innig und unzertrennlich ver- 25
knüpft; Sehnsucht nach Religion ist es, was ihm zum Genuß der Religion
hilft. Den umfängt jeder am heißesten, in dem die Welt sich am klarsten
und reinsten abspiegelt; den liebt jeder am zärtlichsten, in dem er alles
zusammengedrängt zu finden glaubt, was ihm selbst fehlt um die Menschheit auszumachen. Zur Menschheit also laßt uns hintreten, da finden wir 30
Stoff für die Religion.

 Hier seid auch Ihr in Eurer eigentlichsten und liebsten Heimat, Euer
innerstes Leben geht Euch auf, Ihr seht das Ziel alles Eures Strebens
und Tuns vor Euch und fühlet zugleich das innere Treiben Eurer Kräfte,
welches Euch immerfort nach diesem Ziel hinführt. Die Menschheit selbst 35
ist Euch eigentlich das Universum, und Ihr rechnet alles andere nur insofern

zu diesem, als es mit jener in Beziehung kommt oder sie umgibt. Über diesen
Gesichtspunkt will auch ich Euch nicht hinausführen; aber es hat mich oft
innig geschmerzt, daß Ihr bei aller Liebe zur Menschheit und allem Eifer
für sie doch immer mit ihr verwickelt und uneins seid. Ihr quält Euch an
5 ihr zu bessern und zu bilden, jeder nach seiner Weise, und am Ende laßt Ihr
unmutsvoll liegen, was zu keinem Ziel kommen will. Ich darf sagen, auch
das kommt von Eurem Mangel an Religion. Auf die Menschheit wollt
Ihr wirken, und die Menschen, die einzelnen schaut Ihr an. Diese mißfallen
Euch höchlich und unter den tausend Ursachen, die das haben kann, ist un-
10 streitig die die schönste und welche den Besseren angehört, daß Ihr gar zu
moralisch seid nach Eurer Art. Ihr nehmt die Menschen einzeln, und so
habt Ihr auch ein Ideal von einem Einzelnen, dem sie aber nicht entsprechen. Dies alles zusammen ist ein verkehrtes Beginnen, und mit der
Religion werdet Ihr Euch weit besser befinden. Möchtet Ihr nur versuchen
15 die Gegenstände Eures Wirkens und Eurer Anschauung zu verwechseln!
Wirkt auf die Einzelnen, aber mit Eurer Betrachtung hebt Euch auf den
Flügeln der Religion höher zu der unendlichen ungeteilten Menschheit; sie
suchet in jedem einzelnen, seht das Dasein eines jeden an als eine Offenbarung von ihr an Euch, und es kann von allem, was Euch jetzt drückt, keine
20 Spur zurückbleiben. Ich wenigstens rühme mich auch einer moralischen
Gesinnung, auch ich verstehe menschliche Vortrefflichkeit zu schätzen, und
es kann das Gemeine für sich betrachtet mich mit dem unangenehmen Gefühl
der Geringschätzung beinahe überfüllen; aber mir gibt die Religion von dem
allen eine gar große und herrliche Ansicht. Denkt Euch den Genius der
25 Menschheit als den vollendetsten und universellesten Künstler. Er kann
nichts machen, was nicht ein eigentümliches Dasein hätte. Auch wo er nur
die Farben zu versuchen und den Pinsel zu schärfen scheint, entstehen lebende
und bedeutende Züge. Unzählige Gestalten denkt er sich so und bildet sie.
Millionen tragen das Kostüm der Zeit und sind treue Bilder ihrer Be-
30 dürfnisse und ihres Geschmacks; in andern zeigen sich Erinnerungen der
Vorwelt oder Ahndungen einer fernen Zukunft; einige sind der erhabenste
und treffendste Abdruck des Schönsten und Göttlichsten. Andre sind groteske
Erzeugnisse der originellsten und flüchtigsten Laune eines Virtuosen. Das
ist eine irreligiöse Ansicht, daß er Gefäße der Ehre verfertige und Gefäße
35 der Unehre; einzeln müßt Ihr nichts betrachten, aber erfreut Euch eines
jeden an der Stelle, wo es steht. Alles was zugleich wahrgenommen werden

kann und gleichsam auf einem Blatte steht, gehört zu einem großen historischen Bilde, welches einen Moment des Universums darstellt. Wollt Ihr
dasjenige verachten, was die Hauptgruppen hebt und dem Ganzen Leben
und Fülle gibt? Sollen die einzelnen himmlischen Gestalten nicht dadurch
verherrlicht werden, daß tausend andere sich vor ihnen beugen, und daß man 5
sieht, wie alles auf sie hinblickt und sich auf sie bezieht? Es ist in der Tat
etwas mehr in dieser Vorstellung als ein schales Gleichnis. Die ewige
Menschheit ist unermüdet geschäftig, sich selbst zu erschaffen und sich in
der vorübergehenden Erscheinung des endlichen Lebens aufs mannigfaltigste
darzustellen. Was wäre wohl die einförmige Wiederholung eines höchsten 10
Ideals, wobei die Menschen doch, Zeit und Umstände abgerechnet, eigentlich
einerlei sind, dieselbe Formel, nur mit andern Koeffizienten verbunden, was
wäre sie gegen diese unendliche Verschiedenheit menschlicher Erscheinungen?
Nehmt welches Element der Menschheit Ihr wollt, Ihr findet jedes in
jedem möglichen Zustande fast von seiner Reinheit an — denn ganz soll 15
diese nirgends zu finden sein — in jeder Mischung mit jedem andern, bis
fast zur innigsten Sättigung mit allen übrigen — denn auch diese ist ein
unerreichbares Extrem — und die Mischung auf jedem möglichen Wege
bereitet, jede Spielart und jede seltene Kombination. Und wenn Ihr Euch
noch Verbindungen denken könnt, die Ihr nicht sehet, so ist auch diese Lücke 20
eine negative Offenbarung des Universums, eine Andeutung, daß in dem
geforderten Grade in der gegenwärtigen Temperatur der Welt diese
Mischung nicht möglich ist, und Eure Phantasie darüber ist eine Aussicht
über die gegenwärtigen Grenzen der Menschheit hinaus, eine wahre göttliche
Eingebung, eine willkürliche und unbewußte Weissagung über das, was 25
künftig sein wird. Aber so wie dies, was der geforderten unendlichen
Mannigfaltigkeit abzugehen scheint, nicht wirklich ein zu wenig ist, so ist
auch das nicht zu viel, was Euch auf Eurem Standpunkt so erscheint. Jenen
so oft beklagten Überfluß an den gemeinsten Formen der Menschheit, die in
tausend Abdrücken immer unverändert wiederkehren, erklärt die Religion 30
für einen leeren Schein. Der ewige Verstand befiehlt es, und auch der
endliche kann es einsehen, daß diejenigen Gestalten, an denen das einzelne
am schwersten zu unterscheiden ist, am dichtesten aneinander gedrängt stehen
müssen; aber jede hat etwas Eigentümliches: keiner ist dem andern gleich,
und in dem Leben eines jeden gibt es irgendeinen Moment, wie der Silber= 35
blick unedler Metalle, wo er, sei es durch die innige Annäherung eines

höhern Wesens oder durch irgendeinen elektrischen Schlag, gleichsam aus
sich heraus gehoben und auf den höchsten Gipfel desjenigen gestellt wird,
was er sein kann. Für diesen Augenblick war er geschaffen, in diesem er-
reichte er seine Bestimmung, und nach ihm sinkt die erschöpfte Lebenskraft
5 wieder zurück. Es ist ein eigner Genuß, kleinen Seelen zu diesem Moment
zu verhelfen, oder sie darin zu betrachten; aber wem dieses nie geworden ist,
dem muß freilich ihr ganzes Dasein überflüssig und verächtlich scheinen. So
hat die Existenz eines jeden einen doppelten Sinn in Beziehung auf das
Ganze. Hemme ich in Gedanken den Lauf jenes rastlosen Getriebes, wodurch
10 alles Menschliche ineinander verschlungen und voneinander abhängig gemacht
wird, so ist jedes Individuum seinem innern Wesen nach ein notwendiges
Ergänzungsstück zur vollkommnen Anschauung der Menschheit. Der eine
zeigt mir, wie jedes abgerissene Teilchen derselben, wenn nur der innere
Bildungstrieb, der das Ganze beseelt, ruhig darin fortwirken kann, sich
15 gestaltet in zarte und regelmäßige Formen; der andere, wie aus Mangel an
belebender und vereinigender Wärme die Härte des irdischen Stoffs nicht
bezwungen werden kann, oder wie in einer zu heftig bewegten Atmosphäre
der innerste Geist in seinem Handeln gestört und alles unscheinbar und unkenntlich wird; der eine erscheint als der rohe und tierische Teil der Mensch-
20 heit nur eben von den ersten unbeholfenen Regungen der Humanität bewegt,
der andre als der reinste dephlegmierte Geist, der von allem Niedrigen und
Unwürdigen getrennt nur mit leisem Fuß über der Erde schwebt, und alle
sind da, um durch ihr Dasein zu zeigen, wie diese verschiedenen Teile der
menschlichen Natur abgesondert und im kleinen wirken. Ist es nicht genug,
25 wenn es unter dieser unzähligen Menge doch immer einige gibt, die als
ausgezeichnete und höhere Repräsentanten der Menschheit der eine den,
der andre jenen von den melodischen Akkorden anschlagen, die keiner fremden
Begleitung und keiner spätern Auflösung bedürfen, sondern durch ihre
innere Harmonie die ganze Seele in einem Ton entzücken und zufrieden-
30 stellen? Beobachte ich wiederum die ewigen Räder der Menschheit in ihrem
Gange, so muß dieses unübersehliche Ineinandergreifen, wo nichts Bewegliches ganz durch sich selbst bewegt wird, und nichts Bewegendes nur
sich allein bewegt, mich mächtig beruhigen über Eure Klage, daß Vernunft
und Seele, Sinnlichkeit und Sittlichkeit, Verstand und blinde Kraft in so
35 getrennten Massen erscheinen. Warum seht Ihr alles einzeln, was doch nicht
einzeln und für sich wirkt? Die Vernunft der einen und die Seele der

andern affizieren einander doch so innig, als es nur in einem Subjekt geschehen könnte. Die Sittlichkeit, welche zu jener Sinnlichkeit gehört, ist
außer derselben gesetzt; ist ihre Herrschaft deswegen mehr beschränkt, und
glaubt Ihr, diese würde besser regiert werden, wenn jene jedem Individuo
in kleinen, kaum merkbaren Portionen zugeteilt wären? Die blinde Kraft, 5
welche dem großen Haufen zugeteilt ist, ist doch in ihren Wirkungen aufs
ganze nicht sich selbst und einem rohen Ohngefähr überlassen, sondern oft
ohne es zu wissen leitet sie doch jener Verstand, den Ihr an andern Punkten
in so großer Masse aufgehäuft findet, und sie folgt ihm ebenso unwissend
in unsichtbaren Banden. So verschwinden mir auf meinem Standpunkt 10
die Euch so bestimmt erscheinenden Umrisse der Persönlichkeit; der magische
Kreis herrschender Meinungen und epidemischer Gefühle umgibt und um-
spielt alles, wie eine mit auflösenden und magnetischen Kräften angefüllte
Atmosphäre; sie verschmilzt und vereinigt alles, und setzt durch die lebendigste
Verbreitung auch das Entfernteste in eine tätige Berührung, und die Aus- 15
flüsse derer, in denen Licht und Wahrheit selbständig wohnen, trägt sie geschäftig umher, daß sie einige durchdringen und andern die Oberfläche glänzend und täuschend erleuchten. Das ist die Harmonie des Universums, das
ist die wunderbare und große Einheit in seinem ewigen Kunstwerk; Ihr
aber lästert diese Herrlichkeit mit Euren Forderungen einer jämmerlichen 20
Vereinzelung, weil Ihr im ersten Vorhofe der Moral, und auch bei ihr
noch mit den Elementen beschäftigt, die hohe Religion verschmähet. Euer
Bedürfnis ist deutlich genug angezeigt; möchtet Ihr es nur erkennen und
befriedigen! Sucht unter allen den Begebenheiten, in denen sich diese himmlische Ordnung abbildet, ob Euch nicht eine aufgehen wird als ein göttliches 25
Zeichen. Laßt Euch einen alten verworfenen Begriff gefallen, und sucht
unter allen den heiligen Männern, in denen die Menschheit sich unmittelbarer offenbart, einen auf, der der Mittler sein könne zwischen Eurer eingeschränkten Denkungsart und den ewigen Grenzen der Welt; und wenn
Ihr ihn gefunden habt, dann durchlauft die ganze Menschheit und laßt alles, 30
was Euch bisher anders schien, von dem Widerschein dieses neuen Lichts erhellt werden. — Von diesen Wanderungen durch das ganze Gebiet der Menschheit kehrt dann die Religion mit geschärfterem Sinn und gebildeterem
Urteil in das eigne Ich zurück, und sie findet zuletzt alles, was sonst aus
den entlegensten Gegenden zusammengesucht wurde, bei sich selbst. In Euch 35
selbst findet Ihr, wenn Ihr dahin gekommen seid, nicht nur die Grundzüge

zu dem Schönsten und Niedrigsten, zu dem Edelsten und Verächtlichsten,
was Ihr als einzelne Seiten der Menschheit an andern wahrgenommen
habt. In Euch entdeckt Ihr nicht nur zu verschiedenen Zeiten alle die
mannigfaltigen Grade menschlicher Kräfte, sondern alle die unzähligen
5 Mischungen verschiedener Anlagen, die Ihr in den Charakteren anderer
angeschaut habt, erscheinen Euch nur als festgehaltene Momente Eures
eigenen Lebens. Es gab Augenblicke, wo Ihr so dachtet, so fühltet, so han-
deltet, wo Ihr wirklich dieser und jener Mensch waret, trotz aller Unterschiede des Geschlechts, der Kultur und der äußeren Umgebungen. Ihr seid
10 alle diese verschiedenen Gestalten in Eurer eignen Ordnung wirklich hin-
durchgegangen; Ihr selbst seid ein Kompendium der Menschheit, Eure
Persönlichkeit umfaßt in einem gewissen Sinn die ganze menschliche Natur,
und diese ist in allen ihren Darstellungen nichts als Euer eigenes verviel-
fältigtes, deutlicher ausgezeichnetes, und in allen seinen Veränderungen
15 verewigtes Ich. Bei wem sich die Religion so wiederum nach innen zurück-
gearbeitet und auch dort das Unendliche gefunden hat, in dem ist sie von
dieser Seite vollendet, er bedarf keines Mittlers mehr für irgendeine Anschauung der Menschheit und er kann es selbst sein für viele.

Aber nicht nur in ihrem Sein müßt Ihr die Menschheit anschauen,
20 sondern auch in ihrem Werden; auch sie hat eine größere Bahn, welche sie
nicht wiederkehrend, sondern fortschreitend durchläuft, auch sie wird durch
ihre innere Veränderungen zum Höheren und Vollkommenen fortgebildet.
Diese Fortschritte will die Religion nicht etwa beschleunigen oder regieren,
sie bescheidet sich, daß das Endliche nur auf das Endliche wirken kann, son-
25 dern nur beobachten und als eine von den größten Handlungen des Universums wahrnehmen. Die verschiedenen Momente der Menschheit aneinander
zu knüpfen, und aus ihrer Folge den Geist, in dem das Ganze geleitet wird,
erraten, das ist ihr höchstes Geschäft. Geschichte im eigentlichsten Sinn ist
der höchste Gegenstand der Religion, mit ihr hebt sie an und endigt mit ihr
30 — denn Weissagung ist in ihren Augen auch Geschichte und beides gar nicht
voneinander zu unterscheiden — und alle wahre Geschichte hat überall zuerst
einen religiösen Zweck gehabt und ist von religiösen Ideen ausgegangen.
In ihrem Gebiet liegen dann auch die höchsten und erhabensten Anschauungen
der Religion. ...
35 Nur mit leichten Umrissen habe ich einige der hervorstechenden Anschauungen der Religion auf dem Gebiet der Natur und der Menschheit

entworfen; aber hier habe ich Euch doch bis an die letzte Grenze Eueres
Gesichtskreises geführt. Hier ist das Ende der Religion für diejenigen,
denen Menschheit und Universum gleichviel gilt; von hier könnte ich Euch
nur wieder zurückführen ins Einzelne und Kleinere. Nur glaubt nicht, daß
dies zugleich die Grenze der Religion sei. Vielmehr kann sie eigentlich 5
hier nicht stehenbleiben, und sieht erst auf der andern Seite dieses Punktes
recht hinaus ins Unendliche. Wenn die Menschheit selbst etwas Bewegliches
und Bildsames ist, wenn sie sich nicht nur im einzelnen anders darstellt, sondern auch hie und da anders wird, fühlt Ihr nicht, daß sie dann unmöglich
selbst das Universum sein kann? Vielmehr verhält sie sich zu ihm, wie die 10
einzelnen Menschen sich zu ihr verhalten; sie ist nur eine einzelne Form desselben, Darstellung einer einzigen Modifikation seiner Elemente; es muß
andre solche Formen geben, durch welche sie umgrenzt, und denen sie also
entgegengesetzt wird. Sie ist nur ein Mittelglied zwischen dem einzelnen und
dem Einen, ein Ruheplatz auf dem Wege zum Unendlichen, und es müßte 15
noch ein höherer Charakter gefunden werden im Menschen als seine Menschheit um ihn und seine Erscheinung unmittelbar aufs Universum zu beziehen.
Nach einer solchen Ahndung von etwas außer und über der Menschheit
strebt alle Religion, um von dem Gemeinschaftlichen und Höheren in beiden
ergriffen zu werden; aber dies ist auch der Punkt, wo ihre Umrisse sich dem 20
gemeinen Auge verlieren, wo sie selbst sich immer weiter von den einzelnen
Gegenständen entfernt, an denen sie ihren Weg festhalten konnte, und
wo das Streben nach dem Höchsten in ihr am meisten für Torheit gehalten
wird. Auch sei es genug an dieser Andeutung auf dasjenige, was Euch so
unendlich fernliegt, jedes weitere Wort darüber wäre eine unverständliche 25
Rede, von der Ihr nur wissen würdet, woher sie käme noch wohin sie ginge.
Hättet Ihr nur erst die Religion, die Ihr haben könnt, und wäret Ihr
Euch nur erst derjenigen bewußt, die Ihr wirklich schon habt! denn in der
Tat, wenn Ihr auch nur die wenigen religiösen Anschauungen betrachtet,
die ich mit geringen Zügen jetzt entworfen habe, so werdet Ihr finden, daß 30
sie Euch bei weitem nicht alle fremd sind. Es ist wohl eher etwas dergleichen
in Euer Gemüt gekommen, aber ich weiß nicht, welches das größere Unglück
ist, ihrer ganz zu entbehren oder sie nicht zu verstehen; denn auch so verfehlen
sie ganz ihre Wirkung im Gemüte, und hintergangen seid Ihr dabei auch von
Euch selbst. Die Vergeltung, welche alles trifft, was dem Geist des Ganzen 35
widerstreben will, der überall tätige Haß gegen alles Übermütige und

Freche, das beständige Fortschreiten aller menschlichen Dinge zu einem Ziel, ein Fortschreiten, welches so sicher ist, daß wir sogar jeden einzelnen Gedanken und Entwurf, der das Ganze diesem Ziele näherbringt, nach vielen gescheiterten Versuchen dennoch endlich einmal gelingen sehen, dies sind An-

5 schauungen, die so in die Augen springen, daß sie mehr für eine Veranlassung als für ein Resultat der Weltbeobachtung gelten können. Viele unter Euch sind sich ihrer auch bewußt, einige nennen sie auch Religion, aber sie wollen, dies soll ausschließend Religion sein; und dadurch wollen sie alles andre verdrängen, was doch aus derselben Handlungsweise des Gemüts und völlig

10 auf dieselbe Art entspringt. Wie sind sie denn zu diesen abgerissenen Bruchstücken gekommen? Ich will es Euch sagen: sie halten dies gar nicht für Religion, welche sie ebenfalls verachten, sondern für Moral und wollen nur den Namen unterschieben, um der Religion selbst — dem nämlich was sie dafür halten — den letzten Stoß zu geben. Wenn sie das nicht zugeben

15 wollen, so fraget sie doch, warum sie mit der wunderbarsten Einseitigkeit dies alles nur auf dem Gebiete der Sittlichkeit finden? Die Religion weiß nichts von einer solchen parteiischen Vorliebe; die moralische Welt ist ihr auch nicht das Universum, und was nur für diese gälte, wäre ihr keine Anschauung des Universums. In allem was zum menschlichen Tun gehört,

20 im Spiel wie im Ernst, im kleinsten wie im größten weiß sie die Handlungen des Weltgeistes zu entdecken und zu verfolgen; was sie wahrnehmen soll, muß sie überall wahrnehmen können, denn nur dadurch wird es das ihrige, und so findet sie auch eben darin eine göttliche Nemesis, daß eben die, welche, weil in ihnen selbst nur das Sittliche oder Rechtliche dominiert, auch

25 aus der Religion nur einen unbedeutenden Anhang der Moral machen, und nur das aus ihr nehmen wollen, was sich dazu gestalten läßt, sich eben damit ihre Moral, so viel auch schon an ihr gereinigt sein mag, unwiederbringlich verderben und den Keim neuer Irrtümer hineinstreuen. Es klingt sehr schön: wenn man beim moralischen Handeln untergehe, sei es der Wille

30 des ewigen Wesens, und was nicht durch uns geschehe, werde ein andermal zustande kommen; aber auch dieser erhabene Trost gehört nicht für die Sittlichkeit; kein Tropfen Religion kann unter diese gemischt werden, ohne sie gleichsam zu phlogistisieren und ihrer Reinigkeit zu berauben.

Am deutlichsten offenbart sich dieses gänzliche Nichtwissen um die Reli-

35 gion bei ihren Gefühlen, die noch am weitesten unter Euch verbreitet sind. Wie innig sie auch mit jenen Anschauungen verbunden sind, wie notwendig

sie auch aus ihnen herfließen, und nur aus ihnen erklärt werden können,
sie werden dennoch durchaus mißverstanden. Wenn der Weltgeist sich uns
majestätisch offenbart hat, wenn wir sein Handeln nach so groß gedachten und
herrlichen Gesetzen belauscht haben, was ist natürlicher als von inniger
Ehrfurcht vor dem Ewigen und Unsichtbaren durchdrungen zu werden? 5
Und wenn wir das Universum angeschaut haben, und von dannen zurücksehen auf unser Ich, wie es in Vergleichung mit ihm ins unendlich Kleine
verschwindet, was kann dem Sterblichen dann näherliegen als wahre un-
gekünstelte Demut? Wenn wir in der Anschauung der Welt auch unsre
Brüder wahrnehmen, und es uns klar ist, wie jeder von ihnen ohne Unter- 10
schied in diesem Sinne gerade dasselbe ist, was wir sind, eine eigne Darstellung der Menschheit, und wie wir ohne das Dasein eines jeden es entbehren müßten diese anzuschauen, was ist natürlicher als sie alle ohne Unterschied selbst der Gesinnung und der Geisteskraft mit inniger Liebe und Zuneigung zu umfassen? Und wenn wir von ihrer Verbindung mit dem Ganzen 15
zurücksehen auf ihren Einfluß in unsere Ereignisse, und sich uns dann diejenigen darstellen, die von ihrem eigenen vergänglichen Sein und dem
Streben es zu erweitern und zu isolieren nachgelassen haben, um das unsrige
zu erhalten, wie können wir uns da erwehren jenes Gefühls einer besondern
Verwandtschaft mit denen, deren Handlungen einmal unsre Existenz ver- 20
fochten und durch ihre Gefahren glücklich hindurchgeführt haben? jenes
Gefühls der Dankbarkeit, welches uns antreibt sie zu ehren als solche, die
sich mit dem Ganzen schon geeinigt haben und sich ihres Lebens in demselben
bewußt sind? — Wenn wir im Gegenteil das gewöhnliche Treiben der
Menschen betrachten, die von dieser Abhängigkeit nichts wissen, wie sie dies 25
und das ergreifen und festhalten, um ihr Ich zu verschanzen und mit
mancherlei Außenwerken zu umgeben, damit sie ihr abgesondertes Dasein
nach eigner Willkür leiten mögen, und der ewige Strom der Welt ihnen
nichts daran zerrütte, und wie dann notwendigerweise das Schicksal dies
alles verschwemmt und sie selbst auf tausend Arten verwundet und quält, 30
was ist dann natürlicher als das herzlichste Mitleid mit allem Schmerz und
Leiden, welches aus diesem ungleichen Streit entsteht, und mit allen
Streichen, welche die furchtbare Nemesis auf allen Seiten austeilt? —
und wenn wir erkundet haben, was denn dasjenige ist, was im Gange der
Menschheit überall aufrechterhalten und gefördert wird, und das, was un- 35
vermeidlich früher oder später besiegt und zerstört werden muß, wenn es sich

nicht umgestalten und verwandeln läßt, und wir dann von diesem Gesetz auf
unser eignes Handeln in der Welt hinsehen, was ist natürlicher als zer-
knirschende Reue über alles dasjenige in uns, was dem Genius der Menschheit feind ist, als der demütige Wunsch die Gottheit zu versöhnen, als das
5 sehnlichste Verlangen umzukehren und uns mit allem, was uns angehört, in
jenes heilige Gebiet zu retten, wo allein Sicherheit ist gegen Tod und Zerstörung. Alle diese Gefühle sind Religion, und ebenso alle andere, bei denen
das Universum der eine, und auf irgendeine Art Euer eignes Ich der andre
von den Punkten ist, zwischen denen das Gemüt schwebt. Die Alten wußten
10 das wohl: Frömmigkeit nannten sie alle diese Gefühle, und bezogen sie unmittelbar auf die Religion, deren edelster Teil sie ihnen waren. Auch Ihr
kennt sie, aber wenn Euch so etwas begegnet, so wollt Ihr Euch überreden,
es sei etwas Sittliches, und in der Moral wollt Ihr diesen Empfindungen
ihren Platz anweisen; sie begehrt sie aber nicht und leidet sie nicht. Sie mag
15 keine Liebe und Zuneigung sondern Tätigkeit, die ganz von innen heraus-
kommt, und nicht durch Betrachtung ihres äußern Gegenstandes erzeugt ist,
sie kennt keine Ehrfurcht als die vor ihrem Gesetz, sie verdammt als unrein
und selbstsüchtig, was aus Mitleid und Dankbarkeit geschehen kann, sie
demütigt, ja verachtet die Demut, und wenn Ihr von Reue sprecht, so redet
20 sie von verlorner Zeit, die Ihr unnütz vermehrt. Auch muß Euer innerstes
Gefühl ihr darin beipflichten, daß es mit allen diesen Empfindungen nicht
auf Handeln abgesehen ist, sie kommen für sich selbst und endigen in sich
selbst als Funktionen Eures innersten und höchsten Lebens. Was windet
Ihr Euch also und bittet um Gnade für sie da, wo sie nicht hingehören?
25 Lasset es Euch doch gefallen einzusehen, daß sie Religion sind, so braucht ihr
nichts für sie zu fordern als ihr eignes strenges Recht, und werdet Euch
selbst nicht betrügen mit ungegründeten Ansprüchen, die Ihr in ihrem
Namen zu machen geneigt seid. Es sei nun bei der Moral oder irgend sonst,
wo Ihr ähnliche Gefühle findet, sie sind nur usurpiert; bringt sie der Religion
30 zurück, ihr allein gehört dieser Schatz, und als Besitzerin desselben ist sie der
Sittlichkeit und allem andern, was ein Gegenstand des menschlichen Tuns
ist, nicht Dienerin, aber unentbehrliche Freundin und ihre vollgültige Für-
sprecherin und Vermittlerin bei der Menschheit. Das ist die Stufe, auf
welcher die Religion steht und besonders das Selbsttätige in ihr, ihre Ge-
35 fühle. Daß sie allein dem Menschen Universalität gibt, habe ich schon einmal angedeutet; jetzt kann ich es näher erklären. In allem Handeln und

Wirken, es sei sittlich oder philosophisch oder künstlerisch, soll der Mensch
nach Virtuosität streben, und alle Virtuosität beschränkt und macht kalt,
einseitig und hart. Auf einen Punkt richtet sie zunächst das Gemüt des Menschen und dieser eine Punkt ist immer etwas Endliches. Kann der Mensch
so von einem beschränkten Werk fortschreitend zum andern seine ganze 5
unendliche Kraft wirklich verbrauchen? und wird nicht vielmehr der größere
Teil derselben unbenutzt liegen, und sich deshalb gegen ihn selbst wenden und
ihn verzehren? Wie viele von Euch gehen nur deshalb zugrunde, weil sie sich
selbst zu groß sind; ein Überfluß an Kraft und Trieb, der sie nicht einmal
zu einem Werk kommen läßt, weil doch keines ihm angemessen wäre, treibt 10
sie unstet umher und ist ihr Verderben. Wollt Ihr etwa auch diesem Übel
wieder so steuern, daß der, welchem einer zu groß ist, alle jene drei Gegenstände des menschlichen Strebens, oder wenn Ihr deren noch mehr wißt,
auch diese vereinigen soll? Das wäre freilich Euer altes Begehren, die
Menschheit überall aus einem Stück zu haben, welches immer wiederkehrt 15
— aber wenn es nur möglich wäre! wenn nur nicht jene Gegenstände, sobald sie einzeln ins Auge gefaßt werden, so sehr auf gleiche Weise das Gemüt
anregten und zu beherrschen strebten! Jeder von ihnen will Werke ausführen, jeder hat ein Ideal, dem er entgegenstrebt, und eine Totalität, welche
er erreichen will, und diese Rivalität kann nicht anders endigen, als daß 20
einer den andern verdrängt. Wozu also soll der Mensch die Kraft verwenden, die ihm jede geregelte und kunstmäßige Anwendung seines Bil-
dungstriebes übrig läßt? Nicht so daß er wieder etwas anderes bilden wolle,
und auf etwas anderes Endliches tätig arbeite, sondern dazu, daß er sich
ohne bestimmte Tätigkeit vom Unendlichen affizieren lasse und durch jede 25
Gattung religiöser Gefühle seine Gegenwirkung gegen diese Einwirkung
offenbare. Welchen jener Gegenstände Eures freien und kunstmäßigen
Handels Ihr auch gewählt habt, es gehört nur wenig Sinn dazu, um von
jedem aus das Universum zu finden, und in diesem entdeckt Ihr denn auch
die übrigen als Gebot oder als Eingebung oder als Offenbarung desselben; 30
so im ganzen sie beschauen und betrachten nicht als etwas Abgesondertes
und in sich Bestimmtes, das ist die einzige Art, wie Ihr Euch bei einer schon
gewählten Richtung des Gemüts auch das, was außer derselben liegt, an-
eignen könnt, nicht wiederum aus Willkür als Kunst, sondern aus Instinkt
fürs Universum als Religion, und weil sie auch in der religiösen Form 35
wieder rivalisieren, so erscheint auch die Religion öfter vereinzelt als

Naturpoesie, Naturphilosophie oder Naturmoral, als in ihrer ganzen Gestalt vollendet und alles vereinigend. So setzt der Mensch dem Endlichen, wozu seine Willkür ihn hintreibt, ein Unendliches, dem zusammenziehenden Streben nach etwas Bestimmtem und Vollendetem das erweiternde
5 Schweben im Unbestimmten und Unerschöpflichen an die Seite; so schafft er seiner überflüssigen Kraft einen unendlichen Ausweg und stellt das Gleichgewicht und die Harmonie seines Wesens wieder her, welche unwiederbringlich verlorengeht, wenn er sich, ohne zugleich Religion zu haben, einer einzelnen Direktion überläßt. Die Virtuosität eines Menschen ist nur gleich-
10 sam die Melodie seines Lebens, und es bleibt bei einzelnen Tönen, wenn er ihr nicht die Religion beifügt. Diese begleitet jene in unendlich reicher Abwechselung mit allen Tönen, die ihr nur nicht ganz widerstreben, und verwandelt so den einfachen Gesang des Lebens in eine vollstimmige und prächtige Harmonie.
15 Wenn dies, was ich, hoffentlich für Euch alle verständlich genug, angedeutet habe, eigentlich das Wesen der Religion ausmacht, so ist die Frage, wohin denn jene Dogmen und Lehrsätze eigentlich gehören, die gemeiniglich für den Inhalt der Religion ausgegeben werden, nicht schwer zu beantworten. Einige sind nur abstrakte Ausdrücke religiöser Anschauungen, andre
20 sind freie Reflexion über die ursprüngliche Verrichtungen des religiösen Sinnes, Resultate einer Vergleichung der religiösen Ansicht mit der gemeinen. Den Inhalt einer Reflexion für das Wesen der Handlung zu nehmen, über welche reflektiert wird, das ist ein so gewöhnlicher Fehler, daß es Euch wohl nicht wundernehmen darf ihn auch hier anzutreffen. Wunder,
25 Eingebungen, Offenbarungen, übernatürliche Empfindungen — man kann viel Religion haben, ohne auf irgendeinen dieser Begriffe gestoßen zu sein; aber wer über seine Religion vergleichend reflektiert, der findet sie unvermeidlich auf seinem Wege und kann sie ohnmöglich umgehen. In diesem Sinne gehören allerdings alle diese Begriffe in das Gebiet der Religion,
30 und zwar unbedingt, ohne daß man über die Grenzen ihrer Anwendung das geringste bestimmen dürfte. Das Streiten, welche Begebenheit eigentlich ein Wunder sei, und worin der Charakter desselben eigentlich bestehe, wieviel Offenbarung es wohl gebe, und wiefern und warum man eigentlich daran glauben dürfe, und das offenbare Bestreben, so viel sich mit Anstand und
35 Rücksicht tun läßt, davon abzuleugnen und auf die Seite zu schaffen, in der törichten Meinung der Philosophie und der Vernunft einen Dienst damit

zu leiſten, das iſt eine von den kindiſchen Operationen der Metaphyſiker und
Moraliſten in der Religion; . . . Wunder iſt nur der religiöſe Name für Begebenheit, jede, auch die allernatürlichſte und gewöhnlichſte, ſobald ſie ſich dazu
eignet, daß die religiöſe Anſicht von ihr die herrſchende ſein kann, iſt ein Wunder. Mir iſt alles Wunder, und in Eurem Sinn iſt mir nur das ein Wunder, 5
nämlich etwas Unerklärliches und Fremdes, was keines iſt in meinem.
Je religiöſer Ihr wäret, deſto mehr Wunder würdet Ihr überall ſehen,
und jedes Streiten hin und her über einzelne Begebenheiten, ob ſie ſo zu
heißen verdienen, gibt mir nur den ſchmerzhaften Eindruck, wie arm und
dürftig der religiöſe Sinn der Streitenden iſt. . . . Was heißt Offenbarung? 10
jede urſprüngliche und neue Anſchauung des Univerſums iſt eine, und jeder
muß doch wohl am beſten wiſſen, was ihm urſprünglich und neu iſt, und wenn
etwas von dem, was in ihm urſprünglich war, für Euch noch neu iſt, ſo iſt
ſeine Offenbarung auch für Euch eine, und ich will Euch raten ſie wohl zu
erwägen. Was heißt Eingebung? Es iſt nur der religiöſe Name für Frei- 15
heit. Jede freie Handlung, die eine religiöſe Tat wird, jedes Wiedergeben
einer religiöſen Anſchauung, jeder Ausdruck eines religiöſen Gefühls, der
ſich wirklich mitteilt, ſo daß auch auf andre die Anſchauung des Univerſums
übergeht, war auf Eingebung geſchehen; denn es war ein Handeln des
Univerſums durch den einen auf die andern. . . . Ja, wer nicht eigne Wunder 20
ſieht auf ſeinem Standpunkt zur Betrachtung der Welt, in weſſen Innerm
nicht eigene Offenbarungen aufſteigen, wenn ſeine Seele ſich ſehnt, die
Schönheit der Welt einzuſaugen und von ihrem Geiſte durchdrungen zu
werden; wer nicht hie und da mit der lebendigſten Überzeugung fühlt, daß
ein göttlicher Geiſt ihn treibt und daß er aus heiliger Eingebung redet und 25
handelt; wer ſich nicht wenigſtens — denn dies iſt in der Tat der geringſte
Grad — ſeiner Gefühle als unmittelbarer Einwirkungen des Univerſums
bewußt iſt, und etwas eignes in ihnen kennt, was nicht nachgebildet ſein
kann, ſondern ihren reinen Urſprung aus ſeinem Innerſten verbürgt, der
hat keine Religion. Glauben, was man gemeinhin ſo nennt, annehmen, 30
was ein anderer getan hat, nachdenken und nachfühlen wollen, was ein
anderer gedacht und gefühlt hat, iſt ein harter und unwürdiger Dienſt, und
ſtatt das Höchſte in der Religion zu ſein, wie man wähnt, muß er grade
abgelegt werden von jedem, der in ihr Heiligtum dringen will. Ihn haben
und behalten wollen, beweiſet, daß man der Religion unfähig iſt; ihn von 35
andern fordern, zeigt, daß man ſie nicht verſteht. Ihr wollt überall auf Euren

eignen Füßen stehn und Euren eignen Weg gehn, aber dieser würdige Wille
schrecke Euch nicht zurück von der Religion. Sie ist kein Sklavendienst und
keine Gefangenschaft; auch hier sollt Ihr Euch selbst angehören, ja dies ist
sogar die einzige Bedingung, unter welcher Ihr ihrer teilhaftig werden könnt.
5 Jeder Mensch, wenige Auserwählte ausgenommen, bedarf allerdings eines
Mittlers, eines Anführers, der seinen Sinn für Religion aus dem ersten
Schlummer wecke und ihm eine erste Richtung gebe, aber dies soll nur ein
vorübergehender Zustand sein; mit eignen Augen soll dann jeder sehen und
selbst einen Beitrag zutage fördern zu den Schätzen der Religion, sonst ver-
10 dient er keinen Platz in ihrem Reich und erhält auch keinen. Ihr habt recht
die dürftigen Nachbeter zu verachten, die ihre Religion ganz von einem
andern ableiten, oder an einer toten Schrift hängen, auf sie schwören und
aus ihr beweisen. Jede heilige Schrift ist nur ein Mausoleum der Religion,
ein Denkmal, daß ein großer Geist da war, der nicht mehr da ist; denn wenn
15 er noch lebte und wirkte, wie würde er einen so großen Wert auf den toten
Buchstaben legen, der nur ein schwacher Abdruck von ihm sein kann? Nicht
der hat Religion, der an eine heilige Schrift glaubt, sondern der, welcher
keiner bedarf, und wohl selbst eine machen könnte. Und eben diese Eure
Verachtung gegen die armseligen und kraftlosen Verehrer der Religion, in
20 denen sie aus Mangel an Nahrung vor der Geburt schon gestorben ist, eben
diese beweiset mir, daß in Euch selbst eine Anlage ist zur Religion und die
Achtung, die Ihr allen ihren wahren Helden immer erzeiget, wie sehr Ihr
Euch auch auflehnt gegen die Art, wie sie gemißbraucht und durch Götzendienst geschändet worden, bestätigt mich in dieser Meinung. — Ich habe
25 Euch gezeigt, was eigentlich Religion ist, habt Ihr irgend etwas darin gefunden, was Euer und der höchsten menschlichen Bildung unwürdig wäre?
Müßt Ihr Euch nicht nach den ewigen Gesetzen der geistigen Natur um so
ängstlicher nach dem Universum sehnen und nach einer selbstgewirkten Vereinigung mit ihm streben, je mehr Ihr durch die bestimmteste Bildung und
30 Individualität in ihm gesondert und isoliert seid? und habt Ihr nicht oft
diese heilige Sehnsucht als etwas Unbekanntes gefühlt? Werdet Euch doch,
ich beschwöre Euch, des Rufs Eurer innersten Natur bewußt, und folgt
ihm. Verbannet die falsche Scham vor einem Zeitalter, welches nicht Euch
bestimmen, sondern von Euch bestimmt und gemacht werden soll! Kehret zu
35 demjenigen zurück, was Euch, gerade Euch so nahe liegt, und wovon die

gewaltsame Trennung doch unfehlbar den schönsten Teil Eurer Existenz zerstört.

Es scheint mir aber, als ob viele unter Euch nicht glaubten, daß ich mein gegenwärtiges Geschäft hier könne endigen wollen, als ob Ihr dennoch der Meinung wäret, es könne vom Wesen der Religion nicht gründlich geredet 5 worden sein, wo von der Unsterblichkeit gar nicht, und von der Gottheit so gut als nichts gesagt worden ist. Erinnert Euch doch, ich bitte Euch, wie ich mich von Anfang an dagegen erklärt habe, daß dies nicht die Angel und Hauptstücke der Religion seien; erinnert Euch, daß als ich die Umrisse derselben zeichnete, ich auch den Weg angedeutet habe, auf welchem die Gott- 10 heit zu finden ist; was verliert Ihr also noch? und warum soll ich einer religiösen Anschauungsart mehr tun als den übrigen? Damit Ihr aber nicht denket, ich fürchte mich ein ordentliches Wort über die Gottheit zu sagen, weil es gefährlich werden will davon zu reden, bevor eine zu Recht und Gericht beständige Definition von Gott und D a s e i n ans Licht gebracht 15 und im Deutschen Reich sanktioniert worden ist; oder damit Ihr nicht auf der andern Seite glaubt, ich spiele einen frommen Betrug und wolle, um allen alles zu werden, mit scheinbarer Gleichgültigkeit dasjenige herab- setzen, was für mich von ungleich größerer Wichtigkeit sein muß, als ich gestehen will; so will ich Euch noch einen Augenblick Rede stehen, und Euch 20 deutlich zu machen suchen, daß für mich die Gottheit nichts anders sein kann, als eine einzelne religiöse Anschauungsart, von der wie von jeder andern die übrigen unabhängig sind, und daß auf meinem Standpunkt und nach meinen Euch bekannten Begriffen der Glaube „kein Gott, keine Religion" gar nicht stattfinden kann, und auch von der Unsterblichkeit will ich Euch un- 25 verhohlen meine Meinung sagen.

... Welche von diesen Anschauungen des Universums ein Mensch sich zu- eignet, das hängt ab von seinem Sinn fürs Universum, das ist der eigent- liche Maßstab seiner Religiosität, ob er zu seiner Anschauung einen Gott hat, das hängt ab von der Richtung seiner Phantasie. ... Ihr, hoffe ich, 30 werdet es für keine Lästerung halten, daß Glaube an Gott abhängt von der Richtung der Phantasie; Ihr werdet wissen, daß Phantasie das Höchste und Ursprünglichste ist im Menschen, und außer ihr alles nur Reflexion über sie; Ihr werdet es wissen, daß Eure Phantasie es ist, welche für Euch die Welt erschafft, und daß Ihr keinen Gott haben könnt ohne Welt. Auch 35 wird er dadurch niemandem ungewisser werden, noch wird sich jemand von

der fast unabänderlichen Notwendigkeit ihn anzunehmen um desto besser
losmachen, weil er darum weiß, woher ihm diese Notwendigkeit kommt.
In der Religion also steht die Idee von Gott nicht so hoch als Ihr meint,
auch gab es unter wahrhaft religiösen Menschen nie Eiferer, Enthusiasten
5 oder Schwärmer für das Dasein Gottes; mit großer Gelassenheit haben
sie das, was man Atheismus nennt, neben sich gesehn, und es hat immer
etwas gegeben, was ihnen irreligiöser schien als dieses. Auch Gott kann in
der Religion nicht anders vorkommen als handelnd, und göttliches Leben
und Handeln des Universums hat noch niemand geleugnet, und mit dem
10 seienden und gebietenden Gott hat sie nichts zu schaffen, so wie ihr Gott
den Physikern und Moralisten nichts frommt, deren traurige Mißverständnisse dies eben sind, und immer sein werden. Der handelnde Gott der
Religion kann aber unsere Glückseligkeit nicht verbürgen; denn ein freies
Wesen kann nicht anders wirken wollen auf ein freies Wesen, als nur daß
15 es sich ihm zu erkennen gebe, einerlei ob durch Schmerz oder Lust. Auch kann
er uns zur Sittlichkeit nicht reizen, denn er wird nicht anders betrachtet
als handelnd, und auf unsre Sittlichkeit kann nicht gehandelt und kein
Handeln auf sie kann gedacht werden.

Was aber die Unsterblichkeit betrifft, so kann ich nicht bergen, die Art,
20 wie die meisten Menschen sie nehmen, und ihre Sehnsucht darnach ist ganz
irreligiös, dem Geist der Religion gerade zuwider, ihr Wunsch hat keinen
andern Grund, als die Abneigung gegen das, was das Ziel der Religion
ist. Erinnert Euch, wie in ihr alles darauf hinstrebt, daß die scharf ab-
geschnittnen Umrisse unsrer Persönlichkeit sich erweitern und sich allmählich
25 verlieren sollen ins Unendliche, daß wir durch das Anschauen des Universums
so viel als möglich eins werden sollen mit ihm; sie aber sträuben sich gegen
das Unendliche, sie wollen nicht hinaus, sie wollen nichts sein als sie selbst,
und sind ängstlich besorgt um ihre Individualität. Erinnert Euch, wie es das
höchste Ziel der Religion war, ein Universum jenseits und über der Mensch-
30 heit zu entdecken, und ihre einzige Klage, daß es damit nicht recht gelingen
will auf dieser Welt; jene aber wollen nicht einmal die einzige Gelegenheit
ergreifen, die ihnen der Tod darbietet, um über die Menschheit hinaus zu
kommen; sie sind bange, wie sie sie mitnehmen werden jenseits dieser Welt,
und streben höchstens nach weiteren Augen und besseren Gliedmaßen. Aber
35 das Universum spricht zu ihnen, wie geschrieben steht: wer sein Leben verliert
um meinetwillen, der wird es erhalten, und wer es erhalten will, der wird

es verlieren. Das Leben, was sie erhalten wollen, ist ein erbärmliches, denn
wenn es ihnen um die Ewigkeit ihrer Person zu tun ist, warum kümmern
sie sich nicht ebenso ängstlich um das, was sie gewesen sind, als um das, was
sie sein werden? und was hilft ihnen das vorwärts, wenn sie doch nicht rückwärts können? Über die Sucht nach einer Unsterblichkeit, die keine ist, und   5
über die sie nicht Herren sind, verlieren sie die, welche sie haben könnten, und
das sterbliche Leben dazu mit Gedanken, die sie vergeblich ängstigen und
quälen. Versucht doch aus Liebe zum Universum Euer Leben aufzugeben.
Strebt darnach schon hier Eure Individualität zu vernichten und im Einen
und Allen zu leben, strebt darnach mehr zu sein als Ihr selbst, damit Ihr   10
wenig verliert, wenn Ihr Euch verliert; und wenn Ihr so mit dem Universum, soviel Ihr hier davon findet, zusammengeflossen seid, und eine
größere und heiligere Sehnsucht in Euch entstanden ist, dann wollen wir
weiterreden über die Hoffnungen, die uns der Tod gibt, und über die Unendlichkeit, zu der wir uns durch ihn unfehlbar emporschwingen.   15

Das ist meine Gesinnung über diese Gegenstände. Gott ist nicht alles in
der Religion, sondern eins, und das Universum ist mehr; auch könnt Ihr
ihm nicht glauben willkürlich, oder weil Ihr ihn brauchen wollt zu Trost
und Hilfe, sondern weil Ihr müßt. Die Unsterblichkeit darf kein Wunsch
sein, wenn sie nicht erst eine Aufgabe gewesen ist, die Ihr gelöst habt.   20
Mitten in der Endlichkeit eins werden mit dem Unendlichen und ewig sein
in einem Augenblick, das ist die Unsterblichkeit der Religion.

Dritte Rede
Über die Bildung zur Religion

. . .

Kurz, auf den Mechanismus des Geistes könnt Ihr wirken, aber in die   25
Organisation desselben, in diese geheiligte Werkstätte des Universums könnt
Ihr nach Eurer Willkür nicht eindringen, da vermögt Ihr nicht irgend
etwas zu ändern oder zu verschieben, wegzuschneiden oder zu ergänzen, nur
zurückhalten könnt Ihr seine Entwickelung und gewaltsam einen Teil des
Gewächses verstümmeln. Aus dem Innersten seiner Organisation aber muß   30
alles hervorgehen, was zum wahren Leben des Menschen gehören und ein
immer reger und wirksamer Trieb in ihm sein soll. Und von dieser Art ist
die Religion; in dem Gemüt, welches sie bewohnt, ist sie ununterbrochen

wirksam und lebendig, macht alles zu einem Gegenstande für sich, und jedes Denken und Handeln zu einem Thema ihrer himmlischen Phantasie. Alles was, wie sie, ein Kontinuum sein soll im menschlichen Gemüt, liegt weit außer dem Gebiet des Lehrens und Anbildens. Darum ist jedem, der die
5 Religion so ansieht, Unterricht in ihr ein abgeschmacktes und sinnleeres Wort. Unsere Meinungen und Lehrsätze können wir andern wohl mitteilen, dazu bedürfen wir nur Worte, und sie nur der auffassenden und nachbildenden Kraft des Geistes: aber wir wissen sehr wohl, daß das nur die Schatten unserer Anschauungen und unserer Gefühle sind, und ohne diese mit uns
10 zu teilen würden sie nicht verstehen, was sie sagen und was sie zu denken glauben. . . .

Wer hindert das Gedeihen der Religion? Nicht die Zweifler und Spötter; wenn diese auch gern den Willen mitteilen, keine Religion zu haben, so stören sie doch die Natur nicht, welche sie hervorbringen will; auch nicht
15 die Sittenlosen, wie man meint, ihr Streben und Wirken ist einer ganz andern Kraft entgegengesetzt als dieser; sondern die verständigen und praktischen Menschen, diese sind in dem jetzigen Zustande der Welt das Gegengewicht gegen die Religion, und ihr großes Übergewicht ist die Ursache, warum sie eine so dürftige und unbedeutende Rolle spielt. Von der
20 zarten Kindheit an mißhandeln sie den Menschen und unterdrücken sein Streben nach dem Höheren. Mit großer Andacht kann ich der Sehnsucht junger Gemüter nach dem Wunderbaren und Übernatürlichen zusehen. Schon mit dem Endlichen und Bestimmten zugleich suchen sie etwas anders, was sie ihm entgegensetzen können; auf allen Seiten greifen sie darnach,
25 ob nicht etwas über die sinnlichen Erscheinungen und ihre Gesetze hinausreiche; und wie sehr auch ihre Sinne mit irdischen Gegenständen angefüllt werden, es ist immer, als hätten sie außer diesen noch andre, welche ohne Nahrung vergehen müßten. Das ist die erste Regung der Religion. Eine geheime unverstandene Ahndung treibt sie über den Reichtum dieser Welt
30 hinaus; daher ist ihnen jede Spur einer andern so willkommen; daher ergötzen sie sich an Dichtungen von überirdischen Wesen, und alles wovon ihnen am klarsten ist, daß es hier nicht sein kann, umfassen sie mit aller der eifersüchtigen Liebe, die man einem Gegenstande widmet, auf den man ein offenbares Recht hat, welches man aber nicht geltend machen kann. Freilich ist
35 es eine Täuschung, das Unendliche grade außerhalb des Endlichen, das Entgegengesetzte außerhalb dessen zu suchen, dem es entgegengesetzt wird; aber ist

sie nicht höchst natürlich bei denen, welche das Endliche selbst noch nicht kennen? und ist es nicht die Täuschung ganzer Völker, und ganzer Schulen der Weisheit? ... Jetzt hingegen wird dieser Hang von Anfang an gewaltsam unterdrückt, alles Übernatürliche und Wunderbare ist proskribiert, die Phantasie soll nicht mit leeren Bildern angefüllt werden, man kann ja 5
unterdes ebenso leicht Sachen hineinbringen und Vorbereitungen aufs Leben treffen. So werden die armen Seelen, die nach ganz etwas anderem dursten, mit moralischen Geschichten gelangweilt und lernen, wie schön und nützlich es ist, fein artig und verständig zu sein; sie bekommen Begriffe von gemeinen Dingen, und ohne Rücksicht auf das zu nehmen, was ihnen fehlt, 10
reicht man ihnen noch immer mehr von dem, wovon sie schon zuviel haben. ...
Absicht und Zweck muß in allem sein, sie müssen immer etwas verrichten, und wenn der Geist nicht mehr dienen kann, mögen sie den Leib üben; Arbeit und Spiel, nur keine ruhige, hingegebene Beschauung. —

... Schaut Euch selbst an mit unverwandter Anstrengung, sondert alles 15
ab, was nicht Euer Ich ist, fahrt so immer fort mit immer geschärfterem Sinn, und je mehr Ihr Euch selbst verschwindet, desto klarer wird das Universum vor Euch dastehn, desto herrlicher werdet Ihr belohnt werden für den Schreck der Selbstvernichtung durch das Gefühl des Unendlichen in Euch. Schaut außer Euch auf irgendeinen Teil, auf irgendein Element der 20
Welt und faßt es auf in seinem ganzen Wesen, aber sucht auch alles zusammen, was es ist, nicht nur in sich, sondern in Euch, in diesem und jenem und überall, wiederholt Euren Weg vom Umkreise zum Mittelpunkte immer öfter und in weitern Entfernungen: Das Endliche werdet Ihr bald verlieren und das Universum gefunden haben. ... 25

Vierte Rede

Über das Gesellige in der Religion

oder

über Kirche und Priestertum

...

Ist die Religion einmal, so muß sie notwendig auch gesellig sein: es 30
liegt in der Natur des Menschen nicht nur, sondern auch ganz vorzüglich in der ihrigen. Ihr müßt gestehen, daß es etwas höchst Widernatürliches ist,

wenn der Mensch dasjenige, was er in sich erzeugt und ausgearbeitet hat, auch
in sich verschließen will. In der beständigen, nicht nur praktischen, sondern
auch intellektuellen Wechselwirkung, worin er mit den Übrigen seiner Gattung steht, soll er alles äußern und mitteilen, was in ihm ist, und je heftiger
5 ihn etwas bewegt, je inniger es sein Wesen durchdringt, desto stärker wirkt
auch der Trieb, die Kraft desselben auch außer sich an andern anzuschauen,
um sich vor sich selbst zu legitimieren, daß ihm nichts als Menschliches begegnet sei. Ihr seht, daß hier gar nicht von jenem Bestreben die Rede ist,
andre uns ähnlich zu machen, noch von dem Glauben an die Unentbehrlich-
10 keit dessen, was in uns ist für alle; sondern nur davon, des Verhältnisses
unserer besondern Ereignisse zur gemeinschaftlichen Natur innezuwerden.
Der eigentlichste Gegenstand aber für dieses Verlangen ist unstreitig dasjenige, wobei der Mensch sich ursprünglich als leidend fühlt, Anschauungen
und Gefühle; da drängt es ihn zu wissen, ob es keine fremde und unwürdige
15 Gewalt sei, der er weichen muß. Darum sehen wir auch von Kindheit an
den Menschen damit beschäftigt, vornehmlich diese mitzuteilen: eher läßt er
seine Begriffe, über deren Ursprung ihm ohnedies kein Bedenken entstehen
kann, in sich ruhen; aber was zu seinen Sinnen eingeht, was seine Gefühle
aufregt, darüber will er Zeugen, daran will er Teilnehmer haben. Wie
20 sollte er grade die Einwirkungen des Universums für sich behalten, die ihm
als das Größte und Unwiderstehlichste erscheinen? Wie sollte er grade das
in sich festhalten wollen, was ihn am stärksten aus sich heraustreibt, und ihm
nichts so sehr einprägt als dieses, daß er sich selbst aus sich allein nicht erkennen kann? Sein erstes Bestreben ist es vielmehr, wenn eine religiöse
25 Ansicht ihm klargeworden ist, oder ein frommes Gefühl seine Seele durchdringt, auf den Gegenstand auch andre hinzuweisen und die Schwingungen
seines Gemüts wo möglich auf sie fortzupflanzen. Wenn also von seiner
Natur gedrungen der Religiöse notwendig spricht, so ist es eben diese Natur,
die ihm auch Hörer verschafft. Bei keiner Art zu denken und zu empfinden
30 hat der Mensch ein so lebhaftes Gefühl von seiner gänzlichen Unfähigkeit
ihren Gegenstand jemals zu erschöpfen, als bei der Religion. Sein Sinn
für sie ist nicht sobald aufgegangen, als er auch ihre Unendlichkeit und seine
Schranken fühlt; er ist sich bewußt nur einen kleinen Teil von ihr zu um-
spannen, und was er nicht unmittelbar erreichen kann, will er wenigstens
35 durch ein fremdes Medium wahrnehmen. Darum interessiert ihn jede Äußerung derselben, und seine Ergänzung suchend, lauscht er auf jeden Ton, den

er für den ihrigen erkennt. So organisiert sich gegenseitige Mitteilung, so ist Reden und Hören jedem gleich unentbehrlich. Aber religiöse Mitteilung ist nicht in Büchern zu suchen, wie etwa andre Begriffe und Erkenntnisse. Zuviel geht verloren von dem ursprünglichen Eindruck in diesem Medium, worin alles verschluckt wird, was nicht in die einförmigen Zeichen paßt, in denen es wieder hervorgehen soll, wo alles einer doppelten und dreifachen Darstellung bedürfte, indem das ursprünglich Darstellende wieder müßte dargestellt werden, und dennoch die Wirkung auf den ganzen Menschen in ihrer großen Einheit nur schlecht nachgezeichnet werden könnte durch vervielfältigte Reflexion; nur wenn sie verjagt ist aus der Gesellschaft der Lebendigen, muß sie ihr vielfaches Leben verbergen im toten Buchstaben. Auch kann dieses Verkehr mit dem Innersten des Menschen nicht getrieben werden im gemeinen Gespräch. Viele, die voll guten Willens sind für die Religion, haben Euch das zum Vorwurf gemacht, warum doch von allen wichtigen Gegenständen unter Euch die Rede sei so im freundschaftlichen Umgange, nur nicht von Gott und göttlichen Dingen. Ich möchte Euch darüber verteidigen, daß daraus wenigstens weder Verachtung noch Gleichgültigkeit spreche, sondern ein glücklicher und sehr richtiger Instinkt. Wo Freude und Lachen auch wohnen, und der Ernst selbst sich nachgiebig paaren soll mit Scherz und Witz, da kann kein Raum sein für dasjenige, was von heiliger Scheu und Ehrfurcht immerdar umgeben sein muß. Religiöse Ansichten, fromme Gefühle und ernste Reflexionen darüber kann man sich auch nicht so in kleinen Brosamen einander zuwerfen, wie die Materialien eines leichten Gesprächs: wo von so heiligen Gegenständen die Rede wäre, würde es mehr Frevel sein als Geschick, auf jede Frage sogleich eine Antwort bereit zu haben, und auf jede Ansprache eine Gegenrede. In dieser Manier eines leichten und schnellen Wechsels treffender Einfälle lassen sich göttliche Dinge nicht behandeln: in einem größern Stil muß die Mitteilung der Religion geschehen, und eine andere Art von Gesellschaft, die ihr eigen gewidmet ist, muß daraus entstehen. Es gebührt sich auf das Höchste, was die Sprache erreichen kann, auch die ganze Fülle und Pracht der menschlichen Rede zu verwenden, nicht als ob es irgendeinen Schmuck gäbe, dessen die Religion nicht entbehren könnte, sondern weil es unheilig und leichtsinnig wäre nicht zu zeigen, daß alles zusammengenommen wird, um sie in angemessener Kraft und Würde darzustellen. Darum ist es unmöglich Religion anders auszusprechen und mitzuteilen als rednerisch, in aller Anstrengung und Kunst der

Sprache, und willig dazu nehmend den Dienst aller Künste, welche der flüchtigen und beweglichen Rede beistehen können. Darum öffnet sich auch nicht
anders der Mund desjenigen, dessen Herz ihrer voll ist, als vor einer Versammlung, wo mannigfaltig wirken kann, was so stattlich ausgerüstet her-
5 vortritt. Ich wollte, ich könnte Euch ein Bild machen von dem reichen
schwelgerischen Leben in dieser Stadt Gottes, wenn ihre Bürger zusammen-
kommen, jeder voll eigner Kraft, welche ausströmen will ins Freie, und voll
heiliger Begierde alles aufzufassen und sich anzueignen, was die andern ihm
darbieten mögen. Wenn einer hervortritt vor den übrigen, ist es nicht ein
10 Amt oder eine Verabredung, die ihn berechtigt, nicht Stolz oder Dünkel, der
ihm Anmaßung einflößt: es ist freie Regung des Geistes, Gefühl der herzlichsten Einigkeit jedes mit allen und der vollkommensten Gleichheit, gemeinschaftliche Vernichtung jedes Zuerst und Zuletzt und aller irdischen Ordnung. Er tritt hervor um seine eigne Anschauung hinzustellen, als Objekt
15 für die übrigen, sie hinzuführen in die Gegend der Religion, wo er einheimisch
ist, und seine heiligen Gefühle ihnen einzuimpfen: er spricht das Universum
aus, und im heiligen Schweigen folgt die Gemeine seiner begeisterten Rede.
Es sei nun, daß er ein verborgnes Wunder enthülle, oder in weissagender
Zuversicht die Zukunft an die Gegenwart knüpfe, es sei, daß er durch neue
20 Beispiele alte Wahrnehmungen befestige oder daß seine feurige Phantasie
in erhabenen Visionen ihn in andere Teile der Welt und eine andre Ordnung der Dinge entzücke: der geübte Sinn der Gemeine begleitet überall
den seinigen, und wenn er zurückkehrt von seinen Wanderungen durchs Universum in sich selbst, so ist sein Herz und das eines jeden nur der gemein-
25 schaftliche Schauplatz desselben Gefühls. Dann entgegnet ihm das laute
Bekenntnis von der Übereinstimmung seiner Ansicht mit dem, was in ihnen
ist, und heilige Mysterien, nicht nur bedeutungsvolle Embleme, sondern
recht angesehen natürliche Andeutungen eines bestimmten Bewußtseins und
bestimmter Empfindungen — werden so erfunden und so gefeiert; gleichsam
30 ein höheres Chor, das in einer eignen erhabenen Sprache der auffordern-
den Stimme antwortet. Aber nicht nur gleichsam: so wie eine solche Rede
Musik ist auch ohne Gesang und Ton, so ist auch eine Musik unter den
Heiligen, die zur Rede wird ohne Worte, zum bestimmtesten verständlichsten
Ausdruck des Innersten. Die Muse der Harmonie, deren vertrautes Ver-
35 hältnis zur Religion noch zu den Mysterien gehört, hat von jeher die präch-
tigsten und vollendetsten Werke ihrer geweihtesten Schüler dieser auf ihren

Altären dargebracht. In heiligen Hymnen und Chören, denen die Worte
der Dichter nur lose und luftig anhängen, wird ausgehaucht, was die bestimmte Rede nicht mehr fassen kann, und so unterstützen sich und wechseln
die Töne des Gedankens und der Empfindung, bis alles gesättigt ist und
voll des Heiligen und Unendlichen. Das ist die Einwirkung religiöser Men- 5
schen aufeinander, das ihre natürliche und ewige Verbindung. Verarget es
ihnen nicht, daß dies himmlische Band, das vollendetste Resultat der menschlichen Geselligkeit, zu welchem sie nur gelangen kann, wenn sie vom höchsten
Standpunkt aus in ihrem innersten Wesen erkannt wird, ihnen mehr wert
ist, als Euer irdisches politisches Band, welches doch nur ein erzwungenes, 10
vergängliches, interimistisches Werk ist. — Wo ist denn in dem allen jener
Gegensatz zwischen Priestern und Laien, den Ihr als die Quelle so vieler
Übel zu bezeichnen pflegt? Ein falscher Schein hat Euch geblendet: dies ist
gar kein Unterschied zwischen Personen, sondern nur ein Unterschied des
Zustandes und der Verrichtungen. Jeder ist Priester, indem er die andern 15
zu sich hinzieht auf das Feld, welches er sich besonders zugeeignet hat, und
wo er sich als Virtuosen darstellen kann: jeder ist Laie, indem er der Kunst
und Weisung eines andern dahin folgt, wo er selbst Fremder ist in der
Religion. Es gibt nicht jene tyrannische Aristokratie, die Ihr so gehässig
beschreibt: ein priesterliches Volk ist diese Gesellschaft, eine vollkommne 20
Republik, wo jeder abwechselnd Führer und Volk ist, jeder derselben Kraft
im andern folgt, die er auch in sich fühlt, und womit auch er die andern
regiert. — ...

Ich habe Euch eine Gesellschaft von Menschen dargestellt, die mit ihrer
Religion zum Bewußtsein gekommen sind und denen die religiöse Ansicht 25
des Lebens eine der herrschenden geworden ist, und da ich Euch überzeugt zu
haben hoffe, daß das Menschen von einiger Bildung und von vieler Kraft
sein müssen, und daß ihrer also immer nur sehr wenige sein können, so müßt
Ihr freilich ihre Vereinigung da nicht suchen, wo viele Hunderte versammelt
sind in großen Tempeln und ihr Gesang schon von fern Euer Ohr erschüttert: 30
so nahe, wißt Ihr wohl, stehen Menschen dieser Art nicht beieinander. Vielleicht ist sogar nur in einzelnen abgesonderten, von der großen Kirche gleichsam ausgeschlossenen Gemeinheiten etwas Ähnliches in einem bestimmten
Raum zusammengedrängt zu finden: das aber ist gewiß, daß alle wahrhaft
religiöse Menschen, soviel es ihrer je gegeben hat, nicht nur den Glauben, 35
sondern das lebendige Gefühl von einer solchen Vereinigung mit sich herum-

getragen und in ihr eigentlich gelebt haben, und daß sie alle das, was man
gemeinhin die Kirche nennt, sehr nach seinem Wert, das heißt eben nicht
sonderlich hoch, zu schätzen wußten. ...

Ja hätte man nie einen Fürsten in den Tempel gelassen, bevor er den
5 schönsten königlichen Schmuck, das reiche Füllhorn aller seiner Gunst und
Ehrenzeichen abgelegt hätte vor der Pforte! Aber sie haben es mitgenommen,
sie haben gewähnt die einfache Hoheit des himmlischen Gebäudes schmücken
zu können durch abgerissene Stücke ihrer irdischen Herrlichkeit und statt
eines geheiligten Herzens haben sie weltliche Gaben zurückgelassen als
10 Weihgeschenke für den Höchsten. — So oft ein Fürst eine Kirche für eine
Korporation erklärte, für eine Gemeinschaft mit eignen Vorrechten, für
eine ansehnliche Person in der bürgerlichen Welt — und es geschah nie
anders, als wenn bereits jener unglückliche Zustand eingetreten war, wo die
Gesellschaft der Gläubigen und die der Glaubensbegierigen, das Wahre und
15 das Falsche, was sich bald wieder auf immer geschieden hätte, bereits vermischt war, denn ehe war nie eine religiöse Gesellschaft groß genug um die
Aufmerksamkeit der Herrscher zu erregen — so oft ein Fürst, sage ich, zu
dieser gefährlichsten und verderblichsten aller Handlungen sich verleiten ließ,
war das Verderben dieser Kirche unwiderruflich beschlossen und eingeleitet.
20 Wie das furchtbare Medusenhaupt wirkt eine solche Konstitutionsakte
politischer Existenz auf die religiöse Gesellschaft: alles versteinert sich sowie
sie erscheint. Alles nicht Zusammengehörige, was nur für einen Augenblick
ineinandergeschlungen war, ist nun unzertrennlich aneinander gekettet;
alles Zufällige, was leicht hätte abgeworfen werden können, ist nun auf
25 immer befestigt; das Gewand ist mit dem Körper aus einem Stück, und
jede unschickliche Falte ist wie für die Ewigkeit. ...

Hinweg also mit jeder solchen Verbindung zwischen Kirche und Staat! —
das bleibt mein Katonischer Ratsspruch bis ans Ende, oder bis ich es
erlebe sie wirklich zertrümmert zu sehen — Hinweg mit allem, was einer
30 geschlossenen Verbindung der Laien und Priester unter sich oder miteinander
auch nur ähnlich sieht! ...

Fünfte Rede

Über die Religionen

...

Daß ich's kurz sage: ein Individuum der Religion, wie wir es suchen, kann nicht anders zustande gebracht werden, als dadurch, daß irgendeine einzelne Anschauung des Universums aus freier Willkür — denn anders kann es nicht geschehen, weil eine jede gleiche Ansprüche darauf hätte — zum Zentralpunkt der ganzen Religion gemacht, und alles darin auf sie bezogen wird. Dadurch kommt auf einmal ein bestimmter Geist und ein gemeinschaftlicher Charakter in das Ganze; alles wird fixiert, was vorher vieldeutig und unbestimmt war; von den unendlich vielen verschiednen Ansichten und Beziehungen einzelner Elemente, welche alle möglich waren, und alle dargestellt werden sollten, wird durch jede solche Formation eine durchaus realisiert; alle einzelnen Elemente erscheinen nun von einer gleichnamigen Seite, von der, welche jenem Mittelpunkt zugekehrt ist, und alle Gefühle erhalten eben dadurch einen gemeinschaftlichen Ton und werden lebendiger und eingreifender ineinander. Nur in der Totalität aller nach dieser Konstruktion möglichen Formen kann die ganze Religion wirklich gegeben werden, und sie wird also nur in einer unendlichen Sukzession kommender und wieder vergehender Gestalten dargestellt, und nur was in einer von diesen Formen liegt, trägt zu ihrer vollendeten Darstellung etwas bei. Jede solche Gestaltung der Religion, wo in Beziehung auf eine Zentralanschauung alles gesehen und gefühlt wird, wo und wie sie sich auch bilde, und welches immer diese vorgezogene Anschauung sei, ist eine eigene positive Religion; in Beziehung auf das Ganze eine Häresis — ein Wort das wieder zu Ehren gebracht werden sollte —, weil etwas höchst Willkürliches die Ursach' ihrer Entstehung ist; in Rücksicht auf die Gemeinschaft aller Teilhaber und ihr Verhältnis zu dem, der zuerst ihre Religion gestiftet hat, weil er zuerst jene Anschauung im Mittelpunkt der Religion sah, eine eigne Schule und Jüngerschaft. Und wenn nur in und durch solche bestimmte Formen die Religion dargestellt wird, so hat auch nur der, welcher sich mit der seinigen in einer solchen niederläßt, eigentlich einen festen Wohnsitz und, daß ich so sage, ein aktives Bürgerrecht in der religiösen Welt, nur er kann sich rühmen zum Dasein und zum Werden des Ganzen etwas beizu-

tragen; nur er ist eine eigne religiöse Person mit einem Charakter und
festen und bestimmten Zügen.

...

Und nun ich Euch diese Rechenschaft abgelegt habe, so sagt mir doch
auch, wie es in Eurer gerühmten natürlichen Religion um diese persönliche
5 Ausbildung und Individualisierung steht? Zeiget mir doch unter ihren Be-
kennern auch eine so große Mannigfaltigkeit stark gezeichneter Charaktere!
Denn ich muß gestehen, ich selbst habe sie unter ihnen niemals finden
können, und wenn Ihr rühmt, daß sie ihren Anhängern mehr Freiheit ge-
währe sich nach eignem Sinn religiös zu bilden, so kann ich mir nichts
10 anders darunter denken als — wie denn das Wort oft so gebraucht wird —
die Freiheit auch ungebildet zu bleiben, die Freiheit von jeder Nötigung
nur überhaupt irgend etwas Bestimmtes zu sein, zu sehen und zu empfinden.
Die Religion spielt doch in ihrem Gemüt eine gar zu dürftige Rolle. Es ist
als ob sie gar keinen eignen Puls, kein eignes System von Gefäßen, keine
15 eigne Zirkulation und also auch keine eigne Temperatur, und keine assimi-
lierende Kraft für sich hätte, und keinen Charakter; sie ist überall mit ihrer
Sittlichkeit und ihrer natürlichen Empfindsamkeit vermischt; in Verbindung mit denen, oder vielmehr ihnen demütig nachtretend, bewegt sie sich
träge und sparsam, und wird nur gelegentlich tropfenweise abgeschieden
20 von jenen zum Zeichen ihres Daseins. ... Warum mißtrauen sie gleich
jedem, der etwas Eigentümliches in seine Religion bringt? Sie wollen eben
auch alle gleichförmig sein — nur entgegengesetzt dem Extrem auf der
andern Seite, den Sektierern meine ich — gleichförmig im Unbestimmten.
So wenig ist an eine besondere persönliche Ausbildung zu denken in der
25 natürlichen Religion, daß ihre echtesten Verehrer nicht einmal mögen, daß
die Religion des Menschen eine eigene Geschichte haben und mit einer
Denkwürdigkeit anfangen soll. Das ist ihnen schon zu viel: denn Mäßigkeit
ist ihre Hauptsache in der Religion, und wer so etwas von sich zu sagen
weiß, kommt schon in den üblen Geruch, daß er einen Ansatz habe zum lei-
30 digen Fanatismus. Nach und nach soll der Mensch religiös werden, wie er
klug und verständig wird und alles andere was er sein soll; durch den Unterricht und die Erziehung soll ihm alles das kommen; nichts muß dabei sein,
was für übernatürlich oder auch nur für sonderbar könnte gehalten werden. ... Das Wesen der natürlichen Religion besteht ganz eigentlich in
35 der Negation alles Positiven und Charakteristischen in der Religion, und

in der heftigsten Polemik dagegen. Darum ist sie auch das würdige Produkt
des Zeitalters, dessen Steckenpferd eine erbärmliche Allgemeinheit und
eine leere Nüchternheit war, die mehr als irgend etwas in allen Dingen
der wahren Bildung entgegenarbeitete. ...

... Vergeßt also nie, daß die Grundanschauung einer Religion nichts sein 5
kann als irgendeine Anschauung des Unendlichen im Endlichen, irgendein
allgemeines Element der Religion; welches in allen andern aber auch vorkommen darf, und wenn sie vollständig sein sollten, vorkommen müßte;
nur daß es in ihnen nicht in den Mittelpunkt gestellt ist. ...

... wenn Ihr die verschiedenen Gestalten der systematischen Religion 10
betrachten wollt, nicht die ausländischen und fremden, sondern die, welche
unter uns noch mehr oder minder vorhanden sind: so kann es mir nicht
gleichgültig sein, ob Ihr den rechten Punkt findet, von dem Ihr sie ansehen müßt.

Zwar sollte ich nur von einer reden: denn der Judaismus ist schon lange 15
eine tote Religion, und diejenigen, welche jetzt noch seine Farbe tragen, sitzen
eigentlich klagend bei der unverweslichen Mumie, und weinen über sein
Hinscheiden und seine traurige Verlassenschaft. ... Der eingeschränkte
Gesichtspunkt gewährte dieser Religion, als Religion, eine kurze Dauer.
Sie starb, als ihre heiligen Bücher geschlossen wurden, da wurde das Ge- 20
spräch des Jehova mit seinem Volk als beendigt angesehen; die politische
Verbindung, welche an sie geknüpft war, schleppte noch länger ein sieches
Dasein, und ihr Äußeres hat sich noch weit später erhalten, die unangenehme
Erscheinung einer mechanischen Bewegung, nachdem Leben und Geist längst
gewichen ist.   25

Herrlicher, erhabener, der erwachsenen Menschheit würdiger, tiefer ein-
dringend in den Geist der systematischen Religion, weiter sich verbreitend
über das ganze Universum ist die ursprüngliche Anschauung des Christentums. Sie ist keine andere als die des allgemeinen Entgegenstrebens
alles Endlichen gegen die Einheit des Ganzen, und der Art, wie die Gott- 30
heit dieses Entgegenstreben behandelt, wie sie die Feindschaft gegen sich vermittelt, und der größer werdenden Entfernung Grenzen setzt durch einzelne
Punkte über das Ganze ausgestreut, welche zugleich Endliches und Unendliches, zugleich Menschliches und Göttliches sind. Das Verderben und die
Erlösung, die Feindschaft und die Vermittlung, das sind die beiden unzer- 35
trennlich miteinander verbundenen Seiten dieser Anschauung, und durch sie

wird die Gestalt alles religiösen Stoffs im Christentum und seine ganze
Form bestimmt. Die physische Welt ist abgewichen von ihrer Vollkommenheit und unvergänglichen Schönheit mit immer verstärkten Schritten; aber
alles Übel, selbst das, daß das Endliche vergehen muß, ehe es den Kreis
5 seines Daseins vollständig durchlaufen hat, ist eine Folge des Willens, des
selbstsüchtigen Strebens der individuellen Natur, die sich überall losreißt
aus dem Zusammenhange mit dem Ganzen um etwas zu sein für sich; auch
der Tod ist gekommen um der Sünde willen. Die moralische Welt ist vom
Schlechten zum Schlimmeren fortschreitend, unfähig etwas hervorzubringen,
10 worin der Geist des Universums wirklich lebte, verfinstert der Verstand
und abgewichen von der Wahrheit, verderbt das Herz und ermangelnd jedes
Ruhmes vor Gott, verlöscht das Ebenbild des Unendlichen in jedem Teile
der endlichen Natur. In Beziehung hierauf wird auch die göttliche Vorsehung in allen ihren Äußerungen angeschaut, nicht auf die unmittelbaren
15 Folgen für die Empfindung gerichtet in ihrem Tun, nicht das Glück oder
Leiden im Auge habend, welches sie hervorbringt, nicht mehr einzelne Handlungen hindernd oder fördernd, sondern nur bedacht dem Verderben zu
steuern in großen Massen, zu zerstören, ohne Gnade, was nicht mehr zurückzuführen ist, und neue Schöpfungen mit neuen Kräften aus sich selbst zu
20 schwängern: so tut sie Zeichen und Wunder, die den Lauf der Dinge unter-
brechen und erschüttern, so schickt sie Gesandte, in denen mehr oder weniger
von ihrem eignen Geiste wohnt, um göttliche Kräfte auszugießen unter die
Menschen. Ebenso wird auch die religiöse Welt vorgestellt. Auch indem es
das Universum anschauen will, strebt das Endliche ihm entgegen, sucht immer,
25 ohne zu finden, und verliert, was es gefunden hat, immer einseitig, immer
schwankend, immer beim Einzelnen und Zufälligen stehnbleibend, und
immer noch mehr wollend als anschauen verliert es das Ziel seiner Blicke.
Vergeblich ist jede Offenbarung. Alles wird verschlungen von irdischem
Sinn, alles fortgerissen von dem inwohnenden irreligiösen Prinzip, und
30 immer neue Veranstaltungen trifft die Gottheit, immer herrlichere Offenbarungen gehn durch ihre Kraft allein aus dem Schoße der alten hervor,
immer erhabenere Mittler stellt sie auf zwischen sich und den Menschen,
immer inniger vereinigt sie in jedem späteren Gesandten die Gottheit mit
der Menschheit, damit durch sie und von ihnen die Menschen lernen mögen
35 das ewige Wesen erkennen, und nie wird dennoch gehoben die alte Klage,
daß der Mensch nicht vernimmt, was vom Geiste Gottes ist. Dieses, daß

das Christentum in seiner eigentlichsten Grundanschauung am meisten und
liebsten das Universum in der Religion und ihrer Geschichte anschaut, daß
es die Religion selbst als Stoff für die Religion verarbeitet, und so gleichsam eine höhere Potenz derselben ist, das macht das Unterscheidendste seines
Charakters, das bestimmt seine ganze Form. Eben weil es ein irreligiöses 5
Prinzip als überall verbreitet voraussetzt, weil dies einen wesentlichen Teil
der Anschauung ausmacht; auf welches alles übrige bezogen wird, ist es durch
und durch polemisch. — Polemisch in seiner Mitteilung nach außen, denn
um sein innerstes Wesen klarzumachen, muß es jedes Verderben, es liege
in den Sitten oder in der Denkungsart, vor allen Dingen aber das irreli- 10
giöse Prinzip selbst überall aufdecken. Ohne Schonung entlarvt es daher
jede falsche Moral, jede schlechte Religion, jede unglückliche Vermischung
von beiden, wodurch ihre beiderseitige Blöße bedeckt werden soll, in die
innersten Geheimnisse des verderbten Herzens dringt es ein und erleuchtet
mit der heiligen Fackel eigner Erfahrung jedes Übel, das im Finstern 15
schleicht. So zerstörte es — und dies war fast seine erste Bewegung — die
letzte Erwartung seiner nächsten Brüder und Zeitgenossen, und nannte es
irreligiös und gottlos, eine andere Wiederherstellung zu wünschen oder zu
erwarten als die zur besseren Religion, zur höheren Ansicht der Dinge, und
zum ewigen Leben in Gott. ... Polemisch ist aber auch das Christentum, 20
und das ebenso scharf und schneidend, innerhalb seiner eignen Grenzen, und
in seiner innersten Gemeinschaft der Heiligen. Nirgends ist die Religion
so vollkommen idealisiert als im Christentum und durch die ursprüngliche
Voraussetzung desselben; und eben damit zugleich ist immerwährendes
Polemisieren gegen alles Wirkliche in der Religion als eine Aufgabe hin- 25
gestellt, der nie völlig Genüge geleistet werden kann. Eben weil überall das
irreligiöse Prinzip ist und wirkt, und weil alles Wirkliche zugleich als unheilig erscheint, ist eine unendliche Heiligkeit das Ziel des Christentums.
Nie zufrieden mit dem Erlangten sucht es auch in seinen reinsten Anschauungen, auch in seinen heiligsten Gefühlen noch die Spuren des Irreli- 30
giösen und der dem Universum entgegengesetzten und von ihm abgewandten
Tendenz alles Endlichen. ... Dies ist die in seinem Wesen gegründete Geschichte des Christentums. Ich bin nicht gekommen Friede zu bringen, sondern
das Schwert, sagt der Stifter desselben, und seine sanfte Seele kann unmöglich gemeint haben, daß er gekommen sei, jene blutigen Bewegungen 35
zu veranlassen, die dem Geist der Religion so völlig zuwider sind; oder jene

elenden Wortstreite, die sich auf den toten Stoff beziehn, den die lebendige
Religion nicht aufnimmt: nur diese heiligen Kriege, die aus dem Wesen
seiner Lehre notwendig entstehen, hat er vorausgesehn, und indem er sie
voraussah, befohlen. — Aber nicht nur die Beschaffenheit der einzelnen Ele-
5 mente des Christentums ist dieser beständigen Sichtung unterworfen; auch
auf ihr ununterbrochenes Dasein und Leben im Gemüt geht die Unersättlichkeit nach Religion. In jedem Moment, wo das religiöse Prinzip nicht wahrgenommen werden kann im Gemüt, wird das Irreligiöse als herrschend gedacht: denn nur durch das Entgegengesetzte kann das was ist aufgehoben und
10 auf nichts gebracht werden. Jede Unterbrechung der Religion ist Irreligion;
das Gemüt kann sich nicht einen Augenblick entblößt fühlen von Anschauungen und Gefühlen des Universums, ohne sich zugleich der Feindschaft und der
Entfernung von ihm bewußt zu werden. So hat das Christentum zuerst
und wesentlich die Forderung gemacht, daß die Religiosität ein Kontinuum
15 sein soll im Menschen, und verschmäht noch mit den stärksten Äußerungen
derselben zufrieden zu sein, sobald sie nur gewissen Teilen des Lebens angehören und sie beherrschen soll. Nie soll sie ruhen, und nichts soll ihr so
schlechthin entgegengesetzt sein, daß es nicht mit ihr bestehen könne; von
allem Endlichen sollen wir aufs Unendliche sehen, allen Empfindungen des
20 Gemütes, woher sie auch entstanden seien, allen Handlungen, auf welche
Gegenstände sie sich auch beziehen mögen, sollen wir imstande sein, religiöse
Gefühle und Ansichten beizugesellen. Das ist das eigentliche höchste Ziel
der Virtuosität im Christentum.

Wie nun die ursprüngliche Anschauung desselben, aus welcher alle diese
25 Ansichten sich ableiten, den Charakter seiner Gefühle bestimme, das werdet
Ihr leicht finden. Wie nennt Ihr das Gefühl einer unbefriedigten Sehnsucht, die auf einen großen Gegenstand gerichtet ist, und deren Unendlichkeit
Ihr Euch bewußt seid? Was ergreift Euch, wo Ihr das Heilige mit dem
Profanen, das Erhabene mit dem Geringen und Nichtigen aufs innigste
30 gemischt findet? und wie nennt Ihr die Stimmung, die Euch bisweilen
nötiget diese Mischung überall vorauszusetzen, und überall nach ihr zu forschen? Nicht bisweilen ergreift sie den Christen, sondern sie ist der herr-
schende Ton aller seiner religiösen Gefühle, diese heilige Wehmut — denn
das ist der einzige Name, den die Sprache mir darbietet — jede Freude und
35 jeder Schmerz, jede Liebe und jede Furcht begleitet sie; ja in seinem Stolz
wie in seiner Demut ist sie der Grundton, auf den sich alles bezieht. Wenn

Ihr Euch darauf versteht aus einzelnen Zügen das Innere eines Gemüts
nachzubilden, und Euch durch das Fremdartige nicht stören zu lassen, das
ihnen, Gott weiß woher, beigemischt ist: so werdet Ihr in dem Stifter des
Christentums durchaus diese Empfindung herrschend finden; wenn Euch ein
Schriftsteller, der nur wenige Blätter in einer einfachen Sprache hinterlassen 5
hat, nicht zu gering ist um Eure Aufmerksamkeit auf ihn zu wenden: so
wird Euch aus jedem Worte, was uns von seinem Busenfreund übrig ist,
dieser Ton ansprechen; und wenn ja ein Christ Euch in das Heiligste seines
Gemütes hineinblicken ließ: gewiß es ist dieses gewesen.

So ist das Christentum. Seine Entstellungen und sein mannigfaltiges 10
Verderben will ich nicht beschönigen, da die Verderblichkeit alles Heiligen,
sobald es menschlich wird, ein Teil seiner ursprünglichen Weltanschauung
ist. Auch will ich Euch nicht weiter in das einzelne desselben hinein-
führen; ... das alles sind nur menschliche Dinge: aber das wahrhaft Göttliche ist die herrliche Klarheit, zu welcher die große Idee, welche darzu- 15
stellen er gekommen war, die Idee, daß alles Endliche höherer Vermitt-
lungen bedarf um mit der Gottheit zusammenzuhängen, sich in seiner
Seele ausbildete. ... Wenn alles Endliche der Vermittlung eines
Höheren bedarf, um sich nicht immer weiter vom Universum zu entfernen
und ins Leere und Nichtige hinausgestreut zu werden, um seine Verbindung 20
mit dem Universum zu unterhalten und zum Bewußtsein derselben zu kommen: so kann ja das Vermittelnde, das doch selbst nicht wiederum der Vermittlung benötigt sein darf, unmöglich bloß endlich sein; es muß beiden angehören, es muß der göttlichen Natur teilhaftig sein, ebenso und in eben
dem Sinne, in welchem es der endlichen teilhaftig ist. Was sah Er 25
aber um sich als Endliches und der Vermittlung Bedürftiges, und wo war
etwas Vermittelndes als Er? Niemand kennt den Vater als der Sohn,
und wem er es offenbaren will. Dieses Bewußtsein von der Einzig-
keit seiner Religiosität, von der Ursprünglichkeit seiner Ansicht, und von der
Kraft derselben sich mitzuteilen und Religion aufzuregen, war zugleich das 30
Bewußtsein seines Mittleramtes und seiner Gottheit. ... Aber nie hat er
behauptet, das einzige Objekt der Anwendung seiner Idee, der einzige Mittler zu sein, und nie hat er seine Schule verwechselt mit seiner Religion —...
Nie hat er die Anschauungen und Gefühle, die er selbst mitteilen konnte, für
den ganzen Umfang der Religion ausgegeben, die von seiner Grund- 35
anschauung ausgehn sollte; er hat immer auf die Wahrheit gewiesen, die

nach ihm kommen würde. So auch seine Schüler; sie haben dem heiligen
Geist nie Grenzen gesetzt, seine unbeschränkte Freiheit und die durchgängige
Einheit seiner Offenbarungen ist überall von ihnen anerkannt worden;
und wenn späterhin, als die erste Zeit seiner Blüte vorüber war und er
5 auszuruhen schien von seinen Werken, diese Werke, soviel davon in den
heiligen Schriften enthalten war, für einen geschloßnen Kodex der Religion unbefugterweise erklärt wurden, geschah das nur von denen, welche den
Schlummer des Geistes für seinen Tod hielten, für welche die Religion
selbst gestorben war, und alle, die ihr Leben noch in sich fühlten oder in
10 andern wahrnahmen, haben sich immer gegen dieses unchristliche Beginnen
erklärt. Die heiligen Schriften sind Bibel geworden aus eigener Kraft,
aber sie verbieten keinem andern Buche auch Bibel zu sein oder zu werden,
und was mit gleicher Kraft geschrieben wäre, würden sie sich gern bei-
gesellen lassen. — Dieser unbeschränkten Freiheit, dieser wesentlichen Un-
15 endlichkeit zufolge hat sich denn die Hauptidee des Christentums von göttlichen vermittelnden Kräften auf mancherlei Art ausgebildet, und alle Anschauungen und Gefühle von Einwohnungen der göttlichen Natur in der
endlichen sind innerhalb desselben zur Vollkommenheit gebracht worden....
Wenn es nun aber immer Christen geben wird, soll deswegen das
20 Christentum auch in seiner allgemeinen Verbreitung unendlich und als die
einzige Gestalt der Religion in der Menschheit allein herrschend sein? Es
verschmäht diesen Despotismus, es ehrt jedes seiner eignen Elemente genug,
um es gern auch als den Mittelpunkt eines eignen Ganzen anzuschauen;
es will nicht nur in sich Mannigfaltigkeit bis ins Unendliche erzeugen, son-
25 dern sie auch außer sich anschauen. Nie vergessend, daß es den besten Beweis
seiner Ewigkeit in seiner eignen Verderblichkeit, in seiner eignen traurigen
Geschichte hat, und immer wartend einer Erlösung aus dem Elende, von
dem es eben gedrückt wird, sieht es gern außerhalb dieses Verderbens andere
und jüngere Gestalten der Religion hervorgehn, dicht neben sich, aus allen
30 Punkten, auch von jenen Gegenden her, die ihm als die äußersten und
zweifelhaften Grenzen der Religion überhaupt erscheinen. Die Religion der
Religionen kann nicht Stoff genug sammeln für die eigenste Seite ihrer
innersten Anschauung, und so wie nichts irreligiöser ist als Einförmigkeit
zu fordern in der Menschheit überhaupt, so ist nichts unchristlicher als Ein-
35 förmigkeit zu suchen in der Religion.
Auf alle Weise werde das Universum angeschaut und angebetet. Unzäh-

lige Gestalten der Religion sind möglich; und wenn es notwendig ist, daß
jede zu irgendeiner Zeit wirklich werde, so wäre wenigstens zu wünschen, daß
viele zu jeder Zeit könnten geahndet werden. . . .

*

Fragmente von Novalis

Nichts ist zur wahren Religiosität unentbehrlicher als ein Mittelglied, das 5
uns mit der Gottheit verbindet. Unmittelbar kann der Mensch schlechterdings
nicht mit derselben in Verhältnis stehn. In der Wahl dieses Mittelglieds
muß der Mensch durchaus frei sein. Der mindeste Zwang hierin schadet seiner
Religion. Die Wahl ist charakteristisch, und es werden mithin die gebildeten
Menschen ziemlich gleiche Mittelglieder wählen, dahingegen der Ungebildete 10
gewöhnlich durch Zufall hier bestimmt werden wird. Da aber so wenig
Menschen einer freien Wahl überhaupt fähig sind, so werden manche Mittelglieder allgemeiner werden; sei es durch Zufall, durch Assoziation, oder ihre
besondre Schicklichkeit dazu. Auf diese Art entstehn Landesreligionen. Je
selbständiger der Mensch wird, desto mehr vermindert sich die Quantität des 15
Mittelglieds, die Qualität verfeinert sich, und seine Verhältnisse zu demselben werden mannigfaltiger und gebildeter: Fetische, Gestirne, Tiere,
Helden, Götzen, Götter, ein Gottmensch. Man sieht bald, wie relativ diese
Wahlen sind, und wird unvermerkt auf die Idee getrieben, daß das Wesen
der Religion wohl nicht von der Beschaffenheit des Mittlers abhange, 20
sondern lediglich in der Ansicht desselben, in den Verhältnissen zu ihm bestehe.

Es ist ein Götzendienst im weitern Sinn, wenn ich diesen Mittler in der
Tat für Gott selbst ansehe. Es ist Irreligion, wenn ich gar keinen Mittler
annehme; und insofern ist Aberglaube oder Götzendienst, und Unglaube oder
Theismus, den man auch ältern Judaismus nennen kann, beides Irreligion. 25
Hingegen ist Atheismus nur Negation aller Religionen überhaupt, und hat
also gar nichts mit der Religion zu schaffen. Wahre Religion ist, die jenen
Mittler als Mittler annimmt, ihn gleichsam für das Organ der Gottheit hält,
für ihre sinnliche Erscheinung. In dieser Hinsicht erhielten die Juden zur
Zeit der babylonischen Gefangenschaft eine echt religiöse Tendenz, eine reli- 30
giöse Hoffnung, einen Glauben an eine künftige Religion, der sie auf eine

wunderbare Weise von Grund aus umwandelte, und sie in der merkwürdigsten Beständigkeit bis auf unsre Zeiten erhielt.

Die wahre Religion scheint aber bei einer nähern Betrachtung abermals
antinomisch geteilt in Pantheismus und Monotheismus. Ich bediene mich
hier einer Lizenz, indem ich Pantheismus nicht im gewöhnlichen Sinn nehme,
sondern darunter die Idee verstehe, daß alles Organ der Gottheit, Mittler
sein könne, indem ich es dazu erhebe: so wie Monotheismus im Gegenteil
den Glauben bezeichnet, daß es nur ein solches Organ in der Welt für uns
gebe, das allein der Idee eines Mittlers angemessen sei, und wodurch Gott
allein sich vernehmen lasse, welches ich also zu wählen durch mich selbst genötigt
werde: denn ohnedem würde der Monotheismus nicht wahre Religion sein.

So unverträglich auch beide zu sein scheinen, so läßt sich doch ihre Vereinigung bewerkstelligen, wenn man den monotheistischen Mittler zum Mittler der Mittelwelt des Pantheismus macht, und diese gleichsam durch ihn
zentriert, so daß beide einander jedoch auf verschiedene Weise notwendig
machen.

Das Gebet, oder der religiöse Gedanke besteht also aus einer dreifach aufsteigenden, unteilbaren Abstraktion oder Setzung. Jeder Gegenstand kann
dem Religiösen ein Tempel im Sinn der Auguren sein. Der Geist dieses
Tempels ist der allgegenwärtige Hohepriester, der monotheistische Mittler,
welcher allein im unmittelbaren Verhältnisse mit der Gottheit steht.
(Blütenstaub 74.)

Das Herz ist der Schlüssel der Welt und des Lebens. Man lebt in diesem
hilflosen Zustande, um zu lieben und andern verpflichtet zu sein. Durch Un-
vollkommenheit wird man der Einwirkung andrer fähig, und diese fremde
Einwirkung ist der Zweck. In Krankheiten sollen und können uns nur andre
helfen. So ist Christus, von diesem Gesichtspunkt aus, allerdings der
Schlüssel der Welt. (VI, 379.)

Mechanischer Gottesdienst. Die katholische Religion ist weit sichtbarer,
verwebter und familiärer als die protestantische. Außer den Kirchtürmen
und der geistlichen Kleidung, die doch schon sehr temporisiert, sieht man nichts
davon. (VI, 409.)

Das gemeinschaftliche Essen ist eine sinnbildliche Handlung der Vereinigung. Alle Vereinigungen außer der Ehe sind bestimmt gerichtete, durch ein

Objekt bestimmte und gegenseitig dasselbe bestimmende Handlungen. Die
Ehe hingegen ist eine unabhängige Totalvereinigung. Alles Genießen, Zu-
eignen und Assimilieren ist Essen, oder Essen ist vielmehr nichts als eine
Zueignung. Alles geistige Genießen kann daher durch Essen ausgedrückt
werden. — In der Freundschaft ißt man in der Tat von seinem Freunde 5
oder lebt von ihm. Es ist ein echter Trope, den Körper für den Geist zu
substituieren und bei einem Gedächtnismahle eines Freundes in jedem
Bissen mit kühner, übersinnlicher Einbildungskraft sein Fleisch und in
jedem Trunke sein Blut zu genießen. Dem weichlichen Geschmack unserer
Zeiten kommt dies freilich ganz barbarisch vor — aber wer heißt sie gleich 10
an rohes, verwesliches Blut und Fleisch zu denken? Die körperliche An-
eignung ist geheimnisvoll genug, um ein schönes Bild der geistigen Meinung zu sein — und sind denn Blut und Fleisch in der Tat etwas so
Widriges und Unedles? Wahrlich hier ist mehr als Gold und Diamant,
und die Zeit ist nicht mehr fern, wo man höhere Begriffe vom organischen 15
Körper haben wird.

Wer weiß, welches erhabene Symbol das Blut ist? Gerade das Widrige
der organischen Bestandteile läßt auf etwas sehr Erhabenes in ihnen schließen.
Wir schaudern vor ihnen wie vor Gespenstern und ahnden mit kindlichem
Grausen in diesem sonderbaren Gemisch eine geheimnisvolle Welt, die eine 20
alte Bekanntin sein dürfte.

Um aber auf das Gedächtnismahl zurückzukommen — ließe sich nicht
denken, daß unser Freund jetzt ein Wesen wäre, dessen Fleisch Brot und
dessen Blut Wein sein könnte?

So genießen wir den Genius der Natur alle Tage und so wird jedes 25
Mahl zum Gedächtnismahl, zum seelennährenden wie zum körpererhalten-
den Mahl, zum geheimnisvollen Mittel einer Verklärung und Vergöt-
terung auf Erden, eines belebenden Umgangs mit dem absolut Lebendigen.
Den Namenlosen genießen wir im Schlummer — wir erwachen wie das
Kind am mütterlichen Busen und erkennen, wie jede Erquickung und Stär- 30
kung uns aus Gunst und Liebe zukam, und Luft, Trank und Speise
Bestandteile einer unaussprechlichen lieben Person sind. (VI, 438.)

Moral und Religion. Moralisch handeln und religiös handeln sind
sonach aufs innigste vereinigt. Man soll zugleich innere und äußere
Harmonie beabsichtigen — zugleich das Gesetz und den Willen Gottes, 35

jedes um sein selbst willen erfüllen. Es gibt also ein einseitiges moralisches und ein einseitiges religiöses Handeln. (IX, 60.)

Über den außerordentlichen Grad von Evidenz, Beruhigung und Heiterkeit, den idealische Sätze (schöne Glaubenssätze) [haben], z. B.:

5   „Alles was geschieht, geschieht zu unserm Besten."
(S'il n'y a point de Dieu il faut s'en faire.)

Wunderkraft des Glaubens — Aller Glaube ist wunderbar und wundertätig. Gott ist in dem Augenblicke, als ich ihn glaube.

Glauben ist indirekt wundertätige Kraft. Durch den Glauben können 10 wir in jedem Augenblick Wunder tun für uns — oft für andre mit, wenn sie Glauben zu mir haben.

Glauben ist hienieden wahrgenommene Wirksamkeit und Sensation in einer andern Welt — ein vernommener transmundaner Aktus. Der echte Glaube bezieht sich nur auf Dinge einer andern Welt. Glauben ist 15 Empfindung des Erwachens und Wirkens und Sinnens in einer andern Welt.

Angewandter — irdischer Glauben — Willen.

Glauben — Wahrnehmung des realisierten Willens. (IX, 492.)

Durch Religion werden die Menschen erst recht eins. (IX, 544.)

Predigt ist — Bruchstück der Bibel, des heiligen Buchs — des 20 kanonischen Teils der Bibel. (Ihr apokryphischer Teil.)

Heiliger Gebrauch des religiösen Sinns, wie des moralischen — Produktiver religiöser Sinn — produktiver moralischer Sinn.

Fichtens produktive Einbildungskraft ist nichts als durch Vernunft — durch Idee und Glauben und Willen erregter Sinn.

25 Jede Predigt soll Religion erwecken — Religionswahrheiten vortragen. — Sie ist das Höchste, was ein Mensch liefern kann.

Predigten enthalten Betrachtungen Gottes — und Experimente Gottes. Jede Predigt ist eine Inspirationswirkung — eine Predigt kann nur, muß genialisch sein.

30 (Künstliche Konstruktion einer Predigt — indirekte.)

Wie vermeidet man bei Darstellung des Vollkommnen die Langeweile? Die Betrachtung Gottes scheint als eine religiöse Untersuchung — zu

monoton — man erinnre sich an die vollkommnen Charaktere in Schauspielen — an die Trockenheit eines echten, reinen, philosophischen oder
mathematischen Systems etc.

So ist selbst die Betrachtung Jesu ermüdend. — Die Predigt muß
pantheistisch sein — angewandte, individuelle Religion, individuali- 5
sierte Theologie enthalten. (IX, 571.)

Innre, religiöse Experimente und Beobachtungen. (IX, 572.)

Das sind glückliche Leute, die überall Gott vernehmen — überall Gott
finden — diese Leute sind eigentlich religiös. Religion ist Moral in der
höchsten Dignität, wie Schleiermacher vortrefflich gesagt hat. (IX, 906.) 10

Physik der geistigen Tätigkeit. Moralität des Glaubens überhaupt. Er beruht auf Annahme der Harmonie. Aller Glauben geht vom
moralischen Glauben aus. (IX, 909.)

Die Meinung von der Negativität des Christentums ist vortrefflich. Das
Christentum wird dadurch zum Rang der Grundlage — der projektierenden 15
Kraft eines neuen Weltgebäudes und Menschentums gehoben — einer
echten Feste — eines lebendigen, moralischen Raums.

Damit schließt sich dies vortrefflich an meine Ideen von der bisherigen
Verkennung von Raum und Zeit an, deren Persönlichkeit und Urkraft mir
unbeschreiblich einleuchtend geworden ist. Die Tätigkeit des Raums und 20
der Zeit ist die Schöpfungskraft, und ihre Verhältnisse sind die Angel
der Welt.

Absolute Abstraktion — Annihilation des Jetzigen — Apotheose der
Zukunft, dieser eigentlichen, bessern Welt, dies ist der Kern der Geheiße
des Christentums — und hiermit schließt es sich an die Religion der Anti- 25
quare, die Göttlichkeit der Antike, die Herstellung des Altertums, als der
zweite Hauptflügel an — beide halten das Universum, als den Körper des
Engels, in ewigem Schweben — in ewigem Genuß von Raum und Zeit.
(IX, 1097.)

Fichtens Ich ist die Vernunft — Sein Gott und Spinozas Gott haben 30
große Ähnlichkeit. Gott ist die übersinnliche Welt, rein — wir sind ein un-

reiner Teil derselben. Wir denken uns Gott persönlich, wie wir uns selbst persönlich denken. Gott ist gerade so persönlich und individuell wie wir — denn unser sogenanntes Ich ist nicht unser wahres Ich, sondern nur sein Abglanz. Vide Goethens Fragment aus „Faust". (IX, 1100.)

5 Luthers Idee der Versöhnung und des Verdienstes Christi. Begriff eines Evangelii. Läßt sich nicht die Verfertigung mehrerer Evangelien denken? Muß es durchaus historisch sein? Oder ist die Geschichte nur Vehikel? Nicht auch ein Evangelium der Zukunft?

Vereinigung mit Tieck und Schlegel und Schleiermacher zu diesem Be-
10 huf. (X, 12.)

Noch ist keine Religion. — Man muß eine Bildungsloge echter Religion erst stiften. Glaubt ihr — daß es Religion gebe — Religion muß gemacht und hervorgebracht werden durch die Vereinigung mehrerer Menschen. (X, 15.)

15 Warum kann in der Religion keine Virtuosität stattfinden? Weil sie auf Liebe beruht. Schleiermacher hat eine Art von Liebe, von Religion verkündigt — eine Kunstreligion — beinah eine Religion wie die des Künstlers, der die Schönheit und das Ideal verehrt. Die Liebe ist frei — sie wählt das Ärmste und Hilfsbedürftigste am liebsten.

20 Gott nimmt sich daher der Armen und Sünder am liebsten an. Gibt es lieblose Naturen, so gibt es auch irreligiöse.

Religiöse Aufgabe — Mitleid mit der Gottheit zu haben.

Unendliche Wehmut der Religion. Sollen wir Gott lieben, so muß er hülfsbedürftig sein. Wiefern ist im Christianismus diese Aufgabe gelöst?

25 Liebe zu leblosen Gegenständen. Menschwerdung der Menschen. Vorliebe Christi zur Moral. (X, 53.)

Unter Menschen muß man Gott suchen. In den menschlichen Begebenheiten, in menschlichen Gedanken und Empfindungen offenbart sich der Geist des Himmels am hellsten.

30 Religionslehre ist davon ganz abgesondert. Sie kann nur religiösen Menschen verständlich und religiös nutzbar sein.

Religion kann man nicht anders verkündigen wie Liebe und Patriotis-
mus. Wenn man jemand verliebt machen wollte, wie finge man das wohl
an? (X, 76.)

Es gibt keine Religion, die nicht Christentum wäre. (X, 88.)

Erhöht die Religion, wie der Galvanismus, alle natürlichen Funktionen? 5
Durch Enthaltsamkeit komprimierte Religion. (X, 89.)

In gottesdienstlichen Versammlungen sollte jeder aufstehn und aus dem
Schaße seiner Erfahrungen göttliche Geschichten den andern mitteilen.
Diese religiöse Aufmerksamkeit auf die Sonnenblicke der andern Welt ist
ein Haupterfordernis des religiösen Menschen. Wie man alles zum Gegen- 10
stande eines Epigramms oder eines Einfalls machen kann, so kann man
auch alles in einen Spruch, in ein religiöses Epigramm, in Gottes Wort
verwandeln.

Das Lamentable unsrer Kirchenmusik ist bloß der Religion der Buße —
dem Alten Testament, angemessen, in dem wir eigentlich noch sind. Das Neue 15
Testament ist uns noch ein Buch mit sieben Siegeln.

Wir haben aber einige treffliche Versuche wahrer geistlicher Musik,
z. B. „God save" und: „Wie sie so sanft ruhn" etc.

Ist ein wahrer Unterschied zwischen Weltlichen und Geistlichen? Oder ist
gerade diese Polarität unsrer Theologie noch alttestamentlich? Judaismus ist 20
dem Christentum schnurstracks entgegen und liegt, wie dieses, allen Theologien gewissermaßen zum Grunde.

Moralisiert der echte Geist Gottes? Der Moralist ist der Johannes. ...
(X, 90.)

... Es ist unmöglich, daß ein Mensch in wiederkehrenden bestimmten 25
Stunden echte Religionsvorträge halten kann, daher der Vorzug der
Quäkersitte — daß jeder aufsteht und spricht, wenn er begeistert ist ...
(X, 93.)

Über den Begriff des Betens. Beten ist in der Religion, was Denken
in der Philosophie ist. Beten ist Religion machen — Predigten soll- 30
ten eigentliche Gebete sein. Der religiöse Sinn betet — wie das Denkorgan

denkt — Religion geht auf Religion — Sie hat eine eigne religiöse Welt, ein eignes religiöses Element. (X, 210.)

Ein wahrhaft gottesfürchtiges Gemüt sieht überall Gottes Finger und ist in steter Aufmerksamkeit auf seine Winke und Fügungen. (X, 235.)

5   Die christliche Religion ist auch dadurch vorzüglich merkwürdig, daß sie so entschieden den bloßen guten Willen im Menschen und seine eigentliche Natur, ohne alle Ausbildung, in Anspruch nimmt und darauf Wert legt. Sie steht in Opposition mit Wissenschaft und Kunst und eigentlichem Genuß.

10   Vom gemeinen Mann geht sie aus.

Sie beseelt die große Majorität der Beschränkten auf Erden.

Sie ist das Licht, was in der Dunkelheit zu glänzen anfängt.

Sie ist der Keim alles Demokratismus, die höchste Tatsache der Popularität.

15   Ihr unpoetisches Außre — ihre Ähnlichkeit mit einem modernen häuslichen Gemälde scheint ihr nur geliehen zu sein.

Sie ist tragisch und doch unendlich mild — ein echtes Schauspiel — Vermischung des Lust- und Trauerspiels.

Die griechische Mythologie scheint für die gebildeteren Menschen zu 20 sein — und also in gänzlicher Opposition mit dem Christentum. Der Pantheismus ist ein drittes Ende. (X, 252.)

Spinoza ist ein gotttrunkener Mensch. (X, 253.)

Der Spinozismus ist eine Übersättigung mit Gottheit. Unglauben ein Mangel an göttlichem Organ und an Gottheit. Es gibt also direkte und 25 indirekte Atheisten. Desto besonnener und echt poetischer der Mensch ist, desto gestalteter und historischer wird seine Religion sein. (X, 243.)

Alle unsre Neigungen scheinen nichts als angewandte Religion zu sein. Das Herz scheint gleichsam das religiöse Organ. Vielleicht ist das höhere Erzeugnis des produktiven Herzens — nichts anders als der Himmel.

30   Indem das Herz, abgezogen von allen einzelnen wirklichen Gegenständen — sich selbst empfindet, sich selbst zu einem idealischen Gegenstande macht, ent-

steht Religion — Alle einzelnen Neigungen vereinigen sich in eine — deren wunderbares Objekt — ein höheres Wesen, eine Gottheit ist — daher echte Gottesfurcht alle Empfindungen und Neigungen umfaßt. Dieser Naturgott ißt uns, gebiert uns, spricht mit uns, erzieht uns, beschläft uns, läßt sich von uns essen, von uns zeugen und gebären; kurz — ist der unendliche Stoff 5 unsrer Tätigkeit und unsers Leidens.

Machen wir die Geliebte zu einem solchen Gott, so ist dies angewandte Religion. (X, 277.)

Die christliche Religion ist die eigentliche Religion der Wollust. Die Sünde ist der große Reiz für die Liebe der Gottheit. Je sündiger man sich 10 fühlt, desto christlicher ist man. Unbedingte Vereinigung mit der Gottheit ist der Zweck der Sünde und Liebe. Dithyramben sind ein echt christliches Produkt. (X, 341.)

Kein Umstand in der Religionsgeschichte ist merkwürdiger als die neue Idee im entstandnen Christentum: einer Menschheit und einer all- 15 gemeinen Religion — damit entstand der Proselitismus. Auch höchst sonderbar ist die Versprengung der orientalischen Juden ins Abendland und die Verbreitung der neuen Religion unter ein Volk von zivilisierten Weltüberwindern — das sie den besiegten und rohen Nationen mitteilte. (X, 369.)   20

Über die mögliche Mythologie (freies Fabeltum) des Christentums und seine Verwandlungen auf Erden. Gott als Arzt, als Geistlicher, als Frau, Freund etc. Alles Gute in der Welt ist unmittelbare Wirksamkeit Gottes. In jedem Menschen kann mir Gott erscheinen. Am Christentum hat man Ewigkeiten zu studieren — Es wird einem immer höher, und mannigfacher 25 und herrlicher. (X, 406.)

... Liebe ist durchaus Krankheit — daher die wunderbare Bedeutung des Christentums.

Das Christentum ist durchaus historische Religion, die aber in die natür- liche der Moral und die künstliche der Poesie, oder die Mythologie über- 30 geht. ... (X, 410.)

Die Moral ist recht verstanden das eigentliche Lebenselement des Men-

ſchen. Sie iſt innig eins mit der Gottesfurcht. Unſer reiner ſittlicher Wille
iſt Gottes Wille. Indem wir ſeinen Willen erfüllen, erheitern und erweitern wir unſer eignes Daſein, und es iſt, als hätten wir um unſrer ſelbſt
willen, aus innerer Natur ſo gehandelt. Die Sünde iſt allerdings das eigent-
5 liche Übel in der Welt. Alles Ungemach kommt von ihr her. Wer die Sünde
verſteht, verſteht die Tugend und das Chriſtentum, ſich ſelbſt und die Welt.
Ohne dies Verſtändnis kann man ſich Chriſti Verdienſt nicht zu eigen machen
— man hat keinen Teil an dieſer zweiten höhern Schöpfung. (X, 436.)

Jedes Willkürliche, Zufällige, Individuelle kann unſer Weltorgan werden.
10 Ein Geſicht, ein Stern, eine Gegend, ein alter Baum etc. kann Epoche in
unſerm Innern machen — Dies iſt der große Realismus des Fetiſchdienſtes.
(X, 437.)

Am beſten iſt es, wenn man den Sinn hat, alles Geſchehene mit freudi-
gem Herzen wie eine Wohltat Gottes hinzunehmen. Durch Gebet erlangt
15 man alles. Gebet iſt eine univerſale Arznei. (Tagebuch vom 16. Okt. 1800.)

... Wenn mich nicht körperliche Unruhe verwirrt, welches doch nicht
häufig geſchieht, ſo iſt mein Gemüt hell und ſtill. Religion iſt der große
Orient in uns, der ſelten getrübt wird. Ohne ſie wäre ich unglücklich. So
vereinigt ſich alles in einen großen, friedlichen Gedanken, in einen ſtillen,
20 ewigen Glauben ... (Aus einem Brief an den Kreisamtmann Juſt, No-
vember 1800.)

*

Hymnen an die Nacht
von Novalis

1.

25   Welcher Lebendige, Sinnbegabte, liebt nicht vor allen Wundererſcheinun-
gen des verbreiteten Raums um ihn, das allerfreuliche Licht — mit ſeinen
Farben, ſeinen Strahlen und Wogen; ſeiner milden Allgegenwart, als
weckender Tag. Wie des Lebens innerſte Seele atmet es der raſtloſen Ge-

stirne Riesenwelt, und schwimmt tanzend in seiner blauen Flut — atmet
es der funkelnde, ewigruhende Stein, die sinnige, saugende Pflanze, und
das wilde, brennende, vielgestaltete Tier — vor allen aber der herrliche
Fremdling mit den sinnvollen Augen, dem schwebenden Gange, und den
zartgeschlossenen, tonreichen Lippen. Wie ein König der irdischen Natur 5
ruft es jede Kraft zu zahllosen Verwandlungen, knüpft und löst unendliche
Bündnisse, hängt sein himmlisches Bild jedem irdischen Wesen um. —
Seine Gegenwart allein offenbart die Wunderherrlichkeit der Reiche der Welt.

Abwärts wend' ich mich zu der heiligen, unaussprechlichen, geheimnisvollen Nacht. Fernab liegt die Welt — in eine tiefe Gruft versenkt — wüst 10
und einsam ist ihre Stelle. In den Saiten der Brust weht tiefe Wehmut.
In Tautropfen will ich hinuntersinken und mit der Asche mich vermischen. —
Fernen der Erinnerung, Wünsche der Jugend, der Kindheit Träume, des
ganzen langen Lebens kurze Freuden und vergebliche Hoffnungen kommen
in grauen Kleidern, wie Abendnebel nach der Sonne Untergang. In andern 15
Räumen schlug die lustigen Gezelte das Licht auf. Sollte es nie zu seinen
Kindern wiederkommen, die mit der Unschuld Glauben seiner harren?

Was quillt auf einmal so ahndungsvoll unterm Herzen, und verschluckt
der Wehmut weiche Luft? Hast auch du ein Gefallen an uns, dunkle Nacht?
Was hältst du unter deinem Mantel, das mir unsichtbar kräftig an die 20
Seele geht? Köstlicher Balsam träuft aus deiner Hand, aus dem Bündel
Mohn. Die schweren Flügel des Gemüts hebst du empor. Dunkel und
unaussprechlich fühlen wir uns bewegt — ein ernstes Antlitz seh' ich froh
erschrocken, das sanft und andachtsvoll sich zu mir neigt, und unter unendlich verschlungenen Locken der Mutter liebe Jugend zeigt. Wie arm und 25
kindisch dünkt mir das Licht nun — wie erfreulich und gesegnet des Tages
Abschied — Also nur darum, weil die Nacht dir abwendig macht die
Dienenden, säest du in des Raumes Weiten die leuchtenden Kugeln, zu
verkünden deine Allmacht — deine Wiederkehr — in den Zeiten deiner
Entfernung. Himmlischer, als jene blitzenden Sterne, dünken uns die un- 30
endlichen Augen, die die Nacht in uns geöffnet. Weiter sehn sie, als die
blässesten jener zahllosen Heere — unbedürftig des Lichts durchschaun sie
die Tiefen eines liebenden Gemüts — was einen höhern Raum mit unsäglicher Wollust füllt. Preis der Weltkönigin, der hohen Verkünderin
heiliger Welten, der Pflegerin seliger Liebe — sie sendet mir dich — zarte 35
Geliebte — liebliche Sonne der Nacht, — nun wach' ich — denn ich bin

dein und mein — du hast die Nacht mir zum Leben verkündet — mich zum
Menschen gemacht — zehre mit Geisterglut meinen Leib, daß ich luftig
mit dir inniger mich mische und dann ewig die Brautnacht währt.

2.

5 Muß immer der Morgen wiederkommen? Endet nie des Irdischen Gewalt? Unselige Geschäftigkeit verzehrt den himmlischen Anflug der Nacht.
Wird nie der Liebe geheimes Opfer ewig brennen? Zugemessen ward dem
Lichte seine Zeit; aber zeitlos und raumlos ist der Nacht Herrschaft. —
Ewig ist die Dauer des Schlafs. Heiliger Schlaf — beglücke zu selten
10 nicht der Nacht Geweihte in diesem irdischen Tagewerk. Nur die Toren
verkennen dich und wissen von keinem Schlafe, als dem Schatten, den du
in jener Dämmerung der wahrhaften Nacht mitleidig auf uns wirfst. Sie
fühlen dich nicht in der goldnen Flut der Trauben — in des Mandelbaums
Wunderöl, und dem braunen Safte des Mohns. Sie wissen nicht, daß
15 du es bist der des zarten Mädchens Busen umschwebt und zum Himmel den
Schoß macht — ahnden nicht, daß aus alten Geschichten du himmelöffnend
entgegentrittst und den Schlüssel trägst zu den Wohnungen der Seligen,
unendlicher Geheimnisse schweigender Bote.

3.

20 Einst da ich bittre Tränen vergoß, da in Schmerz aufgelöst meine Hoffnung
zerrann, und ich einsam stand am dürren Hügel, der in engen, dunkeln Raum
die Gestalt meines Lebens barg — einsam, wie noch kein Einsamer war,
von unsäglicher Angst getrieben — kraftlos, nur ein Gedanken des Elends
noch. — Wie ich da nach Hilfe umherschaute, vorwärts nicht konnte und
25 rückwärts nicht, und am fliehenden, verlöschten Leben mit unendlicher Sehnsucht hing: — da kam aus blauen Fernen — von den Höhen meiner alten
Seligkeit ein Dämmerungsschauer — und mit einem Male riß das Band
der Geburt — des Lichtes Fessel. Hin floh die irdische Herrlichkeit und
meine Trauer mit ihr — zusammen floß die Wehmut in eine neue, un-
30 ergründliche Welt — du Nachtbegeisterung, Schlummer des Himmels
kamst über mich — die Gegend hob sich sacht empor; über der Gegend
schwebte mein entbundner, neugeborner Geist. Zur Staubwolke wurde der
Hügel — durch die Wolke sah ich die verklärten Züge der Geliebten. In

Ihren Augen ruhte die Ewigkeit — ich faßte Ihre Hände, und die Tränen
wurden ein funkelndes, unzerreißliches Band. Jahrtausende zogen abwärts
in die Ferne, wie Ungewitter. An ihrem Halse weint' ich dem neuen Leben
entzückende Tränen. — Es war der erste, einzige Traum — und erst seitdem fühl' ich ewigen, unwandelbaren Glauben an den Himmel der Nacht 5
und sein Licht, die Geliebte.

4.

Nun weiß ich, wann der letzte Morgen sein wird — wenn das Licht nicht
mehr die Nacht und die Liebe scheucht — wenn der Schlummer ewig und
nur ein unerschöpflicher Traum sein wird. Himmlische Müdigkeit fühl' ich 10
in mir. — Weit und ermüdend ward mir die Wallfahrt zum Heiligen
Grabe, drückend das Kreuz. Die kristallene Woge, die gemeinen Sinnen
unvernehmlich, in des Hügels dunkelm Schoß quillt, an dessen Fuß die
irdische Flut bricht, wer sie gekostet, wer oben stand auf dem Grenzgebürge
der Welt, und hinübersah in das neue Land, in der Nacht Wohnsitz — 15
wahrlich der kehrt nicht in das Treiben der Welt zurück, in das Land, wo
das Licht in ewiger Unruh hauset.

Oben baut er sich Hütten, Hütten des Friedens, sehnt sich und liebt,
schaut hinüber, bis die willkommenste aller Stunden hinunter ihn in
den Brunnen der Quelle zieht — das Irdische schwimmt obenauf, wird 20
von Stürmen zurückgeführt, aber was heilig durch der Liebe Berührung
ward, rinnt aufgelöst in verborgenen Gängen auf das jenseitige Gebiet,
wo es, wie Düfte, sich mit entschlummerten Lieben mischt. Noch weckst du,
muntres Licht, den Müden zur Arbeit — flößest fröhliches Leben mir ein —
aber du lockst mich von der Erinnerung moosigem Denkmal nicht. Gern 25
will ich die fleißigen Hände rühren, überall umschaun, wo du mich brauchst —
rühmen deines Glanzes volle Pracht — unverdrossen verfolgen deines künstlichen Werks schönen Zusammenhang — gern betrachten deiner gewaltigen,
leuchtenden Uhr sinnvollen Gang — ergründen der Kräfte Ebenmaß und
die Regeln des Wunderspiels unzähliger Räume und ihrer Zeiten. Aber 30
getreu der Nacht bleibt mein geheimes Herz, und der schaffenden Liebe,
ihrer Tochter. Kannst du mir zeigen ein ewig treues Herz? Hat deine Sonne
freundliche Augen, die mich erkennen? Fassen deine Sterne meine ver-
langende Hand? Geben mir wieder den zärtlichen Druck und das kosende
Wort? Hast du mit Farben und leichtem Umriß Sie geziert — oder war 35

Sie es, die deinem Schmuck höhere, liebere Bedeutung gab? Welche Wollust, welchen Genuß bietet dein Leben, die aufwögen des Todes Entzückungen? Trägt nicht alles, was uns begeistert, die Farbe der Nacht? Sie trägt dich mütterlich und ihr verdankst du all deine Herrlichkeit. Du verflögst in dir
5 selbst — in endlosen Raum zergingst du, wenn sie dich nicht hielte, dich nicht bände, daß du warm würdest und flammend die Welt zeugtest. Wahrlich ich war, eh du warst — die Mutter schickte mit meinen Geschwistern mich, zu bewohnen deine Welt, sie zu heiligen mit Liebe, daß sie ein ewig angeschautes Denkmal werde — zu bepflanzen sie mit unverwelklichen Blumen. Noch
10 reiften sie nicht diese göttlichen Gedanken — Noch sind der Spuren unserer Offenbarung wenig — Einst zeigt deine Uhr das Ende der Zeit, wenn du wirst wie unser einer, und voll Sehnsucht und Inbrunst auslöschest und stirbst. In mir fühl' ich deiner Geschäftigkeit Ende — himmlische Freiheit, selige Rückkehr. In wilden Schmerzen erkenn' ich deine Entfernung von
15 unsrer Heimat, deinen Widerstand gegen den alten, herrlichen Himmel. Deine Wut und dein Toben ist vergebens. Unverbrennlich steht das Kreuz — eine Siegesfahne unsers Geschlechts.

Hinüber wall' ich,
Und jede Pein
20 Wird einst ein Stachel
Der Wollust sein.
Noch wenig Zeiten,
So bin ich los,
Und liege trunken
25 Der Lieb im Schoß.
Unendliches Leben
Wogt mächtig in mir
Ich schaue von oben
Herunter nach dir.
30 An jenem Hügel
Verlischt dein Glanz —

Ein Schatten bringet
Den kühlenden Kranz.
Oh! sauge, Geliebter,
35 Gewaltig mich an,
Daß ich entschlummern
Und lieben kann.
Ich fühle des Todes
Verjüngende Flut,
40 Zu Balsam und Äther
Verwandelt mein Blut —
Ich lebe bei Tage
Voll Glauben und Mut
Und sterbe die Nächte
45 In heiliger Glut.

5.

Über der Menschen weitverbreitete Stämme herrschte vor Zeiten ein
eisernes Schickjal mit stummer Gewalt. Eine dunkle, schwere Binde lag
um ihre bange Seele. — Unendlich war die Erde — der Götter Aufenthalt,
und ihre Heimat. Seit Ewigkeiten stand ihr geheimnisvoller Bau. Über des 5
Morgens roten Bergen, in des Meeres heiligem Schoß wohnte die Sonne,
das allzündende, lebendige Licht. Ein alter Riese trug die selige Welt. Fest
unter Bergen lagen die Ursöhne der Mutter Erde. Ohnmächtig in ihrer
zerstörenden Wut gegen das neue herrliche Göttergeschlecht und dessen Ver-
wandten, die fröhlichen Menschen. Des Meers dunkle, grüne Tiefe war einer 10
Göttin Schoß. In den kristallenen Grotten schwelgte ein üppiges Volk.
Flüsse, Bäume, Blumen und Tiere hatten menschlichen Sinn. Süßer
schmeckte der Wein von sichtbarer Jugendfülle geschenkt — ein Gott in den
Trauben — eine liebende, mütterliche Göttin, emporwachsend in vollen
goldenen Garben — der Liebe heil'ger Rausch ein süßer Dienst der schönsten 15
Götterfrau — ein ewig buntes Fest der Himmelskinder und der Erdbewohner
rauschte das Leben, wie ein Frühling, durch die Jahrhunderte hin — Alle
Geschlechter verehrten kindlich die zarte, tausendfältige Flamme, als das
Höchste der Welt. Ein Gedanke nur war es, ein entsetzliches Traumbild,

> Das furchtbar zu den frohen Tischen trat   20
> Und das Gemüt in wilde Schrecken hüllte.
> Hier wußten selbst die Götter keinen Rat,
> Der die beklommne Brust mit Trost erfüllte.
> Geheimnisvoll war dieses Unholds Pfad,
> Des Wut kein Flehn und keine Gabe stillte;   25
> Es war der Tod, der dieses Lustgelag
> Mit Angst und Schmerz und Tränen unterbrach.
>
> Auf ewig nun von allem abgeschieden,
> Was hier das Herz in süßer Wollust regt,
> Getrennt von den Geliebten, die hienieden   30
> Vergebne Seh.isucht, langes Weh bewegt,
> Schien matter Traum dem Toten nur beschieden,
> Ohnmächt'ges Ringen nur ihm auferlegt.
> Zerbrochen war die Woge des Genusses
> Am Felsen des unendlichen Verdrusses.   35

Mit kühnem Geist und hoher Sinnenglut
Verschönte sich der Mensch die grause Larve,
Ein sanfter Jüngling löscht das Licht und ruht —
Sanft wird das Ende, wie ein Wehn der Harfe.
5 Erinnrung schmilzt in kühler Schattenflut,
So sang das Lied dem traurigen Bedarfe.
Doch unenträtselt blieb die ew'ge Nacht,
Das ernste Zeichen einer fernen Macht.

Zu Ende neigte die alte Welt sich. Des jungen Geschlechts Lustgarten
10 verwelkte — hinauf in den freieren, wüsten Raum strebten die unkind-
lichen, wachsenden Menschen. Die Götter verschwanden mit ihrem Gefolge —
Einsam und leblos stand die Natur. Mit eiserner Kette band sie die dürre
Zahl und das strenge Maß. Wie in Staub und Lüfte zerfiel in dunkle
Worte die unermeßliche Blüte des Lebens. Entflohn war der beschwörende
15 Glauben, und die allverwandelnde, allverschwisternde Himmelsgenossin, die
Phantasie. Unfreundlich blies ein kalter Nordwind über die erstarrte Flur,
und die erstarrte Wunderheimat verflog in den Äther. Des Himmels Fernen
füllten mit leuchtenden Welten sich. Ins tiefre Heiligtum, in des Gemüts
höhern Raum zog mit ihren Mächten die Seele der Welt — zu walten dort
20 bis zum Anbruch der tagenden Weltherrlichkeit. Nicht mehr war das Licht
der Götter Aufenthalt und himmlisches Zeichen — den Schleier der Nacht
warfen sie über sich. Die Nacht ward der Offenbarungen mächtiger Schoß —
in ihn kehrten die Götter zurück — schlummerten ein, um in neuen herr-
lichern Gestalten auszugehn über die veränderte Welt. Im Volk, das vor
25 allen verachtet zu früh reif und der seligen Unschuld der Jugend trotzig fremd
geworden war, erschien mit niegesehenem Angesicht die neue Welt — In der
Armut dichterischer Hütte — Ein Sohn der ersten Jungfrau und Mutter —
Geheimnisvoller Umarmung unendliche Frucht. Des Morgenlands ahn-
dende, blütenreiche Weisheit erkannte zuerst der neuen Zeit Beginn —
30 Zu des Königs demütiger Wiege wies ihr ein Stern den Weg. In der
weiten Zukunft Namen huldigten sie ihm mit Glanz und Duft, den höchsten
Wundern der Natur. Einsam entfaltete das himmlische Herz sich zu einem
Blütenkelch allmächtger Liebe — des Vaters hohem Antlitz zugewandt und
ruhend an dem ahndungssel'gen Busen der lieblich ernsten Mutter. Mit
35 vergötternder Inbrunst schaute das weissagende Auge des blühenden Kindes

auf die Tage der Zukunft, nach seinen Geliebten, den Sprossen seines
Götterstamms, unbekümmert über seiner Tage irdisches Schicksal. Bald
sammelten die kindlichsten Gemüter von inniger Liebe wundersam ergriffen
sich um ihn her. Wie Blumen keimte ein neues fremdes Leben in seiner
Nähe. Unerschöpfliche Worte und der Botschaften fröhlichste fielen wie 5
Funken eines göttlichen Geistes von seinen freundlichen Lippen. Von ferner
Küste, unter Hellas heiterm Himmel geboren, kam ein Sänger nach Palä-
stina und ergab sein ganzes Herz dem Wunderkinde:

> „Der Jüngling bist du, der seit langer Zeit
> Auf unsern Gräbern steht in tiefem Sinnen;   10
> Ein tröstlich Zeichen in der Dunkelheit —
> Der höhern Menschheit freudiges Beginnen.
> Was uns gesenkt in tiefe Traurigkeit,
> Zieht uns mit süßer Sehnsucht nun von hinnen.
> Im Tode ward das ew'ge Leben kund,   15
> Du bist der Tod und machst uns erst gesund."

Der Sänger zog voll Freudigkeit nach Indostan — das Herz von süßer
Liebe trunken; und schüttete in feurigen Gesängen es unter jenem milden
Himmel aus, daß tausend Herzen sich zu ihm neigten, und die fröhliche Bot-
schaft tausendzweigig emporwuchs. Bald nach des Sängers Abschied ward 20
das köstliche Leben ein Opfer des menschlichen tiefen Verfalls — Er starb
in jungen Jahren, weggerissen von der geliebten Welt, von der weinenden
Mutter und seinen zagenden Freunden. Der unsäglichen Leiden dunkeln
Kelch leerte der liebliche Mund — In entsetzlicher Angst nahte die Stunde
der Geburt der neuen Welt. Hart rang er mit des alten Todes Schrecken — 25
Schwer lag der Druck der alten Welt auf ihm. Noch einmal sah er freundlich nach der Mutter — da kam der ewigen Liebe lösende Hand — und er
entschlief. Nur wenig Tage hing ein tiefer Schleier über das brausende
Meer, über das bebende Land — unzählige Tränen weinten die Geliebten —
Entsiegelt ward das Geheimnis — himmlische Geister hoben den uralten 30
Stein vom dunkeln Grabe. Engel saßen bei dem Schlummernden — aus
seinen Träumen zartgebildet — Erwacht in neuer Götterherrlichkeit erstieg
er die Höhe der neugebornen Welt — begrub mit eigner Hand den alten
Leichnam in die verlaßne Höhle, und legte mit allmächtiger Hand den Stein,
den keine Macht erhebt, darauf.   35

Noch weinen deine Lieben Tränen der Freude, Tränen der Rührung und
des unendlichen Danks an deinem Grabe — sehn dich noch immer, freudig
erschreckt, auferstehn — und sich mit dir; sehn dich weinen mit süßer Inbrunst an der Mutter seligem Busen, ernst mit den Freunden wandeln,
5 Worte sagen, wie vom Baum des Lebens gebrochen; sehen dich eilen mit
voller Sehnsucht in des Vaters Arm, bringend die junge Menschheit, und
der goldnen Zukunft unversieglichen Becher. Die Mutter eilte bald dir
nach — in himmlischem Triumph — Sie war die erste in der neuen Heimat
bei dir. Lange Zeiten entflossen seitdem, und in immer höherm Glanze regte
10 deine neue Schöpfung sich — und Tausende zogen aus Schmerzen und
Qualen, voll Glauben und Sehnsucht und Treue dir nach — walten mit dir
und der himmlischen Jungfrau im Reiche der Liebe — dienen im Tempel
des himmlischen Todes und sind in Ewigkeit dein.

Gehoben ist der Stein —
15 Die Menschheit ist erstanden —
Wir alle bleiben dein
Und fühlen keine Banden.
Der herbste Kummer fleucht
Vor deiner goldnen Schale,
20 Wenn Erd' und Leben weicht,
Im letzten Abendmahle.

Zur Hochzeit ruft der Tod —
Die Lampen brennen helle —
Die Jungfraun sind zur Stelle —
25 Um Öl ist keine Not —
Erklänge doch die Ferne
Von deinem Zuge schon,
Und ruften uns die Sterne
Mit Menschenzung' und Ton.

30 Nach dir, Maria, heben
Schon tausend Herzen sich.
In diesem Schattenleben
Verlangten sie nur dich.

Sie hoffen zu genesen
35 Mit ahndungsvoller Lust —
Drückst du sie, heil'ges Wesen,
An deine treue Brust.

So manche, die sich glühend
In bittrer Qual verzehrt
40 Und dieser Welt entfliehend
Nach dir sich hingekehrt;
Die hülfreich uns erschienen
In mancher Not und Pein —
Wir kommen nun zu ihnen
45 Um ewig da zu sein.

Nun weint an keinem Grabe,
Für Schmerz, wer liebend glaubt.
Der Liebe süße Habe
Wird keinem nicht geraubt —
50 Die Sehnsucht ihm zu lindern,
Begeistert ihn die Nacht —
Von treuen Himmelskindern
Wird ihm sein Herz bewacht.

Getrost, das Leben schreitet
Zum ew'gen Leben hin;
Von innrer Glut geweitet
Verklärt sich unser Sinn.
Die Sternwelt wird zerfließen   5
Zum goldnen Lebenswein,
Wir werden sie genießen
Und lichte Sterne sein.

Die Lieb' ist frei gegeben,
Und keine Trennung mehr.   10
Es wogt das volle Leben
Wie ein unendlich Meer.
Nur eine Nacht der Wonne —
Ein ewiges Gedicht —
Und unser aller Sonne   15
Ist Gottes Angesicht.

6.
Sehnsucht nach dem Tode

Hinunter in der Erde Schoß,
Weg aus des Lichtes Reichen,   20
Der Schmerzen Wut und wilder
                                Stoß
Ist froher Abfahrt Zeichen.
Wir kommen in dem engen Kahn
Geschwind am Himmelsufer an.   25

Gelobt sei uns die ew'ge Nacht,
Gelobt der ew'ge Schlummer.
Wohl hat der Tag uns warm gemacht,
Und welk der lange Kummer.
Die Lust der Fremde ging uns aus,   30
Zum Vater wollen wir nach Haus.

Was sollen wir auf dieser Welt
Mit unsrer Lieb' und Treue?
Das Alte wird hintangestellt,
Was soll uns dann das Neue?   35
Oh! einsam steht und tiefbetrübt,
Wer heiß und fromm die Vorzeit
                                liebt.

Die Vorzeit, wo die Sinne licht
In hohen Flammen brannten,   40

Des Vaters Hand und Angesicht
Die Menschen noch erkannten.
Und hohen Sinns, einfältiglich
Noch mancher seinem Urbild glich.

Die Vorzeit, wo noch blütenreich   45
Uralte Stämme prangten,
Und Kinder für das Himmelreich
Nach Qual und Tod verlangten.
Und wenn auch Lust und Leben sprach,
Doch manches Herz für Liebe brach.   50

Die Vorzeit, wo in Jugendglut
Gott selbst sich kundgegeben
Und frühem Tod in Liebesmut
Geweiht sein süßes Leben.
Und Angst und Schmerz nicht von   55
                                sich trieb,
Damit er uns nur teuer blieb.

Mit banger Sehnsucht sehn wir sie
In dunkle Nacht gehüllet,
In dieser Zeitlichkeit wird nie   60
Der heiße Durst gestillet.
Wir müssen nach der Heimat gehn,
Um diese heil'ge Zeit zu sehn.

Was hält noch unsre Rückkehr auf,
Die Liebsten ruhn schon lange.
Ihr Grab schließt unsern Lebenslauf,
Nun wird uns weh und bange.
5 Zu suchen haben wir nichts mehr —
Das Herz ist satt — die Welt ist leer.

Unendlich und geheimnisvoll
Durchströmt uns süßer Schauer —
Mir deucht, aus tiefen Fernen scholl
10 Ein Echo unsrer Trauer.

Die Lieben sehnen sich wohl auch
Und sandten uns der Sehnsucht
    Hauch.

Hinunter zu der süßen Braut,
15 Zu Jesus, dem Geliebten —
Getrost, die Abenddämmrung graut
Den Liebenden, Betrübten.
Ein Traum bricht unsre Banden
    los
20 Und senkt uns in des Vaters Schoß.

Geistliche Lieder
von Novalis

I.

Was wär' ich ohne dich gewesen?
25 Was würd' ich ohne dich nicht sein?
Zu Furcht und Ängsten auserlesen,
Ständ' ich in weiter Welt allein.
Nichts wüßt' ich sicher, was ich liebte,
Die Zukunft wär' ein dunkler
30   Schlund;
Und wenn mein Herz sich tief betrübte,
Wem tät' ich meine Sorge kund?

Einsam verzehrt von Lieb'- und
    Sehnen,
35 Erschien' mir nächtlich jeder Tag;
Ich folgte nur mit heißen Tränen
Dem wilden Lauf des Lebens nach.

Ich fände Unruh im Getümmel,
Und hoffnungslosen Gram zu Haus.
40 Wer hielte ohne Freund im Himmel,
Wer hielte da auf Erden aus?

Hat Christus sich mir kundgegeben,
Und bin ich seiner erst gewiß,
Wie schnell verzehrt ein lichtes Leben
45 Die bodenlose Finsternis.
Mit ihm bin ich erst Mensch gewor-
    den;
Das Schicksal wird verklärt durch
    ihn,
50 Und Indien muß selbst im Norden
Um den Geliebten fröhlich blühn.

Das Leben wird zur Liebesstunde,
Die ganze Welt spricht Lieb' und Lust.
Ein heilend Kraut wächst jeder
                                    Wunde,
Und frei und voll klopft jede Brust. 5
Für alle seine tausend Gaben
Bleib ich sein demutvolles Kind,
Gewiß ihn unter uns zu haben,
Wenn zwei auch nur versammelt sind.

Oh! geht hinaus auf allen Wegen, 10
Und holt die Irrenden herein,
Streckt jedem eure Hand entgegen,
Und ladet froh sie zu uns ein.
Der Himmel ist bei uns auf Erden,
Im Glauben schauen wir ihn an; 15
Die eines Glaubens mit uns wer-
                                    den,
Auch denen ist er aufgetan.

Ein alter, schwerer Wahn von Sünde
War fest an unser Herz gebannt; 20
Wir irrten in der Nacht wie Blinde,
Von Reu und Lust zugleich entbrannt.
Ein jedes Werk schien uns Ver-
                                    brechen, 24
Der Mensch ein Götterfeind zu sein,
Und schien der Himmel uns zu spre-
                                    chen,
So sprach er nur von Tod und Pein.

Das Herz, des Lebens reichste Quelle,
Ein böses Wesen wohnte drin; 30
Und ward's in unserm Geiste helle,
So war nur Unruh der Gewinn.
Ein eisern Band hielt an der Erde
Die bebenden Gefangnen fest;

Furcht vor des Todes Richterschwerte 35
Verschlang der Hoffnung Überrest.

Da kam ein Heiland, ein Befreier,
Ein Menschensohn, voll Lieb' und
                                    Macht;
Und hat ein allbelebend Feuer 40
In unserm Innern angefacht.
Nun sahn wir erst den Himmel offen
Als unser altes Vaterland,
Wir konnten glauben nun und hoffen,
Und fühlten uns mit Gott verwandt. 45

Seitdem verschwand bei uns die
                                    Sünde,
Und fröhlich wurde jeder Schritt;
Man gab zum schönsten Angebinde
Den Kindern diesen Glauben mit; 50
Durch ihn geheiligt zog das Leben
Vorüber, wie ein sel'ger Traum,
Und, ew'ger Lieb' und Lust ergeben,
Bemerkte man den Abschied kaum.

Noch steht in wunderbarem Glanze 55
Der heilige Geliebte hier,
Gerührt von seinem Dornenkranze
Und seiner Treue weinen wir.
Ein jeder Mensch ist uns willkommen,
Der seine Hand mit uns ergreift, 60
Und in sein Herz mit aufgenommen
Zur Frucht des Paradieses reift.

II.

Fern im Osten wird es helle,
Graue Zeiten werden jung; 65
Aus der lichten Farbenquelle
Einen langen tiefen Trunk!

Alter Sehnsucht heilige Gewährung,
Süße Lieb' in göttlicher Verklärung.

Endlich kommt zur Erde nieder
Aller Himmel sel'ges Kind,
5 Schaffend im Gesang weht wieder
Um die Erde Lebenswind,
Weht zu neuen ewig lichten Flammen
Längst verstiebte Funken hier zusammen.

10 Überall entspringt aus Grüften
Neues Leben, neues Blut,
Ew'gen Frieden uns zu stiften,
Taucht er in die Lebensflut;
Steht mit vollen Händen in der
15 Mitte
Liebevoll gewärtig jeder Bitte.

Lasse seine milden Blicke
Tief in deine Seele gehn,
Und von seinem ew'gen Glücke
20 Sollst du dich ergriffen sehn.
Alle Herzen, Geister und die Sinnen
Werden einen neuen Tag beginnen.

Greife dreist nach seinen Händen,
Präge dir sein Antlitz ein,
25 Mußt dich immer nach ihm wenden,
Blüte nach dem Sonnenschein;
Wirst du nur das ganze Herz ihm
zeigen,
Bleibt er wie ein treues Weib dir
30 eigen.

Unser ist sie nun geworden,
Gottheit, die uns oft erschreckt,

Hat im Süden und im Norden
Himmelskeime rasch geweckt.
35 Und so laßt im vollen Gottesgarten
Treu uns jede Knosp' und Blüte
warten.

III.

Wer einsam sitzt in seiner Kammer,
40 Und schwere, bittre Tränen weint,
Wenn nur gefärbt von Not und
Jammer
Die Nachbarschaft umher erscheint;

Wer in das Bild vergangner Zeiten
45 Wie tief in einen Abgrund sieht,
In welchen ihn von allen Seiten
Ein süßes Weh hinunterzieht; —

Es ist, als lägen Wunderschätze
Da unten für ihn aufgehäuft,
50 Nach deren Schloß in wilder Hetze
Mit atemloser Brust er greift.

Die Zukunft liegt in öder Dürre
Entsetzlich lang und bang vor ihm —
Er schweift umher, allein und irre,
55 Und sucht sich selbst mit Ungestüm.

Ich fall' ihm weinend in die Arme:
Auch mir war einst, wie dir, zumut,
Doch ich genas von meinem Harme,
Und weiß nun, wo man ewig ruht.

60 Dich muß wie mich ein Wesen trösten,
Das innig liebte, litt und starb;
Das selbst für die, die ihm am weh-
sten
Getan, mit tausend Freuden starb.

Er starb, und dennoch alle Tage
Vernimmst du seine Lieb' und ihn
Und kannst getrost in jeder Lage
Ihn zärtlich in die Arme ziehn.

Mit ihm kommt neues Blut und　5
　　　　Leben
In dein erstorbenes Gebein —
Und wenn du ihm dein Herz gegeben,
So ist auch seines ewig dein.

Was du verlorst, hat er gefunden；　10
Du triffst bei ihm, was du geliebt：
Und ewig bleibt mit dir verbunden,
Was seine Hand dir wiedergibt.

IV.

Unter tausend frohen Stunden,　15
So im Leben ich gefunden,
Blieb nur eine mir getreu；
Eine, wo in tausend Schmerzen
Ich erfuhr in meinem Herzen,
Wer für uns gestorben sei.　20

Meine Welt war mir zerbrochen,
Wie von einem Wurm gestochen
Welkte Herz und Blüte mir；
Meines Lebens ganze Habe,
Jeder Wunsch lag mir im Grabe,　25
Und zur Qual war ich noch hier.

Da ich so im stillen krankte,
Ewig weint' und wegverlangte,
Und nur blieb vor Angst und Wahn：
Ward mir plötzlich wie von oben　30
Weg des Grabes Stein gehoben,
Und mein Innres aufgetan.

Wen ich sah, und wen an seiner
Hand erblickte, frage keiner,
Ewig werd' ich dies nur sehn；　35
Und von allen Lebensstunden
Wird nur die wie meine Wunden
Ewig heiter, offen stehn.

V.

Wenn ich ihn nur habe,　40
Wenn er mein nur ist,
Wenn mein Herz bis hin zum Grabe
Seine Treue nie vergißt：
Weiß ich nichts von Leide,
Fühle nichts als Andacht, Lieb' und　45
　　　　Freude.

Wenn ich ihn nur habe,
Laß' ich alles gern,
Folg' an meinem Wanderstabe
Treugesinnt nur meinem Herrn；　50
Lasse still die andern
Breite, lichte, volle Straßen wan-
　　　　dern.

Wenn ich ihn nur habe,
Schlaf' ich fröhlich ein,　55
Ewig wird zu süßer Labe
Seines Herzens Flut mir sein,
Die mit sanftem Zwingen
Alles wird erweichen und durch-
　　　　dringen.　60

Wenn ich ihn nur habe,
Hab' ich auch die Welt；
Selig wie ein Himmelsknabe,
Der der Jungfrau Schleier hält.

Hingesenkt im Schauen
Kann mir vor dem Irdischen nicht
grauen.

Wo ich ihn nur habe,
5 Ist mein Vaterland;
Und es fällt mir jede Gabe
Wie ein Erbteil in die Hand;
Längst vermißte Brüder
Find' ich nun in seinen Jüngern wie-
10 der.

VI.

Wenn alle untreu werden,
So bleib' ich dir doch treu;
Daß Dankbarkeit auf Erden
15 Nicht ausgestorben sei.
Für mich umfing dich Leiden,
Vergingst für mich in Schmerz;
Drum geb' ich dir mit Freuden
Auf ewig dieses Herz.

20 Oft muß ich bitter weinen,
Daß du gestorben bist
Und mancher von den Deinen
Dich lebenslang vergißt.
Von Liebe nur durchdrungen
25 Hast du so viel getan,
Und doch bist du verklungen,
Und keiner denkt daran.

Du stehst voll treuer Liebe
Noch immer jedem bei,
30 Und wenn dir keiner bliebe,
So bleibst du dennoch treu;
Die treuste Liebe sieget,
Am Ende fühlt man sie,

Weint bitterlich und schmieget
35 Sich kindlich an dein Knie.

Ich habe dich empfunden,
Oh! lasse nicht von mir;
Laß innig mich verbunden
Auf ewig sein mit dir.
40 Einst schauen meine Brüder
Auch wieder himmelwärts,
Und sinken liebend nieder,
Und fallen dir ans Herz.

VII.

Hymne

45 Wenige wissen
Das Geheimnis der Liebe,
Fühlen Unersättlichkeit
Und ewigen Durst.
50 Des Abendmahls
Göttliche Bedeutung
Ist den irdischen Sinnen Rätsel;
Aber wer jemals
Von heißen, geliebten Lippen
55 Atem des Lebens sog,
Wem heilige Glut
In zitternde Wellen das Herz
schmolz,
Wem das Auge aufging,
60 Daß er des Himmels
Unergründliche Tiefe maß,
Wird essen von seinem Leibe
Und trinken von seinem Blute
Ewiglich.

Wer hat des irdischen Leibes
Hohen Sinn erraten?
Wer kann sagen,
Daß er das Blut versteht?
Einst ist alles Leib,   5
Ein Leib,
In himmlischem Blute
Schwimmt das selige Paar. —
Oh! daß das Weltmeer
Schon errötete,   10
Und in duftiges Fleisch
Aufquölle der Fels!
Nie endet das süße Mahl,
Nie sättigt die Liebe sich.
Nicht innig, nicht eigen genug   15
Kann sie haben den Geliebten.
Von immer zärteren Lippen
Verwandelt wird das Genossene
Inniglicher und näher.
Heißere Wollust   20
Durchbebt die Seele.
Durstiger und hungriger
Wird das Herz:
Und so währet der Liebe Genuß
Von Ewigkeit zu Ewigkeit.   25
Hätten die Nüchternen
Einmal gekostet,
Alles verließen sie,
Und setzten sich zu uns
An den Tisch der Sehnsucht,   30
Der nie leer wird.
Sie erkennten der Liebe
Unendliche Fülle,
Und priesen die Nahrung
Von Leib und Blut.   35

VIII.

Weinen muß ich, immer weinen:
Möcht er einmal nur erscheinen,
Einmal nur von ferne mir.
Heil'ge Wehmut! ewig währen   40
Meine Schmerzen, meine Zähren;
Gleich erstarren möcht' ich hier.

Ewig seh' ich ihn nur leiden,
Ewig bittend ihn verscheiden.
Oh! daß dieses Herz nicht bricht,   45
Meine Augen sich nicht schließen.
Ganz in Tränen zu zerfließen,
Dieses Glück verdient' ich nicht.

Weint denn keiner nicht von allen?
Soll sein Name so verhallen?   50
Ist die Welt auf einmal tot?
Werd' ich nie aus seinen Augen
Wieder Lieb' und Leben saugen?
Ist er nun auf ewig tot?

Tot — was kann, was soll das heißen? 55
Oh! so sagt mir doch, ihr Weisen,
Sagt mir diese Deutung an.
Er ist stumm, und alle schweigen,
Keiner kann auf Erden zeigen,
Wo mein Herz ihn finden kann.   60

Nirgend kann ich hier auf Erden
Jemals wieder glücklich werden,
Alles ist ein düstrer Traum.
Ich bin auch mit ihm verschieden,
Läg' ich doch mit ihm in Frieden   65
Schon im unterird'schen Raum.

Du, sein Vater und der meine,
Sammle du doch mein Gebeine
Zu dem seinigen nur bald.
Grün wird bald sein Hügel stehen
5 Und der Wind darüber wehen,
Und verwesen die Gestalt.

Wenn sie seine Liebe wüßten,
Alle Menschen würden Christen,
Ließen alles andre stehn;
10 Liebten alle nur den einen,
Würden alle mit mir weinen
Und in bitterm Weh vergehn.

IX.

Ich sag' es jedem, daß er lebt
15 Und auferstanden ist,
Daß er in unsrer Mitte schwebt
Und ewig bei uns ist,

Ich sag' es jedem, jeder sagt
Es seinen Freunden gleich,
20 Daß bald an allen Orten tagt
Das neue Himmelreich.

Jetzt scheint die Welt dem neuen Sinn
Erst wie ein Vaterland;
Ein neues Leben nimmt man hin
25 Entzückt aus seiner Hand.

Hinunter in das tiefe Meer
Versank des Todes Graun,
Und jeder kann nun leicht und hehr
In seine Zukunft schaun.

30 Der dunkle Weg, den er betrat,
Geht in den Himmel aus,

Und wer nur hört auf seinen Rat,
Kommt auch in Vaters Haus.

Nun weint auch keiner mehr allhie,
35 Wenn eins die Augen schließt,
Vom Wiedersehn, spät oder früh,
Wird dieser Schmerz versüßt.

Es kann zu jeder guten Tat
Ein jeder frischer glühn,
40 Denn herrlich wird ihm diese Saat
In schönern Fluren blühn.

Er lebt, und wird nun bei uns sein,
Wenn alles uns verläßt!
Und so soll dieser Tag uns sein
45 Ein Weltverjüngungsfest.

X.

Es gibt so bange Zeiten,
Es gibt so trüben Mut,
Wo alles sich von weiten
50 Gespenstisch zeigen tut.

Es schleichen wilde Schrecken
So ängstlich leise her,
Und tiefe Nächte decken
Die Seele zentnerschwer.

55 Die sichern Stützen schwanken,
Kein Halt der Zuversicht;
Der Wirbel der Gedanken
Gehorcht dem Willen nicht.

Der Wahnsinn naht und locket
60 Unwiderstehlich hin.
Der Puls des Lebens stocket,
Und stumpf ist jeder Sinn.

Wer hat das Kreuz erhoben
Zum Schutz für jedes Herz?
Wer wohnt im Himmel droben,
Und hilft in Angst und Schmerz?

Geh zu dem Wunderstamme,   5
Gib stiller Sehnsucht Raum,
Aus ihm geht eine Flamme
Und zehrt den schweren Traum.

Ein Engel zieht dich wieder
Gerettet auf den Strand,   10
Und schaust voll Freuden nieder
In das gelobte Land.

XI.

Ich weiß nicht, was ich suchen könnte,
Wär' jenes liebe Wesen mein,   15
Wenn er mich seine Freude nennte
Und bei mir wär', als wär' ich sein.

So viele gehn umher und suchen
Mit wild verzerrtem Angesicht,
Sie heißen immer sich die Klugen   20
Und kennen diesen Schatz doch nicht.

Der eine denkt, er hat's ergriffen,
Und was er hat, ist nichts als Gold;
Der will die ganze Welt umschiffen,
Nichts als ein Name wird sein   25
                        Sold.

Der läuft nach einem Siegerkranze
Und der nach einem Lorbeerzweig,
Und so wird von verschiednem Glanze
Getäuscht ein jeder, keiner reich. 30

Hat er sich euch nicht kundgegeben?
Vergaßt ihr, wer für euch erblich?

Wer uns zulieb aus diesem Leben
In bittrer Qual verachtet wich?

Habt ihr von ihm denn nichts gelesen, 35
Kein armes Wort von ihm gehört?
Wie himmlisch gut er uns gewesen,
Und welches Gut er uns beschert?

Wie er vom Himmel hergekommen,
Der schönsten Mutter hohes Kind?   40
Welch Wort die Welt von ihm ver-
                        nommen,
Wieviel durch ihn genesen sind?

Wie er von Liebe nur beweget
Sich ganz uns hingegeben hat,   45
Und in die Erde sich geleget
Zum Grundstein einer Gottesstadt?

Kann diese Botschaft euch nicht rüh-
                        ren,
Ist so ein Mensch euch nicht genug, 50
Und öffnet ihr nicht eure Türen
Dem, der den Abgrund zu euch schlug?

Laßt ihr nicht alles willig fahren,
Tut gern auf jeden Wunsch Verzicht,
Wollt euer Herz nur ihm bewahren,   55
Wenn er euch seine Huld verspricht?

Nimm du mich hin, du Held der
                        Liebe!
Du bist mein Leben, meine Welt,
Wenn nichts vom Irdischen mir   60
                        bliebe,
So weiß ich, wer mich schadlos hält.

Du gibst mir meine Lieben wieder,
Du bleibst in Ewigkeit mir treu,
Anbetend sinkt der Himmel nieder,
Und dennoch wohnest du mir bei.

5 ## XII.

Wo bleibst du Trost der ganzen
Welt?
Herberg ist dir schon längst bestellt.
Verlangend sieht ein jedes dich,
10 Und öffnet deinem Segen sich.

Geuß, Vater, ihn gewaltig aus,
Gib ihn aus deinem Arm heraus:
Nur Unschuld, Lieb' und süße Scham
Hielt ihn, daß er nicht längst schon
15 kam.

Treib ihn von dir in unsern Arm,
Daß er von deinem Hauch noch warm;
In schweren Wolken sammle ihn
Und laß ihn so herniederziehn.

20 In kühlen Strömen send' ihn her,
In Feuerflammen lodre er,
In Luft und Öl, in Klang und Tau
Durchdring er unsrer Erde Bau.

So wird der heil'ge Kampf gekämpft,
25 So wird der Hölle Grimm gedämpft,
Und ewig blühend geht allhier
Das alte Paradies herfür.

Die Erde regt sich, grünt und lebt,
Des Geistes voll ein jedes strebt
30 Den Heiland lieblich zu empfahn
Und beut die vollen Brüst' ihm an.

Der Winter weicht, ein neues Jahr
Steht an der Krippe Hochaltar.
Es ist das erste Jahr der Welt,
35 Die sich dies Kind erst selbst bestellt.

Die Augen sehn den Heiland wohl,
Und doch sind sie des Heilands voll,
Von Blumen wird sein Haupt geschmückt,
40 Aus denen er selbst holdselig blickt.

Er ist der Stern, er ist die Sonn',
Er ist des ew'gen Lebens Bronn,
Aus Kraut und Stein und Meer
und Licht
45 Schimmert sein kindlich Angesicht.

In allen Dingen sein kindlich Tun.
Seine heiße Liebe wird nimmer ruhn,
Er schmiegt sich seiner unbewußt
Unendlich fest an jede Brust.

50 Ein Gott für uns, ein Kind für sich
Liebt er uns all' herzinniglich,
Wird unsre Speis' und unser Trank,
Treusinn ist ihm der liebste Dank.

Das Elend wächst je mehr und mehr,
55 Ein düstrer Gram bedrückt uns sehr,
Laß, Vater, den Geliebten gehn,
Mit uns wirst du ihn wieder sehn.

XIII.

Wenn in bangen trüben Stunden
60 Unser Herz beinah verzagt,
Wenn von Krankheit überwunden
Angst in unserm Innern nagt;

Wir der Treugeliebten denken,
Wie sie Gram und Kummer drückt,
Wolken unsern Blick beschränken,
Die kein Hoffnungsstrahl durchblickt:

Oh! dann neigt sich Gott herüber,   5
Seine Liebe kommt uns nah,
Sehnen wir uns dann hinüber,
Steht sein Engel vor uns da,
Bringt den Kelch des frischen Lebens,
Lispelt Mut und Trost uns zu;   10
Und wir beten nicht vergebens
Auch für die Geliebten Ruh.

XIV.

Wer einmal, Mutter, dich erblickt,
Wird vom Verderben nie bestrickt.   15
Trennung von dir muß ihn betrüben,
Ewig wird er dich brünstig lieben,
Und deiner Huld Erinnerung
Bleibt fortan seines Geistes höchster
                              Schwung.   20

Ich mein' es herzlich gut mit dir.
Was mir gebricht, siehst du in mir.
Laß, süße Mutter, dich erweichen,
Einmal gib mir ein frohes Zeichen.
Mein ganzes Dasein ruht in dir,   25
Nur einen Augenblick sei du bei mir.

Oft, wenn ich träumte, sah ich dich
So schön, so herzensinniglich.
Der kleine Gott auf deinen Armen
Wollt' des Gespielen sich erbarmen;   30
Du aber hobst den hehren Blick
Und gingst in tiefe Wolkenpracht
                              zurück.

Was hab' ich, Armer, dir getan?
Noch bet' ich dich voll Sehnsucht an.   35
Sind deine heiligen Kapellen
Nicht meines Lebens Ruhestellen?
Gebenedeite Königin
Nimm dieses Herz mit diesem Leben
                              hin.   40

Du weißt, geliebte Königin,
Wie ich so ganz dein eigen bin.
Hab' ich nicht schon seit langen Jah-
                              ren
Im stillen deine Huld erfahren?   45
Als ich kaum meiner noch bewußt,
Sog ich schon Milch aus deiner sel'gen
                              Brust.

Unzähligmal standst du bei mir,
Mit Kindeslust sah ich nach dir,   50
Dein Kindlein gab mir seine Hände,
Daß es dereinst mich wiederfände;
Du lächeltest voll Zärtlichkeit
Und küßtest mich, o himmelsüße Zeit!

Fern steht nun diese sel'ge Welt,   55
Gram hat sich längst zu mir gesellt,
Betrübt bin ich umhergegangen,
Hab' ich mich denn so schwer vergan-
                              gen?
Kindlich berühr' ich deinen Saum,   60
Erwecke mich aus diesem schweren
                              Traum.

Darf nur ein Kind dein Antlitz
                              schaun
Und deinem Beistand fest vertraun,   65

So löse doch des Alters Binde
Und mache mich zu deinem Kinde. 10
Die Kindeslieb' und Kindestreu'
Wohnt mir von jener goldnen Zeit
5   noch bei.

XV.

Ich sehe dich in tausend Bildern,
Maria, lieblich ausgedrückt,

Doch keins von allen kann dich schil-
            dern,
Wie meine Seele dich erblickt.

Ich weiß nur, daß der Welt Getüm-
            mel
Seitdem mir wie ein Traum verweht,
15 Und ein unnennbar süßer Himmel
Mir ewig im Gemüte steht.

*

Friedrich Schlegel

Wenn jedes unendliche Individuum Gott ist, so gibt's so viele Götter als Ideale. Auch ist das Verhältnis des wahren Künstlers und des wahren 20 Menschen zu seinen Idealen durchaus Religion. Wem dieser innre Gottesdienst Ziel und Geschäft des ganzen Lebens ist, der ist Priester, und so kann und soll es jeder werden. (Athenäums-Fragment 406.)

... Obgleich mir aber auch das, was man gewöhnlich Religion nennt, eins der wunderbarsten, größesten Phänomene zu sein scheint, so kann ich 25 doch im strengen Sinne nur das für Religion gelten lassen, wenn man göttlich denkt, und dichtet, und lebt, wenn man voll von Gott ist; wenn ein Hauch von Andacht und Begeisterung über unser ganzes Sein ausgegossen ist; wenn man nichts mehr um der Pflicht, sondern alles aus Liebe tut, bloß weil man es will, und wenn man es nur darum will, weil es Gott sagt, 30 nämlich Gott in uns ... („Über die Philosophie. An Dorothea.")

Aus einem Brief an Novalis (vom 2. XII. 1798)

Allerdings ist das absichtslose Zusammentreffen unsrer biblischen Projekte eines der auffallendsten Zeichen und Wunder unsres Einverständnisses und unsrer Mißverständnisse.

Ich bin eins darin mit Dir, daß Bibel die literarische Zentralform und also das Ideal jedes Buches sei. . . .

Mein biblisches Projekt aber ist kein literarisches, sondern — ein biblisches, ein durchaus religiöses. Ich denke eine neue Religion zu stiften oder vielmehr sie verkündigen zu helfen: denn kommen und siegen wird sie auch 5 ohne mich. Meine Religion ist nicht von der Art, daß sie die Philosophie und Poesie verschlucken wollte. Vielmehr lasse ich die Selbständigkeit und Freundschaft, den Egoism und die Harmonie dieser beiden Urkünste und Wissenschaften bestehn, obwohl ich glaube, es ist an der Zeit, daß sie manche ihrer Eigenschaften wechseln. Aber ganz ohne Eingebung betrachtet, 10 finde ich, daß Gegenstände übrigbleiben, die weder Philosophie noch Poesie behandeln kann. Ein solcher Gegenstand scheint mir Gott, von dem ich eine durchaus neue Ansicht habe. Die beste Philosophie wird am geistlosesten und trockensten von ihm reden oder ihn sacht aus ihren Grenzen schieben. Das scheint mir ein Hauptverdienst von Kant und Fichte, daß sie die Philosophie 15 gleichsam bis an die Schwelle der Religion führen und dann abbrechen. So lustwandelt von der andern Seite auch Goethes Bildung in den Propyläen des Tempels. Du wirst die Mittelglieder leicht hinzudenken und Dir einen Überblick der Sachen, der Gedanken und Gedichte verschaffen, die nur in Evangelien, Episteln, Apokalypsen u. dergl. dem Zeitalter enthüllt werden 20 können. —

Noch von einer andern Seite. Man spricht und erzählt seit etwa hundert Jahren von der Allmacht des Wortes der Schrift und was weiß ich sonst noch. Im Vergleich mit dem, was da ist und was geschieht, scheint mir das nur ein mißlungner Scherz zu sein. Ich bin aber gesonnen, Ernst daraus 25 zu machen und die Leute mit ihrer Allmacht beim Wort zu nehmen. Daß dies durch ein Buch geschehn soll, darf um so weniger befremden, da die großen Autoren der Religion — Moses, Christus, Mohammed, Luther — stufenweise immer weniger Politiker und mehr Lehrer und Schriftsteller werden. Übrigens weißt Du, wie ich auch kleinere Ideen adle und umfasse, 30 und für diese, die das Herz und die Seele meines zeitigen und irdischen Lebens ist, fühle ich Mut und Kraft genug, nicht bloß wie Luther zu predigen und zu eifern, sondern auch wie Mohammed mit dem feurigen Schwert des Wortes das Reich der Geister welterobernd zu überziehn, oder wie Christus mich und mein Leben hinzugeben. — Doch vielleicht hast Du mehr Talent 35 zu einem neuen Christus, der in mir seinen wackern Paulus findet. . . .

Die eigentliche Sache ist die, ob Du Dich entschließen kannst, wenigstens
in einem gewissen Sinne das Christentum absolut negativ zu setzen. — Ich
konnte Dir wohl beistimmen, da Du es positiv setztest, weil ich Deine Lehre
von der Willkür und die Anwendung derselben aufs Christentum nicht bloß
5 verstand, sondern antizipiert habe. Aber freilich war, was für Dich Praxis,
für mich nur reine Historie. Daher der Dualismus unsrer Symphilosophie
auch über diesen Punkt. Ein halbes Verstehen und ein halbes Einverstehen
war hier möglich, da Praxis und Historie in Deiner Religion bisher in un-
aufgelöster Gärung sind. Gelingt es mir, beide gegenseitig zu saturieren
10 und zur völligsten Harmonie zu vermischen, so kannst Du dann freilich nur
ganz einstimmen oder ganz nicht. Vielleicht hast Du noch die Wahl, mein
Freund, entweder der letzte Christ, der Brutus der alten Religion, oder der
Christus des neuen Evangeliums zu sein.

Mich deucht, dieses neue Evangelium fängt schon an sich zu regen. ...
15 Schleiermacher ... arbeitet auch an einem Werk über die Religion. Tieck
studiert den Jakob Böhme mit großer Liebe. Er ist da gewiß auf dem rechten
Wege. Nun noch eine Bemerkung: gibt die Synthesis von Goethe und
Fichte wohl etwas anders als Religion? ... Schelling und Hülsen nicht zu
erwähnen, die ich als Fühlhörner betrachte, so die Schnecke der isolierten
20 Philosophie gegen das Licht und die Wärme des neuen Tages ausstreckt. ...

Noch einiges. — Die vollsten Keime der neuen Religion liegen im
Christentum; aber sie liegen auch da ziemlich vernachlässigt. — ...

Aus den „Ideen"

(mit Randbemerkungen von Novalis)

25 Die Forderungen und Spuren einer Moral, die mehr wäre als der
praktische Teil der Philosophie, werden immer lauter und deutlicher. Sogar
von Religion ist schon die Rede. Es ist Zeit den Schleier der Isis zu zerreißen, und das Geheime zu offenbaren. Wer den Anblick der Göttin nicht
ertragen kann, fliehe oder verderbe. (1.)

30 Ein Geistlicher ist, wer nur im Unsichtbaren lebt, für wen alles Sichtbare nur die Wahrheit einer Allegorie hat. (2.)

Nur durch Beziehung aufs Unendliche entsteht Gehalt und Nutzen; was sich nicht darauf bezieht, ist schlechthin leer und unnütz. (3.)

Die Religion ist die allbelebende Weltseele der Bildung, das vierte unsichtbare Element zur Philosophie, Moral und Poesie, welches gleich dem Feuer, wo es gebunden ist, in der Stille allgegenwärtig wohltut, und nur 5 durch Gewalt und Reiz von außen in furchtbare Zerstörung ausbricht. (4.)

Das ewige Leben und die unsichtbare Welt ist nur in Gott zu suchen. In ihm leben alle Geister, er ist ein Abyssus von Individualität, das einzige unendlich Volle. (6.)

Laßt die Religion frei, und es wird eine neue Menschheit beginnen. (7.) 10

Der Verstand, sagt der Verfasser der „Reden über die Religion", weiß nur vom Universum; die Phantasie herrsche, so habt ihr einen Gott. Ganz recht, die Phantasie ist das Organ des Menschen für die Gottheit. (8.)
Nicht das Herz?

Der wahre Geistliche fühlt immer etwas Höheres als Mitgefühl. (9.) 15
Ja, er überschaut die ganze Komposition, in der dieses
Mitgefühl nur die Note einer Stimme ist.

Ideen sind unendliche, selbständige, immer in sich bewegliche, göttliche Gedanken. (10.)
Sie sind Naturgedanken, notwendige Gedanken, 20
Idole ungeborner Welten.

Nur durch Religion wird aus Logik Philosophie, nur daher kommt alles was diese mehr ist als Wissenschaft. Und statt einer ewig vollen unendlichen Poesie werden wir ohne sie nur Romane haben, oder die Spielerei, die man jetzt schöne Kunst nennt. (11.)
25

Die Religion ist nicht bloß ein Teil der Bildung, ein Glied der Menschheit, sondern das Zentrum aller übrigen, überall das Erste und Höchste, das schlechthin Ursprüngliche. (14.)
Mir scheint sie mehr durchaus und wesentlich ein
hors d'oeuvre zu sein.
30

Der Geistliche bloß als solcher ist es nur in der unsichtbaren Welt. Wie kann er erscheinen unter den Menschen? Er wird nichts wollen auf der Erde, als das Endliche zum Ewigen bilden, und so muß er, mag auch sein Geschäft Namen haben wie es will, ein Künstler sein und bleiben. (16.)

5   *Bilden kann der Geistliche durchaus nicht — wenn Bilden ein Tätigsein ist. Untätig bis zur Leidenschaft ist der geistlich gesinnte Mensch.*

Den Geist des sittlichen Menschen muß Religion überall umfließen, wie sein Element, und dieses lichte Chaos von göttlichen Gedanken und Gefühlen 10 nennen wir Enthusiasmus. (18.)

    Allerdings ist die Religion ein umgebendes Meer, worin jede Bewegung statt einer Welle eine Vision hervorbringt.

Was tun die wenigen Mystiker die es noch gibt? — Sie bilden mehr 15 oder weniger das rohe Chaos der schon vorhandnen Religion. Aber nur einzeln, im kleinen, durch schwache Versuche. Tut es im großen von allen Seiten mit der ganzen Masse, und laßt uns alle Religionen aus ihren Gräbern wecken, und die unsterblichen neu beleben und bilden durch die Allmacht der Kunst und Wissenschaft. (22.)

20   *Wenn du von Religion sprichst, so scheinst du mir den Enthusiasmus überhaupt zu meinen, von dem die Religion nur eine Anwendung ist.*

    Das Grab ist recht eigentlich ein religiöser Begriff. — Nur die Religion und ihre Bekenner liegen in Gräbern.
25   *Der Scheiterhaufen gehört zum Ritus der Bekenner des Universums.*

Frei ist der Mensch, wenn er Gott hervorbringt oder sichtbar macht, und dadurch wird er unsterblich. (29.)

    [wenn er Gott] anschaut.

30 Die Religion ist schlechthin unergründlich. Man kann in ihr überall ins Unendliche immer tiefer graben. (30.)

    Aber auch einfach bis zur Vernichtung aller Quantität und Qualität.

In der Welt der Sprache, oder welches ebensoviel heißt, in der Welt der Kunst und der Bildung, erscheint die Religion notwendig als Mythologie oder als Bibel. (38.)

Gott erblicken wir nicht, aber überall erblicken wir Göttliches; zunächst und am eigentlichsten jedoch in der Mitte eines sinnvollen Menschen, in der Tiefe eines lebendigen Menschenwerks. Die Natur, das Universum kannst du unmittelbar fühlen, unmittelbar denken; nicht also die Gottheit. Nur der Mensch unter Menschen kann göttlich dichten und denken und mit Religion leben. Sich selbst kann niemand auch nur seinem Geiste direkter Mittler sein, weil dieser schlechthin Objekt sein muß, dessen Zentrum der Anschauende außer sich setzt. Man wählt und setzt sich den Mittler, aber man kann sich nur den wählen und setzen, der sich schon als solchen gesetzt hat. Ein Mittler ist derjenige, der Göttliches in sich wahrnimmt, und sich selbst vernichtend preisgibt, um dieses Göttliche zu verkündigen, mitzuteilen, und darzustellen allen Menschen in Sitten und Taten, in Worten und Werken. Erfolgt dieser Trieb nicht, so war das Wahrgenommene nicht göttlich oder nicht eigen. Vermitteln und Vermitteltwerden ist das ganze höhere Leben des Menschen, und jeder Künstler ist Mittler für alle übrigen. (44.)

Poesie und Philosophie sind, je nachdem man es nimmt, verschiedne Sphären, verschiedne Formen, oder auch die Faktoren der Religion. Denn versuch es nur beide wirklich zu verbinden, und ihr werdet nichts anders erhalten als Religion. (46.)

Die Moral fehlt als das dritte vermittelnde Substrat.

Gott ist jedes schlechthin Ursprüngliche und Höchste, also das Individuum selbst in der höchsten Potenz. Aber sind nicht auch die Natur und die Welt Individuen? (47.)

Als Repräsentant der Religion aufzutreten, das ist noch frevelhafter wie eine Religion stiften zu wollen. (52.)

Die eigentliche Zentralanschauung des Christentums ist die Sünde. (63.)
Sollte nicht die Sünde nur das Nicht-Ich des Christentums — oder vielleicht gar nur anihilando durch das Christentum gesetzt werden?

Religion und Moral sind sich symmetrisch entgegengesetzt, wie Poesie und Philosophie. (67.)

Indes doch nur verschiedne Modifikationen.

Es gibt keinen Dualismus ohne Primat; so ist auch die Moral der
5 Religion nicht gleich sondern untergeordnet. (73.)

Jede Beziehung des Menschen aufs Unendliche ist Religion, nämlich des Menschen in der ganzen Fülle seiner Menschheit. Wenn der Mathematiker das unendlich Große berechnet; das ist freilich nicht Religion. Das Unendliche in jener Fülle gedacht, ist die Gottheit. (81.)

10 Die einzige bedeutende Opposition gegen die überall aufkeimende Religion der Menschen und der Künstler, ist von den wenigen eigentlichen Christen zu erwarten, die es noch gibt. Aber auch sie, wenn die Morgensonne wirklich emporsteigt, werden schon niederfallen und anbeten. (92.)

Dein Ziel ist die Kunst und die Wissenschaft, dein Leben Liebe und Bil-
15 dung. Du bist ohne es zu wissen auf dem Wege zur Religion. Erkenne es, und du bist sicher das Ziel zu erreichen. (111.)

In und aus unserm Zeitalter läßt sich nichts Größeres zum Ruhme des Christentums sagen, als daß der Verfasser der „Reden über die Religion" ein Christ sei. (112.)

20 Wer ein Höchstes tief in sich ahndet und nicht weiß wie er sich's deuten soll, der lese die „Reden über die Religion", und was er fühlte wird ihm klar werden bis zum Wort und zur Rede. (125.)

Die Andacht der Philosophen ist Theorie, reine Anschauung des Göttlichen, besonnen, ruhig und heiter in stiller Einsamkeit. Spinoza ist das
25 Ideal dafür. Der religiöse Zustand des Poeten ist leidenschaftlicher und mitteilender. Das Ursprüngliche ist Enthusiasmus, am Ende bleibt Mythologie. Was in der Mitte liegt, hat den Charakter des Lebens bis zur Geschlechtsverschiedenheit. Mysterien sind, wie schon gesagt, weiblich; Orgien wollen in fröhlicher Ausgelassenheit der männlichen Kraft alles um sich
30 her überwinden oder befruchten. (137.)

11*

Eben weil das Christentum eine Religion des Todes ist, ließe es sich mit dem äußersten Realismus behandeln, und könnte seine Orgien haben so gut wie die alte Religion der Natur und des Lebens. (138.)

Das Universum kann man weder erklären noch begreifen, nur anschauen und offenbaren. Höret nur auf, das System der Empirie Universum zu 5 nennen, und lernt die wahre religiöse Idee desselben, wenn ihr den Spinoza nicht schon verstanden habt, vorderhand in den „Reden über die Religion" lesen. (150.)

In alle Gestalten von Gefühl kann die Religion ausbrechen. Der wilde Zorn und der süßeste Schmerz grenzen hier unmittelbar aneinander, der 10 fressende Haß und das kindliche Lächeln froher Demut. (151.)

Wie ich schon oben sagte, dir ist Religion geistige Sinnlichkeit und geistige Körperwelt überhaupt.

*

Schelling

Wie die Religion eines Menschen, das, was ihn auf übernatürliche, gött- 15 liche Weise bindet, nicht aus ihm selbst kommt, und nicht seine Moralität ist, sondern aus dem, was über allen Maßstab erhaben ist, selbst den moralischen, so ist auch Heroismus ein Handeln, welches nicht aus der endlichen Natur des Menschen stammt; es ist der freie schöne Mut des Menschen, zu handeln, wie der Gott ihn unterrichtet, und nicht im Handeln 20 abzufallen von dem, was man im Wissen erkannt hat. Wahre Religion ist Heroismus, nicht ein müßiges Brüten, empfindsames Hinschauen oder Ahnden. Diejenigen nennt man Männer Gottes, in denen das Erkennen des Göttlichen unmittelbar zur Handlung wird, die im Großen und Ganzen gehandelt haben ohne Bekümmernis um das einzelne. 25

Heinrich von Ofterdingen

Ein Roman

von Novalis

Zueignung

Du hast in mir den edeln Trieb erregt
Tief ins Gemüt der weiten Welt zu schauen;
Mit Deiner Hand ergriff mich ein Vertrauen,
Das sicher mich durch alle Stürme trägt.

Mit Ahndungen hast Du das Kind gepflegt,
Und zogst mit ihm durch fabelhafte Auen;
Hast, als das Urbild zartgesinnter Frauen,
Des Jünglings Herz zum höchsten Schwung bewegt.

Was fesselt mich an irdische Beschwerden?
Ist nicht mein Herz und Leben ewig Dein?
Und schirmt mich Deine Liebe nicht auf Erden?

Ich darf für Dich der edlen Kunst mich weihn;
Denn Du, Geliebte, willst die Muse werden,
Und stiller Schutzgeist meiner Dichtung sein.

★

In ewigen Verwandlungen begrüßt
  Uns des Gesangs geheime Macht hienieden,
  Dort segnet sie das Land als ew'ger Frieden,
  Indes sie hier als Jugend uns umfließt.

Sie ist's, die Licht in unsre Augen gießt,   5
  Die uns den Sinn für jede Kunst beschieden,
  Und die das Herz der Frohen und der Müden
  In trunkner Andacht wunderbar genießt.

An ihrem vollen Busen trank ich Leben;
  Ich ward durch sie zu allem, was ich bin,   10
  Und durfte froh mein Angesicht erheben.

Noch schlummerte mein allerhöchster Sinn;
  Da sah ich sie als Engel zu mir schweben
  Und flog, erwacht, in ihrem Arm dahin.

Erster Teil   15

Die Erwartung

Erstes Kapitel

Die Eltern lagen schon und schliefen, die Wanduhr schlug ihren einförmigen Takt, vor den klappernden Fenstern sauste der Wind; abwechselnd
wurde die Stube hell von dem Schimmer des Mondes. Der Jüngling lag   20
unruhig auf seinem Lager, und gedachte des Fremden und seiner Erzählungen. „Nicht die Schätze sind es, die ein so unaussprechliches Verlangen
in mir geweckt haben", sagte er zu sich selbst; „fernab liegt mir alle Habsucht: aber die blaue Blume sehn' ich mich zu erblicken. Sie liegt mir unaufhörlich im Sinn, und ich kann nichts anders dichten und denken. So ist 25
mir noch nie zumute gewesen: es ist, als hätt ich vorhin geträumt, oder ich
wäre in eine andere Welt hinübergeschlummert; denn in der Welt, in der

ich sonst lebte, wer hätte da sich um Blumen bekümmert, und gar von einer
so seltsamen Leidenschaft für eine Blume hab' ich damals nie gehört. Wo
eigentlich nur der Fremde herkam? Keiner von uns hat je einen ähnlichen
Menschen gesehn; doch weiß ich nicht, warum nur ich von seinen Reden
5 so ergriffen worden bin; die andern haben ja das nämliche gehört, und
keinem ist so etwas begegnet. Daß ich auch nicht einmal von meinem wunderlichen Zustande reden kann! Es ist mir oft so entzückend wohl, und nur
dann, wenn ich die Blume nicht recht gegenwärtig habe, befällt mich so ein
tiefes, inniges Treiben: das kann und wird keiner verstehn. Ich glaubte,
10 ich wäre wahnsinnig, wenn ich nicht so klar und hell sähe und dächte, mir
ist seitdem alles viel bekannter. Ich hörte einst von alten Zeiten reden; wie
da die Tiere und Bäume und Felsen mit den Menschen gesprochen hätten.
Mir ist geradeso, als wollten sie allaugenblicklich anfangen, und als könnte
ich es ihnen ansehn, was sie mir sagen wollten. Es muß noch viele Worte
15 geben, die ich nicht weiß: wüßte ich mehr, so könnte ich viel besser alles begreifen. Sonst tanzte ich gern; jetzt denke ich lieber nach der Musik." Der
Jüngling verlor sich allmählich in süßen Phantasien und entschlummerte.
Da träumte ihm erst von unabsehlichen Fernen, und wilden, unbekannten
Gegenden. Er wanderte über Meere mit unbegreiflicher Leichtigkeit;
20 wunderliche Tiere sah er; er lebte mit mannigfaltigen Menschen, bald im
Kriege, in wildem Getümmel, in stillen Hütten. Er geriet in Gefangenschaft und die schmählichste Not. Alle Empfindungen stiegen bis zu einer
niegekannten Höhe in ihm. Er durchlebte ein unendlich buntes Leben; starb
und kam wieder, liebte bis zur höchsten Leidenschaft, und war dann wieder
25 auf ewig von seiner Geliebten getrennt. Endlich gegen Morgen, wie draußen
die Dämmerung anbrach, wurde es stiller in seiner Seele, klarer und bleibender wurden die Bilder. Es kam ihm vor, als ginge er in einem dunkeln
Walde allein. Nur selten schimmerte der Tag durch das grüne Netz. Bald
kam er vor eine Felsenschlucht, die bergan stieg. Er mußte über bemooste
30 Steine klettern, die ein ehemaliger Strom heruntergerissen hatte. Je höher
er kam, desto lichter wurde der Wald. Endlich gelangte er zu einer kleinen
Wiese, die am Hange des Berges lag. Hinter der Wiese erhob sich eine
hohe Klippe, an deren Fuß er eine Öffnung erblickte, die der Anfang eines
in den Felsen gehauenen Ganges zu sein schien. Der Gang führte ihn ge-
35 mächlich eine Zeitlang eben fort, bis zu einer großen Weitung, aus der ihm
schon von fern ein helles Licht entgegenglänzte. Wie er hineintrat, ward er

einen mächtigen Strahl gewahr, der wie aus einem Springquell bis an die
Decke des Gewölbes stieg, und oben in unzählige Funken zerstäubte, die
sich unten in einem großen Becken sammelten; der Strahl glänzte wie ent-
zündetes Gold; nicht das mindeste Geräusch war zu hören, eine heilige Stille
umgab das herrliche Schauspiel. Er näherte sich dem Becken, das mit un- 5
endlichen Farben wogte und zitterte. Die Wände der Höhle waren mit dieser
Flüssigkeit überzogen, die nicht heiß, sondern kühl war, und an den Wänden
nur ein mattes, bläuliches Licht von sich warf. Er tauchte seine Hand in
das Becken und benetzte seine Lippen. Es war, als durchdränge ihn ein
geistiger Hauch, und er fühlte sich innigst gestärkt und erfrischt. Ein un- 10
widerstehliches Verlangen ergriff ihn sich zu baden, er entkleidete sich und
stieg in das Becken. Es dünkte ihn, als umflösse ihn eine Wolke des Abend-
rots; eine himmlische Empfindung überströmte sein Inneres; mit inniger
Wollust strebten unzählbare Gedanken in ihm sich zu vermischen; neue, nie-
gesehene Bilder entstanden, die auch ineinanderflossen und zu sichtbaren 15
Wesen um ihn wurden, und jede Welle des lieblichen Elements schmiegte
sich wie ein zarter Busen an ihn. Die Flut schien eine Auflösung reizender
Mädchen, die an dem Jünglinge sich augenblicklich verkörperten.

Berauscht von Entzücken und doch jedes Eindrucks bewußt, schwamm
er gemach dem leuchtenden Strome nach, der aus dem Becken in den Felsen 20
hineinfloß. Eine Art von süßem Schlummer befiel ihn, in welchem er un-
beschreibliche Begebenheiten träumte, und woraus ihn eine andere Erleuchtung weckte. Er fand sich auf einem weichen Rasen am Rande einer Quelle,
die in die Luft hinausquoll und sich darin zu verzehren schien. Dunkelblaue
Felsen mit bunten Adern erhoben sich in einiger Entfernung; das Tageslicht 25
das ihn umgab, war heller und milder als das gewöhnliche, der Himmel
war schwarzblau und völlig rein. Was ihn aber mit voller Macht anzog,
war eine hohe lichtblaue Blume, die zunächst an der Quelle stand, und ihn
mit ihren breiten, glänzenden Blättern berührte. Rund um sie her standen
unzählige Blumen von allen Farben, und der köstlichste Geruch erfüllte die 30
Luft. Er sah nichts als die blaue Blume, und betrachtete sie lange mit un-
nennbarer Zärtlichkeit. Endlich wollte er sich ihr nähern, als sie auf einmal
sich zu bewegen und zu verändern anfing; die Blätter wurden glänzender
und schmiegten sich an den wachsenden Stengel, die Blume neigte sich nach
ihm zu, und die Blütenblätter zeigten einen blauen ausgebreiteten Kragen, 35
in welchem ein zartes Gesicht schwebte. Sein süßes Staunen wuchs mit der

sonderbaren Verwandlung, als ihn plötzlich die Stimme seiner Mutter
weckte, und er sich in der elterlichen Stube fand, die schon die Morgensonne
vergoldete. Er war zu entzückt, um unwillig über diese Störung zu sein;
vielmehr bot er seiner Mutter freundlich guten Morgen und erwiderte ihre
5 herzliche Umarmung.

„Du Langschläfer", sagte der Vater, „wie lange sitze ich schon hier, und
feile. Ich habe deinetwegen nichts hämmern dürfen; die Mutter wollte den
lieben Sohn schlafen lassen. Aufs Frühstück habe ich auch warten müssen.
Klüglich hast du den Lehrstand erwählt, für den wir wachen und arbeiten.
10 Indes ein tüchtiger Gelehrter, wie ich mir habe sagen lassen, muß auch
Nächte zu Hilfe nehmen, um die großen Werke der weisen Vorfahren zu
studieren." — „Lieber Vater", antwortete Heinrich, „werdet nicht unwillig über meinen langen Schlaf, den Ihr sonst nicht an mir gewohnt
seid. Ich schlief erst spät ein, und habe viele unruhige Träume gehabt, bis
15 zuletzt ein anmutiger Traum mir erschien, den ich lange nicht vergessen werde,
und von dem mich dünkt, als sei es mehr als bloßer Traum gewesen." —
„Lieber Heinrich", sprach die Mutter, „du hast dich gewiß auf den Rücken
gelegt, oder beim Abendsegen fremde Gedanken gehabt. Du siehst auch noch
ganz wunderlich aus. Iß und trink, daß du munter wirst."

20   Die Mutter ging hinaus, der Vater arbeitete emsig fort und sagte:
„Träume sind Schäume, mögen auch die hochgelahrten Herren davon denken,
was sie wollen, und du tust wohl, wenn du dein Gemüt von dergleichen unnützen und schädlichen Betrachtungen abwendest. Die Zeiten sind nicht mehr,
wo zu den Träumen göttliche Gesichte sich gesellten, und wir können und
25 werden es nicht begreifen, wie es jenen auserwählten Männern, von denen
die Bibel erzählt, zumute gewesen ist. Damals muß es eine andere Beschaffenheit mit den Träumen gehabt haben, so wie mit den menschlichen
Dingen.

In dem Alter der Welt, wo wir leben, findet der unmittelbare Ver-
30 kehr mit dem Himmel nicht mehr statt. Die alten Geschichten und Schriften
sind jetzt die einzigen Quellen, durch die uns eine Kenntnis von der überirdischen Welt, soweit wir sie nötig haben, zuteil wird; und statt jener aus-
drücklichen Offenbarungen redet jetzt der Heilige Geist mittelbar durch den
Verstand kluger und wohlgesinnter Männer und durch die Lebensweise und
35 die Schicksale frommer Menschen zu uns. Unsre heutigen Wunderbilder
haben mich nie sonderlich erbaut, und ich habe nie jene großen Taten ge-

glaubt, die unfre Geiftlichen davon erzählen. Indes mag fich daran erbauen,
wer will, und ich hüte mich wohl, jemanden in feinem Vertrauen irrezu-
machen." — „Aber, lieber Vater, aus welchem Grunde feid Ihr fo den
Träumen entgegen, deren feltfame Verwandlungen und leichte zarte Natur
doch unfer Nachdenken gewißlich rege machen müffen? Ift nicht jeder, auch 5
der verworrenfte Traum, eine fonderliche Erfcheinung, die auch ohne noch
an göttliche Schickung dabei zu denken, ein bedeutfamer Riß in den geheimnisvollen Vorhang ift, der mit taufend Falten in unfer Inneres herein-
fällt? In den weifeften Büchern findet man unzählige Traumgefchichten
von glaubhaften Menfchen, und erinnert Euch nur noch des Traums, den 10
uns neulich der ehrwürdige Hofkaplan erzählte, und der Euch felbft fo merkwürdig vorkam.

Aber, auch ohne diefe Gefchichten, wenn Ihr zuerft in Eurem Leben
einen Traum hättet, wie würdet Ihr nicht erftaunen, und Euch die Wunderbarkeit diefer uns nur alltäglich gewordenen Begebenheit gewiß nicht ab- 15
ftreiten laffen! Mich dünkt der Traum eine Schutzwehr gegen die Regelmäßigkeit und Gewöhnlichkeit des Lebens, eine freie Erholung der ge-
bundenen Phantafie, wo fie alle Bilder des Lebens durcheinanderwirft, und
die beftändige Ernfthaftigkeit des erwachfenen Menfchen durch ein fröhliches
Kinderfpiel unterbricht. Ohne die Träume würden wir gewiß früher alt, 20
und fo kann man den Traum, wenn auch nicht als unmittelbar von oben
gegeben, doch als eine göttliche Mitgabe, einen freundlichen Begleiter auf
der Wallfahrt zum Heiligen Grabe betrachten. Gewiß ift der Traum, den ich
heute nacht träumte, kein unwirkfamer Zufall in meinem Leben gewefen,
denn ich fühle es, daß er in meine Seele wie ein weites Rad hineingreift, 25
und fie in mächtigem Schwunge forttreibt."

Der Vater lächelte freundlich und fagte, indem er die Mutter, die eben
hereintrat, anfah: „Mutter, Heinrich kann die Stunde nicht verleugnen,
durch die er in der Welt ift. In feinen Reden kocht der feurige welfche Wein,
den ich damals von Rom mitgebracht hatte, und der unfern Hochzeitabend ver- 30
herrlichte. Damals war ich auch noch ein andrer Kerl. Die füdliche Luft
hatte mich aufgetaut, von Mut und Luft floß ich über, und du warft auch ein
heißes köftliches Mädchen. Bei deinem Vater ging's damals herrlich zu;
Spielleute und Sänger waren weit und breit herzugekommen, und lange
war in Augsburg keine luftigere Hochzeit gefeiert worden." 35

„Ihr fpracht vorhin von Träumen", fagte die Mutter, „weißt du wohl,

daß du mir damals auch von einem Traume erzähltest, den du in Rom
gehabt hattest, und der dich zuerst auf den Gedanken gebracht, zu uns nach
Augsburg zu kommen, und um mich zu werben?" — „Du erinnerst mich
eben zur rechten Zeit", sagte der Alte; „ich habe diesen seltsamen Traum
5 ganz vergessen, der mich damals lange genug beschäftigte; aber eben er ist
mir ein Beweis dessen, was ich von den Träumen gesagt habe. Es ist unmöglich einen geordneteren und helleren zu haben; noch jetzt entsinne ich
mich jedes Umstandes ganz genau; und doch, was hat er bedeutet? Daß ich
von dir träumte, und mich bald darauf von Sehnsucht ergriffen fühlte, dich
10 zu besitzen, war ganz natürlich: denn ich kannte dich schon. Dein freundliches
holdes Wesen hatte mich gleich anfangs lebhaft gerührt, und nur die Lust
nach der Fremde hielt damals meinen Wunsch nach deinem Besitz noch
zurück. Um die Zeit des Traums war meine Neugierde schon ziemlich ge-
stillt, und nun konnte die Neigung leichter durchdringen."

15 „Erzählt uns doch jenen seltsamen Traum", sagte der Sohn. — „Ich
war eines Abends", fing der Vater an, „umhergestreift. Der Himmel war
rein, und der Mond bekleidete die alten Säulen und Mauern mit seinem
bleichen schauerlichen Lichte. Meine Gesellen gingen den Mädchen nach, und
mich trieb das Heimweh und die Liebe ins Freie. Endlich ward ich durstig
20 und ging ins erste beste Landhaus hinein, um einen Trunk Wein oder Milch
zu fordern. Ein alter Mann kam heraus, der mich wohl für einen ver-
dächtigen Besuch halten mochte. Ich trug ihm mein Anliegen vor; und als
er erfuhr, daß ich ein Ausländer und ein Deutscher sei, lud er mich freundlich
in die Stube und brachte eine Flasche Wein. Er hieß mich niedersetzen und
25 fragte mich nach meinem Gewerbe. Die Stube war voll Bücher und Alter-
tümer. Wir gerieten in ein weitläuftiges Gespräch; er erzählte mir viel
von alten Zeiten, von Malern, Bildhauern und Dichtern. Noch nie hatte
ich so davon reden hören. Es war mir, als sei ich in einer neuen Welt ans
Land gestiegen. Er wies mir Siegelsteine und andre alte Kunstarbeiten;
30 dann las er mir mit lebendigem Feuer herrliche Gedichte vor, und so verging
die Zeit wie ein Augenblick. Noch jetzt heitert mein Herz sich auf, wenn ich
mich des bunten Gewühls der wunderlichen Gedanken und Empfindungen
erinnere, die mich in dieser Nacht erfüllten. In den heidnischen Zeiten war
er wie zu Hause, und sehnte sich mit unglaublicher Inbrunst in dies graue
35 Altertum zurück. Endlich wies er mir eine Kammer an, wo ich den Rest der
Nacht zubringen könnte, weil es schon zu spät sei, um noch zurückzukehren.

Ich schlief bald, und da dünkte mich's, ich sei in meiner Vaterstadt und
wanderte aus dem Tore. Es war, als müßte ich irgendwohin gehn, um
etwas zu bestellen, doch wußte ich nicht wohin, und was ich verrichten solle.
Ich ging nach dem Harze mit überaus schnellen Schritten, und wohl war
mir, als sei es zur Hochzeit. Ich hielt mich nicht auf dem Wege, sondern 5
immer feldein durch Tal und Wald, und bald kam ich an einen hohen Berg.
Als ich oben war, sah ich die Goldne Aue vor mir, und überschaute Thüringen
weit und breit, also daß kein Berg in der Nähe umher mir die Aussicht
wehrte. Gegenüber lag der Harz mit seinen dunklen Bergen, und ich sah
unzählige Schlösser, Klöster und Ortschaften. Wie mir nun da recht wohl 10
innerlich ward, fiel mir der alte Mann ein, bei dem ich schlief, und es ge-
deuchte mir, als sei das vor geraumer Zeit geschehn, daß ich bei ihm gewesen sei. Bald gewahrte ich eine Stiege, die in den Berg hineinging, und
ich machte mich hinunter. Nach langer Zeit kam ich in eine große Höhle,
da saß ein Greis in einem langen Kleide vor einem eisernen Tische, und 15
schaute unverwandt nach einem wunderschönen Mädchen, die in Marmor
gehauen vor ihm stand. Sein Bart war durch den eisernen Tisch gewachsen
und bedeckte seine Füße. Er sah ernst und freundlich aus, und gemahnte
mich wie ein alter Kopf, den ich den Abend bei dem Manne gesehn hatte.
Ein glänzendes Licht war in der Höhle verbreitet. Wie ich so stand und den 20
Greis ansah, klopfte mir plötzlich mein Wirt auf die Schulter, nahm mich
bei der Hand und führte mich durch lange Gänge mit sich fort. Nach einer
Weile sah ich von weitem eine Dämmerung, als wollte das Tageslicht ein-
brechen. Ich eilte darauf zu, und befand mich bald auf einem grünen Plane;
aber es schien mir alles ganz anders als in Thüringen. Ungeheure Bäume 25
mit großen glänzenden Blättern verbreiteten weit umher Schatten. Die
Luft war sehr heiß und doch nicht drückend. Überall Quellen und Blumen,
und unter allen Blumen gefiel mir e i n e ganz besonders, und es kam mir
vor, als neigten sich die andern gegen sie."

„Ach! liebster Vater, sagt mir doch, welche Farbe sie hatte", rief der 30
Sohn mit heftiger Bewegung.

„Das entsinne ich mich nicht mehr, so genau ich mir auch sonst alles ein-
geprägt habe."

„War sie nicht blau?"

„Es kann sein", fuhr der Alte fort, ohne auf Heinrichs seltsame Heftig- 35
keit Achtung zu geben. „Soviel weiß ich nur noch, daß mir ganz unaus-

sprechlich zumute war, und ich mich lange nicht nach meinem Begleiter umsah. Wie ich mich endlich zu ihm wandte, bemerkte ich, daß er mich aufmerksam betrachtete und mir mit inniger Freude zulächelte. Auf welche Art ich
von diesem Orte wegkam, erinnere ich mir nicht mehr. Ich war wieder oben
5 auf dem Berge. Mein Begleiter stand bei mir, und sagte: ‚Du hast das
Wunder der Welt gesehn. Es steht bei dir, das glücklichste Wesen auf der
Welt und noch über das ein berühmter Mann zu werden. Nimm wohl in
acht, was ich dir sage: wenn du am Tage Johannis gegen Abend wieder
hieher kommst, und Gott herzlich um das Verständnis dieses Traumes
10 bittest, so wird dir das höchste irdische Los zuteil werden; dann gib nur acht,
auf ein blaues Blümchen, was du hier oben finden wirst, brich es ab, und
überlaß dich dann demütig der himmlischen Führung.‘ Ich war darauf im
Traume unter den herrlichsten Gestalten und Menschen, und unendliche
Zeiten gaukelten mit mannigfaltigen Veränderungen vor meinen Augen
15 vorüber. Wie gelöst war meine Zunge, und was ich sprach, klang wie Musik.
Darauf ward alles wieder dunkel und eng und gewöhnlich; ich sah deine
Mutter mit freundlichem, verschämten Blick vor mir; sie hielt ein glänzendes Kind in den Armen, und reichte mir es hin, als auf einmal das Kind
zusehends wuchs, immer heller und glänzender ward, und sich endlich mit
20 blendend weißen Flügeln über uns erhob, uns beide in seinen Arm nahm,
und so hoch mit uns flog, daß die Erde nur wie eine goldene Schüssel mit
dem saubersten Schnitzwerk aussah. Daran erinnere ich mir nur, daß wieder
jene Blume und der Berg und der Greis vorkamen; aber ich erwachte bald
darauf und fühlte mich von heftiger Liebe bewegt. Ich nahm Abschied von
25 meinem gastfreien Wirt, der mich bat, ihn oft wieder zu besuchen, was ich
ihm zusagte, und auch Wort gehalten haben würde, wenn ich nicht bald
darauf Rom verlassen hätte, und ungestüm nach Augsburg gereist wäre."

Zweites Kapitel

Johannis war vorbei, die Mutter hatte längst einmal nach Augsburg
30 ins väterliche Haus kommen und dem Großvater den noch unbekannten
lieben Enkel mitbringen sollen. Einige gute Freunde des alten Osterdingen,
ein paar Kaufleute, mußten in Handelsgeschäften dahin reisen. Da faßte
die Mutter den Entschluß, bei dieser Gelegenheit jenen Wunsch auszuführen,

und es lag ihr dies um so mehr am Herzen, weil sie seit einiger Zeit merkte,
daß Heinrich weit stiller und in sich gekehrter war als sonst. Sie glaubte,
er sei mißmütig oder krank, und eine weite Reise, der Anblick neuer Menschen und Länder, und wie sie verstohlen ahndete, die Reize einer jungen
Landsmännin würden die trübe Laune ihres Sohnes vertreiben, und wieder 5
einen so teilnehmenden und lebensfrohen Menschen aus ihm machen, wie
er sonst gewesen. Der Alte willigte in den Plan der Mutter, und Heinrich
war über die Maßen erfreut, in ein Land zu kommen, was er schon lange,
nach den Erzählungen seiner Mutter und mancher Reisenden, wie ein
irdisches Paradies sich gedacht, und wohin er oft vergeblich sich gewünscht 10
hatte.

Heinrich war eben zwanzig Jahr alt geworden. Er war nie über die um-
liegenden Gegenden seiner Vaterstadt hinausgekommen; die Welt war ihm
nur aus Erzählungen bekannt. Wenig Bücher waren ihm zu Gesichte gekommen. Bei der Hofhaltung des Landgrafen ging es nach der Sitte der 15
damaligen Zeiten einfach und still zu; und die Pracht und Bequemlichkeit
des fürstlichen Lebens dürfte sich schwerlich mit den Annehmlichkeiten
messen, die in spätern Zeiten ein bemittelter Privatmann sich und den
Seinigen ohne Verschwendung verschaffen konnte. Dafür war aber der
Sinn für die Gerätschaften und Habseligkeiten, die der Mensch zum 20
mannigfachen Dienst seines Lebens um sich her versammelt, desto zarter und
tiefer. Sie waren den Menschen werter und merkwürdiger. Zog schon das
Geheimnis der Natur und die Entstehung ihrer Körper den ahndenden
Geist an: so erhöhte die seltnere Kunst ihrer Bearbeitung, die romantische
Ferne, aus der man sie erhielt, und die Heiligkeit ihres Altertums, da sie 25
sorgfältiger bewahrt, oft das Besitztum mehrerer Nachkommenschaften
wurden, die Neigung zu diesen stummen Gefährten des Lebens. Oft wurden
sie zu dem Rang von geweihten Pfändern eines besondern Segens und
Schicksals erhoben, und das Wohl ganzer Reiche und weitverbreiteter
Familien hing an ihrer Erhaltung. Eine liebliche Armut schmückte diese 30
Zeiten mit einer eigentümlichen ernsten und unschuldigen Einfalt; und die
sparsam verteilten Kleinodien glänzten desto bedeutender in dieser Dämmerung, und erfüllten ein sinniges Gemüt mit wunderbaren Erwartungen.
Wenn es wahr ist, daß erst eine geschickte Verteilung von Licht, Farbe und
Schatten die verborgene Herrlichkeit der sichtbaren Welt offenbart und sich 35
hier ein neues höheres Auge aufzutun scheint: so war damals überall eine

ähnliche Verteilung und Wirtschaftlichkeit wahrzunehmen; da hingegen die
neuere wohlhabendere Zeit das einförmige und unbedeutendere Bild eines
allgemeinen Tages darbietet. In allen Übergängen scheint, wie in einem
Zwischenreiche, eine höhere, geistliche Macht durchbrechen zu wollen; und
5 wie auf der Oberfläche unseres Wohnplatzes die an unterirdischen und überirdischen Schätzen reichsten Gegenden in der Mitte zwischen den wilden,
unwirtlichen Urgebirgen und den unermeßlichen Ebenen liegen, so hat sich
auch zwischen den rohen Zeiten der Barbarei und dem kunstreichen, viel-
wissenden und begüterten Weltalter eine tiefsinnige und romantische Zeit
10 niedergelassen, die unter schlichtem Kleide eine höhere Gestalt verbirgt. Wer
wandelt nicht gern im Zwielichte, wenn die Nacht am Lichte und das Licht
an der Nacht in höhere Schatten und Farben zerbricht; und also vertiefen
wir uns willig in die Jahre, wo Heinrich lebte und jetzt neuen Begebenheiten mit vollem Herzen entgegenging. Er nahm Abschied von seinen Ge-
15 spielen und seinem Lehrer, dem alten weisen Hofkaplan, der Heinrichs frucht-
bare Anlagen kannte, und ihn mit gerührtem Herzen und einem stillen
Gebete entließ. Die Landgräfin war seine Patin; er war oft auf der Wartburg bei ihr gewesen. Auch jetzt beurlaubte er sich bei seiner Beschützerin,
die ihm gute Lehren und eine goldene Halskette verehrte und mit freundlichen
20 Äußerungen von ihm schied.

In wehmütiger Stimmung verließ Heinrich seinen Vater und seine
Geburtsstadt. Es ward ihm jetzt erst deutlich, was Trennung sei; die Vorstellungen von der Reise waren nicht von dem sonderbaren Gefühle begleitet
gewesen, was er jetzt empfand, als zuerst seine bisherige Welt von ihm ge-
25 rissen und er wie auf ein fremdes Ufer gespült ward. Unendlich ist die
jugendliche Trauer bei dieser ersten Erfahrung der Vergänglichkeit der
irdischen Dinge, die dem unerfahrnen Gemüt so notwendig, und unentbehrlich, so fest verwachsen mit dem eigentümlichsten Dasein und so unveränder-
lich wie dieses vorkommen müssen. Eine erste Ankündigung des Todes, bleibt
30 die erste Trennung unvergeßlich, und wird, nachdem sie lange wie ein nächt-
liches Gesicht den Menschen beängstigt hat, endlich bei abnehmender Freude
an den Erscheinungen des Tages, und zunehmender Sehnsucht nach einer
bleibenden sichern Welt zu einem freundlichen Wegweiser und einer tröstenden Bekanntschaft. Die Nähe seiner Mutter tröstete den Jüngling sehr.
35 Die alte Welt schien noch nicht ganz verloren, und er umfaßte sie mit ver-
doppelter Innigkeit. Es war früh am Tage, als die Reisenden aus den

Toren von Eisenach fortritten, und die Dämmerung begünstigte Heinrichs
gerührte Stimmung. Je heller es ward, desto bemerklicher wurden ihm die
neuen unbekannten Gegenden; und als auf einer Anhöhe die verlassene
Landschaft von der aufgehenden Sonne auf einmal erleuchtet wurde, so
fielen dem überraschten Jüngling alte Melodien seines Innern in den 5
trüben Wechsel seiner Gedanken ein. Er sah sich an der Schwelle der Ferne,
in die er oft vergebens von den nahen Bergen geschaut, und die er sich mit
sonderbaren Farben ausgemalt hatte. Er war im Begriff, sich in ihre blaue
Flut zu tauchen. Die Wunderblume stand vor ihm, und er sah nach Thüringen, welches er jetzt hinter sich ließ, mit der seltsamen Ahndung hinüber, 10
als werde er nach langen Wanderungen von der Weltgegend her, nach
welcher sie jetzt reisten, in sein Vaterland zurückkommen, und als reise er
daher diesem eigentlich zu. Die Gesellschaft, die anfänglich aus ähnlichen
Ursachen still gewesen war, fing nachgerade an aufzuwachen, und sich mit
allerhand Gesprächen und Erzählungen die Zeit zu verkürzen. Heinrichs 15
Mutter glaubte ihren Sohn aus den Träumereien reißen zu müssen, in
denen sie ihn versunken sah, und fing an ihm von ihrem Vaterlande zu erzählen, von dem Hause ihres Vaters und dem fröhlichen Leben in Schwaben.
Die Kaufleute stimmten mit ein, und bekräftigten die mütterlichen Erzählungen, rühmten die Gastfreiheit des alten Schwaning, und konnten nicht 20
aufhören, die schönen Landsmänninnen ihrer Reisegefährtin zu preisen.
„Ihr tut wohl“, sagten sie, „daß Ihr Euren Sohn dorthin führt. Die
Sitten Eures Vaterlandes sind milder und gefälliger. Die Menschen wissen
das Nützliche zu befördern, ohne das Angenehme zu verachten. Jedermann
sucht seine Bedürfnisse auf eine gesellige und reizende Art zu befriedigen. 25
Der Kaufmann befindet sich wohl dabei, und wird geehrt. Die Künste und
Handwerke vermehren und veredeln sich, den Fleißigen dünkt die Arbeit
leichter, weil sie ihm zu mannigfachen Annehmlichkeiten verhilft, und er,
indem er eine einförmige Mühe übernimmt, sicher ist, die bunten Früchte
mannigfacher und belohnender Beschäftigungen dafür mitzugenießen. Geld, 30
Tätigkeit und Waren erzeugen sich gegenseitig, und treiben sich in raschen
Kreisen, und das Land und die Städte blühen auf. Je eifriger der Erwerb-
fleiß die Tage benutzt, desto ausschließlicher ist der Abend den reizenden Ver-
gnügungen der schönen Künste und des geselligen Umgangs gewidmet. Das
Gemüt sehnt sich nach Erholung und Abwechselung, und wo sollte es diese 35
auf eine anständigere und reizendere Art finden als in der Beschäftigung

mit den freien Spielen und Erzeugniſſen ſeiner edelſten Kraft, des bildenden Tiefſinns. Nirgends hört man ſo anmutige Sänger, findet ſo herrliche
Maler, und nirgends ſieht man auf den Tanzſälen leichtere Bewegungen
und lieblichere Geſtalten. Die Nachbarſchaft von Welſchland zeigt ſich in
5 dem ungezwungenen Betragen und den einnehmenden Geſprächen. Euer
Geſchlecht darf die Geſellſchaften ſchmücken, und ohne Furcht vor Nach-
rede mit holdſeligem Bezeigen einen lebhaften Wetteifer, ſeine Aufmerk-
ſamkeit zu feſſeln, erregen. Die rauhe Ernſthaftigkeit und die wilde Aus-
gelaſſenheit der Männer macht einer milden Lebendigkeit und ſanfter be-
10 ſcheidner Freude Platz, und die Liebe wird in tauſendfachen Geſtalten der
leitende Geiſt der glücklichen Geſellſchaften. Weit entfernt, daß Aus-
ſchweifungen und unziemende Grundſätze dadurch ſollten herbeigelockt werden, ſcheint es, als flöhen die böſen Geiſter die Nähe der Anmut, und gewiß
ſind in ganz Deutſchland keine unbeſcholtenere Mädchen und keine treuere
15 Frauen als in Schwaben.

Ja, junger Freund, in der klaren warmen Luft des ſüdlichen Deutſchlands
werdet Ihr Eure ernſte Schüchternheit wohl ablegen; die fröhlichen Mädchen werden Euch wohl geſchmeidig und geſprächig machen. Schon Euer
Name, als Fremder, und Eure nahe Verwandtſchaft mit dem alten
20 Schwaning, der die Freude jeder fröhlichen Geſellſchaft iſt, werden die
reizenden Augen der Mädchen auf ſich ziehn; und wenn Ihr Eurem Großvater folgt, ſo werdet Ihr gewiß unſrer Vaterſtadt eine ähnliche Zierde in
einer holdſeligen Frau mitbringen wie Euer Vater." Mit freundlichem
Erröten dankte Heinrichs Mutter für das ſchöne Lob ihres Vaterlandes,
25 und die gute Meinung von ihren Landsmänninnen, und der gedankenvolle
Heinrich hatte nicht umhin gekonnt, aufmerkſam und mit innigem Wohlgefallen der Schilderung des Landes, deſſen Anblick ihm bevorſtand, zuzuhören. „Wenn Ihr auch", fuhren die Kaufleute fort, „die Kunſt Eures
Vaters nicht ergreifen, und lieber, wie wir gehört haben, Euch mit gelehrten
30 Dingen befaſſen wollt: ſo braucht Ihr nicht Geiſtlicher zu werden, und Verzicht auf die ſchönſten Genüſſe des Lebens zu leiſten. Es iſt eben ſchlimm
genug, daß die Wiſſenſchaften in den Händen eines ſo von dem weltlichen
Leben abgeſonderten Standes, und die Fürſten von ſo ungeſelligen und
wahrhaft unerfahrenen Männern beraten ſind. In der Einſamkeit, in
35 welcher ſie nicht ſelbſt teil an den Weltgeſchäften nehmen, müſſen ihre Gedanken eine unnütze Wendung erhalten, und können nicht auf die wirklichen

Vorfälle paſſen. In Schwaben trefft Ihr auch wahrhaft kluge und erfahrne
Männer unter den Laien; und Ihr mögt nun wählen, welchen Zweig menſchlicher Kenntniſſe Ihr wollt: ſo wird es Euch nicht an den beſten Lehrern
und Ratgebern fehlen." Nach einer Weile ſagte Heinrich, dem bei dieſer
Rede ſein Freund der Hofkaplan in den Sinn gekommen war: „Wenn ich 5
bei meiner Unkunde von der Beſchaffenheit der Welt euch eben nicht ab-
fällig ſein kann in dem, was ihr von der Unfähigkeit der Geiſtlichen zu
Führung und Beurteilung weltlicher Angelegenheiten behauptet, ſo iſt
mir's doch wohl erlaubt, euch an unſern trefflichen Hofkaplan zu erinnern,
der gewiß ein Muſter eines weiſen Mannes iſt und deſſen Lehren und Rat- 10
ſchläge mir unvergeſſen ſein werden."

„Wir ehren", erwiderten die Kaufleute, „dieſen trefflichen Mann von
ganzem Herzen; aber dennoch können wir nur inſofern Eurer Meinung
Beifall geben, daß er ein weiſer Mann ſei, wenn Ihr von jener Weisheit
ſprecht, die einen Gott wohlgefälligen Lebenswandel angeht. Haltet Ihr 15
ihn für ebenſo weltklug, als er in den Sachen des Heils geübt und unterrichtet iſt: ſo erlaubt uns, daß wir Euch nicht beiſtimmen. Doch glauben wir,
daß dadurch der heilige Mann nichts von ſeinem verdienten Lobe verliert;
da er viel zu vertieft in der Kunde der überirdiſchen Welt iſt, als daß er
nach Einſicht und Anſehn in irdiſchen Dingen ſtreben ſollte." 20

„Aber", ſagte Heinrich, „ſollte nicht jene höhere Kunde ebenfalls geſchickt
machen, recht unparteiiſch den Zügel menſchlicher Angelegenheiten zu führen?
ſollte nicht jene kindliche unbefangene Einfalt ſicherer den richtigen Weg
durch das Labyrinth der hieſigen Begebenheiten treffen als die durch Rück-
ſicht auf eigenen Vorteil irregeleitete und gehemmte, von der unerſchöpf- 25
lichen Zahl neuer Zufälle und Verwickelungen geblendete Klugheit? Ich
weiß nicht, aber mich dünkt, ich ſähe zwei Wege um zur Wiſſenſchaft der
menſchlichen Geſchichte zu gelangen. Der eine, mühſam und unabſehlich, mit
unzähligen Krümmungen, der Weg der Erfahrung; der andere, faſt ein
Sprung nur, der Weg der innern Betrachtung. Der Wanderer des erſten 30
muß eins aus dem andern in einer langwierigen Rechnung finden, wenn
der andere die Natur jeder Begebenheit und jeder Sache gleich unmittelbar
anſchaut, und ſie in ihrem lebendigen, mannigfaltigen Zuſammenhange betrachten, und leicht mit allen übrigen, wie Figuren auf einer Tafel, vergleichen kann. Ihr müßt verzeihen, wenn ich wie aus kindiſchen Träumen 35
vor euch rede; nur das Zutrauen zu eurer Güte und das Andenken meines

Lehrers, der den zweiten Weg mir als seinen eignen von weitem gezeigt hat, machte mich so dreist."

„Wir gestehen Euch gern", sagten die gutmütigen Kaufleute, „daß wir Eurem Gedankengange nicht zu folgen vermögen: doch freut es uns, daß
5 Ihr so warm Euch des trefflichen Lehrers erinnert, und seinen Unterricht wohl gefaßt zu haben scheint.

Es dünkt uns, Ihr habt Anlage zum Dichter. Ihr sprecht so geläufig von den Erscheinungen Eures Gemüts, und es fehlt Euch nicht an gewählten Ausdrücken und passenden Vergleichungen. Auch neigt Ihr Euch zum
10 Wunderbaren, als dem Elemente der Dichter."

„Ich weiß nicht", sagte Heinrich, „wie es kommt. Schon oft habe ich von Dichtern und Sängern sprechen gehört, und habe noch nie einen gesehn. Ja, ich kann mir nicht einmal einen Begriff von ihrer sonderbaren Kunst machen, und doch habe ich eine große Sehnsucht davon zu hören. Es ist
15 mir, als würde ich manches besser verstehen, was jetzt nur dunkle Ahndung in mir ist. Von Gedichten ist oft erzählt worden, aber nie habe ich eins zu sehen bekommen, und mein Lehrer hat nie Gelegenheit gehabt Kenntnisse von dieser Kunst einzuziehn. Alles, was er mir davon gesagt, habe ich nicht deutlich begreifen können. Doch meinte er immer, es sei eine edle Kunst,
20 der ich mich ganz ergeben würde, wenn ich sie einmal kennenlernte. In alten Zeiten sei sie weit gemeiner gewesen und habe jedermann einige Wissenschaft davon gehabt, jedoch einer vor dem andern. Sie sei noch mit andern verlorengegangenen herrlichen Künsten verschwistert gewesen. Die Sänger hätte göttliche Gunst hoch geehrt, so daß sie, begeistert durch unsichtbaren
25 Umgang, himmlische Weisheit auf Erden in lieblichen Tönen verkündigen können."

Die Kaufleute sagten darauf: „Wir haben uns freilich nie um die Geheimnisse der Dichter bekümmert, wenn wir gleich mit Vergnügen ihrem Gesange zugehört. Es mag wohl wahr sein, daß eine besondere Gestirnung
30 dazu gehört, wenn ein Dichter zur Welt kommen soll; denn es ist gewiß eine recht wunderbare Sache mit dieser Kunst. Auch sind die andern Künste gar sehr davon unterschieden, und lassen sich weit eher begreifen. Bei den Malern und Tonkünstlern kann man leicht einsehn, wie es zugeht, und mit Fleiß und Geduld läßt sich beides lernen. Die Töne liegen schon in den Saiten,
35 und es gehört nur eine Fertigkeit dazu, diese zu bewegen, um jene in einer reizenden Folge aufzuwecken. Bei den Bildern ist die Natur die herrlichste

Lehrmeisterin. Sie erzeugt unzählige schöne und wunderliche Figuren, gibt die Farben, das Licht und den Schatten, und so kann eine geübte Hand, ein richtiges Auge, und die Kenntnis von der Bereitung und Vermischung der Farben, die Natur auf das vollkommenste nachahmen. Wie natürlich ist daher auch die Wirkung dieser Künste, das Wohlgefallen an ihren Werken, 5 zu begreifen. Der Gesang der Nachtigall, das Sausen des Windes, und die herrlichen Lichter, Farben und Gestalten gefallen uns, weil sie unsere Sinne angenehm beschäftigen; und da unsere Sinne dazu von der Natur, die auch jenes hervorbringt, so eingerichtet sind, so muß uns auch die künst- liche Nachahmung der Natur gefallen. Die Natur will selbst auch einen 10 Genuß von ihrer großen Künstlichkeit haben, und darum hat sie sich in Menschen verwandelt, wo sie nun selber sich über ihre Herrlichkeit freut, das Angenehme und Liebliche von den Dingen absondert, und es auf solche Art allein hervorbringt, daß sie es auf mannigfaltigere Weise, und zu allen Zeiten und allen Orten haben und genießen kann. Dagegen ist von 15 der Dichtkunst sonst nirgends äußerlich etwas anzutreffen. Auch schafft sie nichts mit Werkzeugen und Händen; das Auge und das Ohr vernehmen nichts davon: denn das bloße Hören der Worte ist nicht die eigentliche Wirkung dieser geheimen Kunst. Es ist alles innerlich, und wie jene Künstler die äußern Sinne mit angenehmen Empfindungen erfüllen, so erfüllt der 20 Dichter das inwendige Heiligtum des Gemüts mit neuen, wunderbaren und gefälligen Gedanken. Er weiß jene geheimen Kräfte in uns nach Be- lieben zu erregen, und gibt uns durch Worte eine unbekannte herrliche Welt zu vernehmen. Wie aus tiefen Höhlen steigen alte und künftige Zeiten, unzählige Menschen, wunderbare Gegenden, und die seltsamsten Begeben- 25 heiten in uns herauf, und entreißen uns der bekannten Gegenwart. Man hört fremde Worte und weiß doch, was sie bedeuten sollen. Eine magische Gewalt üben die Sprüche des Dichters aus; auch die gewöhnlichen Worte kommen in reizenden Klängen vor, und berauschen die festgebannten Zuhörer."

„Ihr verwandelt meine Neugierde in heiße Ungeduld", sagte Heinrich. 30 „Ich bitte euch, erzählt mir von allen Sängern, die ihr gehört habt. Ich kann nicht genug von diesen besondern Menschen hören. Mir ist auf einmal, als hätte ich irgendwo schon davon in meiner tiefsten Jugend reden hören, doch kann ich mich schlechterdings nichts mehr davon entsinnen. Aber mir ist das, was ihr sagt, so klar, so bekannt, und ihr macht mir ein außerordent- 35 liches Vergnügen mit euren schönen Beschreibungen."

„Wir erinnern uns selbst gern", fuhren die Kaufleute fort, „mancher frohen Stunden, die wir in Welschland, Frankreich und Schwaben in der Gesellschaft von Sängern zugebracht haben, und freuen uns, daß Ihr so lebhaften Anteil an unsern Reden nehmet. Wenn man so in Gebirgen reist,
5 spricht es sich mit doppelter Annehmlichkeit, und die Zeit vergeht spielend. Vielleicht ergötzt es Euch, einige artige Geschichten von Dichtern zu hören, die wir auf unsern Reisen erfuhren. Von den Gesängen selbst, die wir gehört haben, können wir wenig sagen, da die Freude und der Rausch des Augenblicks das Gedächtnis hindert viel zu behalten, und die unaufhörlichen
10 Handelsgeschäfte manches Andenken auch wieder verwischt haben.

In alten Zeiten muß die ganze Natur lebendiger und sinnvoller gewesen sein als heutzutage. Wirkungen, die jetzt kaum noch die Tiere zu bemerken scheinen, und die Menschen eigentlich allein noch empfinden und genießen, bewegten damals leblose Körper; und so war es möglich, daß kunstreiche
15 Menschen allein Dinge möglich machten und Erscheinungen hervorbrachten, die uns jetzt völlig unglaublich und fabelhaft dünken. So sollen vor uralten Zeiten in den Ländern des jetzigen griechischen Kaisertums, wie uns Reisende berichtet, die diese Sagen noch dort unter dem gemeinen Volke angetroffen haben, Dichter gewesen sein, die durch den seltsamen Klang wunderbarer
20 Werkzeuge das geheime Leben der Wälder, die in den Stämmen verborgenen Geister aufgeweckt, in wüsten, verödeten Gegenden den toten Pflanzensamen erregt, und blühende Gärten hervorgerufen, grausame Tiere gezähmt und verwilderte Menschen zu Ordnung und Sitte gewöhnt, sanfte Neigungen und Künste des Friedens in ihnen rege gemacht, reißende Flüsse in milde
25 Gewässer verwandelt, und selbst die totesten Steine in regelmäßige tanzende Bewegungen hingerissen haben. Sie sollen zugleich Wahrsager und Priester, Gesetzgeber und Ärzte gewesen sein, indem selbst die höhern Wesen durch ihre zauberische Kunst herabgezogen worden sind, und sie in den Geheimnissen der Zukunft unterrichtet, das Ebenmaß und die natürliche Einrichtung aller
30 Dinge, auch die innern Tugenden und Heilkräfte der Zahlen, Gewächse und aller Kreaturen, ihnen offenbart. Seitdem sollen, wie die Sage lautet, erst die mannigfaltigen Töne und die sonderbaren Sympathien und Ordnungen in die Natur gekommen sein, indem vorher alles wild, unordentlich und feindselig gewesen ist. Seltsam ist nur hiebei, daß zwar diese schönen
35 Spuren, zum Andenken der Gegenwart jener wohltätigen Menschen, geblieben sind, aber entweder ihre Kunst, oder jene zarte Gefühligkeit der

Natur verlorengegangen ist. In diesen Zeiten hat es sich unter andern einmal zugetragen, daß einer jener sonderbaren Dichter oder mehr Tonkünstler — wiewohl die Musik und Poesie wohl ziemlich eins sein mögen und
vielleicht ebenso zusammengehören wie Mund und Ohr, da der erste nur
ein bewegliches und antwortendes Ohr ist — daß also dieser Tonkünstler 5
übers Meer in ein fremdes Land reisen wollte. Er war reich an schönen
Kleinodien und köstlichen Dingen, die ihm aus Dankbarkeit verehrt worden
waren. Er fand ein Schiff am Ufer, und die Leute darin schienen bereitwillig,
ihn für den verheißenen Lohn nach der verlangten Gegend zu fahren. Der
Glanz und die Zierlichkeit seiner Schätze reizten aber bald ihre Habsucht 10
so sehr, daß sie untereinander verabredeten, sich seiner zu bemächtigen, ihn
ins Meer zu werfen und nachher seine Habe untereinander zu verteilen.
Wie sie also mitten im Meere waren, fielen sie über ihn her, und sagten
ihm, daß er sterben müsse, weil sie beschlossen hätten, ihn ins Meer zu werfen.
Er bat sie auf die rührendste Weise um sein Leben, bot ihnen seine Schätze 15
zum Lösegeld an, und prophezeite ihnen großes Unglück, wenn sie ihren
Vorsatz ausführen würden. Aber weder das eine, noch das andere konnte
sie bewegen: denn sie fürchteten sich, daß er ihre bösliche Tat einmal verraten
möchte. Da er sie nun einmal so fest entschlossen sah, bat er sie ihm wenigstens zu erlauben, daß er noch vor seinem Ende seinen Schwanengesang 20
spielen dürfe, dann wolle er mit seinem schlichten hölzernen Instrumente,
vor ihren Augen freiwillig ins Meer springen. Sie wußten recht wohl,
daß, wenn sie seinen Zaubergesang hörten, ihre Herzen erweicht, und sie
von Reue ergriffen werden würden; daher nahmen sie sich vor, ihm zwar
diese letzte Bitte zu gewähren, während des Gesanges aber sich die Ohren 25
fest zu verstopfen, daß sie nichts davon vernähmen, und so bei ihrem Vorhaben bleiben könnten. Dies geschah. Der Sänger stimmte einen herrlichen,
unendlich rührenden Gesang an. Das ganze Schiff tönte mit, die Wellen
klangen, die Sonne und die Gestirne erschienen zugleich am Himmel, und
aus den grünen Fluten tauchten tanzende Scharen von Fischen und Meer- 30
ungeheuern hervor. Die Schiffer standen feindselig allein mit festverstopften
Ohren, und warteten voll Ungeduld auf das Ende des Liedes. Bald war
es vorüber. Da sprang der Sänger mit heitrer Stirn in den dunkeln Abgrund hin, sein wundertätiges Werkzeug im Arm. Er hatte kaum die glänzenden Wogen berührt, so hob sich der breite Rücken eines dankbaren Un- 35
tiers unter ihm hervor, und es schwamm schnell mit dem erstaunten Sänger

davon. Nach kurzer Zeit hatte es mit ihm die Küste erreicht, nach der er
hingewollt hatte, und setzte ihn sanft im Schilfe nieder. Der Dichter sang
seinem Retter ein frohes Lied, und ging dankbar von dannen. Nach einiger
Zeit ging er einmal am Ufer des Meers allein, und klagte in süßen Tönen
5 über seine verlorenen Kleinode, die ihm als Erinnerungen glücklicher Stunden und als Zeichen der Liebe und Dankbarkeit so wert gewesen waren.
Indem er so sang, kam plötzlich sein alter Freund im Meere fröhlich daher
gerauscht, und ließ aus seinem Rachen die geraubten Schätze auf den Sand
fallen. Die Schiffer hatten, nach des Sängers Sprunge, sich sogleich in
10 seine Hinterlassenschaft zu teilen angefangen. Bei dieser Teilung war Streit
unter ihnen entstanden, und hatte sich in einen mörderischen Kampf geendigt,
der den meisten das Leben gekostet; die wenigen, die übriggeblieben, hatten
allein das Schiff nicht regieren können, und es war bald auf den Strand
geraten, wo es scheiterte und unterging. Sie brachten mit genauer Not das
15 Leben davon, und kamen mit leeren Händen und zerrissenen Kleidern ans
Land, und so kehrten durch die Hilfe des dankbaren Meertiers, das die
Schätze im Meere aufsuchte, dieselben in die Hände ihres alten Besitzers
zurück."

Drittes Kapitel

20 „Eine andere Geschichte", fuhren die Kaufleute nach einer Pause fort,
„die freilich nicht so wunderbar und auch aus spätern Zeiten ist, wird Euch
vielleicht doch gefallen und Euch mit den Wirkungen jener wunderbaren
Kunst noch bekannter machen. Ein alter König hielt einen glänzenden Hof.
Weit und breit strömten Menschen herzu, um teil an der Herrlichkeit seines
25 Lebens zu haben, und es gebrach weder den täglichen Festen an Überfluß
köstlicher Waren des Gaumens, noch an Musik, prächtigen Verzierungen und
Trachten, und tausend abwechselnden Schauspielen und Zeitvertreiben, noch
endlich an sinnreicher Anordnung, an klugen, gefälligen, und unterrichteten
Männern zur Unterhaltung und Beseelung der Gespräche, und an schöner,
30 anmutiger Jugend von beiden Geschlechtern, die die eigentliche Seele reizender Feste ausmachen. Der alte König, der sonst ein strenger und ernster
Mann war, hatte zwei Neigungen, die der wahre Anlaß dieser prächtigen
Hofhaltung waren, und denen sie ihre schöne Einrichtung zu danken hatte.
Eine war die Zärtlichkeit für seine Tochter, die ihm als Andenken seiner

früh verstorbenen Gemahlin und als ein unaussprechlich liebenswürdiges
Mädchen unendlich teuer war, und für die er gern alle Schätze der Natur
und alle Macht des menschlichen Geistes aufgeboten hätte, um ihr einen
Himmel auf Erden zu verschaffen. Die andere war eine wahre Leidenschaft
für die Dichtkunst und ihre Meister. Er hatte von Jugend auf die Werke 5
der Dichter mit innigem Vergnügen gelesen, an ihre Sammlung aus allen
Sprachen großen Fleiß und große Summen gewendet, und von jeher den
Umgang der Sänger über alles geschätzt. Von allen Enden zog er sie an
seinen Hof und überhäufte sie mit Ehren. Er ward nicht müde, ihren
Gesängen zuzuhören, und vergaß oft die wichtigsten Angelegenheiten, ja die 10
Bedürfnisse des Lebens über einem neuen, hinreißenden Gesange. Seine
Tochter war unter Gesängen aufgewachsen, und ihre ganze Seele war ein
zartes Lied geworden, ein einfacher Ausdruck der Wehmut und Sehnsucht.
Der wohltätige Einfluß der beschützten und geehrten Dichter zeigte sich
im ganzen Lande, besonders aber am Hofe. Man genoß das Leben mit lang- 15
samen, kleinen Zügen wie einen köstlichen Trank, und mit desto reinerem
Wohlbehagen, da alle widrige gehässige Leidenschaften wie Mißtöne von
der sanften harmonischen Stimmung verscheucht wurden, die in allen Gemütern herrschend war. Frieden der Seele und innres seliges Anschauen
einer selbst geschaffenen, glücklichen Welt war das Eigentum dieser wunder- 20
baren Zeit geworden, und die Zwietracht erschien nur in den alten Sagen
der Dichter, als eine ehmalige Feindin der Menschen. Es schien, als hätten
die Geister des Gesanges ihrem Beschützer kein lieblicheres Zeichen der
Dankbarkeit geben können, als seine Tochter, die alles besaß, was die süßeste
Einbildungskraft nur in der zarten Gestalt eines Mädchens vereinigen 25
konnte. Wenn man sie an den schönen Festen unter einer Schar reizender
Gespielen, im weißen glänzenden Gewande erblickte, wie sie den Wett-
gesängen der begeisterten Sänger mit tiefem Lauschen zuhörte, und errötend einen duftenden Kranz auf die Locken des Glücklichen drückte, dessen
Lied den Preis gewonnen hatte: so hielt man sie für die sichtbare Seele 30
jener herrlichen Kunst, die jene Zaubersprüche beschworen hätten, und hörte
auf sich über die Entzückungen und Melodien der Dichter zu wundern.

Mitten in diesem irdischen Paradiese schien jedoch ein geheimnisvolles
Schicksal zu schweben. Die einzige Sorge der Bewohner dieser Gegenden
betraf die Vermählung der aufblühenden Prinzessin, von der die Fort- 35
dauer dieser seligen Zeiten und das Verhängnis des ganzen Landes abhing.

Der König ward immer älter. Ihm selbst schien diese Sorge lebhaft am
Herzen zu liegen, und doch zeigte sich keine Aussicht zu einer Vermählung
für sie, die allen Wünschen angemessen gewesen wäre. Die heilige Ehrfurcht
für das königliche Haus erlaubte keinem Untertan, an die Möglichkeit
5 zu denken, die Prinzessin zu besitzen. Man betrachtete sie wie ein über-
irdisches Wesen, und alle Prinzen aus andern Ländern, die sich mit Ansprüchen auf sie am Hofe gezeigt hatten, schienen so tief unter ihr zu sein,
daß kein Mensch auf den Einfall kam, die Prinzessin oder der König werde
die Augen auf einen unter ihnen richten. Das Gefühl des Abstandes hatte
10 sie auch allmählich alle verscheucht, und das ausgesprengte Gerücht des aus-
schweifenden Stolzes dieser königlichen Familie schien andern alle Lust
zu benehmen, sich ebenfalls gedemütigt zu sehn. Ganz ungegründet war
auch dieses Gerücht nicht. Der König war bei aller Milde beinah unwillkürlich in ein Gefühl der Erhabenheit geraten, was ihm jeden Gedanken
15 an die Verbindung seiner Tochter mit einem Manne von niedrigerem
Stande und dunklerer Herkunft unmöglich oder unerträglich machte. Ihr
hoher, einziger Wert hatte jenes Gefühl in ihm immer mehr bestätigt.
Er war aus einer uralten morgenländischen Königsfamilie entsprossen.
Seine Gemahlin war der letzte Zweig der Nachkommenschaft des berühm-
20 ten Helden Rustan gewesen. Seine Dichter hatten ihm unaufhörlich von
seiner Verwandtschaft mit den ehemaligen übermenschlichen Beherrschern
der Welt vorgesungen, und in dem Zauberspiegel ihrer Kunst war ihm der
Abstand seiner Herkunft von dem Ursprunge der andern Menschen, die
Herrlichkeit seines Stammes noch heller erschienen, so daß es ihn dünkte,
25 nur durch die edlere Klasse der Dichter mit dem übrigen Menschengeschlechte
zusammenzuhängen. Vergebens sah er sich mit voller Sehnsucht nach einem
zweiten Rustan um, indem er fühlte, daß das Herz seiner aufblühenden
Tochter, der Zustand seines Reichs, und sein zunehmendes Alter ihre Vermählung in aller Absicht sehr wünschenswert machten.
30   Nicht weit von der Hauptstadt lebte auf einem abgelegenen Landgute
ein alter Mann, der sich ausschließlich mit der Erziehung seines einzigen
Sohnes beschäftigte, und nebenher den Landleuten in wichtigen Krankheiten
Rat erteilte. Der junge Mensch war ernst und ergab sich einzig der Wissenschaft der Natur, in welcher ihn sein Vater von Kindheit auf unterrichtete.
35 Aus fernen Gegenden war der Alte vor mehreren Jahren in dies friedliche
und blühende Land gezogen, und begnügte sich den wohltätigen Frieden, den

der König um sich verbreitete, in der Stille zu genießen. Er benutzte sie, die
Kräfte der Natur zu erforschen, und diese hinreißenden Kenntnisse seinem
Sohne mitzuteilen, der viel Sinn dafür verriet und dessen tiefem Gemüt
die Natur bereitwillig ihre Geheimnisse anvertraute. Die Gestalt des jungen
Menschen schien gewöhnlich und unbedeutend, wenn man nicht einen höhern 5
Sinn für die geheimere Bildung seines edlen Gesichts und die ungewöhnliche
Klarheit seiner Augen mitbrachte. Je länger man ihn ansah, desto anziehender ward er, und man konnte sich kaum wieder von ihm trennen,
wenn man seine sanfte, eindringende Stimme und seine anmutige Gabe
zu sprechen hörte. Eines Tages hatte die Prinzessin, deren Lustgärten an 10
den Wald stießen, der das Landgut des Alten in einem kleinen Tale verbarg, sich allein zu Pferde in den Wald begeben, um desto ungestörter ihren
Phantasien nachhängen und einige schöne Gesänge sich wiederholen zu
können. Die Frische des hohen Waldes lockte sie immer tiefer in seine
Schatten, und so kam sie endlich an das Landgut, wo der Alte mit seinem 15
Sohne lebte. Es kam ihr die Lust an, Milch zu trinken, sie stieg ab, band
ihr Pferd an einen Baum, und trat in das Haus, um sich einen Trunk
Milch auszubitten. Der Sohn war gegenwärtig, und erschrak beinah über
diese zauberhafte Erscheinung eines majestätischen weiblichen Wesens, das
mit allen Reizen der Jugend und Schönheit geschmückt, und von einer 20
unbeschreiblich anziehenden Durchsichtigkeit der zartesten, unschuldigsten und
edelsten Seele beinah vergöttlicht wurde. Während er eilte ihre wie Geister-
gesang tönende Bitte zu erfüllen, trat ihr der Alte mit bescheidner Ehrfurcht
entgegen, und lud sie ein, an dem einfachen Herde, der mitten im Hause
stand, und auf welchem eine leichte blaue Flamme ohne Geräusch empor- 25
spielte, Platz zu nehmen. Es fiel ihr, gleich beim Eintritt, der mit tausend
seltenen Sachen gezierte Hausraum, die Ordnung und Reinlichkeit des
Ganzen, und eine seltsame Heiligkeit des Ortes auf, deren Eindruck noch
durch den schlicht gekleideten ehrwürdigen Greis und den bescheidnen Anstand
des Sohnes erhöhet wurde. Der Alte hielt sie gleich für eine zum Hof 30
gehörige Person, wozu ihre kostbare Tracht, und ihr edles Betragen ihm
Anlaß genug gab. Während der Abwesenheit des Sohnes befragte sie ihn
um einige Merkwürdigkeiten, die ihr vorzüglich in die Augen fielen, worunter
besonders einige alte, sonderbare Bilder waren, die neben ihrem Sitze auf
dem Herde standen, und er war bereitwillig sie auf eine anmutige Art damit 35
bekannt zu machen. Der Sohn kam bald mit einem Kruge voll frischer

Milch zurück, und reichte ihr denselben mit ungekünsteltem und ehrfurchts-
vollem Wesen. Nach einigen anziehenden Gesprächen mit beiden, dankte sie
auf die lieblichste Weise für die freundliche Bewirtung, bat errötend den
Alten um die Erlaubnis wiederkommen, und seine lehrreichen Gespräche
5 über die vielen wunderbaren Sachen genießen zu dürfen, und ritt zurück,
ohne ihren Stand verraten zu haben, da sie merkte, daß Vater und Sohn
sie nicht kannten. Ohnerachtet die Hauptstadt so nahe lag, hatten beide, in
ihre Forschungen vertieft, das Gewühl der Menschen zu vermeiden gesucht,
und es war dem Jüngling nie eine Lust angekommen, den Festen des Hofes
10 beizuwohnen; besonders da er seinen Vater höchstens auf eine Stunde zu
verlassen pflegte, um zuweilen im Walde nach Schmetterlingen, Käfern und
Pflanzen umherzugehn, und die Eingebungen des stillen Naturgeistes durch
den Einfluß seiner mannigfaltigen äußeren Lieblichkeiten zu vernehmen.
Dem Alten, der Prinzessin und dem Jüngling war die einfache Begebenheit
15 des Tages gleich wichtig. Der Alte hatte leicht den neuen tiefen Eindruck
bemerkt, den die Unbekannte auf seinen Sohn machte. Er kannte diesen
genug, um zu wissen, daß jeder tiefe Eindruck bei ihm ein lebenslänglicher
sein würde. Seine Jugend und die Natur seines Herzens mußten die erste
Empfindung dieser Art zur unüberwindlichen Neigung machen. Der Alte
20 hatte lange eine solche Begebenheit herannahen sehen. Die hohe Liebens-
würdigkeit der Erscheinung flößte ihm unwillkürlich eine innige Teilnahme
ein, und sein zuversichtliches Gemüt entfernte alle Besorgnisse über die Entwickelung dieses sonderbaren Zufalls. Die Prinzessin hatte sich nie in einem
ähnlichen Zustande befunden, wie der war, in welchem sie langsam nach
25 Hause ritt. Es konnte vor der einzigen helldunklen wunderbar beweglichen
Empfindung einer neuen Welt, kein eigentlicher Gedanke in ihr entstehen.
Ein magischer Schleier dehnte sich in weiten Falten um ihr klares Bewußtsein. Es war ihr, als würde sie sich, wenn er aufgeschlagen würde, in einer
überirdischen Welt befinden. Die Erinnerung an die Dichtkunst, die bisher
30 ihre ganze Seele beschäftigt hatte, war zu einem fernen Gesange geworden,
der ihren seltsam lieblichen Traum mit den ehemaligen Zeiten verband. Wie
sie zurück in den Palast kam, erschrak sie beinah über seine Pracht und sein
buntes Leben, noch mehr aber bei der Bewillkommnung ihres Vaters, dessen
Gesicht zum ersten Male in ihrem Leben eine scheue Ehrfurcht in ihr erregte.
35 Es schien ihr eine unabänderliche Notwendigkeit, nichts von ihrem Abenteuer
zu erwähnen. Man war ihre schwärmerische Ernsthaftigkeit, ihren in Phan-

tasten und tiefes Sinnen verlornen Blick schon zu gewohnt, um etwas Außer-
ordentliches darin zu bemerken. Es war ihr jetzt nicht mehr so lieblich zumute;
sie schien sich unter lauter Fremden, und eine sonderbare Bänglichkeit begleitete sie bis an den Abend, wo das frohe Lied eines Dichters, der die Hoffnung
pries, und von den Wundern des Glaubens an die Erfüllung unsrer Wünsche 5
mit hinreißender Begeisterung sang, sie mit süßem Trost erfüllte und in die
angenehmsten Träume wiegte. Der Jüngling hatte sich gleich nach ihrem Abschiede in den Wald verloren. An der Seite des Weges war er in Gebüschen
bis an die Pforten des Gartens ihr gefolgt, und dann auf dem Wege zurück-
gegangen. Wie er so ging, sah er zu seinen Füßen einen hellen Glanz. Er 10
bückte sich danach und hob einen dunkelroten Stein auf, der auf einer Seite
außerordentlich funkelte, und auf der andern eingegrabene unverständliche
Chiffern zeigte. Er erkannte ihn für einen kostbaren Karfunkel, und glaubte
ihn in der Mitte des Halsbandes an der Unbekannten bemerkt zu haben.
Er eilte mit beflügelten Schritten nach Hause, als wäre sie noch dort, und 15
brachte den Stein seinem Vater. Sie wurden einig, daß der Sohn den
andern Morgen auf dem Weg zurückgehn und warten sollte, ob der Stein
gesucht würde, wo er ihn dann zurückgeben könnte; sonst wollten sie ihn bis
zu einem zweiten Besuche der Unbekannten aufheben, um ihr selbst ihn zu
überreichen. Der Jüngling betrachtete fast die ganze Nacht den Karfunkel 20
und fühlte gegen Morgen ein unwiderstehliches Verlangen, einige Worte
auf den Zettel zu schreiben, in welchen er den Stein einwickelte. Er wußte
selbst nicht genau, was er sich bei den Worten dachte, die er hinschrieb.

> Es ist dem Stein ein rätselhaftes Zeichen
> Tief eingegraben in sein glühend Blut,   25
> Er ist mit einem Herzen zu vergleichen,
> In dem das Bild der Unbekannten ruht.
> Man sieht um jenen tausend Funken streichen,
> Um dieses woget eine lichte Flut.
> In jenem liegt des Glanzes Licht begraben,   30
> Wird dieses auch das Herz des Herzens haben?

Kaum daß der Morgen anbrach, so begab er sich schon auf den Weg, und
eilte der Pforte des Gartens zu.

Unterdessen hatte die Prinzessin abends beim Auskleiden den teuren Stein
in ihrem Halsbande vermißt, der ein Andenken ihrer Mutter und noch dazu 35

ein Talisman war, dessen Besitz ihr die Freiheit ihrer Person sicherte, indem
sie damit nie in fremde Gewalt ohne ihren Willen geraten konnte.

Dieser Verlust befremdete sie mehr, als daß er sie erschreckt hätte. Sie
erinnerte sich, ihn gestern bei dem Spazierritt noch gehabt zu haben, und
5 glaubte fest, daß er entweder im Hause des Alten, oder auf dem Rückwege
im Walde verlorengegangen sein müsse; der Weg war ihr noch in frischem
Andenken, und so beschloß sie gleich früh den Stein aufzusuchen, und ward
bei diesem Gedanken so heiter, daß es fast das Ansehn gewann, als sei sie
gar nicht unzufrieden mit dem Verluste, weil er Anlaß gäbe jenen Weg
10 sogleich noch einmal zu machen. Mit dem Tage ging sie durch den Garten
nach dem Walde, und weil sie eilfertiger ging als gewöhnlich, so fand sie
es ganz natürlich, daß ihr das Herz lebhaft schlug, und ihr die Brust be-
klomm. Die Sonne fing eben an, die Wipfel der alten Bäume zu vergolden,
die sich mit sanftem Flüstern bewegten, als wollten sie sich gegenseitig aus
15 nächtlichen Gesichtern erwecken, um die Sonne gemeinschaftlich zu begrüßen,
als die Prinzessin durch ein fernes Geräusch veranlaßt, den Weg hinunter
und den Jüngling auf sich zueilen sah, der in demselben Augenblick ebenfalls
sie bemerkte.

Wie angefesselt blieb er eine Weile stehn, und blickte unverwandt sie an,
20 gleichsam um sich zu überzeugen, daß ihre Erscheinung wirklich und keine
Täuschung sei. Sie begrüßten sich mit einem zurückgehaltenen Ausdruck von
Freude, als hätten sie sich schon lange gekannt und geliebt. Noch ehe die
Prinzessin die Ursache ihres frühen Spazierganges ihm entdecken konnte,
überreichte er ihr mit Erröten und Herzklopfen den Stein in dem beschrieve-
25 nen Zettel. Es war, als ahndete die Prinzessin den Inhalt der Zeilen. Sie
nahm ihn stillschweigend mit zitternder Hand und hing ihm zur Belohnung
für seinen glücklichen Fund beinah unwillkürlich eine goldne Kette um, die
sie um den Hals trug. Beschämt kniete er vor ihr und konnte, da sie sich
nach seinem Vater erkundigte, einige Zeit keine Worte finden. Sie sagte
30 ihm halbleise, und mit niedergeschlagenen Augen, daß sie bald wieder zu
ihnen kommen, und die Zusage des Vaters sie mit seinen Seltenheiten bekannt zu machen, mit vieler Freude benutzen würde.

Sie dankte dem Jünglinge noch einmal mit ungewöhnlicher Innigkeit und
ging hierauf langsam, ohne sich umzusehen, zurück. Der Jüngling konnte kein
35 Wort vorbringen. Er neigte sich ehrfurchtsvoll und sah ihr lange nach, bis
sie hinter den Bäumen verschwand. Nach dieser Zeit vergingen wenig Tage

bis zu ihrem zweiten Besuche, dem bald mehrere folgten. Der Jüngling ward
unvermerkt ihr Begleiter bei diesen Spaziergängen. Er holte sie zu bestimmten Stunden am Garten ab, und brachte sie dahin zurück. Sie beobachtete
ein unverbrüchliches Stillschweigen über ihren Stand, so zutraulich sie auch
sonst gegen ihren Begleiter wurde, dem bald kein Gedanke in ihrer himm- 5
lischen Seele verborgen blieb. Es war, als flößte ihr die Erhabenheit ihrer
Herkunft eine geheime Furcht ein. Der Jüngling gab ihr ebenfalls seine
ganze Seele. Vater und Sohn hielten sie für ein vornehmes Mädchen vom
Hofe. Sie hing an dem Alten mit der Zärtlichkeit einer Tochter. Ihre Liebkosungen gegen ihn waren die entzückenden Vorboten ihrer Zärtlichkeit gegen 10
den Jüngling. Sie ward bald einheimisch in dem wunderbaren Hause; und
wenn sie dem Alten und dem Sohne, der zu ihren Füßen saß, auf ihrer Laute
reizende Lieder mit einer überirdischen Stimme vorsang, und letzteren in
dieser lieblichen Kunst unterrichtete: so erfuhr sie dagegen von seinen begeisterten Lippen die Enträtselung der überall verbreiteten Naturgeheim- 15
nisse. Er lehrte ihr, wie durch wundervolle Sympathie die Welt entstanden
sei, und die Gestirne sich zu melodischen Reigen vereinigt hätten. Die Geschichte der Vorwelt ging durch seine heiligen Erzählungen in ihrem Gemüt
auf; und wie entzückt war sie, wenn ihr Schüler, in der Fülle seiner Eingebungen, die Laute ergriff und mit unglaublicher Gelehrigkeit in die wunder- 20
vollsten Gesänge ausbrach. Eines Tages, wo ein besonders kühner Schwung
sich seiner Seele in ihrer Gesellschaft bemächtigt hatte, und die mächtige
Liebe auf dem Rückwege ihre jungfräuliche Zurückhaltung mehr als gewöhnlich überwand, so daß sie beide ohne selbst zu wissen wie einander in
die Arme sanken, und der erste glühende Kuß sie auf ewig zusammenschmelzte, 25
fing mit einbrechender Dämmerung ein gewaltiger Sturm in den Gipfeln
der Bäume plötzlich zu toben an. Drohende Wetterwolken zogen mit tiefem
nächtlichen Dunkel über sie her. Er eilte sie in Sicherheit vor dem fürchterlichen Ungewitter und den brechenden Bäumen zu bringen: aber er verfehlte
in der Nacht und voll Angst wegen seiner Geliebten den Weg, und geriet 30
immer tiefer in den Wald hinein. Seine Angst wuchs, wie er seinen Irrtum
bemerkte. Die Prinzessin dachte an das Schrecken des Königs und des Hofes;
eine unnennbare Ängstlichkeit fuhr zuweilen, wie ein zerstörender Strahl,
durch ihre Seele, und nur die Stimme ihres Geliebten, der ihr unaufhörlich Trost zusprach, gab ihr Mut und Zutrauen zurück, und erleichterte ihre 35
beklommne Brust. Der Sturm wütete fort; alle Bemühungen den Weg

zu finden waren vergeblich, und sie priesen sich beide glücklich, bei der Erleuchtung eines Blitzes eine nahe Höhle an dem steilen Abhang eines waldi-
gen Hügels zu entdecken, wo sie eine sichere Zuflucht gegen die Gefahren
des Ungewitters zu finden hofften, und eine Ruhestätte für ihre erschöpften
5 Kräfte. Das Glück begünstigte ihre Wünsche. Die Höhle war trocken und
mit reinlichem Moose bewachsen. Der Jüngling zündete schnell ein Feuer
von Reisern und Moos an, woran sie sich trocknen konnten, und die beiden
Liebenden sahen sich nun auf eine wunderbare Weise von der Welt entfernt,
aus einem gefahrvollen Zustande gerettet, und auf einem bequemen, warmen
10 Lager allein nebeneinander.

   Ein wilder Mandelstrauch hing mit Früchten beladen in die Höhle hinein,
und ein nahes Rieseln ließ sie frisches Wasser zur Stillung ihres Durstes
finden. Die Laute hatte der Jüngling mitgenommen, und sie gewährte ihnen
jetzt eine aufheiternde und beruhigende Unterhaltung bei dem knisternden
15 Feuer. Eine höhere Macht schien den Knoten schneller lösen zu wollen, und
brachte sie unter sonderbaren Umständen in diese romantische Lage. Die Unschuld ihrer Herzen, die zauberhafte Stimmung ihrer Gemüter, und die
verbundene unwiderstehliche Macht ihrer süßen Leidenschaft und ihrer
Jugend ließ sie bald die Welt und ihre Verhältnisse vergessen, und wiegte
20 sie unter dem Brautgesange des Sturms und den Hochzeitfackeln der Blitze
in den süßesten Rausch ein, der je ein sterbliches Paar beseligt haben mag.
Der Anbruch des lichten blauen Morgens war für sie das Erwachen in einer
neuen seligen Welt. Ein Strom heißer Tränen, der jedoch bald aus den
Augen der Prinzessin hervorbrach, verriet ihrem Geliebten die erwachenden
25 tausendfachen Bekümmernisse ihres Herzens. Er war in dieser Nacht um
mehrere Jahre älter, aus einem Jünglinge zum Manne geworden. Mit
überschwenglicher Begeisterung tröstete er seine Geliebte, erinnerte sie an
die Heiligkeit der wahrhaften Liebe, und an den hohen Glauben, den sie
einflöße, und bat sie, die heiterste Zukunft von dem Schutzgeist ihres Her-
30 zens mit Zuversicht zu erwarten. Die Prinzessin fühlte die Wahrheit seines
Trostes, und entdeckte ihm, sie sei die Tochter des Königs, und nur bange
wegen des Stolzes und der Bekümmernisse ihres Vaters. Nach langen reif-
lichen Überlegungen wurden sie über die zu fassende Entschließung einig,
und der Jüngling machte sich sofort auf den Weg, um seinen Vater aufzu-
35 suchen, und diesen mit ihrem Plane bekannt zu machen. Er versprach in
kurzem wieder bei ihr zu sein, und verließ sie beruhigt und in süßen Vor-

stellungen der künftigen Entwickelung dieser Begebenheiten. Der Jüngling
hatte bald seines Vaters Wohnung erreicht, und der Alte war sehr erfreut,
ihn unverletzt ankommen zu sehen. Er erfuhr nun die Geschichte und den
Plan der Liebenden, und bezeigte sich nach einigem Nachdenken bereitwillig
ihn zu unterstützen. Sein Haus lag ziemlich versteckt, und hatte einige unter- 5
irdische Zimmer, die nicht leicht aufzufinden waren. Hier sollte die Wohnung
der Prinzessin sein. Sie ward also in der Dämmerung abgeholt, und mit
tiefer Rührung von dem Alten empfangen. Sie weinte nachher oft in der
Einsamkeit, wenn sie ihres traurigen Vaters gedachte: doch verbarg sie ihren
Kummer vor ihrem Geliebten, und sagte es nur dem Alten, der sie freund- 10
lich tröstete, und ihr die nahe Rückkehr zu ihrem Vater vorstellte.

Unterdes war man am Hofe in große Bestürzung geraten, als abends die
Prinzessin vermißt wurde. Der König war ganz außer sich, und schickte
überall Leute aus, sie zu suchen. Kein Mensch wußte sich ihr Verschwinden
zu erklären. Keinem kam ein heimliches Liebesverständnis in die Gedanken, 15
und so ahndete man keine Entführung, da ohnedies kein Mensch weiter
fehlte. Auch nicht zu der entferntesten Vermutung war Grund da. Die aus-
geschickten Boten kamen unverrichteter Sache zurück, und der König fiel in
tiefe Traurigkeit. Nur wenn abends seine Sänger vor ihn kamen und
schöne Lieder mitbrachten, war es, als ließe sich die alte Freude wieder vor 20
ihm blicken; seine Tochter dünkte ihm nah, und er schöpfte Hoffnung, sie
bald wiederzusehen. War er aber wieder allein, so zerriß es ihm von neuem
das Herz und er weinte laut. Dann gedachte er bei sich selbst: Was hilft
mir nun alle die Herrlichkeit, und meine hohe Geburt? Nun bin ich doch
elender als die andern Menschen. Meine Tochter kann mir nichts ersetzen. 25
Ohne sie sind auch die Gesänge nichts, als leere Worte und Blendwerk. Sie
war der Zauber, der ihnen Leben und Freude, Macht und Gestalt gab.
Wollt' ich doch lieber, ich wäre der geringste meiner Diener. Dann hätte
ich meine Tochter noch; auch wohl einen Eidam dazu und Enkel, die mir auf
den Knien säßen: dann wäre ich ein anderer König als jetzt. Es ist nicht die 30
Krone und das Reich, was einen König macht. Es ist jenes volle, überfließende Gefühl der Glückseligkeit, der Sättigung mit irdischen Gütern,
jenes Gefühl der überschwenglichen Gnüge. So werd' ich nun für meinen
Übermut bestraft. Der Verlust meiner Gattin hat mich noch nicht genug
erschüttert. Nun hab' ich auch ein grenzenloses Elend. So klagte der König 35
in den Stunden der heißesten Sehnsucht. Zuweilen brach auch seine alte

Strenge und sein Stolz wieder hervor. Er zürnte über seine Klagen; wie
ein König wollte er dulden und schweigen. Er meinte dann, er leide mehr,
als alle anderen, und gehöre ein großer Schmerz zum Königtum; aber wenn
es dann dämmerte, und er in die Zimmer seiner Tochter trat, und sah ihre
5 Kleider hängen, und ihre kleinern Habseligkeiten stehn, als habe sie eben
das Zimmer verlassen: so vergaß er seine Vorsätze, gebärdete sich wie ein
trübseliger Mensch, und rief seine geringsten Diener um Mitleid an. Die
ganze Stadt und das ganze Land weinten und klagten von ganzem Herzen
mit ihm. Sonderlich war es, daß eine Sage umherging, die Prinzessin lebe
10 noch, und werde bald mit einem Gemahl wiederkommen. Kein Mensch
wußte, woher die Sage kam: aber alles hing sich mit frohem Glauben daran,
und sah mit ungeduldiger Erwartung ihrer baldigen Wiederkunft entgegen.
So vergingen mehrere Monden, bis das Frühjahr wieder herankam. ‚Was
gilt’s‘, sagten einige in wunderlichem Mute, ‚nun kommt auch die Prin-
15 zessin wieder.‘ Selbst der König ward heit’rer und hoffnungsvoller. Die
Sage dünkte ihm wie die Verheißung einer gütigen Macht. Die ehemaligen
Feste fingen wieder an, und es schien zum völligen Aufblühen der alten
Herrlichkeit nur noch die Prinzessin zu fehlen. Eines Abends, da es gerade
jährig wurde, daß sie verschwand, war der ganze Hof im Garten versammelt.
20 Die Luft war warm und heiter; ein leiser Wind tönte nur oben in den alten
Wipfeln, wie die Ankündigung eines fernen fröhlichen Zuges. Ein mächtiger
Springquell stieg zwischen den vielen Fackeln mit zahllosen Lichtern hinauf
in die Dunkelheit der tönenden Wipfel, und begleitete mit melodischem
Plätschern die mannigfaltigen Gesänge, die unter den Bäumen hervor-
25 klangen. Der König saß auf einem köstlichen Teppich, und um ihn her war
der Hof in festlichen Kleidern versammelt. Eine zahlreiche Menge erfüllte
den Garten, und umgab das prachtvolle Schauspiel. Der König saß eben in
tiefen Gedanken. Das Bild seiner verlornen Tochter stand mit ungewöhnlicher Klarheit vor ihm; er gedachte der glücklichen Tage, die um diese Zeit
30 im vergangenen Jahre ein plötzliches Ende nahmen. Eine heiße Sehnsucht
übermannte ihn, und es flossen häufige Tränen von seinen ehrwürdigen
Wangen; doch empfand er eine ungewöhnliche Heiterkeit. Es dünkte ihm
das traurige Jahr nur ein schwerer Traum zu sein, und er hob die Augen
auf, gleichsam um ihre hohe, heilige, entzückende Gestalt unter den Menschen
35 und den Bäumen aufzusuchen. Eben hatten die Dichter geendigt, und eine
tiefe Stille schien das Zeichen der allgemeinen Rührung zu sein, denn die

Dichter hatten die Freuden des Wiedersehns, den Frühling und die Zukunft
besungen, wie sie die Hoffnung zu schmücken pflegt.

Plötzlich wurde die Stille durch leise Laute einer unbekannten schönen
Stimme unterbrochen, die von einer uralten Eiche herzukommen schienen.
Alle Blicke richteten sich dahin, und man sah einen Jüngling in einfacher,
aber fremder Tracht stehen, der eine Laute im Arm hielt, und ruhig in
seinem Gesange fortfuhr, indem er jedoch, wie der König seinen Blick nach
ihm wandte, eine tiefe Verbeugung machte. Die Stimme war außerordentlich schön, und der Gesang trug ein fremdes, wunderbares Gepräge. Er
handelte von dem Ursprunge der Welt, von der Entstehung der Gestirne,
der Pflanzen, Tiere und Menschen, von der allmächtigen Sympathie der
Natur, von der uralten goldenen Zeit und ihren Beherrscherinnen, der Liebe
und Poesie, von der Erscheinung des Hasses und der Barbarei und ihren
Kämpfen mit jenen wohltätigen Göttinnen, und endlich von dem zukünf-
tigen Triumph der letztern, dem Ende der Trübsale, der Verjüngung der
Natur und der Wiederkehr eines ewigen goldenen Zeitalters. Die alten Dichter traten selbst von Begeisterung hingerissen, während des Gesanges näher
um den seltsamen Fremdling her. Ein niegefühltes Entzücken ergriff die
Zuschauer, und der König selbst fühlte sich wie auf einem Strom des Himmels weggetragen. Ein solcher Gesang war nie vernommen worden, und alle
glaubten, ein himmlisches Wesen sei unter ihnen erschienen, besonders da
der Jüngling unterm Singen immer schöner, immer herrlicher und seine
Stimme immer gewaltiger zu werden schien. Die Luft spielte mit seinen
goldenen Locken. Die Laute schien sich unter seinen Händen zu beseelen, und
sein Blick schien trunken in eine geheimere Welt hinüberzuschauen. Auch die
Kinderunschuld und Einfalt seines Gesichts schien allen übernatürlich. Nun
war der herrliche Gesang geendigt. Die bejahrten Dichter drückten den
Jüngling mit Freudentränen an ihre Brust. Ein stilles inniges Jauchzen
ging durch die Versammlung. Der König kam gerührt auf ihn zu. Der
Jüngling warf sich ihm bescheiden zu Füßen. Der König hob ihn auf, umarmte ihn herzlich, und hieß ihn sich eine Gabe ausbitten. Da bat er mit
glühenden Wangen den König, noch ein Lied gnädig anzuhören, und dann
über seine Bitte zu entscheiden. Der König trat einige Schritte zurück
und der Fremdling fing an:

Der Sänger geht auf rauhen Pfaden,
Zerreißt in Dornen sein Gewand;
Er muß durch Fluß und Sümpfe baden,
Und keins reicht hilfreich ihm die Hand.
5 Einsam und pfadlos fließt in Klagen
Jetzt über sein ermattet Herz;
Er kann die Laute kaum noch tragen,
Ihn übermannt ein tiefer Schmerz.

‚Ein traurig Los ward mir beschieden,
10 Ich irre ganz verlassen hier,
Ich brachte allen Lust und Frieden,
Doch keiner teilte sie mit mir.
Es wird ein jeder seiner Habe
Und seines Lebens froh durch mich;
15 Doch weisen sie mit karger Gabe
Des Herzens Forderung von sich.

Man läßt mich ruhig Abschied nehmen,
Wie man den Frühling wandern sieht;
Es wird sich keiner um ihn grämen,
20 Wenn er betrübt von dannen zieht.
Verlangend sehn sie nach den Früchten,
Und wissen nicht, daß er sie sät;
Ich kann den Himmel für sie dichten,
Doch meiner denkt nicht ein Gebet.

25 Ich fühle dankbar Zaubermächte
An diese Lippen festgebannt.
Oh! knüpfte nur an meine Rechte
Sich auch der Liebe Zauberband.
Es kümmert keine sich des Armen,
30 Der dürftig aus der Ferne kam;
Welch Herz wird sein sich noch erbarmen
Und lösen seinen tiefen Gram?'

Er sinkt im hohen Grase nieder,
Und schläft mit nassen Wangen ein;
35 Da schwebt der hohe Geist der Lieder
In die beklemmte Brust hinein:
‚Vergiß anjetzt, was du gelitten,
In kurzem schwindet deine Last,
Was du umsonst gesucht in Hütten,
40 Das wirst du finden im Palast.

Du nahst dem höchsten Erdenlohne,
Bald endigt der verschlungne Lauf;
Der Myrtenkranz wird eine Krone,
Dir setzt die treuste Hand sie auf.
45 Ein Herz voll Einklang ist berufen
Zur Glorie um einen Thron;
Der Dichter steigt auf rauhen Stufen
Hinan und wird des Königs Sohn.'

So weit war er in seinem Gesange gekommen, und ein sonderbares Er-
50 staunen hatte sich der Versammlung bemächtigt, als während dieser Strophen
ein alter Mann mit einer verschleierten weiblichen Gestalt von edlem
Wuchse, die ein wunderschönes Kind auf dem Arme trug, das freundlich in
der fremden Versammlung umhersah, und lächelnd nach dem blitzenden
Diadem des Königs die kleinen Händchen streckte, zum Vorschein kamen,
55 und sich hinter den Sänger stellten; aber das Staunen wuchs, als plötzlich
aus den Gipfeln der alten Bäume, der Lieblingsadler des Königs, den er
immer um sich hatte, mit einer goldenen Stirnbinde, die er aus seinen Zim-
mern entwandt haben mußte, herabflog, und sich auf das Haupt des Jünglings niederließ, so daß die Binde sich um seine Locken schlug. Der Fremd-
60 ling erschrak einen Augenblick; der Adler flog an die Seite des Königs,

und ließ die Binde zurück. Der Jüngling reichte sie dem Kinde, das darnach
verlangte, ließ sich auf ein Knie gegen den König nieder, und fuhr in seinem
Gesange mit bewegter Stimme fort:

Der Sänger fährt aus schönen Träumen	Die Tochter reicht in goldnen Locken	
Mit froher Ungeduld empor; 5	Den Enkel von der Brust ihm hin; 25	
Er wandelt unter hohen Bäumen	Sie sinken reuig und erschrocken,	
Zu des Palastes ehrnem Tor.	Und mild zergeht sein strenger Sinn.	
Die Mauern sind wie Stahl geschliffen,		
Doch sie erklimmt sein Lied geschwind,	Der Liebe weicht und dem Gesange	
Es steigt von Lieb' und Weh ergriffen 10	Auch auf dem Thron ein Vaterherz,	
Zu ihm hinab des Königs Kind.	Und wandelt bald in süßem Drange 30	
	Zu ew'ger Lust den tiefen Schmerz.	
Die Liebe drückt sie fest zusammen,	Die Liebe gibt, was sie entrissen,	
Der Klang der Panzer treibt sie fort;	Mit reichem Wucher bald zurück,	
Sie lodern auf in süßen Flammen,	Und unter den Versöhnungsküssen	
Im nächtlich stillen Zufluchtsort. 15	Entfaltet sich ein himmlisch Glück. 35	
Sie halten furchtsam sich verborgen,		
Weil sie der Zorn des Königs schreckt;	Geist des Gesangs, komm du hernieder,	
Und werden nun von jedem Morgen	Und steh auch jetzt der Liebe bei;	
Zu Schmerz und Lust zugleich erweckt.	Bring die verlorne Tochter wieder,	
	Daß ihr der König Vater sei! —	
Der Sänger spricht mit sanften Klängen	Daß er mit Freuden sie umschließet, 40	
Der neuen Mutter Hoffnung ein; 21	Und seines Enkels sich erbarmt,	
Da tritt, gelockt von den Gesängen,	Und wenn das Herz ihm überfließet,	
Der König in die Kluft hinein.	Den Sänger auch als Sohn umarmt.	

Der Jüngling hob mit bebender Hand bei diesen Worten, die sanft in
den dunklen Gängen verhallten, den Schleier. Die Prinzessin fiel mit einem   45
Strom von Tränen zu den Füßen des Königs, und hielt ihm das schöne
Kind hin. Der Sänger kniete mit gebeugtem Haupte an ihrer Seite. Eine
ängstliche Stille schien jeden Atem festzuhalten. Der König war einige
Augenblicke sprachlos und ernst; dann zog er die Prinzessin an seine Brust,
drückte sie lange fest an sich und weinte laut. Er hob nun auch den Jüngling 50
zu sich auf, und umschloß ihn mit herzlicher Zärtlichkeit. Ein helles Jauchzen
flog durch die Versammlung, die sich dicht zudrängte. Der König nahm das
Kind und reichte es mit rührender Andacht gen Himmel; dann begrüßte er
freundlich den Alten. Unendliche Freudentränen flossen. In Gesänge brachen
die Dichter aus, und der Abend ward ein heiliger Vorabend dem ganzen   55

Lande, dessen Leben fortan nur ein schönes Fest war. Kein Mensch weiß,
wo das Land hingekommen ist. Nur in Sagen heißt es, daß Atlantis von
mächtigen Fluten den Augen entzogen worden sei."

Viertes Kapitel

5   Einige Tagereisen waren ohne die mindeste Unterbrechung geendigt. Der
Weg war fest und trocken, die Witterung erquickend und heiter, und die
Gegenden, durch die sie kamen, fruchtbar, bewohnt und mannigfaltig. Der
furchtbare Thüringer Wald lag im Rücken; die Kaufleute hatten den Weg
öfterer gemacht, waren überall mit den Leuten bekannt, und erfuhren die
10 gastfreiste Aufnahme. Sie vermieden die abgelegenen und durch Räubereien
bekannten Gegenden, und nahmen, wenn sie ja gezwungen waren, solche zu
durchreisen, ein hinlängliches Geleite mit. Einige Besitzer benachbarter
Bergschlösser standen mit den Kaufleuten in gutem Vernehmen. Sie wurden besucht und bei ihnen nachgefragt, ob sie Bestellungen nach Augsburg
15 zu machen hätten. Eine freundliche Bewirtung ward ihnen zuteil, und die
Frauen und Töchter drängten sich mit herzlicher Neugier um die Fremdlinge. Heinrichs Mutter gewann sie bald durch ihre gutmütige Bereitwillig-
keit und Teilnahme. Man war erfreut eine Frau aus der Residenzstadt zu
sehn, die ebenso willig die Neuigkeiten der Mode, als die Zubereitung einiger
20 schmackhafter Schüsseln mitteilte. Der junge Ofterdingen ward von Rittern
und Frauen wegen seiner Bescheidenheit und seines ungezwungenen milden
Betragens gepriesen, und die letztern verweilten gern auf seiner einnehmenden Gestalt, die wie das einfache Wort eines Unbekannten war, das man
fast überhört, bis längst nach seinem Abschiede es seine tiefe unscheinbare
25 Knospe immer mehr auftut, und endlich eine herrliche Blume in allem
Farbenglanze dichtverschlungener Blätter zeigt, so daß man es nie vergißt,
nicht müde wird es zu wiederholen, und einen unversieglichen immer gegenwärtigen Schatz daran hat. Man besinnt sich nun genauer auf den Unbekannten, und ahndet und ahndet, bis es auf einmal klar wird, daß es ein
30 Bewohner der höhern Welt gewesen sei. — Die Kaufleute erhielten eine
große Menge Bestellungen, und man trennte sich gegenseitig mit herzlichen
Wünschen, einander bald wiederzusehn. Auf einem dieser Schlösser, wo sie
gegen Abend hinkamen, ging es fröhlich zu. Der Herr des Schlosses war ein

alter Kriegsmann, der die Muße des Friedens, und die Einsamkeit seines
Aufenthalts mit öftern Gelagen feierte und unterbrach, und außer dem
Kriegsgetümmel und der Jagd keinen andern Zeitvertreib kannte, als den
gefüllten Becher.

Er empfing die Ankommenden mit brüderlicher Herzlichkeit, mitten unter 5
lärmenden Genossen. Die Mutter ward zur Hausfrau geführt. Die Kaufleute und Heinrich mußten sich an die lustige Tafel setzen, wo der Becher
tapfer umherging. Heinrichen ward auf vieles Bitten in Rücksicht seiner
Jugend das jedesmalige Bescheidtun erlassen, dagegen die Kaufleute sich
nicht faul finden, sondern sich den alten Frankenwein tapfer schmecken ließen. 10
Das Gespräch lief über ehmalige Kriegsabenteuer hin. Heinrich hörte mit
großer Aufmerksamkeit den neuen Erzählungen zu. Die Ritter sprachen
vom Heiligen Lande, von den Wundern des Heiligen Grabes, von den
Abenteuern ihres Zuges, und ihrer Seefahrt, von den Sarazenen, in deren
Gewalt einige geraten gewesen waren, und dem fröhlichen und wunderbaren 15
Leben im Felde und im Lager. Sie äußerten mit großer Lebhaftigkeit ihren
Unwillen, jene himmlische Geburtsstätte der Christenheit noch im frevel-
haften Besitz der Ungläubigen zu wissen. Sie erhoben die großen Helden,
die sich eine ewige Krone durch ihr tapfres, unermüdliches Bezeigen gegen
dieses ruchlose Volk erworben hätten. Der Schloßherr zeigte das kostbare 20
Schwert, was er einem Anführer derselben mit eigner Hand abgenommen,
nachdem er sein Kastell erobert, ihn getötet, und seine Frau und Kinder zu
Gefangenen gemacht, welches ihm der Kaiser in seinem Wappen zu führen
vergönnet hatte. Alle besahen das prächtige Schwert, auch Heinrich nahm es
in seine Hand, und fühlte sich von einer kriegerischen Begeisterung ergriffen. 25
Er küßte es mit inbrünstiger Andacht. Die Ritter freuten sich über seinen
Anteil. Der Alte umarmte ihn, und munterte ihn auf, auch seine Hand
auf ewig der Befreiung des Heiligen Grabes zu widmen, und das wundertätige Kreuz auf seine Schultern befestigen zu lassen. Er war überrascht,
und seine Hand schien sich nicht von dem Schwerte losmachen zu können. 30
„Besinne dich, mein Sohn", rief der alte Ritter. „Ein neuer Kreuzzug ist
vor der Tür. Der Kaiser selbst wird unsere Scharen in das Morgenland
führen. Durch ganz Europa schallt von neuem der Ruf des Kreuzes, und
heldenmütige Andacht regt sich allerorten. Wer weiß, ob wir nicht übers
Jahr in der großen weltherrlichen Stadt Jerusalem als frohe Sieger bei- 35
einander sitzen, und uns bei vaterländischem Wein an unsere Heimat er-

innern. Du kannst auch bei mir ein morgenländisches Mädchen sehn. Sie
dünken uns Abendländern gar anmutig, und wenn du das Schwert gut zu
führen verstehst, so kann es dir an schönen Gefangenen nicht fehlen." Die
Ritter sangen mit lauter Stimme den Kreuzgesang, der damals in ganz
5 Europa gesungen wurde:

Das Grab steht unter wilden Heiden;
Das Grab, worin der Heiland lag,
Muß Frevel und Verspottung leiden
Und wird entheiligt jeden Tag.
10 Es klagt heraus mit dumpfer Stimme:
„Wer rettet mich von diesem Grimme!"

Wo bleiben seine Heldenjünger?
Verschwunden ist die Christenheit!
Wer ist des Glaubens Wiederbringer?
15 Wer nimmt das Kreuz in dieser Zeit?
Wer bricht die schimpflichsten der Ketten,
Und wird das Heil'ge Grab erretten?

Gewaltig geht auf Land und Meeren
In tiefer Nacht ein heil'ger Sturm;
20 Die trägen Schläfer aufzustören,
Umbraust er Lager, Stadt und Turm,
Ein Klaggeschrei um alle Zinnen:
„Auf, träge Christen, zieht von hinnen."

Es lassen Engel allerorten
25 Mit ernstem Antlitz stumm sich sehn,
Und Pilger sieht man vor den Pforten
Mit kummervollen Wangen stehn;
Sie klagen mit den bängsten Tönen
Die Grausamkeit der Sarazenen.

30 Es bricht ein Morgen, rot und trübe,
Im weiten Land der Christen an.
Der Schmerz der Wehmut und der Liebe
Verkündet sich bei jedermann.
Ein jedes greift nach Kreuz und Schwerte
35 Und zieht entflammt von seinem Herde

Ein Feuereifer tobt im Heere,
Das Grab des Heilands zu befrein.
Sie eilen fröhlich nach dem Meere,
Um bald auf heil'gem Grund zu sein.
40 Auch Kinder kommen noch gelaufen
Und mehren den geweihten Haufen.

Hoch weht das Kreuz im Siegspaniere,
Und alte Helden stehn voran.
Des Paradieses sel'ge Türe
45 Wird frommen Kriegern aufgetan;
Ein jeder will das Glück genießen,
Sein Blut für Christus zu vergießen.

Zum Kampf, ihr Christen! Gottes
Scharen
50 Ziehn mit in das Gelobte Land.
Bald wird der Heiden Grimm erfahren
Des Christengottes Schreckenshand.
Wir waschen bald in frohem Mute
Das Heil'ge Grab mit Heidenblute.

55 Die Heil'ge Jungfrau schwebt, getragen
Von Engeln, ob der wilden Schlacht,
Wo jeder, den das Schwert geschlagen,
In ihrem Mutterarm erwacht.
Sie neigt sich mit verklärter Wange
60 Herunter zu dem Waffenklange.

Hinüber zu der heil'gen Stätte!
Des Grabes dumpfe Stimme tönt!
Bald wird mit Sieg und mit Gebete
Die Schuld der Christenheit versöhnt!
65 Das Reich der Heiden wird sich enden,
Ist erst das Grab in unsern Händen.

Heinrichs ganze Seele war in Aufruhr, das Grab kam ihm wie eine
bleiche, edle, jugendliche Gestalt vor, die auf einem großen Stein mitten
unter wildem Pöbel säße, und auf eine entsetzliche Weise gemißhandelt
würde, als wenn sie mit kummervollem Gesichte nach einem Kreuze blicke,
was im Hintergrunde mit lichten Zügen schimmerte, und sich in den be- 5
wegten Wellen eines Meeres unendlich vervielfältigte.

Seine Mutter schickte eben herüber, um ihn zu holen, und der Hausfrau
des Ritters vorzustellen. Die Ritter waren in ihr Gelag und ihre Vorstellungen des bevorstehenden Zuges vertieft, und bemerkten nicht, daß
Heinrich sich entfernte. Er fand seine Mutter in traulichem Gespräch mit der 10
alten, gutmütigen Frau des Schlosses, die ihn freundlich bewillkommte.
Der Abend war heiter; die Sonne begann sich zu neigen, und Heinrich, der
sich nach Einsamkeit sehnte, und von der goldenen Ferne gelockt wurde, die
durch die engen, tiefen Bogenfenster in das düstre Gemach hineintrat, erhielt leicht die Erlaubnis, sich außerhalb des Schlosses besehen zu dürfen. 15
Er eilte ins Freie, sein ganzes Gemüt war rege, er sah von der Höhe des
alten Felsen zunächst in das waldige Tal, durch das ein Bach herunter-
stürzte und einige Mühlen trieb, deren Geräusch man kaum aus der gewaltigen Tiefe vernehmen konnte, und dann in eine unabsehliche Ferne von
Bergen, Wäldern und Niederungen, und seine innere Unruhe wurde be- 20
sänftigt. Das kriegerische Getümmel verlor sich, und es blieb nur eine klare
bilderreiche Sehnsucht zurück. Er fühlte, daß ihm eine Laute mangelte, so
wenig er auch wußte, wie sie eigentlich gebaut sei, und welche Wirkung sie
hervorbringe. Das heitere Schauspiel des herrlichen Abends wiegte ihn in
sanfte Phantasien: die Blume seines Herzens ließ sich zuweilen, wie ein 25
Wetterleuchten in ihm sehn. — Er schweifte durch das wilde Gebüsch und
kletterte über bemooste Felsenstücke, als auf einmal aus einer nahen Tiefe
ein zarter eindringender Gesang einer weiblichen Stimme von wunderbaren
Tönen begleitet, erwachte. Es war ihm gewiß, daß es eine Laute sei; er
blieb verwunderungsvoll stehen, und hörte in gebrochner deutscher Aussprache 30
folgendes Lied:

Bricht das matte Herz noch immer   Immer mir noch zu Gesicht?
Unter fremdem Himmel nicht?   Kann ich wohl noch Rückkehr wähnen?
Kommt der Hoffnung bleicher   Stromweis stürzen meine Tränen,
          Schimmer   35   Bis mein Herz in Kummer bricht.

Könnt’ ich dir die Myrten zeigen
Und der Zeder dunkles Haar!
Führen dich zum frohen Reigen
Der geschwisterlichen Schar!
5 Sähst du im gestickten Kleide,
Stolz im köstlichen Geschmeide
Deine Freundin, wie sie war.

Edle Jünglinge verneigen
Sich mit heißem Blick vor ihr;
10 Zärtliche Gesänge steigen
Mit dem Abendstern zu mir.
Dem Geliebten darf man trauen;
Ew’ge Lieb’ und Treu den Frauen,
Ist der Männer Losung hier.

15 Hier, wo um kristallne Quellen
Liebend sich der Himmel legt,
Und mit heißen Balsamwellen
Um den Hain zusammenschlägt,
Der in seinen Lustgebieten,
20 Unter Früchten, unter Blüten
Tausend bunte Sänger hegt.

Fern sind jene Jugendträume!
Abwärts liegt das Vaterland!
Längst gefällt sind jene Bäume,
25 Und das alte Schloß verbrannt.
Fürchterlich, wie Meereswogen
Kam ein rauhes Heer gezogen,
Und das Paradies verschwand.

Fürchterliche Gluten flossen
30 In die blaue Luft empor,
Und es drang auf stolzen Rossen
Eine wilde Schar ins Tor.
Säbel klirrten, unsre Brüder,
Unser Vater kam nicht wieder,
35 Und man riß uns wild hervor.

Meine Augen wurden trübe;
Fernes, mütterliches Land,
Ach! sie bleiben dir voll Liebe
Und voll Sehnsucht zugewandt!
40 Wäre nicht dies Kind vorhanden,
Längst hätt’ ich des Lebens Banden
Aufgelöst mit kühner Hand.

Heinrich hörte das Schluchzen eines Kindes und eine tröstende Stimme.
Er stieg tiefer durch das Gebüsch hinab und fand ein bleiches, abgehärmtes
45 Mädchen unter einer alten Eiche sitzen. Ein schönes Kind hing weinend an
ihrem Halse, auch ihre Tränen flossen, und eine Laute lag neben ihr auf
dem Rasen. Sie erschrak ein wenig, als sie den fremden Jüngling erblickte,
der mit wehmütigem Gesicht sich ihr näherte.

„Ihr habt wohl meinen Gesang gehört“, sagte sie freundlich. „Euer
50 Gesicht dünkt mir bekannt, laßt mich besinnen — Mein Gedächtnis ist
schwach geworden, aber Euer Anblick erweckt in mir eine sonderbare Erinnerung aus frohen Zeiten. Oh! mir ist, als glicht Ihr einem meiner Brüder,
der noch vor unserm Unglück von uns schied, und nach Persien zu einem
berühmten Dichter zog. Vielleicht lebt er noch, und besingt traurig das
55 Unglück seiner Geschwister. Wüßt’ ich nur noch einige seiner herrlichen Lieder,
die er uns hinterließ! Er war edel und zärtlich, und kannte kein größeres
Glück als seine Laute.“ Das Kind war ein Mädchen von zehn bis zwölf

Jahren, das den fremden Jüngling aufmerksam betrachtete und sich fest
an den Busen der unglücklichen Zulima schmiegte. Heinrichs Herz war von
Mitleid durchdrungen; er tröstete die Sängerin mit freundlichen Worten,
und bat sie, ihm umständlicher ihre Geschichte zu erzählen. Sie schien es nicht
ungern zu tun. Heinrich setzte sich ihr gegenüber und vernahm ihre von häu- 5
figen Tränen unterbrochne Erzählung. Vorzüglich hielt sie sich bei dem Lobe
ihrer Landsleute und ihres Vaterlandes auf. Sie schilderte den Edelmut
derselben, und ihre reine starke Empfänglichkeit für die Poesie des Lebens
und die wunderbare, geheimnisvolle Anmut der Natur. Sie beschrieb die
romantischen Schönheiten der fruchtbaren arabischen Gegenden, die wie 10
glückliche Inseln in unwegsamen Sandwüsteneien lägen, wie Zuflucht-
stätten der Bedrängten und Ruhebedürftigen, wie Kolonien des Paradieses,
voll frischer Quellen, die über dichten Rasen und funkelnde Steine durch
alte, ehrwürdige Haine rieselten, voll bunter Vögel mit melodischen Kehlen
und anziehend durch mannigfaltige Überbleibsel ehemaliger denkwürdiger 15
Zeiten. „Ihr würdet mit Verwunderung“, sagte sie, „die buntfarbigen,
hellen, seltsamen Züge und Bilder auf den alten Steinplatten sehn. Sie
scheinen so bekannt und nicht ohne Ursach so wohl erhalten zu sein. Man
sinnt und sinnt, einzelne Bedeutungen ahnet man, und wird um so begieriger,
den tiefsinnigen Zusammenhang dieser uralten Schrift zu erraten. Der 20
unbekannte Geist derselben erregt ein ungewöhnliches Nachdenken, und
wenn man auch ohne den gewünschten Fund von dannen geht, so hat man
doch tausend merkwürdige Entdeckungen in sich selbst gemacht, die dem Leben
einen neuen Glanz und dem Gemüt eine lange, belohnende Beschäftigung
geben. Das Leben auf einem längst bewohnten und ehemals schon durch 25
Fleiß, Tätigkeit und Neigung verherrlichten Boden hat einen besondern
Reiz. Die Natur scheint dort menschlicher und verständlicher geworden,
eine dunkle Erinnerung unter der durchsichtigen Gegenwart wirft die Bilder
der Welt mit scharfen Umrissen zurück, und so genießt man eine doppelte
Welt, die eben dadurch das Schwere und Gewaltsame verliert und die 30
zauberische Dichtung und Fabel unserer Sinne wird. Wer weiß, ob nicht
auch ein unbegreiflicher Einfluß der ehemaligen, jetzt unsichtbaren Bewohner
mit ins Spiel kommt, und vielleicht ist es dieser dunkle Zug, der die Menschen aus neuen Gegenden, sobald eine gewisse Zeit ihres Erwachens kömmt,
mit so zerstörender Ungeduld nach der alten Heimat ihres Geschlechts treibt, 35
und sie Gut und Blut an den Besitz dieser Länder zu wagen anregt.“ Nach

einer Pause fuhr sie fort: „Glaubt ja nicht, was man Euch von den Grausamkeiten meiner Landsleute erzählt hat. Nirgends wurden Gefangene
großmütiger behandelt, und auch Eure Pilger nach Jerusalem wurden mit
Gastfreundschaft aufgenommen, nur daß sie selten derselben wert waren.
5 Die meisten waren nichtsnutzige, böse Menschen, die ihre Wallfahrten mit
Bubenstücken bezeichneten, und dadurch freilich oft gerechter Rache in die
Hände fielen. Wie ruhig hätten die Christen das Heilige Grab besuchen
können, ohne nötig zu haben, einen fürchterlichen, unnützen Krieg anzu-
fangen, der alles erbittert, unendliches Elend verbreitet, und auf immer das
10 Morgenland von Europa getrennt hat. Was lag an dem Namen des Besitzers? Unsere Fürsten ehrten andachtsvoll das Grab Eures Heiligen, den
auch wir für einen göttlichen Propheten halten; und wie schön hätte sein
heiliges Grab die Wiege eines glücklichen Einverständnisses, der Anlaß
ewiger wohltätiger Bündnisse werden können!"
15   Der Abend war unter ihren Gesprächen herbeigekommen. Es fing an
Nacht zu werden, und der Mond hob sich aus dem feuchten Walde mit
beruhigendem Glanze herauf. Sie stiegen langsam nach dem Schlosse;
Heinrich war voll Gedanken, die kriegerische Begeisterung war gänzlich verschwunden. Er merkte eine wunderliche Verwirrung in der Welt; der
20 Mond zeigte ihm das Bild eines tröstenden Zuschauers und erhob ihn
über die Unebenheiten der Erdoberfläche, die in der Höhe so unbeträchtlich
erschienen, so wild und unersteiglich sie auch dem Wanderer vorkamen.
Zulima ging still neben ihm her, und führte das Kind. Heinrich trug
die Laute. Er suchte die sinkende Hoffnung seiner Begleiterin, ihr Vater-
25 land dereinst wiederzusehn, zu beleben, indem er innerlich einen heftigen
Beruf fühlte, ihr Retter zu sein, ohne zu wissen, auf welche Art es
geschehen könne. Eine besondere Kraft schien in seinen einfachen Worten
zu liegen, denn Zulima empfand eine ungewohnte Beruhigung und dankte
ihm für seine Zusprache auf die rührendste Weise. Die Ritter waren noch
30 bei ihren Bechern und die Mutter in häuslichen Gesprächen. Heinrich hatte
keine Lust in den lärmenden Saal zurückzugehn. Er fühlte sich müde, und
begab sich bald mit seiner Mutter in das angewiesene Schlafgemach. Er
erzählte ihr vor dem Schlafengehn, was ihm begegnet sei, und schlief bald
zu unterhaltenden Träumen ein. Die Kaufleute hatten sich auch zeitig fort-
35 begeben, und waren früh wieder munter. Die Ritter lagen in tiefer Ruhe,
als sie abreisten; die Hausfrau aber nahm zärtlichen Abschied. Zulima hatte

wenig geschlafen, eine innere Freude hatte sie wach erhalten; sie erschien beim Abschiede, und bediente die Reisenden demütig und emsig. Als sie Abschied nahmen, brachte sie mit vielen Tränen ihre Laute zu Heinrich, und bat mit rührender Stimme, sie zu Zulimas Andenken mitzunehmen. „Es war meines Bruders Laute", sagte sie, „der sie mir beim Abschied schenkte; 5 es ist das einzige Besitztum, was ich gerettet habe. Sie schien Euch gestern zu gefallen, und Ihr laßt mir ein unschätzbares Geschenk zurück, süße Hoffnung. Nehmt dieses geringe Zeichen meiner Dankbarkeit, und laßt es ein Pfand Eures Andenkens an die arme Zulima sein. Wir werden uns gewiß wiedersehn, und dann bin ich vielleicht glücklicher." Heinrich weinte; er 10 weigerte sich, diese ihr so unentbehrliche Laute anzunehmen: „Gebt mir", sagte er, „das goldene Band mit den unbekannten Buchstaben aus Euren Haaren, wenn es nicht ein Andenken Eurer Eltern oder Geschwister ist, und nehmt dagegen einen Schleier an, den mir meine Mutter gern abtreten wird." Sie wich endlich seinem Zureden und gab ihm das Band, indem sie 15 sagte: „Es ist mein Name in den Buchstaben meiner Muttersprache, den ich in bessern Zeiten selbst in dieses Band gestickt habe. Betrachtet es gern, und denkt, daß es eine lange, kummervolle Zeit meine Haare festgehalten hat, und mit seiner Besitzerin verbleicht ist." Heinrichs Mutter zog den Schleier heraus, und reichte ihr ihn hin, indem sie sie an sich zog und weinend 20 umarmte. —

Fünftes Kapitel

Nach einigen Tagereisen kamen sie an ein Dorf, am Fuße einiger spitzen Hügel, die von tiefen Schluchten unterbrochen waren. Die Gegend war übrigens fruchtbar und angenehm, ohngeachtet die Rücken der Hügel ein 25 totes, abschreckendes Ansehn hatten. Das Wirtshaus war reinlich, die Leute bereitwillig, und eine Menge Menschen, teils Reisende, teils bloße Trinkgäste, saßen in der Stube, und unterhielten sich von allerhand Dingen.

Unsre Reisenden gesellten sich zu ihnen, und mischten sich in die Gespräche. Die Aufmerksamkeit der Gesellschaft war vorzüglich auf einen alten Mann 30 gerichtet, der in fremder Tracht an einem Tische saß, und freundlich die neugierigen Fragen beantwortete, die an ihn geschahen. Er kam aus fremden Landen, hatte sich heute früh die Gegend umher genau betrachtet, und erzählte nun von seinem Gewerbe und seinen heutigen Entdeckungen. Die

Leute nannten ihn einen Schatzgräber. Er sprach aber sehr bescheiden von
seinen Kenntnissen und seiner Macht, doch trugen seine Erzählungen das
Gepräge der Seltsamkeit und Neuheit. Er erzählte, daß er aus Böhmen
gebürtig sei. Von Jugend auf habe er eine heftige Neugierde gehabt, zu wis-
5 sen, was in den Bergen verborgen sein müsse, wo das Wasser in den Quellen
herkomme, und wo das Gold und Silber und die köstlichen Steine gefunden würden, die den Menschen so unwiderstehlich an sich zögen. Er habe
in der nahen Klosterkirche oft diese festen Lichter an den Bildern und
Reliquien betrachtet, und nur gewünscht, daß sie zu ihm reden könnten, um
10 ihm von ihrer geheimnisvollen Herkunft zu erzählen. Er habe wohl zuweilen
gehört, daß sie aus weit entlegenen Ländern kämen; doch habe er immer gedacht, warum es nicht auch in diesen Gegenden solche Schätze und Kleinodien geben könne. Die Berge seien doch nicht umsonst so weit im Umfange
und erhaben und so fest verwahrt; auch habe es ihm verdünkt, wie wenn er
15 zuweilen auf den Gebirgen glänzende und flimmernde Steine gefunden
hätte. Er sei fleißig in den Felsenritzen und Höhlen umhergeklettert, und
habe sich mit unaussprechlichem Vergnügen in diesen uralten Hallen und
Gewölben umgesehn. — Endlich sei ihm einmal ein Reisender begegnet, der
zu ihm gesagt, er müsse ein Bergmann werden, da könne er die Befriedigung
20 seiner Neugier finden. In Böhmen gäbe es Bergwerke. Er solle nur immer
an dem Flusse hinuntergehn, nach zehn bis zwölf Tagen werde er in Eula
sein, und dort dürfe er nur sprechen, daß er gern ein Bergmann werden
wolle. Er habe sich dies nicht zweimal sagen lassen und sich gleich den andern
Tag auf den Weg gemacht. „Nach einem beschwerlichen Gange von mehreren
25 Tagen", fuhr er fort, „kam ich nach Eula. Ich kann euch nicht sagen, wie
herrlich mir zumute ward, als ich von einem Hügel die Haufen von Steinen
erblickte, die mit grünen Gebüschen durchwachsen waren, auf denen bretterne
Hütten standen, und als ich aus dem Tal unten die Rauchwolken über den
Wald heraufziehn sah. Ein fernes Getöse vermehrte meine Erwartungen,
30 und mit unglaublicher Neugierde und voll stiller Andacht stand ich bald auf
einem solchen Haufen, den man Halde nennt, vor den dunklen Tiefen, die
im Innern der Hütten steil in den Berg hineinführten. Ich eilte nach dem
Tale und begegnete bald einigen schwarz gekleideten Männern mit Lampen,
die ich nicht mit Unrecht für Bergleute hielt, und mit schüchterner Ängstlich-
35 keit ihnen mein Anliegen vortrug. Sie hörten mich freundlich an, und sagten
mir, daß ich nur hinunter nach den Schmelzhütten gehn und nach dem

Steiger fragen sollte, welcher den Anführer und Meister unter ihnen vorstellt; dieser werde mir Bescheid geben, ob ich angenommen werden möge.
Sie meinten, daß ich meinen Wunsch wohl erreichen würde, und lehrten mich
den üblichen Gruß ‚Glück auf‘, womit ich den Steiger anreden sollte. Voll
fröhlicher Erwartungen setzte ich meinen Weg fort und konnte nicht auf- 5
hören, den neuen bedeutungsvollen Gruß mir beständig zu wiederholen. Ich
fand einen alten, ehrwürdigen Mann, der mich mit vieler Freundlichkeit
empfing, und nachdem ich ihm meine Geschichte erzählt, und ihm meine große
Lust, seine seltne, geheimnisvolle Kunst zu erlernen, bezeugt hatte, bereitwillig versprach, mir meinen Wunsch zu gewähren. Ich schien ihm zu ge- 10
fallen, und er behielt mich in seinem Hause. Den Augenblick konnte ich kaum
erwarten, wo ich in die Grube fahren und mich in der reizenden Tracht
sehn würde. Noch denselben Abend brachte er mir ein Grubenkleid, und
erklärte mir den Gebrauch einiger Werkzeuge, die in einer Kammer aufbewahrt waren.   15

Abends kamen Bergleute zu ihm, und ich verfehlte kein Wort von ihren
Gesprächen, so unverständlich und fremd mir sowohl die Sprache, als der
größte Teil des Inhalts ihrer Erzählungen vorkam. Das wenige jedoch,
was ich zu begreifen glaubte, erhöhte die Lebhaftigkeit meiner Neugierde
und beschäftigte mich des Nachts in seltsamen Träumen. Ich erwachte bei- 20
zeiten und fand mich bei meinem neuen Wirte ein, bei dem sich allmählich
die Bergleute versammelten, um seine Verordnungen zu vernehmen. Eine
Nebenstube war zu einer kleinen Kapelle vorgerichtet. Ein Mönch erschien
und las eine Messe, nachher sprach er ein feierliches Gebet, worin er den
Himmel anrief, die Bergleute in seine heilige Obhut zu nehmen, sie bei 25
ihren gefährlichen Arbeiten zu unterstützen, vor Anfechtungen und Tücken
böser Geister sie zu schützen, und ihnen reiche Anbrüche zu bescheren. Ich hatte
nie mit mehr Inbrunst gebetet, und nie die hohe Bedeutung der Messe
lebhafter empfunden. Meine künftigen Genossen kamen mir wie unterirdische Helden vor, die tausend Gefahren zu überwinden hätten, aber auch 30
ein beneidenswertes Glück an ihren wunderbaren Kenntnissen besäßen, und
in dem ernsten, stillen Umgange mit den uralten Felsensöhnen der Natur,
in ihren dunkeln, wunderbaren Kammern, zum Empfängnis himmlischer
Gaben und zur freudigen Erhebung über die Welt und ihre Bedrängnisse
ausgerüstet würden. Der Steiger gab mir nach geendigtem Gottesdienst eine 35
Lampe und ein kleines hölzernes Kruzifix, und ging mit mir nach dem

Schachte, wie wir die schroffen Eingänge in die unterirdischen Gebäude zu
nennen pflegen. Er lehrte mich die Art des Hinabsteigens, machte mich mit
den notwendigen Vorsichtigkeitsregeln, sowie mit den Namen der mannigfaltigen Gegenstände und Teile bekannt. Er fuhr voraus, und schurrte auf
5 dem runden Balken hinunter, indem er sich mit der einen Hand an einem
Seil anhielt, das in einem Knoten an einer Seitenstange fortglitschte, und
mit der andern die brennende Lampe trug; ich folgte seinem Beispiel, und
wir gelangten so mit ziemlicher Schnelle bald in eine beträchtliche Tiefe.
Mir war seltsam feierlich zumute, und das vordere Licht funkelte wie ein
10 glücklicher Stern, der mir den Weg zu den verborgenen Schatzkammern der
Natur zeigte. Wir kamen unten in einen Irrgarten von Gängen, und mein
freundlicher Meister ward nicht müde meine neugierigen Fragen zu beantworten, und mich über seine Kunst zu unterrichten. Das Rauschen des Wassers, die Entfernung von der bewohnten Oberfläche, die Dunkelheit und
15 Verschlungenheit der Gänge, und das entfernte Geräusch der arbeitenden
Bergleute ergötzte mich ungemein, und ich fühlte nun mit Freuden mich im
vollen Besitz dessen, was von jeher mein sehnlichster Wunsch gewesen war.
Es läßt sich auch diese volle Befriedigung eines angebornen Wunsches, diese
wundersame Freude an Dingen, die ein näheres Verhältnis zu unserm ge-
20 heimen Dasein haben mögen, zu Beschäftigungen, für die man von der
Wiege an bestimmt und ausgerüstet ist, nicht erklären und beschreiben. Vielleicht daß sie jedem andern gemein, unbedeutend und abschreckend vorgekommen wären; aber mir schienen sie so unentbehrlich zu sein, wie die Luft der
Brust und die Speise dem Magen. Mein alter Meister freute sich über meine
25 innige Lust, und verhieß mir, daß ich bei diesem Fleiße und dieser Aufmerksamkeit es weit bringen, und ein tüchtiger Bergmann werden würde. Mit
welcher Andacht sah ich zum erstenmal in meinem Leben am sechzehnten
März, vor nunmehr fünfundvierzig Jahren, den König der Metalle in zarten
Blättchen zwischen den Spalten des Gesteins. Es kam mir vor, als sei er
30 hier wie in festen Gefängnissen eingesperrt und glänze freundlich dem Bergmann entgegen, der mit soviel Gefahren und Mühseligkeiten sich den Weg
zu ihm durch die starken Mauern gebrochen, um ihn an das Licht des Tages
zu fördern, damit er an königlichen Kronen und Gefäßen und an heiligen
Reliquien zu Ehren gelangen, und in geachteten und wohlverwahrten Mün-
35 zen, mit Bildnissen geziert, die Welt beherrschen und leiten möge. Von der
Zeit an blieb ich in Eula, und stieg allmählich bis zum Häuer, welches der

eigentliche Bergmann ist, der die Arbeiten auf dem Gestein betreibt, nachdem ich anfänglich bei der Ausförderung der losgehauenen Stufen in Kör-
ben angestellt gewesen war."

Der alte Bergmann ruhte ein wenig von seiner Erzählung aus, und
trank, indem ihm seine aufmerksamen Zuhörer ein fröhliches „Glückauf!" 5
zubrachten. Heinrichen erfreuten die Reden des alten Mannes ungemein,
und er war sehr geneigt noch mehr von ihm zu hören.

Die Zuhörer unterhielten sich von den Gefahren und Seltsamkeiten des
Bergbaus, und erzählten wunderbare Sagen, über die der Alte oft lächelte,
und freundlich ihre sonderbaren Vorstellungen zu berichtigen bemüht war. 10

Nach einer Weile sagte Heinrich: „Ihr mögt seitdem viel seltsame Dinge
gesehn und erfahren haben; hoffentlich hat Euch nie Eure gewählte Lebensart gereut? Wärt Ihr nicht so gefällig und erzählt uns, wie es Euch seitdem ergangen, und auf welcher Reise Ihr jetzt begriffen seid? Es scheint, als
hättet Ihr Euch weiter in der Welt umgesehn, und gewiß darf ich vermuten, 15
daß Ihr jetzt mehr als einen gemeinen Bergmann vorstellt." — „Es ist
mir selber lieb", sagte der Alte, „mich der verflossenen Zeiten zu erinnern, in
denen ich Anlässe finde, mich der göttlichen Barmherzigkeit und Güte zu
erfreun. Das Geschick hat mich durch ein frohes und heitres Leben geführt,
und es ist kein Tag vorübergegangen, an welchem ich mich nicht mit dank- 20
barem Herzen zur Ruhe gelegt hätte. Ich bin immer glücklich in meinen
Verrichtungen gewesen, und unser aller Vater im Himmel hat mich vor
dem Bösen behütet, und in Ehren grau werden lassen. Nächst ihm habe ich
alles meinem alten Meister zu verdanken, der nun lange zu seinen Vätern
versammelt ist, und an den ich nie ohne Tränen denken kann. Er war ein 25
Mann aus der alten Zeit nach dem Herzen Gottes. Mit tiefen Einsichten
war er begabt, und doch kindlich und demütig in seinem Tun. Durch ihn ist
das Bergwerk in großen Flor gekommen, und hat dem Herzoge von Böhmen
zu ungeheuren Schätzen verholfen. Die ganze Gegend ist dadurch bevölkert
und wohlhabend, und ein blühendes Land geworden. Alle Bergleute ver- 30
ehrten ihren Vater in ihm, und solange Eula steht, wird auch sein Name
mit Rührung und Dankbarkeit genannt werden. Er war seiner Geburt nach
ein Lausitzer und hieß Werner. Seine einzige Tochter war noch ein Kind,
wie ich zu ihm ins Haus kam. Meine Emsigkeit, meine Treue, und meine
leidenschaftliche Anhänglichkeit an ihn, gewannen mir seine Liebe mit jedem 35
Tage mehr. Er gab mir seinen Namen und machte mich zu seinem Sohne.

Das kleine Mädchen ward nachgerade ein wackres, muntres Geschöpf, deren Gesicht so freundlich glatt und weiß war, wie ihr Gemüt. Der Alte sagte mir oft, wenn er sah, daß sie mir zugetan war, daß ich gern mit ihr schäkerte, und kein Auge von den ihrigen verwandte, die so blau und offen, wie der
5 Himmel waren, und wie die Kristalle glänzten: wenn ich ein rechtlicher Bergmann werden würde, wolle er sie mir nicht versagen; und er hielt Wort. — Den Tag, wie ich Häuer wurde, legte er seine Hände auf uns und segnete uns als Braut und Bräutigam ein, und wenig Wochen darauf führte ich sie als meine Frau auf meine Kammer. Denselben Tag hieb ich
10 in der Frühschicht noch als Lehrhäuer, eben wie die Sonne oben aufging, eine reiche Ader an. Der Herzog schickte mir eine goldene Kette mit seinem Bildnis auf einer großen Münze, und versprach mir den Dienst meines Schwiegervaters. Wie glücklich war ich, als ich sie am Hochzeittage meiner Braut um den Hals hängen konnte, und aller Augen auf sie gerichtet waren.
15 Unser alte Vater erlebte noch einige muntre Enkel, und die Anbrüche seines Herbstes waren reicher, als er gedacht hatte. Er konnte mit Freudigkeit seine Schicht beschließen, und aus der dunkeln Grube dieser Welt fahren, um in Frieden auszuruhen und den großen Lohntag zu erwarten."

„Herr", sagte der Alte, indem er sich zu Heinrichen wandte, und einige
20 Tränen aus den Augen trocknete, „der Bergbau muß von Gott gesegnet werden! denn es gibt keine Kunst, die ihre Teilhaber glücklicher und edler machte, die mehr den Glauben an eine himmlische Weisheit und Fügung erweckte, und die Unschuld und Kindlichkeit des Herzens reiner erhielte, als der Bergbau. Arm wird der Bergmann geboren, und arm gehet er wieder
25 dahin. Er begnügt sich, zu wissen, wo die metallischen Mächte gefunden werden, und sie zutage zu fördern; aber ihr blendender Glanz vermag nichts über sein lautres Herz. Unentzündet von gefährlichem Wahnsinn, freut er sich mehr über ihre wunderlichen Bildungen, und die Seltsamkeiten ihrer Herkunft und ihrer Wohnungen, als über ihren alles verheißenden
30 Besitz. Sie haben für ihn keinen Reiz mehr, wenn sie Waren geworden sind, und er sucht sie lieber unter tausend Gefahren und Mühseligkeiten in den Festen der Erde, als daß er ihrem Rufe in die Welt folgen, und auf der Oberfläche des Bodens durch täuschende, hinterlistige Künste nach ihnen trachten sollte. Jene Mühseligkeiten erhalten sein Herz frisch und seinen
35 Sinn wacker; er genießt seinen kärglichen Lohn mit inniglichem Danke, und steigt jeden Tag mit verjüngter Lebensfreude aus den dunkeln Grüften seines

Berufs. Nur er kennt die Reize des Lichts und der Ruhe, die Wohltätigkeit der freien Luft und Aussicht um sich her; nur ihm schmeckt Trank und Speise recht erquicklich und andächtig, wie der Leib des Herrn; und mit welchem liebevollen und empfänglichen Gemüt tritt er nicht unter seinesgleichen, oder herzt seine Frau und Kinder, und ergötzt sich dankbar an der schönen Gabe 5 des traulichen Gesprächs!

Sein einsames Geschäft sondert ihn vom Tage und dem Umgange mit Menschen einen großen Teil seines Lebens ab. Er gewöhnt sich nicht zu einer stumpfen Gleichgültigkeit gegen diese überirdischen tiefsinnigen Dinge und behält die kindliche Stimmung, in der ihm alles mit seinem eigentümlichsten 10 Geiste und in seiner ursprünglichen bunten Wunderbarkeit erscheint. Die Natur will nicht der ausschließliche Besitz eines einzigen sein. Als Eigentum verwandelt sie sich in ein böses Gift, was die Ruhe verscheucht, und die verderbliche Lust, alles in diesen Kreis des Besitzers zu ziehn, mit einem Gefolge von unendlichen Sorgen und wilden Leidenschaften herbeilockt. So unter= 15 gräbt sie heimlich den Grund des Eigentümers, und begräbt ihn bald in den einbrechenden Abgrund, um aus Hand in Hand zu gehen, und so ihre Neigung, allen anzugehören, allmählich zu befriedigen.

Wie ruhig arbeitet dagegen der arme genügsame Bergmann in seinen tiefen Einöden, entfernt von dem unruhigen Tumult des Tages, und einzig 20 von Wißbegier und Liebe zur Eintracht beseelt. Er gedenkt in seiner Ein= samkeit mit inniger Herzlichkeit seiner Genossen und seiner Familie, und fühlt immer erneuert die gegenseitige Unentbehrlichkeit und Blutsverwandt= schaft der Menschen. Sein Beruf lehrt ihn unermüdliche Geduld, und läßt nicht zu, daß sich seine Aufmerksamkeit in unnütze Gedanken zerstreue. Er 25 hat mit einer wunderlichen harten und unbiegsamen Macht zu tun, die nur durch hartnäckigen Fleiß und beständige Wachsamkeit zu überwinden ist. Aber welches köstliche Gewächs blüht ihm auch in diesen schauerlichen Tiefen, das wahrhafte Vertrauen zu seinem himmlischen Vater, dessen Hand und Vorsorge ihm alle Tage in unverkennbaren Zeichen sichtbar wird. Wie un= 30 zählige Mal' habe ich nicht vor Ort gesessen, und bei dem Schein meiner Lampe das schlichte Kruzifix mit der innigsten Andacht betrachtet! da habe ich erst den heiligen Sinn dieses rätselhaften Bildnisses recht gefaßt, und den edelsten Gang meines Herzens erschürft, der mir eine ewige Ausbeute ge= währt hat."   35

Der Alte fuhr nach einer Weile fort und sagte: „Wahrhaftig, das muß

ein göttlicher Mann gewesen sein, der den Menschen zuerst die edle Kunst des Bergbaus gelehrt, und in dem Schoße der Felsen dieses ernste Sinnbild des menschlichen Lebens verborgen hat. Hier ist der Gang mächtig und gebrech, aber arm, dort drückt ihn der Felsen in eine armselige, unbedeutende
5 Kluft zusammen, und gerade hier brechen die edelsten Geschicke ein. Andre Gänge verunedlen ihn, bis sich ein verwandter Gang freundlich mit ihm schart, und seinen Wert unendlich erhöht. Oft zerschlägt er sich vor dem Bergmann in tausend Trümmern: aber der Geduldige läßt sich nicht schrecken, er verfolgt ruhig seinen Weg, und sieht seinen Eifer belohnt, indem er ihn
10 bald wieder in neuer Mächtigkeit und Höflichkeit ausrichtet. Oft lockt ihn ein betrügliches Trum aus der wahren Richtung; aber bald erkennt er den falschen Weg, und bricht mit Gewalt querfeldein, bis er den wahren erzführenden Gang wiedergefunden hat. Wie bekannt wird hier nicht der Bergmann mit allen Launen des Zufalls, wie sicher aber auch, daß Eifer
15 und Beständigkeit die einzigen untrüglichen Mittel sind, sie zu bemeistern, und die von ihnen hartnäckig verteidigten Schätze zu heben."

„Es fehlt Euch gewiß nicht", sagte Heinrich, „an ermunternden Liedern. Ich sollte meinen daß Euch Euer Beruf unwillkürlich zu Gesängen begeistern und die Musik eine willkommne Begleiterin der Bergleute sein müßte."

20 „Da habt Ihr wahr gesprochen", erwiderte der Alte; „Gesang und Zitherspiel gehört zum Leben des Bergmanns, und kein Stand kann mit mehr Vergnügen die Reize derselben genießen, als der unsrige. Musik und Tanz sind eigentliche Freuden des Bergmanns; sie sind wie ein fröhliches Gebet, und die Erinnerungen und Hoffnungen desselben helfen die müh
25 same Arbeit erleichtern und die lange Einsamkeit verkürzen.

Wenn es Euch gefällt, so will ich Euch gleich einen Gesang zum besten geben, der fleißig in meiner Jugend gesungen wurde.

Der ist der Herr der Erde,   Er ist mit ihr verbündet,
Wer ihre Tiefen mißt,   Und inniglich vertraut,
30 Und jeglicher Beschwerde   Und wird von ihr entzündet,
In ihrem Schoß vergißt.   Als wär' sie seine Braut.

Wer ihrer Felsenglieder   40 Er sieht ihr alle Tage
Geheimen Bau versteht,   Mit neuer Liebe zu,
Und unverdrossen nieder   Und scheut nicht Fleiß und Plage;
35 Zu ihrer Werkstatt geht.   Sie läßt ihm keine Ruh.

Die mächtigen Geschichten
Der längst verfloßnen Zeit
Ist sie ihm zu berichten
Mit Freundlichkeit bereit.

Der Vorwelt heil'ge Lüfte   5
Umwehn sein Angesicht,
Und in die Nacht der Klüfte
Strahlt ihm ein ew'ges Licht.

Er trifft auf allen Wegen
Ein wohlbekanntes Land,   10
Und gern kommt sie entgegen
Den Werken seiner Hand.

Ihm folgen die Gewässer
Hilfreich den Berg hinauf,

Und alle Felsenschlösser   15
Tun ihre Schätz' ihm auf.

Er führt des Goldes Ströme
In seines Königs Haus,
Und schmückt die Diademe
Mit edlen Steinen aus.   20

Zwar reicht er treu dem König
Den glückbegabten Arm,
Doch fragt er nach ihm wenig,
Und bleibt mit Freuden arm.

Sie mögen sich erwürgen   25
Am Fuß um Gut und Geld,
Er bleibt auf den Gebürgen
Der frohe Herr der Welt."

Heinrichen gefiel das Lied ungemein, und er bat den Alten, ihm noch
eins mitzuteilen. Der Alte war auch gleich bereit und sagte: „Ich weiß gleich 30
noch ein wunderliches Lied, was wir selbst nicht wissen, wo es her ist.

Es brachte ein reisender Bergmann mit, der weit herkam, und ein sonder-
licher Rutengänger war. Das Lied fand großen Beifall, weil es so seltsam-
lich klang, beinah so dunkel und unverständlich wie die Musik selbst, aber
eben darum auch so unbegreiflich anzog, und im wachenden Zustande wie 35
ein Traum unterhielt.

Ich kenne wo ein festes Schloß,
Ein stiller König wohnt darinnen
Mit einem wunderlichen Troß;
Doch steigt er nie auf seine Zinnen.   40
Verborgen ist sein Lustgemach,
Und unsichtbare Wächter lauschen;
Nur wohlbekannte Quellen rauschen
Zu ihm herab vom bunten Dach.

Was ihre hellen Augen sahn   45
In der Gestirne weiten Sälen,
Das sagen sie ihm treulich an
Und können sich nicht satt erzählen.

Er badet sich in ihrer Flut,
Wäscht sauber seine zarten Glieder,   50
Und seine Strahlen blinken wider
Aus seiner Mutter weißem Blut.

Sein Schloß ist alt und wunderbar,
Es sank herab aus tiefen Meeren,
Stand fest, und steht noch immerdar,   55
Die Flucht zum Himmel zu verwehren.
Von innen schlingt ein heimlich Band
Sich um des Reiches Untertanen,
Und Wolken wehn wie Siegesfahnen
Herunter von der Felsenwand.   60

Ein unermeßliches Geschlecht
Umgibt die festverschloßnen Pforten,
Ein jeder spielt den treuen Knecht
Und ruft den Herrn mit süßen Worten.
5 Sie fühlen sich durch ihn beglückt,
Und ahnden nicht, daß sie gefangen;
Berauscht von trüglichem Verlangen
Weiß keiner, wo der Schuh ihn drückt.

Nur wenige sind schlau und wach,
10 Und dürsten nicht nach seinen Gaben;
Sie trachten unablässig nach,
Das alte Schloß zu untergraben.
Der Heimlichkeit urmächt'gen Bann
Kann nur die Hand der Einsicht lösen;
15 Gelingt's, das Innere zu entblößen,
So bricht der Tag der Freiheit an.

Dem Fleiß ist keine Wand zu fest,
Dem Mut kein Abgrund unzugänglich;
Wer sich auf Herz und Hand verläßt,
20 Spürt nach dem König unbedenklich.
Aus seinen Kammern holt er ihn,
Vertreibt die Geister durch die Geister,
Macht sich der wilden Fluten Meister,
Und heißt sie selbst heraus sich ziehn.

25 Je mehr er nun zum Vorschein kömmt
Und wild umher sich treibt auf Erden:
Je mehr wird seine Macht gedämmt,
Je mehr die Zahl der Freien werden.
Am Ende wird von Banden los
30 Das Meer die leere Burg durchdringen
Und trägt auf weichen grünen Schwingen
Zurück uns in der Heimat Schoß."

Es dünkte Heinrichen, wie der Alte geendigt hatte, als habe er das Lied
schon irgendwo gehört. Er ließ es sich wiederholen und schrieb es sich auf. Der
35 Alte ging nachher hinaus und die Kaufleute sprachen unterdessen mit den
andern Gästen über die Vorteile des Bergbaues und seine Mühseligkeiten.
Einer sagte: „Der Alte ist gewiß nicht umsonst hier. Er ist heute zwischen
den Hügeln umhergeklettert und hat gewiß gute Anzeichen gefunden. Wir
wollen ihn doch fragen, wenn er wieder hereinkömmt." — „Wißt ihr wohl",
40 sagte ein andrer, „daß wir ihn bitten könnten, eine Quelle für unser Dorf
zu suchen? Das Wasser ist weit, und ein guter Brunnen wäre uns sehr willkommen." — „Mir fällt ein", sagte ein Dritter, „daß ich ihn fragen möchte,
ob er einen von meinen Söhnen mit sich nehmen will, der mir schon das
ganze Haus voll Steine getragen hat. Der Junge wird gewiß ein tüchtiger
45 Bergmann, und der Alte scheint ein guter Mann zu sein, der wird schon
was Rechtes aus ihm ziehn." Die Kaufleute redeten, ob sie vielleicht durch
den Bergmann ein vorteilhaftes Verkehr mit Böhmen anspinnen und
Metalle daher zu guten Preisen erhalten möchten. Der Alte trat wieder in
die Stube, und alle wünschten seine Bekanntschaft zu benutzen. Er fing an
50 und sagte: „Wie dumpf und ängstlich ist es doch hier in der engen Stube.
Der Mond steht draußen in voller Herrlichkeit, und ich hätte große Lust
noch einen Spaziergang zu machen. Ich habe heute bei Tage einige merk-

würdige Höhlen hier in der Nähe gesehn. Vielleicht entschließen sich einige
mitzugehn; und wenn wir nur Licht mitnehmen, so werden wir ohne Schwierigkeiten uns darin umsehn können."

Den Leuten aus dem Dorfe waren diese Höhlen schon bekannt: aber bis
jetzt hatte keiner gewagt hineinzusteigen; vielmehr trugen sie sich mit fürch- 5
terlichen Sagen von Drachen und andern Untieren, die darin hausen sollten.
Einige wollten sie selbst gesehn haben, und behaupteten, daß man Knochen
an ihrem Eingange von geraubten und verzehrten Menschen und Tieren
fände. Einige andre vermeinten, daß ein Geist dieselben bewohne, wie sie
denn einigemal aus der Ferne eine seltsame menschliche Gestalt gesehn, auch 10
zur Nachtzeit Gesänge da herüber gehört haben wollten.

Der Alte schien ihnen keinen großen Glauben beizumessen, und versicherte
lachend, daß sie unter dem Schutze eines Bergmanns getrost mitgehn könnten, indem die Ungeheuer sich vor ihm scheuen müßten, ein singender Geist
aber gewiß ein wohltätiges Wesen sei. Die Neugier machte viele beherzt 15
genug, seinen Vorschlag einzugehn; auch Heinrich wünschte ihn zu begleiten,
und seine Mutter gab endlich auf das Zureden und Versprechen des Alten,
genaue Acht auf Heinrichs Sicherheit zu haben, seinen Bitten nach. Die
Kaufleute waren ebenso entschlossen. Es wurden lange Kienspäne zu Fackeln
zusammengeholt; ein Teil der Gesellschaft versah sich noch zum Überfluß mit 20
Leitern, Stangen, Stricken und allerhand Verteidigungswerkzeugen, und so
begann endlich die Wallfahrt nach den nahen Hügeln. Der Alte ging mit
Heinrich und den Kaufleuten voran. Jener Bauer hatte seinen wißbegierigen
Sohn herbeigeholt, der voller Freude sich einer Fackel bemächtigte, und den
Weg zu den Höhlen zeigte. Der Abend war heiter und warm. Der Mond 25
stand in mildem Glanze über den Hügeln, und ließ wunderliche Träume in
allen Kreaturen aufsteigen. Selbst wie ein Traum der Sonne, lag er über
der in sich gekehrten Traumwelt, und führte die in unzählige Grenzen geteilte
Natur in jene fabelhafte Urzeit zurück, wo jeder Keim noch für sich schlummerte, und einsam und unberührt sich vergeblich sehnte, die dunkle Fülle 30
seines unermeßlichen Daseins zu entfalten. In Heinrichs Gemüt spiegelte
sich das Märchen des Abends. Es war ihm, als ruhte die Welt aufgeschlossen
in ihm, und zeigte ihm, wie einem Gastfreunde, alle ihre Schätze und verborgenen Lieblichkeiten. Ihm dünkte die große einfache Erscheinung um ihn
so verständlich. Die Natur schien ihm nur deswegen so unbegreiflich, weil 35
sie das Nächste und Traulichste mit einer solchen Verschwendung von

mannigfachen Ausdrücken um den Menschen her türmte. Die Worte des
Alten hatten eine versteckte Tapetentür in ihm geöffnet. Er sah sein kleines
Wohnzimmer dicht an einen erhabenen Münster gebaut, aus dessen steiner-
nem Boden die ernste Vorwelt emporstieg, während von der Kuppel die
5 klare fröhliche Zukunft in goldnen Engelskindern ihr singend entgegen-
schwebte. Gewaltige Klänge bebten in den silbernen Gesang, und zu den
weiten Toren traten alle Kreaturen herein, von denen jede ihre innere Natur
in einer einfachen Bitte und in einer eigentümlichen Mundart vernehmlich
aussprach. Wie wunderte er sich, daß ihm diese klare, seinem Dasein schon
10 unentbehrliche Ansicht so lange fremd geblieben war. Nun übersah er auf
einmal alle seine Verhältnisse mit der weiten Welt um ihn her; fühlte, was
er durch sie geworden und was sie ihm werden würde, und begriff alle die
seltsamen Vorstellungen und Anregungen, die er schon oft in ihrem Anschauen gespürt hatte. Die Erzählung der Kaufleute von dem Jünglinge,
15 der die Natur so emsig betrachtete, und der Eidam des Königs wurde, kam
ihm wieder zu Gedanken, und tausend andere Erinnerungen seines Lebens
knüpften sich von selbst an einen zauberischen Faden. Während der Zeit,
daß Heinrich seinen Betrachtungen nachhing, hatte sich die Gesellschaft der
Höhle genähert. Der Eingang war niedrig, und der Alte nahm eine Fackel
20 und kletterte über einige Steine zuerst hinein. Ein ziemlich fühlbarer Luft-
strom kam ihm entgegen, und der Alte versicherte, daß sie getrost folgen
könnten. Die Furchtsamsten gingen zuletzt, und hielten ihre Waffen in
Bereitschaft. Heinrich und die Kaufleute waren hinter dem Alten und der
Knabe wanderte munter an seiner Seite. Der Weg lief anfänglich in einem
25 ziemlich schmalen Gange, welcher sich aber bald in eine sehr weite und hohe
Höhle endigte, die der Fackelglanz nicht völlig zu erleuchten vermochte; doch
sah man im Hintergrunde einige Öffnungen sich in die Felsenwand verlieren.
Der Boden war weich und ziemlich eben; die Wände sowie die Decke waren
ebenfalls nicht rauh und unregelmäßig; aber was die Aufmerksamkeit aller
30 vorzüglich beschäftigte, war die unzählige Menge von Knochen und Zähnen,
die den Boden bedeckten. Viele waren völlig erhalten, an andern sah man
Spuren der Verwesung, und die, welche aus den Wänden hin und wieder
hervorragten, schienen steinartig geworden zu sein. Die meisten waren von
ungewöhnlicher Größe und Stärke. Der Alte freute sich über diese Über-
35 bleibsel einer uralten Zeit; nur den Bauern war nicht wohl dabei zumute,
denn sie hielten sie für deutliche Spuren naher Raubtiere, so überzeugend

ihnen auch der Alte die Zeichen eines undenklichen Altertums daran aufwies, und sie fragte, ob sie je etwas von Verwüstungen unter ihren Herden und vom Raube benachbarter Menschen gespürt hätten, und ob sie jene Knochen für Knochen bekannter Tiere oder Menschen halten könnten? Der Alte wollte nun weiter in den Berg, aber die Bauern fanden für ratsam sich vor die 5 Höhle zurückzuziehn, und dort seine Rückkunft abzuwarten. Heinrich, die Kaufleute und der Knabe blieben bei dem Alten, und versahen sich mit Stricken und Fackeln. Sie gelangten bald in eine zweite Höhle, wobei der Alte nicht vergaß, den Gang aus dem sie hereingekommen waren, durch eine Figur von Knochen, die er davor hinlegte, zu bezeichnen. Die Höhle glich der 10 vorigen und war ebenso reich an tierischen Resten. Heinrichen war schauerlich und wunderbar zumute; es gemahnte ihn, als wandle er durch die Vorhöfe des innern Erdenpalastes. Himmel und Leben lag ihm auf einmal weit entfernt, und diese dunkeln weiten Hallen schienen zu einem unterirdischen seltsamen Reiche zu gehören. Wie, dachte er bei sich selbst, wäre es möglich, daß unter 15 unsern Füßen eine eigene Welt in einem ungeheuern Leben sich bewegte? daß unerhörte Geburten in den Festen der Erde ihr Wesen trieben, die das innere Feuer des dunkeln Schoßes zu riesenmäßigen und geistesgewaltigen Ge- stalten auftriebe? Könnten dereinst diese schauerlichen Fremden, von der eindringenden Kälte hervorgetrieben, unter uns erscheinen, während viel- 20 leicht zu gleicher Zeit himmlische Gäste, lebendige, redende Kräfte der Ge- stirne über unsern Häuptern sichtbar würden? Sind diese Knochen Über- reste ihrer Wanderungen nach der Oberfläche, oder Zeichen einer Flucht in die Tiefe?

Auf einmal rief der Alte die andern herbei, und zeigte ihnen eine ziemlich 25 frische Menschenspur auf dem Boden. Mehrere konnten sie nicht finden, und so glaubte der Alte, ohne fürchten zu müssen, auf Räuber zu stoßen, der Spur nachgehen zu können. Sie waren eben im Begriff dies auszuführen, als auf einmal, wie unter ihren Füßen, aus einer fernen Tiefe ein ziemlich vernehmlicher Gesang anfing. Sie erstaunten nicht wenig, doch horchten sie 30 genau auf:

Gern verweil' ich noch im Tale	Ihre heil'gen Tropfen heben
Lächelnd in der tiefen Nacht,	Meine Seele hoch empor,
Denn der Liebe volle Schale	Und ich steh' in diesem Leben
Wird mir täglich dargebracht.　35	Trunken an des Himmels Tor.

Eingewiegt in sel'ges Schauen
Ängstigt mein Gemüt kein Schmerz.
Oh! die Königin der Frauen
Gibt mir ihr getreues Herz.

5 Bangverweinte Jahre haben
Diesen schlechten Ton verklärt,

Und ein Bild ihm eingegraben,
Das ihm Ewigkeit gewährt.

Jene lange Zahl von Tagen
10 Dünkt mir nur ein Augenblick;
Werd' ich einst von hier getragen,
Schau' ich dankbar noch zurück.

Alle waren auf das angenehmste überrascht, und wünschten sehnlichst den
Sänger zu entdecken.

15   Nach einigem Suchen trafen sie in einem Winkel der rechten Seitenwand,
einen abwärts gesenkten Gang, in welchen die Fußtapfen zu führen schienen.
Bald dünkte es ihnen, eine Hellung zu bemerken, die stärker wurde, je näher
sie kamen. Es tat sich ein neues Gewölbe von noch größerm Umfange, als
die vorherigen, auf, in dessen Hintergrunde sie bei einer Lampe eine mensch-
20 liche Gestalt sitzen sahen, die vor sich auf einer steinernen Platte ein großes
Buch liegen hatte, in welchem sie zu lesen schien.

   Sie drehte sich nach ihnen zu, stand auf und ging ihnen entgegen. Es
war ein Mann, dessen Alter man nicht erraten konnte. Er sah weder alt
noch jung aus, keine Spuren der Zeit bemerkte man an ihm, als schlichte
25 silberne Haare, die auf der Stirn gescheitelt waren. In seinen Augen lag
eine unaussprechliche Heiterkeit, als sähe er von einem hellen Berge in einen
unendlichen Frühling hinein. Er hatte Sohlen an die Füße gebunden, und
schien keine andere Kleidung zu haben, als einen weiten Mantel, der um
ihn hergeschlungen war, und seine edle große Gestalt noch mehr heraushob.
30 Über ihre unvermutete Ankunft schien er nicht im mindesten verwundert; wie
ein Bekannter begrüßte er sie. Es war, als empfing er erwartete Gäste in
seinem Wohnhause. „Es ist doch schön, daß Ihr mich besucht", sagte er; „Ihr
seid die ersten Freunde, die ich hier sehe, solange ich auch schon hier wohne.
Scheint es doch als finge man an, unser großes wunderbares Haus genauer
35 zu betrachten." Der Alte erwiderte: „Wir haben nicht vermutet, einen so
freundlichen Wirt hier zu finden. Von wilden Tieren und Geistern war
uns erzählt, und nun sehen wir uns auf das anmutigste getäuscht. Wenn
wir Euch in Eurer Andacht und in Euren tiefsinnigen Betrachtungen gestört haben, so verzeiht es unserer Neugierde." — „Könnte eine Betrach-
40 tung erfreulicher sein", sagte der Unbekannte, „als die froher uns zusagender
Menschengesichter? Haltet mich nicht für einen Menschenfeind, weil Ihr mich

in dieser Einöde trefft. Ich habe die Welt nicht geflohen, sondern ich habe
nur eine Ruhestätte gesucht, wo ich ungestört meinen Betrachtungen nachhängen könnte." — „Hat Euch Euer Entschluß nie gereut, und kommen
nicht zuweilen Stunden, wo Euch bange wird und Euer Herz nach einer
Menschenstimme verlangt?" — „Jetzt nicht mehr. Es war eine Zeit in 5
meiner Jugend, wo eine heiße Schwärmerei mich veranlaßte, Einsiedler zu
werden. Dunkle Ahndungen beschäftigten meine jugendliche Phantasie. Ich
hoffte volle Nahrung meines Herzens in der Einsamkeit zu finden. Unerschöpflich dünkte mir die Quelle meines innern Lebens. Aber ich merkte
bald, daß man eine Fülle von Erfahrungen dahin mitbringen muß, daß 10
ein junges Herz nicht allein sein kann, ja daß der Mensch erst durch viel-
fachen Umgang mit seinem Geschlecht eine gewisse Selbständigkeit erlangt."

„Ich glaube selbst", erwiderte der Alte, „daß es einen gewissen natürlichen
Beruf zu jeder Lebensart gibt, und vielleicht, daß die Erfahrungen eines
zunehmenden Alters von selbst auf eine Zurückziehung aus der menschlichen 15
Gesellschaft führen. Scheint es doch, als sei dieselbe der Tätigkeit, sowohl zum
Gewinst als zur Erhaltung, gewidmet. Eine große Hoffnung, ein gemeinschaftlicher Zweck treibt sie mit Macht; und Kinder und Alte scheinen nicht
dazu zu gehören. Unbehilflichkeit und Unwissenheit schließen die ersten davon
aus, während die letztern jene Hoffnung erfüllt, jenen Zweck erreicht sehen, 20
und nun nicht mehr von ihnen in den Kreis jener Gesellschaft verflochten,
in sich selbst zurückkehren, und genug zu tun finden, sich auf eine höhere Gemeinschaft würdig vorzubereiten. Indes scheinen bei Euch noch besondere
Ursachen stattgefunden zu haben, Euch so gänzlich von den Menschen abzu-
sondern und Verzicht auf alle Bequemlichkeiten der Gesellschaft zu leisten. 25
Mich dünkt, daß die Spannung Eures Gemüts doch oft nachlassen und Euch
dann unbehaglich zumute werden müßte."

„Ich fühlte das wohl, indes habe ich es glücklich durch eine strenge Regelmäßigkeit meines Lebens zu vermeiden gewußt. Dabei suche ich mich durch
Bewegung gesund zu erhalten, und dann hat es keine Not. Jeden Tag gehe 30
ich mehrere Stunden herum, und genieße den Tag und die Luft soviel ich
kann. Sonst halte ich mich in diesen Hallen auf, und beschäftige mich zu
gewissen Stunden mit Korbflechten und Schnitzen. Für meine Waren
tausche ich mir in entlegenen Ortschaften Lebensmittel ein, Bücher hab' ich
mir mitgebracht, und so vergeht die Zeit, wie ein Augenblick. In jenen 35
Gegenden habe ich einige Bekannte, die um meinen Aufenthalt wissen, und

von denen ich erfahre, was in der Welt geschieht. Diese werden mich begraben, wenn ich tot bin und meine Bücher zu sich nehmen."

Er führte sie näher an seinen Sitz, der nahe an der Höhlenwand war. Sie sahen mehrere Bücher auf der Erde liegen, auch eine Zither, und an der
5 Wand hing eine völlige Rüstung, die ziemlich kostbar zu sein schien. Der Tisch bestand aus fünf großen steinernen Platten, die wie ein Kasten zusammengesetzt waren. Auf der obersten lagen eine männliche und weibliche Figur in Lebensgröße eingehauen, die einen Kranz von Lilien und Rosen angefaßt hatten; an den Seiten stand:

10   Friedrich und Marie von Hohenzollern
      kehrten auf dieser Stelle in ihr Vaterland zurück.

Der Einsiedler fragte seine Gäste nach ihrem Vaterlande, und wie sie in diese Gegenden gekommen wären. Er war sehr freundlich und offen, und verriet eine große Bekanntschaft mit der Welt. Der Alte sagte: „Ich sehe,
15 Ihr seid ein Kriegsmann gewesen, die Rüstung verrät Euch." — „Die Gefahren und Wechsel des Krieges, der hohe poetische Geist, der ein Kriegsheer begleitet, rissen mich aus meiner jugendlichen Einsamkeit und bestimmten die Schicksale meines Lebens. Vielleicht, daß das lange Getümmel, die unzähligen Begebenheiten, denen ich beiwohnte, mir den Sinn für die Ein-
20 samkeit noch mehr geöffnet haben: die zahllosen Erinnerungen sind eine unterhaltende Gesellschaft, und dies um so mehr, je veränderter der Blick ist, mit dem wir sie überschauen, und der nun erst ihren wahren Zusammenhang, den Tiefsinn ihrer Folge, und die Bedeutung ihrer Erscheinungen entdeckt. Der eigentliche Sinn für die Geschichten der Menschen entwickelt sich
25 erst spät, und mehr unter den stillen Einflüssen der Erinnerung, als unter den gewaltsameren Eindrücken der Gegenwart. Die nächsten Ereignisse scheinen nur locker verknüpft, aber sie sympathisieren desto wunderbarer mit entfernteren; und nur dann, wenn man imstande ist, eine lange Reihe zu übersehn und weder alles buchstäblich zu nehmen, noch auch mit
30 mutwilligen Träumen die eigentliche Ordnung zu verwirren, bemerkt man die geheime Verkettung des Ehemaligen und Künftigen, und lernt die Geschichte aus Hoffnung und Erinnerung zusammensetzen. Indes nur dem, welchem die ganze Vorzeit gegenwärtig ist, mag es gelingen, die einfache Regel der Geschichte zu entdecken. Wir kommen nur zu unvollständigen und
35 beschwerlichen Formeln, und können froh sein, nur für uns selbst eine brauch-

bare Vorschrift zu finden, die uns hinlängliche Aufschlüsse über unser eigenes
kurzes Leben verschafft. Ich darf aber wohl sagen, daß jede sorgfältige Betrachtung der Schicksale des Lebens einen tiefen, unerschöpflichen Genuß
gewährt, und unter allen Gedanken uns am meisten über die irdischen Übel
erhebt. Die Jugend liest die Geschichte nur aus Neugier, wie ein unter- 5
haltendes Märchen; dem reiferen Alter wird sie eine himmlische tröstende
und erbauende Freundin, die ihn durch ihre weisen Gespräche sanft zu einer
höheren, umfassenderen Laufbahn vorbereitet, und mit der unbekannten
Welt ihn in faßlichen Bildern bekannt macht. Die Kirche ist das Wohnhaus
der Geschichte, und der stille Hof ihr sinnbildlicher Blumengarten. Von der 10
Geschichte sollten nur alte, gottesfürchtige Leute schreiben, deren Geschichte
selbst zu Ende ist, und die nichts mehr zu hoffen haben, als die Verpflanzung
in den Garten. Nicht finster und trübe wird ihre Beschreibung sein; vielmehr wird ein Strahl aus der Kuppel alles in der richtigsten und schönsten
Erleuchtung zeigen, und heiliger Geist wird über diesen seltsam bewegten 15
Gewässern schweben."

„Wie wahr und einleuchtend ist Eure Rede", setzte der Alte hinzu. „Man
sollte gewiß mehr Fleiß darauf wenden, das Wissenswürdige seiner Zeit
treulich aufzuzeichnen, und es als ein andächtiges Vermächtnis den künftigen Menschen zu hinterlassen. Es gibt tausend entferntere Dinge, denen 20
Sorgfalt und Mühe gewidmet wird, und gerade um das Nächste und Wichtigste, um die Schicksale unsers eigenen Lebens, unserer Angehörigen, unsers
Geschlechts, deren leise Planmäßigkeit wir in den Gedanken einer Vorsehung
aufgefaßt haben, bekümmern wir uns so wenig, und lassen sorglos alle
Spuren in unserm Gedächtnisse verwischen. Wie Heiligtümer wird eine 25
weisere Nachkommenschaft jede Nachricht, die von den Begebenheiten der
Vergangenheit handelt, aufsuchen, und selbst das Leben eines einzelnen unbedeutenden Mannes wird ihr nicht gleichgültig sein, da gewiß sich das große
Leben seiner Zeitgenossenschaft darin mehr oder weniger spiegelt."

„Es ist nur so schlimm", sagte der Graf von Hohenzollern, „daß selbst 30
die wenigen, die sich der Aufzeichnung der Taten und Vorfälle ihrer Zeit
unterzogen, nicht über ihr Geschäft nachdachten, und ihren Beobachtungen
keine Vollständigkeit und Ordnung zu geben suchten, sondern nur aufs
Geratewohl bei der Auswahl und Sammlung ihrer Nachrichten verfuhren.
Ein jeder wird leicht an sich bemerken, daß er nur dasjenige deutlich und 35
vollkommen beschreiben kann, was er genau kennt, dessen Teile, dessen Ent-

stehung und Folge, dessen Zweck und Gebrauch ihm gegenwärtig sind: denn
sonst wird keine Beschreibung, sondern ein verwirrtes Gemisch von unvollständigen Bemerkungen entstehn. Man lasse ein Kind eine Maschine, einen
Landmann ein Schiff beschreiben, und gewiß wird kein Mensch aus ihren
5 Worten einigen Nutzen und Unterricht schöpfen können, und so ist es mit den
meisten Geschichtschreibern, die vielleicht fertig genug im Erzählen und bis
zum Überdruß weitschweifig sind, aber doch gerade das Wissenswürdigste vergessen, dasjenige, was erst die Geschichte zur Geschichte macht, und die
mancherlei Zufälle zu einem angenehmen und lehrreichen Ganzen verbindet.
10 Wenn ich das alles recht bedenke, so scheint es mir, als wenn ein Geschichtschreiber notwendig auch ein Dichter sein müßte, denn nur die Dichter
mögen sich auf jene Kunst, Begebenheiten schicklich zu verknüpfen, verstehn.
In ihren Erzählungen und Fabeln habe ich mit stillem Vergnügen ihr
zartes Gefühl für den geheimnisvollen Geist des Lebens bemerkt. Es ist
15 mehr Wahrheit in ihren Märchen, als in gelehrten Chroniken. Sind auch
ihre Personen und deren Schicksale erfunden: so ist doch der Sinn, in dem
sie erfunden sind, wahrhaft und natürlich. Es ist für unsern Genuß und
unsere Belehrung gewissermaßen einerlei, ob die Personen, in deren Schick-
salen wir den unsrigen nachspüren, wirklich einmal lebten, oder nicht. Wir
20 verlangen nach der Anschauung der großen einfachen Seele der Zeit-
erscheinungen, und finden wir diesen Wunsch gewährt, so kümmern wir
uns nicht um die zufällige Existenz ihrer äußern Figuren."

„Auch ich bin den Dichtern", sagte der Alte, „von jeher deshalb zugetan
gewesen. Das Leben und die Welt ist mir klarer und anschaulicher durch
25 sie geworden. Es dünkte mich, sie müßten befreundet mit den scharfen
Geistern des Lichtes sein, die alle Naturen durchdringen und sondern, und
einen eigentümlichen, zartgefärbten Schleier über jede verbreiten. Meine
eigene Natur fühlte ich bei ihren Liedern leicht entfaltet, und es war, als
könnte sie sich nun freier bewegen, ihrer Geselligkeit und ihres Verlangens
30 froh werden, mit stiller Lust ihre Glieder gegeneinander schwingen, und tausenderlei anmutige Wirkungen hervorrufen."

„Wart Ihr so glücklich, in Eurer Gegend einige Dichter zu haben?"
fragte der Einsiedler.

„Es haben sich wohl zuweilen einige bei uns eingefunden, aber sie schienen
35 Gefallen am Reisen zu finden, und so hielten sie sich meist nicht lange auf.
Indes habe ich auf meinen Wanderungen nach Illyrien, nach Sachsen und

Schwedenland nicht selten welche gefunden, deren Andenken mich immer
erfreuen wird."

„So seid Ihr ja weit umhergekommen und müßt viele denkwürdige
Dinge erlebt haben."

„Unsere Kunst macht es fast nötig, daß man sich weit auf dem Erdboden 5
umsieht, und es ist als triebe den Bergmann ein unterirdisches Feuer umher.
Ein Berg schickt ihn dem andern. Er wird nie mit Sehen fertig, und hat
seine ganze Lebenszeit an jener wunderlichen Baukunst zu lernen, die unsern
Fußboden so seltsam begründet und ausgetäfelt hat. Unsere Kunst ist uralt
und weit verbreitet. Sie mag wohl aus Morgen, mit der Sonne, wie unser 10
Geschlecht, nach Abend gewandert sein, und von der Mitte nach den Enden
zu. Sie hat überall mit andern Schwierigkeiten zu kämpfen gehabt, und da
immer das Bedürfnis den menschlichen Geist zu klugen Erfindungen gereizt,
so kann der Bergmann überall seine Einsichten und seine Geschicklichkeit
vermehren und mit nützlichen Erfahrungen seine Heimat bereichern." 15

„Ihr seid beinah verkehrte Astrologen", sagte der Einsiedler. „Wenn
diese den Himmel unverwandt betrachten und seine unermeßlichen Räume
durchirren: so wendet ihr Euren Blick auf den Erdboden, und erforscht seinen
Bau. Jene studieren die Kräfte und Einflüsse der Gestirne, und ihr untersucht die Kräfte der Felsen und Berge, und die mannigfaltigen Wirkungen 20
der Erd- und Steinschichten. Jenen ist der Himmel das Buch der Zukunft,
während euch die Erde Denkmale der Urwelt zeigt."

„Es ist dieser Zusammenhang nicht ohne Bedeutung", sagte der Alte
lächelnd. „Die leuchtenden Propheten spielen vielleicht eine Hauptrolle in
jener alten Geschichte des wunderlichen Erdbaus. Man wird vielleicht sie aus 25
ihren Werken, und ihre Werke aus ihnen mit der Zeit besser kennen und
erklären lernen. Vielleicht zeigen die großen Gebirgsketten die Spuren
ihrer ehemaligen Straßen, und hatten selbst Lust, sich auf ihre eigene Hand
zu nähren und ihren eigenen Gang am Himmel zu gehn. Manche hoben
sich kühn genug, um auch Sterne zu werden, und müssen nun dafür die 30
schöne grüne Bekleidung der niedrigern Gegenden entbehren. Sie haben
dafür nichts erhalten, als daß sie ihren Vätern das Wetter machen helfen,
und Propheten für das tiefere Land sind, das sie bald schützen bald mit Un-
gewittern überschwemmen."

„Seitdem ich in dieser Höhle wohne", fuhr der Einsiedler fort, „habe 35

ich mehr über die alte Zeit nachdenken gelernt. Es ist unbeschreiblich, was
diese Betrachtung anzieht, und ich kann mir die Liebe vorstellen, die ein
Bergmann für sein Handwerk hegen muß. Wenn ich die seltsamen alten
Knochen ansehe, die hier in so gewaltiger Menge versammelt sind; wenn
5 ich mir die wilde Zeit denke, wo diese fremdartigen, ungeheuren Tiere in
dichten Scharen sich in diese Höhlen hereindrängten, von Furcht und Angst
vielleicht getrieben, und hier ihren Tod fanden; wenn ich dann wieder bis
zu den Zeiten hinaufsteige, wo diese Höhlen zusammenwuchsen und ungeheure Fluten das Land bedeckten: so komme ich mir selbst wie ein Traum
10 der Zukunft, wie ein Kind des ewigen Friedens vor. Wie ruhig und fried-
fertig, wie mild und klar ist gegen diese gewaltsamen, riesenmäßigen Zeiten,
die heutige Natur! und das furchtbarste Gewitter, das entsetzlichste Erdbeben in unsern Tagen ist nur ein schwacher Nachhall jener grausenvollen
Geburtswehen. Vielleicht daß auch die Pflanzen- und Tierwelt, ja die
15 damaligen Menschen selbst, wenn es auf einzelnen Eilanden in diesem Ozean
welche gab, eine andere festere und rauhere Bauart hatten — wenigstens
dürfte man die alten Sagen von einem Riesenvolke dann keiner Erdichtung
zeihen."

„Es ist erfreulich", sagte der Alte, „jene allmähliche Beruhigung der
20 Natur zu bemerken. Ein immer innigeres Einverständnis, eine friedlichere
Gemeinschaft, eine gegenseitige Unterstützung und Belebung, scheint sich
allmählich gebildet zu haben, und wir können immer besseren Zeiten ent-
gegensehn. Es wäre vielleicht möglich, daß hin und wieder noch alter Sauer-
teig gärte, und noch einige heftige Erschütterungen erfolgten; indes sieht
25 man doch das allmächtige Streben nach freier, einträchtiger Verfassung,
und in diesem Geiste wird jede Erschütterung vorübergehen und dem großen
Ziele näher führen. Mag es sein, daß die Natur nicht mehr so fruchtbar ist,
daß heutzutage keine Metalle und Edelsteine, keine Felsen und Berge mehr
entstehn, daß Pflanzen und Tiere nicht mehr zu so erstaunlichen Größen
30 und Kräften aufquellen; je mehr sich ihre erzeugende Kraft erschöpft hat,
desto mehr haben ihre bildenden, veredelnden und geselligen Kräfte zu-
genommen, ihr Gemüt ist empfänglicher und zarter, ihre Phantasie mannigfaltiger und sinnbildlicher, ihre Hand leichter und kunstreicher geworden.
Sie nähert sich dem Menschen, und wenn sie ehmals ein wildgebärender Fels
35 war, so ist sie jetzt eine stille, treibende Pflanze, eine stumme menschliche
Künstlerin. Wozu wäre auch eine Vermehrung jener Schätze nötig, deren

Überfluß auf undenkliche Zeiten ausreicht. Wie klein ist der Raum, den ich durchwandert bin, und welche mächtige Vorräte habe ich nicht gleich auf den ersten Blick gefunden, deren Benutzung der Nachwelt überlassen bleibt. Welche Reichtümer verschließen nicht die Gebirge nach Norden, welche günstige Anzeichen fand ich nicht in meinem Vaterlande überall, in Ungarn, 5 am Fuße der Karpathischen Gebirge, und in den Felsentälern von Tirol, Ostreich und Bayern. Ich könnte ein reicher Mann sein, wenn ich das hätte mit mir nehmen können, was ich nur aufzuheben, nur abzuschlagen brauchte. An manchen Orten sah ich mich, wie in einem Zaubergarten. Was ich ansah, war von köstlichen Metallen und auf das kunstreichste gebildet. In den zier- 10 lichen Locken und Ästen des Silbers hingen glänzende, rubinrote, durch- sichtige Früchte, und die schweren Bäumchen standen auf kristallenem Grunde, der ganz unnachahmlich ausgearbeitet war. Man traute kaum seinen Sinnen an diesen wunderbaren Orten, und ward nicht müde diese reizenden Wild- nisse zu durchstreifen und sich an ihren Kleinodien zu ergötzen. Auch auf 15 meiner jetzigen Reise habe ich viele Merkwürdigkeiten gesehn, und gewiß ist in andern Ländern die Erde ebenso ergiebig und verschwenderisch."

„Wenn man", sagte der Unbekannte, „die Schätze bedenkt, die im Orient zu Hause sind, so ist daran kein Zweifel, und ist das ferne Indien, Afrika und Spanien nicht schon im Altertum durch die Reichtümer seines Bodens 20 bekannt gewesen? Als Kriegsmann gibt man freilich nicht so genau auf die Adern und Klüfte der Berge acht, indes habe ich doch zuweilen meine Be- trachtungen über die glänzenden Streifen gehabt, die wie seltsame Knos- pen auf eine unerwartete Blüte und Frucht deuten. Wie hätte ich damals denken können, wenn ich froh über das Licht des Tages an diesen dunkeln Be- 25 hausungen vorbeizog, daß ich noch im Schoße eines Berges mein Leben beschließen würde. Meine Liebe trug mich stolz über den Erdboden, und in ihrer Umarmung hoffte ich in späten Jahren zu entschlafen. Der Krieg endigte, und ich zog nach Hause, voll froher Erwartungen eines erquicklichen Herbstes. Aber der Geist des Krieges schien der Geist meines Glücks zu sein. 30 Meine Marie hatte mir zwei Kinder im Orient geboren. Sie waren die Freude unsers Lebens. Die Seefahrt und die rauhere abendländische Luft störte ihre Blüte. Ich begrub sie wenig Tage nach meiner Ankunft in Europa. Kummervoll führte ich meine trostlose Gattin nach meiner Heimat. Ein stiller Gram mochte den Faden ihres Lebens mürbe gemacht haben. 35 Auf einer Reise, die ich bald darauf unternehmen mußte, auf der sie mich

wie immer begleitete, verschied sie sanft und plötzlich in meinen Armen. Es
war hier nahe bei, wo unsere irdische Wallfahrt zu Ende ging. Mein Entschluß war im Augenblicke reif. Ich fand, was ich nie erwartet hatte; eine
göttliche Erleuchtung kam über mich, und seit dem Tage, da ich sie hier selbst
5 begrub, nahm eine himmlische Hand allen Kummer von meinem Herzen.
Das Grabmal habe ich nachher errichten lassen. Oft scheint eine Begebenheit sich zu endigen, wenn sie erst eigentlich beginnt, und dies hat bei meinem
Leben stattgefunden. Gott verleihe euch allen ein seliges Alter, und ein so
geruhiges Gemüt wie mir."

10   Heinrich und die Kaufleute hatten aufmerksam dem Gespräche zugehört,
und der erstere fühlte besonders neue Entwickelungen seines ahndungsvollen
Innern. Manche Worte, manche Gedanken fielen wie belebender Frucht-
staub in seinen Schoß, und rückten ihn schnell aus dem engen Kreise seiner
Jugend auf die Höhe der Welt. Wie lange Jahre lagen die eben vergangenen
15 Stunden hinter ihm, und er glaubte nie anders gedacht und empfunden zu
haben.

    Der Einsiedler zeigte ihnen seine Bücher. Es waren alte Historien und
Gedichte. Heinrich blätterte in den großen schöngemalten Schriften; die
kurzen Zeilen der Verse, die Überschriften, einzelne Stellen und die saubern
20 Bilder, die hier und da, wie verkörperte Worte, zum Vorschein kamen, um
die Einbildungskraft des Lesers zu unterstützen, reizten mächtig seine Neugierde. Der Einsiedler bemerkte seine innere Lust, und erklärte ihm die
sonderbaren Vorstellungen. Die mannigfaltigsten Lebensszenen waren ab-
gebildet. Kämpfe, Leichenbegängnisse, Hochzeitfeierlichkeiten, Schiffbrüche,
25 Höhlen und Paläste; Könige, Helden, Priester, alte und junge Leute,
Menschen in fremden Trachten, und seltsame Tiere, kamen in verschiedenen
Abwechselungen und Verbindungen vor. Heinrich konnte sich nicht satt sehen,
und hätte nichts mehr gewünscht, als bei dem Einsiedler, der ihn unwiderstehlich anzog, zu bleiben, und von ihm über diese Bücher unterrichtet zu
30 werden. Der Alte fragte unterdes, ob es noch mehr Höhlen gäbe, und der
Einsiedler sagte ihm, daß noch einige sehr große in der Nähe lägen, wohin
er ihn begleiten wollte. Der Alte war dazu bereit, und der Einsiedler, der
die Freude merkte, die Heinrich an seinen Büchern hatte, veranlaßte ihn,
zurückzubleiben und sich während dieser Zeit weiter unter denselben umzu-
35 sehen. Heinrich blieb mit Freuden bei den Büchern, und dankte ihm innig
für seine Erlaubnis. Er blätterte mit unendlicher Lust umher. Endlich fiel

ihm ein Buch in die Hände, das in einer fremden Sprache geschrieben war,
die ihm einige Ähnlichkeit mit der lateinischen und italienischen zu haben
schien. Er hätte sehnlichst gewünscht, die Sprache zu kennen, denn das Buch
gefiel ihm vorzüglich, ohne daß er eine Silbe davon verstand. Es hatte keinen
Titel, doch fand er noch beim Suchen einige Bilder. Sie dünkten ihm ganz 5
wunderbar bekannt, und wie er recht zusah, entdeckte er seine eigene Gestalt
ziemlich kenntlich unter den Figuren. Er erschrak und glaubte zu träumen,
aber beim wiederholten Ansehn konnte er nicht mehr an der vollkommenen
Ähnlichkeit zweifeln. Er traute kaum seinen Sinnen, als er bald auf einem
Bilde die Höhle, den Einsiedler und den Alten neben sich entdeckte. All- 10
mählich fand er auf den andern Bildern die Morgenländerin, seine Eltern,
den Landgrafen und die Landgräfin von Thüringen, seinen Freund den Hofkaplan, und manche andere seiner Bekannten; doch waren ihre Kleidungen
verändert und schienen aus einer andern Zeit zu sein. Eine große Menge
Figuren wußte er nicht zu nennen, doch deuchten sie ihm bekannt. Er sah 15
sein Ebenbild in verschiedenen Lagen. Gegen das Ende kam er sich größer und
edler vor. Die Gitarre ruhte in seinen Armen, und die Landgräfin reichte
ihm einen Kranz. Er sah sich am kaiserlichen Hofe, zu Schiffe, in trauter
Umarmung mit einem schlanken lieblichen Mädchen, in einem Kampfe mit
wildaussehenden Männern und in freundlichen Gesprächen mit Sarazenen 20
und Mohren. Ein Mann von ernstem Ansehn kam häufig in seiner Gesellschaft vor. Er fühlte tiefe Ehrfurcht vor dieser hohen Gestalt, und war froh,
sich Arm in Arm mit ihm zu sehn. Die letzten Bilder waren dunkel und
unverständlich; doch überraschten ihn einige Gestalten seines Traumes mit
dem innigsten Entzücken; der Schluß des Buches schien zu fehlen. Heinrich 25
war sehr bekümmert, und wünschte nichts sehnlicher, als das Buch lesen
zu können, und vollständig zu besitzen. Er betrachtete die Bilder zu wiederholten Malen und war bestürzt, wie er die Gesellschaft zurückkommen hörte.
Eine wunderliche Scham befiel ihn. Er getraute sich nicht, seine Entdeckung
merken zu lassen, machte das Buch zu, und fragte den Einsiedler nur obenhin 30
nach dem Titel und der Sprache desselben, wo er denn erfuhr, daß es in
provenzalischer Sprache geschrieben sei. „Es ist lange, daß ich es gelesen
habe", sagte der Einsiedler. „Ich kann mich nicht genau mehr des Inhalts
entsinnen. Soviel ich weiß, ist es ein Roman von den wunderbaren Schick-
salen eines Dichters, worin die Dichtkunst in ihren mannigfachen Verhält- 35
nissen dargestellt und gepriesen wird. Der Schluß fehlt an dieser Hand-

schrift, die ich aus Jerusalem mitgebracht habe, wo ich sie in der Verlassenschaft eines Freundes fand, und zu seinem Andenken aufhob.''

Sie nahmen nun voneinander Abschied, und Heinrich war bis zu Tränen
gerührt. Die Höhle war ihm so merkwürdig, der Einsiedler so lieb ge-
5 worden.

Alle umarmten diesen herzlich, und er selbst schien sie liebgewonnen
zu haben. Heinrich glaubte zu bemerken, daß er ihn mit einem freundlichen
durchdringenden Blick ansehe. Seine Abschiedsworte gegen ihn waren sonderbar bedeutend. Er schien von seiner Entdeckung zu wissen und darauf anzu-
10 spielen. Bis zum Eingang der Höhlen begleitete er sie, nachdem er sie und
besonders den Knaben gebeten hatte, nichs von ihm gegen die Bauern zu
erwähnen, weil er sonst ihren Zudringlichkeiten ausgesetzt sein würde.

Sie versprachen es alle. Wie sie von ihm schieden und sich seinem Gebet
empfahlen, sagte er: ,,Wie lange wird es währen, so sehn wir uns wieder,
15 und werden über unsere heutigen Reden lächeln. Ein himmlischer Tag wird
uns umgeben, und wir werden uns freuen, daß wir einander in diesen Tälern
der Prüfung freundlich begrüßten, und von gleichen Gesinnungen und
Ahndungen beseelt waren. Sie sind die Engel, die uns hier sicher geleiten.
Wenn euer Auge fest am Himmel haftet, so werdet ihr nie den Weg zu
20 eurer Heimat verlieren.'' — Sie trennten sich mit stiller Andacht, fanden
bald ihre zaghaften Gefährten, und erreichten unter allerlei Erzählungen
in kurzem das Dorf, wo Heinrichs Mutter, die in Sorgen gewesen war,
sie mit tausend Freuden empfing.

Sechstes Kapitel

25   Menschen, die zum Handeln, zur Geschäftigkeit geboren sind, können nicht
früh genug alles selbst betrachten und beleben. Sie müssen überall selbst
Hand anlegen und viele Verhältnisse durchlaufen, ihr Gemüt gegen die
Eindrücke einer neuen Lage, gegen die Zerstreuungen vieler und mannigfaltiger Gegenstände gewissermaßen abhärten, und sich gewöhnen, selbst im
30 Drange großer Begebenheiten den Faden, ihres Zwecks festzuhalten, und
ihn gewandt hindurchzuführen. Sie dürfen nicht den Einladungen einer
stillen Betrachtung nachgeben. Ihre Seele darf keine in sich gekehrte Zu-
schauerin, sie muß unablässig nach außen gerichtet, und eine emsige schnell

entscheidende Dienerin des Verstandes sein. Sie sind Helden, und um sie
her drängen sich die Begebenheiten, die geleitet und gelöst sein wollen. Alle
Zufälle werden zu Geschichten unter ihrem Einfluß, und ihr Leben ist eine
ununterbrochene Kette merkwürdiger und glänzender, verwickelter und seltsamer Ereignisse.   5

Anders ist es mit jenen ruhigen, unbekannten Menschen, deren Welt ihr
Gemüt, deren Tätigkeit die Betrachtung, deren Leben ein leises Bilden ihrer
innern Kräfte ist. Keine Unruhe treibt sie nach außen. Ein stiller Besitz
genügt ihnen und das unermeßliche Schauspiel außer ihnen reizt sie nicht
selbst darin aufzutreten, sondern kommt ihnen bedeutend und wunderbar   10
genug vor, um seiner Betrachtung ihre Muße zu widmen. Verlangen nach
dem Geiste desselben hält sie in der Ferne, und er ist es, der sie zu der geheimnisvollen Rolle des Gemüts in dieser menschlichen Welt bestimmte, während
jene die äußeren Gliedmaßen und Sinne und die ausgehenden Kräfte derselben vorstellen.   15

Große und vielfache Begebenheiten würden sie stören. Ein einfaches Leben
ist ihr Los, und nur aus Erzählungen und Schriften müssen sie mit dem
reichen Inhalt, und den zahllosen Erscheinungen der Welt bekannt werden.
Nur selten darf im Verlauf ihres Lebens ein Vorfall sie auf einige Zeit
in seine raschen Wirbel mit hereinziehn, um durch einige Erfahrungen sie   20
von der Lage und dem Charakter der handelnden Menschen genauer zu
unterrichten. Dagegen wird ihr empfindlicher Sinn schon genug von nahen
unbedeutenden Erscheinungen beschäftigt, die ihm jene große Welt verjüngt
darstellen, und sie werden keinen Schritt tun, ohne die überraschendsten Entdeckungen in sich selbst über das Wesen und die Bedeutung derselben zu   25
machen. Es sind die Dichter, diese seltenen Zugmenschen, die zuweilen durch
unsere Wohnsitze wandeln, und überall den alten ehrwürdigen Dienst der
Menschheit und ihrer ersten Götter, der Gestirne, des Frühlings, der Liebe,
des Glücks, der Fruchtbarkeit, der Gesundheit und des Frohsinns erneuern;
sie, die schon hier im Besitz der himmlischen Ruhe sind, und von keinen   30
törichten Begierden umhergetrieben, nur den Duft der irdischen Früchte
einatmen, ohne sie zu verzehren und dann unwiderruflich an die Unterwelt
gekettet zu sein. Freie Gäste sind sie, deren goldener Fuß nur leise auftritt,
und deren Gegenwart in allen unwillkürlich die Flügel ausbreitet. Ein
Dichter läßt sich, wie ein guter König, frohen und klaren Gesichtern nach   35
aufsuchen, und er ist es, der allein den Namen eines Weisen mit Recht

führt. Wenn man ihn mit dem Helden vergleicht, so findet man, daß die
Gesänge der Dichter nicht selten den Heldenmut in jugendlichen Herzen
erweckt, Heldentaten aber wohl nie den Geist der Poesie in ein neues Gemüt
gerufen haben.

5   Heinrich war von Natur zum Dichter geboren. Mannigfaltige Zufälle
schienen sich zu seiner Bildung zu vereinigen, und noch hatte nichts seine
innere Regsamkeit gestört. Alles was er sah und hörte schien nur neue Riegel
in ihm wegzuschieben, und neue Fenster ihm zu öffnen. Er sah die Welt in
ihren großen und abwechselnden Verhältnissen vor sich liegen. Noch war sie
10 aber stumm, und ihre Seele, das Gespräch, noch nicht erwacht. Schon
nahte sich ein Dichter, ein liebliches Mädchen an der Hand, um durch Laute
der Muttersprache und durch Berührung eines süßen zärtlichen Mundes, die
blöden Lippen aufzuschließen, und den einfachen Akkord in unendliche Melodien zu entfalten.

15 Diese Reise war nun geendigt. Es war gegen Abend, als unsere Reisenden wohlbehalten und fröhlich in der weltberühmten Stadt Augsburg an-
langten, und voller Erwartung durch die hohen Gassen nach dem ansehn-
lichen Hause des alten Schwaning ritten.

Heinrichen war schon die Gegend sehr reizend vorgekommen. Das leb-
20 hafte Getümmel der Stadt und die großen, steinernen Häuser befremdeten
ihn angenehm. Er freute sich inniglich über seinen künftigen Aufenthalt.
Seine Mutter war sehr vergnügt nach der langen, mühseligen Reise sich
hier in ihrer geliebten Vaterstadt zu sehen, bald ihren Vater und ihre alten
Bekannten wieder zu umarmen, ihren Heinrich ihnen vorstellen, und einmal
25 alle Sorgen des Hauswesens bei den traulichen Erinnerungen ihrer Jugend
ruhig vergessen zu können. Die Kaufleute hofften sich bei den dortigen Lust-
barkeiten für die Unbequemlichkeiten des Weges zu entschädigen, und ein-
trägliche Geschäfte zu machen.

Das Haus des alten Schwaning fanden sie erleuchtet, und eine lustige
30 Musik tönte ihnen entgegen. „Was gilt's", sagten die Kaufleute, „Euer
Großvater gibt ein fröhliches Fest. Wir kommen wie gerufen. Wie wird
er über die ungeladenen Gäste erstaunen. Er läßt es sich wohl nicht träumen,
daß das wahre Fest nun erst angehn wird." Heinrich fühlte sich verlegen,
und seine Mutter war nun wegen ihres Anzugs in Sorgen. Sie stiegen ab,
35 die Kaufleute blieben bei den Pferden, und Heinrich und seine Mutter traten
in das prächtige Haus. Unten war kein Hausgenosse zu sehen. Sie mußten

die breite Wendeltreppe hinauf. Einige Diener liefen vorüber, die sie baten,
dem alten Schwaning die Ankunft einiger Fremden anzusagen, die ihn zu
sprechen wünschten. Die Diener machten anfangs einige Schwierigkeiten;
die Reisenden sahen nicht zum besten aus; doch meldeten sie es dem Herrn
des Hauses. Der alte Schwaning kam heraus. Er kannte sie nicht gleich, und 5
fragte nach ihrem Namen und Anliegen. Heinrichs Mutter weinte und fiel
ihm um den Hals. „Kennt Ihr Eure Tochter nicht mehr?" rief sie weinend.
„Ich bringe Euch meinen Sohn." Der alte Vater war äußerst gerührt.
Er drückte sie lange an seine Brust; Heinrich sank auf ein Knie, und küßte
ihm zärtlich die Hand. Er hob ihn zu sich und hielt Mutter und Sohn um- 10
armt. „Geschwind herein", sagte Schwaning, „ich habe lauter Freunde und
Bekannte bei mir, die sich herzlich mit mir freuen werden." Heinrichs Mutter schien einige Zweifel zu haben. Sie hatte keine Zeit sich zu besinnen.
Der Vater führte beide in den hohen, erleuchteten Saal. „Da bringe ich
meine Tochter und meinen Enkel aus Eisenach", rief Schwaning in das 15
frohe Getümmel glänzend gekleideter Menschen. Alle Augen kehrten sich
nach der Tür; alles lief herzu, die Musik schwieg, und die beiden Reisenden
standen verwirrt und geblendet in ihren staubigen Kleidern mitten in der
bunten Schar. Tausend freudige Ausrufungen gingen von Mund zu Mund.
Alte Bekannte drängten sich um die Mutter. Es gab unzählige Fragen. 20
Jedes wollte zuerst gekannt und bewillkommet sein. Während der ältere Teil
der Gesellschaft sich mit der Mutter beschäftigte, heftete sich die Aufmerksamkeit des jüngeren Teils auf den fremden Jüngling, der mit gesenktem
Blick dastand, und nicht das Herz hatte, die unbekannten Gesichter wieder
zu betrachten. Sein Großvater machte ihn mit der Gesellschaft bekannt, und 25
erkundigte sich nach seinem Vater und den Vorfällen ihrer Reise.

Die Mutter gedachte der Kaufleute, die unten aus Gefälligkeit bei den
Pferden geblieben waren. Sie sagte es ihrem Vater, welcher sogleich
hinunterschickte, und sie einladen ließ heraufzukommen. Die Pferde wurden
in die Ställe gebracht, und die Kaufleute erschienen.   30

Schwaning dankte ihnen herzlich für die freundschaftliche Geleitung seiner
Tochter. Sie waren mit vielen Anwesenden bekannt, und begrüßten sich
freundlich mit ihnen. Die Mutter wünschte, sich reinlich ankleiden zu dürfen.
Schwaning nahm sie auf sein Zimmer, und Heinrich folgte ihnen in gleicher
Absicht.   35

Unter der Gesellschaft war Heinrichen ein Mann aufgefallen, den er in

jenem Buche oft an seiner Seite gesehn zu haben glaubte. Sein edles Ansehn zeichnete ihn vor allen aus. Ein heitrer Ernst war der Geist seines
Gesichts; eine offene schöngewölbte Stirn, große, schwarze, durchdringende
und feste Augen, ein schalkhafter Zug um den fröhlichen Mund und durch-
5 aus klare, männliche Verhältnisse machten es bedeutend und anziehend. Er
war stark gebaut, seine Bewegungen waren ruhig und ausdrucksvoll, und wo
er stand, schien er ewig stehen zu wollen. Heinrich fragte seinen Großvater
nach ihm. „Es ist mir lieb", sagte der Alte, „daß du ihn gleich bemerkt hast.
Es ist mein trefflicher Freund Klingsohr, der Dichter. Auf seine Bekannt-
10 schaft und Freundschaft kannst du stolzer sein, als auf die des Kaisers. Aber
wie steht's mit deinem Herzen? Er hat eine schöne Tochter; vielleicht daß sie
den Vater bei dir aussticht. Es sollte mich wundern, wenn du sie nicht gesehn
hättest." Heinrich errötete. „Ich war zerstreut, lieber Großvater. Die Gesellschaft war zahlreich, und ich betrachtete nur Euren Freund." — „Man
15 merkt es, daß du aus Norden kömmst", erwiderte Schwaning. „Wir wollen
dich hier schon auftauen. Du sollst schon lernen nach hübschen Augen sehn."
      Sie waren nun fertig und begaben sich zurück in den Saal, wo indes die
Zurüstungen zum Abendessen gemacht worden waren. Der alte Schwaning
führte Heinrichen auf Klingsohr zu, und erzählte ihm, daß Heinrich ihn
20 gleich bemerkt und den lebhaftesten Wunsch habe mit ihm bekannt zu sein.
      Heinrich war beschämt. Klingsohr redete freundlich zu ihm von seinem
Vaterlande und seiner Reise. Es lag soviel Zutrauliches in seiner Stimme,
daß Heinrich bald ein Herz faßte und sich freimütig mit ihm unterhielt.
Nach einiger Zeit kam Schwaning wieder zu ihnen und brachte die schöne
25 Mathilde. „Nehmt Euch meines schüchternen Enkels freundlich an und
verzeiht es ihm, daß er eher Euren Vater als Euch gesehn hat. Eure
glänzenden Augen werden schon die schlummernde Jugend in ihm wecken.
In seinem Vaterlande kommt der Frühling spät."
      Heinrich und Mathilde wurden rot. Sie sahen sich einander mit Ver-
30 wunderung an. Sie fragte ihn mit kaum hörbaren leisen Worten: ob er
gern tanze. Eben als er die Frage bejahte, fing eine fröhliche Tanzmusik an.
Er bot ihr schweigend seine Hand; sie gab ihm die ihrige, und sie mischten
sich in die Reihe der walzenden Paare. Schwaning und Klingsohr sahen zu.
Die Mutter und die Kaufleute freuten sich über Heinrichs Behendigkeit und
35 seine liebliche Tänzerin. Die Mutter hatte genug mit ihren Jugendfreundin-
nen zu sprechen, die ihr zu einem so wohlgebildeten und so hoffnungsvollen

Sohn Glück wünschten. Klingsohr sagte zu Schwaning: „Euer Enkel hat
ein anziehendes Gesicht. Er zeigt ein klares und umfassendes Gemüt, und
seine Stimme kommt tief aus dem Herzen." — „Ich hoffe", erwiderte
Schwaning, „daß er Euer gelehriger Schüler sein wird. Mich deucht, er
ist zum Dichter geboren. Euer Geist komme über ihn. Er sieht seinem Vater 5
ähnlich; nur scheint er weniger heftig und eigensinnig. Jener war in seiner
Jugend voll glücklicher Anlagen. Eine gewisse Freisinnigkeit fehlte ihm.
Es hätte mehr aus ihm werden können als ein fleißiger und fertiger Künst-
ler." — Heinrich wünschte den Tanz nie zu endigen. Mit innigem Wohl-
behagen ruhte sein Auge auf den Rosen seiner Tänzerin. Ihr unschuldiges 10
Auge vermied ihn nicht. Sie schien der Geist ihres Vaters in der lieblichsten
Verkleidung. Aus ihren großen ruhigen Augen sprach ewige Jugend. Auf
einem lichthimmelblauen Grunde lag der milde Glanz der braunen Sterne.
Stirn und Nase senkten sich zierlich um sie her. Eine nach der aufgehenden
Sonne geneigte Lilie war ihr Gesicht, und von dem schlanken, weißen Halse 15
schlängelten sich blaue Adern in reizenden Windungen um die zarten
Wangen. Ihre Stimme war wie ein fernes Echo, und das braune lockige
Köpfchen schien über der leichten Gestalt nur zu schweben.

Die Schüsseln kamen herein, und der Tanz war aus. Die ältern Leute
setzten sich auf die eine Seite, und die jüngern nahmen die andere ein. 20

Heinrich blieb bei Mathilden. Eine junge Verwandte setzte sich zu seiner
Linken, und Klingsohr saß ihm gerade gegenüber. So wenig Mathilde
sprach, so gesprächig war Veronika, seine andere Nachbarin. Sie tat gleich
mit ihm vertraut und machte ihn in kurzem mit allen Anwesenden bekannt.
Heinrich verhörte manches. Er war noch bei seiner Tänzerin, und hätte 25
sich gern öfters rechts gewandt. Klingsohr machte ihrem Plaudern ein Ende.
Er fragte ihn nach dem Bande mit sonderbaren Figuren, was Heinrich an
seinem Leibrocke befestigt hatte. Heinrich erzählte von der Morgenländerin
mit vieler Rührung. Mathilde weinte, und Heinrich konnte nun seine
Tränen kaum verbergen. Er geriet darüber mit ihr ins Gespräch. Alle unter- 30
hielten sich; Veronika lachte und scherzte mit ihren Bekannten. Mathilde
erzählte ihm von Ungarn, wo ihr Vater sich oft aufhielt, und von dem
Leben in Augsburg. Alle waren vergnügt. Die Musik verscheuchte die
Zurückhaltung und reizte alle Neigungen zu einem muntern Spiel. Blumen-
körbe dufteten in voller Pracht auf dem Tische, und der Wein schlich zwischen 35
den Schüsseln und Blumen umher, schüttelte seine goldnen Flügel und stellte

bunte Tapeten zwiſchen die Welt und die Gäſte. Heinrich begriff erſt jetzt,
was ein Feſt ſei. Tauſend frohe Geiſter ſchienen ihm um den Tiſch zu gau-
keln, und in ſtiller Sympathie mit den fröhlichen Menſchen von ihren Freuden zu leben und mit ihren Genüſſen ſich zu berauſchen. Der Lebensgenuß
5 ſtand wie ein klingender Baum voll goldener Früchte vor ihm. Das Übel
ließ ſich nicht ſehen, und es dünkte ihm unmöglich, daß je die menſchliche
Neigung von dieſem Baume zu der gefährlichen Frucht des Erkenntniſſes,
zu dem Baume des Krieges ſich gewendet haben ſollte. Er verſtand nun den
Wein und die Speiſen. Sie ſchmeckten ihm überaus köſtlich. Ein himmliſches
10 Öl würzte ſie ihm, und aus dem Becher funkelte die Herrlichkeit des irdiſchen
Lebens. Einige Mädchen brachten dem alten Schwaning einen friſchen
Kranz. Er ſetzte ihn auf, küßte ſie, und ſagte: „Auch unſerm Freund Klings-
ohr müßt ihr einen bringen, wir wollen beide zum Dank euch ein paar neue
Lieder lehren. Das meinige ſollt ihr gleich haben.“ Er gab der Muſik ein
15 Zeichen und ſang mit lauter Stimme:

Sind wir nicht geplagte Weſen?
Iſt nicht unſer Los betrübt?
Nur zu Zwang und Not erleſen
In Verſtellung nur geübt,
20 Dürfen ſelbſt nicht unſre Klagen
Sich aus unſerm Buſen wagen.

Allem was die Eltern ſprechen,
Widerſpricht das volle Herz.
Die verbotne Frucht zu brechen
25 Fühlen wir der Sehnſucht Schmerz;
Möchten gern die ſüßen Knaben
Feſt an unſerm Herzen haben.

Wäre dies zu denken Sünde?
Zollfrei ſind Gedanken doch.
30 Was bleibt einem armen Kinde
Außer ſüßen Träumen noch?
Will man ſie auch gern verbannen,
Nimmer ziehen ſie von dannen.

Wenn wir auch des Abends beten,
35 Schreckt uns doch die Einſamkeit,
Und zu unſern Küſſen treten

Sehnſucht und Gefälligkeit.
Könnten wir wohl widerſtreben
Alles, alles hinzugeben?

40 Unſre Reize zu verhüllen,
Schreibt die ſtrenge Mutter vor.
Ach! was hilft der gute Willen,
Quellen ſie nicht ſelbſt empor?
Bei der Sehnſucht innrem Beben
45 Muß das beſte Band ſich geben.

Jede Neigung zu verſchließen,
Hart und kalt zu ſein, wie Stein,
Schöne Augen nicht zu grüßen,
Fleißig und allein zu ſein,
50 Keiner Bitte nachzugeben:
Heißt das wohl ein Jugendleben?

Groß ſind eines Mädchens Plagen,
Ihre Bruſt iſt krank und wund,
Und zum Lohn für ſtille Klagen
55 Küßt ſie noch ein welker Mund.
Wird denn nie das Blatt ſich wenden
Und das Reich der Alten enden?

Die alten Leute und die Jünglinge lachten. Die Mädchen erröteten und
lächelten abwärts. Unter tausend Neckereien wurde ein zweiter Kranz geholt,
und Klingsohren aufgesetzt. Sie baten aber inständig um keinen so leicht-
fertigen Gesang. „Nein", sagte Klingsohr, „ich werde mich wohl hüten,
so frevelhaft von euren Geheimnissen zu reden. Sagt selbst, was ihr für 5
ein Lied haben wollt." — „Nur nichts von Liebe", riefen die Mädchen,
„ein Weinlied, wenn es Euch ansteht." Klingsohr sang:

Auf grünen Bergen wird geboren,
Der Gott, der uns den Himmel bringt.
Die Sonne hat ihn sich erkoren,   10
Daß sie mit Flammen ihn durchdringt.

Er wird im Lenz mit Lust empfangen,
Der zarte Schoß quillt still empor,
Und wenn des Herbstes Früchte prangen,
Springt auch das goldne Kind hervor. 15

Sie legen ihn in enge Wiegen
Ins unterirdische Geschoß.
Er träumt von Festen und von Siegen
Und baut sich manches luft'ge Schloß.

Es nahe keiner seiner Kammer,   20
Wenn er sich ungeduldig drängt,
Und jedes Band und jede Klammer
Mit jugendlichen Kräften sprengt.

Denn unsichtbare Wächter stellen,
So lang er träumt, sich um ihn her; 25
Und wer betritt die heil'gen Schwellen,
Den trifft ihr luftumwundner Speer.

So wie die Schwingen sich entfalten,
Läßt er die lichten Augen sehn,

Läßt ruhig seine Priester schalten   30
Und kommt heraus, wenn sie ihm flehn.

Aus seiner Wiege dunkelm Schoße
Erscheint er im Kristallgewand;
Verschwiegner Eintracht volle Rose
Trägt er bedeutend in der Hand.   35

Und überall um ihn versammeln
Sich seine Jünger hocherfreut,
Und tausend frohe Zungen stammeln
Ihm ihre Lieb' und Dankbarkeit.

Er spritzt in ungezählten Strahlen   40
Sein innres Leben in die Welt,
Die Liebe nippt aus seinen Schalen
Und bleibt ihm ewig zugesellt.

Er nahm als Geist der goldnen Zeiten
Von jeher sich des Dichters an,   45
Der immer seine Lieblichkeiten
In trunknen Liedern aufgetan.

Er gab ihm, seine Treu zu ehren,
Ein Recht auf jeden hübschen Mund,
Und daß es keine darf ihm wehren,   50
Macht Gott durch ihn es allen kund.

„Ein schöner Prophet!" riefen die Mädchen. Schwaning freute sich
herzlich. Sie machten noch einige Einwendungen, aber es half nichts. Sie
mußten ihm die süßen Lippen hinreichen. Heinrich schämte sich nur vor seiner
ernsten Nachbarin, sonst hätte er sich laut über das Vorrecht der Dichter 55

gefreut. Veronika war unter den Kranzträgerinnen. Sie kam fröhlich
zurück und sagte zu Heinrich: „Nicht wahr, es ist hübsch, wenn man ein
Dichter ist?" Heinrich getraute sich nicht, diese Frage zu benutzen. Der
Übermut der Freude und der Ernst der ersten Liebe kämpften in seinem
5 Gemüt. Die reizende Veronika scherzte mit den andern, und so gewann er
Zeit, den ersten etwas zu dämpfen. Mathilde erzählte ihm, daß sie die
Gitarre spiele. „Ach!" sagte Heinrich, „von Euch möchte ich sie lernen. Ich
habe mich lange darnach gesehnt." — „Mein Vater hat mich unterrichtet.
Er spielt sie unvergleichlich", sagte sie errötend. — „Ich glaube doch", er-
10 widerte Heinrich, „daß ich sie schneller bei Euch lerne. Wie freue ich mich,
Euren Gesang zu hören." — „Stellt Euch nur nicht zuviel vor." — „Oh!"
sagte Heinrich, „was sollte ich nicht erwarten können, da Eure bloße Rede
schon Gesang ist, und Eure Gestalt eine himmlische Musik verkündigt."

Mathilde schwieg. Ihr Vater fing ein Gespräch mit ihm an, in welchem
15 Heinrich mit der lebhaftesten Begeisterung sprach. Die Nächsten wunderten
sich über des Jünglings Beredsamkeit, über die Fülle seiner bildlichen Gedanken. Mathilde sah ihn mit stiller Aufmerksamkeit an. Sie schien sich
über seine Reden zu freuen, die sein Gesicht mit den sprechendsten Mienen
noch mehr erklärte. Seine Augen glänzten ungewöhnlich. Er sah sich zu-
20 weilen nach Mathilden um, die über den Ausdruck seines Gesichts erstaunte.
Im Feuer des Gesprächs ergriff er unvermerkt ihre Hand, und sie konnte
nicht umhin, manches was er sagte, mit einem leisen Druck zu bestätigen.
Klingsohr wußte seinen Enthusiasmus zu unterhalten, und lockte allmählich
seine ganze Seele auf die Lippen. Endlich stand alles auf. Alles schwärmte
25 durcheinander. Heinrich war an Mathildens Seite geblieben. Sie standen
unbemerkt abwärts. Er hielt ihre Hand und küßte sie zärtlich. Sie ließ sie
ihm, und blickte ihn mit unbeschreiblicher Freundlichkeit an. Er konnte sich
nicht halten, neigte sich zu ihr und küßte ihre Lippen. Sie war überrascht,
und erwiderte unwillkürlich seinen heißen Kuß. „Gute Mathilde!" —
30 „Lieber Heinrich!" das war alles, was sie einander sagen konnten. Sie
drückte seine Hand, und ging unter die andern. Heinrich stand wie im
Himmel. Seine Mutter kam auf ihn zu. Er ließ seine ganze Zärtlichkeit
an ihr aus. Sie sagte: „Ist es nicht gut, daß wir nach Augsburg gereist
sind? Nicht wahr, es gefällt dir?" — „Liebe Mutter", sagte Heinrich, „so
35 habe ich mir es doch nicht vorgestellt. Es ist ganz herrlich."

Der Rest des Abends verging in unendlicher Fröhlichkeit. Die Alten

spielten, plauderten, und sahen den Tänzen zu. Die Musik wogte wie ein
Lustmeer im Saale, und hob die berauschte Jugend.

Heinrich fühlte die entzückenden Weissagungen der ersten Lust und Liebe
zugleich. Auch Mathilde ließ sich willig von den schmeichelnden Wellen
tragen, und verbarg ihr zärtliches Zutrauen, ihre aufkeimende Neigung zu 5
ihm nur hinter einem leichten Flor. Der alte Schwaning bemerkte das
kommende Verständnis, und neckte beide.

Klingsohr hatte Heinrichen liebgewonnen, und freute sich seiner Zärtlichkeit. Die andern Jünglinge und Mädchen hatten es bald bemerkt. Sie
zogen die ernste Mathilde mit dem jungen Thüringer auf, und verhehlten 10
nicht, daß es ihnen lieb sei, Mathildens Aufmerksamkeit nicht mehr bei
ihren Herzensgeschäften scheuen zu dürfen.

Es war tief in der Nacht, als die Gesellschaft auseinanderging. „Das
erste und einzige Fest meines Lebens“, sagte Heinrich zu sich selbst, als er
allein war, und seine Mutter sich ermüdet zur Ruhe gelegt hatte. „Ist mir 15
nicht zumute wie in jenem Traume, beim Anblick der blauen Blume?
Welcher sonderbare Zusammenhang ist zwischen Mathilden und dieser
Blume? Jenes Gesicht, das aus dem Kelche sich mir entgegenneigte, es war
Mathildens himmlisches Gesicht, und nun erinnere ich mich auch, es in
jenem Buche gesehn zu haben. Aber warum hat es dort mein Herz nicht so 20
bewegt? Oh! sie ist der sichtbare Geist des Gesanges, eine würdige Tochter
ihres Vaters. Sie wird mich in Musik auflösen. Sie wird meine innerste
Seele, die Hüterin meines heiligen Feuers sein. Welche Ewigkeit von
Treue fühle ich in mir! Ich ward nur geboren, um sie zu verehren, um ihr
ewig zu dienen, um sie zu denken und zu empfinden. Gehört nicht ein eigenes 25
ungeteiltes Dasein zu ihrer Anschauung und Anbetung? und bin ich der
Glückliche, dessen Wesen das Echo, der Spiegel des ihrigen sein darf? Es
war kein Zufall, daß ich sie am Ende meiner Reise sah, daß ein seliges Fest
den höchsten Augenblick meines Lebens umgab. Es konnte nicht anders sein;
macht ihre Gegenwart nicht alles festlich?“   30

Er trat ans Fenster. Das Chor der Gestirne stand am dunkeln Himmel,
und im Morgen kündigte ein weißer Schein den kommenden Tag an.

Mit vollem Entzücken rief Heinrich aus: „Euch, ihr ewigen Gestirne,
ihr stillen Wandrer, euch rufe ich zu Zeugen meines heiligen Schwurs an.
Für Mathilden will ich leben, und ewige Treue soll mein Herz an das ihrige 35
knüpfen. Auch mir bricht der Morgen eines ewigen Tages an. Die Nacht

ist vorüber. Ich zünde der aufgehenden Sonne mich selbst zum nieder-
glühenden Opfer an."

Heinrich war erhitzt, und nur spät gegen Morgen schlief er ein. In
wunderliche Träume flossen die Gedanken seiner Seele zusammen. Ein
5 tiefer blauer Strom schimmerte aus der grünen Ebene herauf. Auf der
glatten Fläche schwamm ein Kahn. Mathilde saß und ruderte. Sie war
mit Kränzen geschmückt, sang ein einfaches Lied, und sah nach ihm mit süßer
Wehmut herüber. Seine Brust war beklommen. Er wußte nicht warum.
Der Himmel war heiter, die Flut ruhig. Ihr himmlisches Gesicht spiegelte
10 sich in den Wellen. Auf einmal fing der Kahn an sich umzudrehen. Er rief
ihr ängstlich zu. Sie lächelte und legte das Ruder in den Kahn, der sich
immerwährend drehte. Eine ungeheure Bangigkeit ergriff ihn. Er stürzte
sich in den Strom; aber er konnte nicht fort, das Wasser trug ihn. Sie
winkte, sie schien ihm etwas sagen zu wollen, der Kahn schöpfte schon Wasser;
15 doch lächelte sie mit einer unsäglichen Innigkeit, und sah heiter in den
Wirbel hinein. Auf einmal zog es sie hinunter. Eine leise Luft strich über
den Strom, der ebenso ruhig und glänzend floß, wie vorher. Die entsetzliche Angst raubte ihm das Bewußtsein. Das Herz schlug nicht mehr. Er
kam erst zu sich, als er sich auf trocknem Boden fühlte. Er mochte weit ge-
20 schwommen sein. Es war eine fremde Gegend. Er wußte nicht wie ihm geschehen war. Sein Gemüt war verschwunden. Gedankenlos ging er tiefer
ins Land. Entsetzlich matt fühlte er sich. Eine kleine Quelle kam aus einem
Hügel, sie tönte wie lauter Glocken. Mit der Hand schöpfte er einige
Tropfen und netzte seine dürren Lippen. Wie ein banger Traum lag die
25 schreckliche Begebenheit hinter ihm. Immer weiter und weiter ging er,
Blumen und Bäume redeten ihn an. Ihm wurde so wohl und heimatlich
zu Sinne. Da hörte er jenes einfache Lied wieder. Er lief den Tönen nach.
Auf einmal hielt ihn jemand am Gewande zurück. „Lieber Heinrich", rief
eine bekannte Stimme. Er sah sich um, und Mathilde schloß ihn in ihre
30 Arme. „Warum liefst du vor mir, liebes Herz?" sagte sie tiefatmend.
„Kaum konnte ich dich einholen." Heinrich weinte. Er drückte sie an sich. —
„Wo ist der Strom?" rief er mit Tränen. — „Siehst du nicht seine blauen
Wellen über uns?" Er sah hinauf, und der blaue Strom floß leise über
ihrem Haupte. „Wo sind wir, liebe Mathilde?" — „Bei unsern Eltern."
35 — „Bleiben wir zusammen?" — „Ewig", versetzte sie, indem sie ihre
Lippen an die seinigen drückte, und ihn so umschloß, daß sie nicht wieder von

ihm konnte. Sie sagte ihm ein wunderbares geheimes Wort in den Mund, was sein ganzes Wesen durchklang. Er wollte es wiederholen, als sein Großvater rief, und er aufwachte. Er hätte sein Leben darum geben mögen, das Wort noch zu wissen.

Siebentes Kapitel   5

Klingsohr stand vor seinem Bette, und bot ihm freundlich guten Morgen. Er ward munter und fiel Klingsohr um den Hals. „Das gilt Euch nicht", sagte Schwaning. Heinrich lächelte und verbarg sein Erröten an den Wangen seiner Mutter.

„Habt Ihr Lust, mit mir vor der Stadt auf einer schönen Anhöhe zu 10 frühstücken?" sagte Klingsohr. „Der herrliche Morgen wird Euch erfrischen. Kleidet Euch an. Mathilde wartet schon auf uns."

Heinrich dankte mit tausend Freuden für diese willkommene Einladung. In einem Augenblick war er fertig, und küßte Klingsohr mit vieler Inbrunst die Hand.   15

Sie gingen zu Mathilden, die in ihrem einfachen Morgenkleide wunderlieblich aussah und ihn freundlich grüßte. Sie hatte schon das Frühstück in ein Körbchen gepackt, das sie an den einen Arm hing, und die andere Hand unbefangen Heinrichen reichte. Klingsohr folgte ihnen, und so wandelten sie durch die Stadt, die schon voller Lebendigkeit war, nach einem kleinen 20 Hügel am Flusse, wo sich unter einigen hohen Bäumen eine weite und volle Aussicht öffnete.

„Habe ich doch schon oft", rief Heinrich aus, „mich an dem Aufgang der bunten Natur, an der friedlichen Nachbarschaft ihres mannigfaltigen Eigentums ergötzt; aber eine so schöpferische und gediegene Heiterkeit hat 25 mich noch nie erfüllt wie heute. Jene Fernen sind mir so nah, und die reiche Landschaft ist mir wie eine innere Phantasie. Wie veränderlich ist die Natur, so unwandelbar auch ihre Oberfläche zu sein scheint. Wie anders ist sie, wenn ein Engel, wenn ein kräftigerer Geist neben uns ist, als wenn ein Notleidender vor uns klagt, oder ein Bauer uns erzählt, wie ungünstig die 30 Witterung ihm sei, und wie nötig er düstre Regentage für seine Saat brauche. Euch, teuerster Meister, bin ich dieses Vergnügen schuldig; ja dieses Vergnügen, denn es gibt kein anderes Wort, was wahrhafter den Zustand meines Herzens ausdrückte. Freude, Lust und Entzücken sind nur die Glieder

des Vergnügens, das sie zu einem höhern Leben verknüpft." Er drückte
Mathildens Hand an sein Herz, und versank mit einem feurigen Blick in
ihr mildes, empfängliches Auge.

"Die Natur", versetzte Klingsohr, "ist für unser Gemüt, was ein Kör-
5 per für das Licht ist. Er hält es zurück; er bricht es in eigentümliche Farben;
er zündet auf seiner Oberfläche oder in seinem Innern ein Licht an, das,
wenn es seiner Dunkelheit gleichkommt, ihn klar und durchsichtig macht,
wenn es sie überwiegt, von ihm ausgeht, um andere Körper zu erleuchten.
Aber selbst der dunkelste Körper kann durch Wasser, Feuer und Luft dahin
10 gebracht werden, daß er hell und glänzend wird."

"Ich verstehe Euch, lieber Meister. Die Menschen sind Kristalle für
unser Gemüt. Sie sind die durchsichtige Natur. Liebe Mathilde, ich möchte
Euch einen köstlichen lautern Saphir nennen. Ihr seid klar und durchsichtig
wie der Himmel, Ihr erleuchtet mit dem mildesten Lichte. Aber sagt mir,
15 lieber Meister, ob ich recht habe: mich dünkt, daß man gerade wenn man
am innigsten mit der Natur vertraut ist am wenigsten von ihr sagen
könnte und möchte."

"Wie man das nimmt", versetzte Klingsohr; "ein anderes ist es mit der
Natur für unsern Genuß und unser Gemüt, ein anderes mit der Natur für
20 unsern Verstand, für das leitende Vermögen unserer Weltkräfte. Man
muß sich wohl hüten, nicht eins über das andere zu vergessen. Es gibt viele,
die nur die eine Seite kennen und die andere gering schätzen. Aber beide
kann man vereinigen, und man wird sich wohl dabei befinden. Schade,
daß so wenige darauf denken, sich in ihrem Innern frei und geschickt bewegen
25 zu können, und durch eine gehörige Trennung sich den zweckmäßigsten und
natürlichsten Gebrauch ihrer Gemütskräfte zu sichern. Gewöhnlich hindert
eine die andere, und so entsteht allmählich eine unbehilfliche Trägheit, daß
wenn nun solche Menschen einmal mit gesamten Kräften aufstehen wollen,
eine gewaltige Verwirrung und Streit beginnt, und alles übereinander
30 ungeschickt herstolpert. Ich kann Euch nicht genug anrühmen, Euren Verstand, Euren natürlichen Trieb, zu wissen, wie alles sich begibt und untereinander nach Gesetzen der Folge zusammenhängt, mit Fleiß und Mühe zu
unterstützen. Nichts ist dem Dichter unentbehrlicher, als Einsicht in die
Natur jedes Geschäfts, Bekanntschaft mit den Mitteln jeden Zweck zu er-
35 reichen, und Gegenwart des Geistes, nach Zeit und Umständen, die schicklichsten zu wählen. Begeisterung ohne Verstand ist unnütz und gefährlich,

und der Dichter wird wenig Wunder tun können, wenn er selbst über Wunder erstaunt."

„Ist aber dem Dichter nicht ein inniger Glaube an die menschliche Regierung des Schicksals unentbehrlich?"

„Unentbehrlich allerdings, weil er sich das Schicksal nicht anders vor- 5 stellen kann, wenn er reiflich darüber nachdenkt; aber wie entfernt ist diese heitere Gewißheit, von jener ängstlichen Ungewißheit, von jener blinden Furcht des Aberglaubens. Und so ist auch die kühle, belebende Wärme eines dichterischen Gemüts gerade das Widerspiel von jener wilden Hitze eines kränklichen Herzens. Diese ist arm, betäubend und vorübergehend; jene 10 sondert alle Gestalten rein ab, begünstigt die Ausbildung der mannig- faltigsten Verhältnisse, und ist ewig durch sich selbst. Der junge Dichter kann nicht kühl, nicht besonnen genug sein. Zur wahren, melodischen Ge- sprächigkeit gehört ein weiter, aufmerksamer und ruhiger Sinn. Es wird ein verworrnes Geschwätz, wenn ein reißender Strom in der Brust tobt, 15 und die Aufmerksamkeit in eine zitternde Gedankenlosigkeit auflöst. Noch- mals wiederhole ich, das echte Gemüt ist wie das Licht, ebenso ruhig und empfindlich, ebenso elastisch und durchdringlich, ebenso mächtig und ebenso unmerklich wirksam als dieses köstliche Element, das auf alle Gegenstände sich mit seiner Abgemessenheit verteilt, und sie alle in reizender Mannig- 20 faltigkeit erscheinen läßt. Der Dichter ist reiner Stahl, ebenso empfindlich, wie ein zerbrechlicher Glasfaden, und ebenso hart, wie ein ungeschmeidiger Kiesel."

„Ich habe das schon zuweilen gefühlt", sagte Heinrich, „daß ich in den innigsten Minuten weniger lebendig war, als zu andern Zeiten, wo ich 25 frei umhergehn und alle Beschäftigungen mit Lust treiben konnte. Ein geistiges scharfes Wesen durchdrang mich dann, und ich durfte jeden Sinn nach Gefallen brauchen, jeden Gedanken, wie einen wirklichen Körper, um- wenden und von allen Seiten betrachten. Ich stand mit stillem Anteil an der Werkstatt meines Vaters, und freute mich, wenn ich ihm helfen und 30 etwas geschickt zustande bringen konnte. Geschicklichkeit hat einen ganz be- sondern stärkenden Reiz, und es ist wahr, ihr Bewußtsein verschafft einen dauerhafteren und deutlicheren Genuß, als jenes überfließende Gefühl einer unbegreiflichen, überschwenglichen Herrlichkeit."

„Glaubt nicht", sagte Klingsohr, „daß ich das letztere tadle; aber es 35 muß von selbst kommen, und nicht gesucht werden. Seine sparsame Er-

scheinung ist wohltätig; öfterer wird sie ermüdend und schwächend. Man kann nicht schnell genug sich aus der süßen Betäubung reißen, die es hinterläßt, und zu einer regelmäßigen und mühsamen Beschäftigung zurückkehren. Es ist wie mit den anmutigen Morgenträumen, aus deren einschläferndem
5 Wirbel man nur mit Gewalt sich herausziehen kann, wenn man nicht in immer drückendere Müdigkeit geraten, und so in krankhafter Erschöpfung nachher den ganzen Tag hinschleppen will."

„Die Poesie will vorzüglich", fuhr Klingsohr fort, „als strenge Kunst getrieben werden. Als bloßer Genuß hört sie auf Poesie zu sein. Ein Dichter
10 muß nicht den ganzen Tag müßig umherlaufen, und auf Bilder und Gefühle Jagd machen. Das ist ganz der verkehrte Weg. Ein reines offenes Gemüt, Gewandtheit im Nachdenken und Betrachten, und Geschicklichkeit alle seine Fähigkeiten in eine gegenseitig belebende Tätigkeit zu versetzen und darin zu erhalten, das sind die Erfordernisse unserer Kunst. Wenn Ihr
15 Euch mir überlassen wollt, so soll kein Tag Euch vergehn, wo Ihr nicht Eure Kenntnisse bereichert, und einige nützliche Einsichten erlangt habt. Die Stadt ist reich an Künstlern aller Art. Es gibt einige erfahrne Staatsmänner, einige gebildete Kaufleute hier. Man kann ohne große Umstände mit allen Ständen, mit allen Gewerben, mit allen Verhältnissen und Er-
20 fordernissen der menschlichen Gesellschaft sich bekannt machen. Ich will Euch mit Freuden in dem Handwerksmäßigen unserer Kunst unterrichten, und die merkwürdigsten Schriften mit Euch lesen. Ihr könnt Mathildens Lehrstunden teilen, und sie wird Euch gern die Gitarre spielen lehren. Jede Beschäftigung wird die übrigen vorbereiten, und wenn Ihr so Euren Tag gut
25 angelegt habt, so werden Euch das Gespräch und die Freuden des gesellschaftlichen Abends, und die Ansichten der schönen Landschaft umher mit den heitersten Genüssen immer wieder überraschen."

„Welches herrliche Leben schließt Ihr mir auf, liebster Meister. Unter Eurer Leitung werde ich erst merken, welches edle Ziel vor mir steht, und
30 wie ich es nur durch Euren Rat zu erreichen hoffen darf."

Klingsohr umarmte ihn zärtlich. Mathilde brachte ihnen das Frühstück, und Heinrich fragte sie mit zärtlicher Stimme, ob sie ihn gern zum Begleiter ihres Unterrichts und zum Schüler annehmen wollte. „Ich werde wohl ewig Euer Schüler bleiben", sagte er, indem sich Klingsohr nach einer
35 andern Seite wandte. Sie neigte sich unmerklich zu ihm hin. Er umschlang sie und küßte den weichen Mund des errötenden Mädchens. Nur sanft bog

sie sich von ihm weg, doch reichte sie ihm mit der kindlichsten Anmut eine Rose, die sie am Busen trug. Sie machte sich mit ihrem Körbchen zu tun. Heinrich sah ihr mit stillem Entzücken nach, küßte die Rose, heftete sie an seine Brust, und ging an Klingsohrs Seite, der nach der Stadt hinübersah.

„Wo seid Ihr hergekommen?" fragte Klingsohr. — „Über jenen Hügel 5 herunter", erwiderte Heinrich. „In jene Ferne verliert sich unser Weg." — „Ihr müßt schöne Gegenden gesehn haben." — „Fast ununterbrochen sind wir durch reizende Landschaften gereiset." — „Auch Eure Vaterstadt hat wohl eine anmutige Lage?" — „Die Gegend ist abwechselnd genug; doch ist sie noch wild, und ein großer Fluß fehlt ihr. Die Ströme sind die Augen 10 einer Landschaft." — „Die Erzählung Eurer Reise", sagte Klingsohr, „hat mir gestern abend eine angenehme Unterhaltung gewährt. Ich habe wohl gemerkt, daß der Geist der Dichtkunst Euer freundlicher Begleiter ist. Eure Gefährten sind unbemerkt seine Stimmen geworden. In der Nähe des Dichters bricht die Poesie überall aus. Das Land der Poesie, das roman- 15 tische Morgenland, hat Euch mit seiner süßen Wehmut begrüßt; der Krieg hat Euch in seiner wilden Herrlichkeit angeredet, und die Natur und Ge- schichte sind Euch unter der Gestalt eines Bergmanns und eines Einsiedlers begegnet."

„Ihr vergeßt das Beste, lieber Meister, die himmlische Erscheinung der 20 Liebe. Es hängt nur von Euch ab, diese Erscheinung mir auf ewig fest- zuhalten." — „Was meinst du", rief Klingsohr, indem er sich zu Mathilden wandte, die eben auf ihn zukam. „Hast du Lust, Heinrichs unzer- trennliche Gefährtin zu sein? Wo du bleibst, bleibe ich auch." Mathilde erschrak, sie flog in die Arme ihres Vaters. Heinrich zitterte in unendlicher 25 Freude. „Wird er mich denn ewig geleiten wollen, lieber Vater?" — „Frage ihn selbst", sagte Klingsohr gerührt. Sie sah Heinrichen mit der innigsten Zärtlichkeit an. „Meine Ewigkeit ist ja dein Werk", rief Heinrich, indem ihm die Tränen über die blühenden Wangen stürzten. Sie umschlangen sich zugleich. Klingsohr faßte sie in seine Arme. „Meine Kinder", rief er, „seid 30 einander treu bis in den Tod! Liebe und Treue werden euer Leben zur ewigen Poesie machen."

Achtes Kapitel

Nachmittags führte Klingsohr seinen neuen Sohn, an dessen Glück seine Mutter und Großvater den zärtlichsten Anteil nahmen, und Mathilden wie seinen Schutzgeist verehrten, in seine Stube, und machte ihn mit den
5 Büchern bekannt. Sie sprachen nachher von Poesie.

„Ich weiß nicht", sagte Klingsohr, „warum man es für Poesie nach gemeiner Weise hält, wenn man die Natur für einen Poeten ausgibt. Sie ist es nicht zu allen Zeiten. Es ist in ihr, wie in dem Menschen, ein entgegengesetztes Wesen, die dumpfe Begierde und die stumpfe Gefühllosigkeit und
10 Trägheit, die einen rastlosen Streit mit der Poesie führen. Er wäre ein schöner Stoff zu einem Gedicht, dieser gewaltige Kampf. Manche Länder und Zeiten scheinen, wie die meisten Menschen, ganz unter der Botmäßigkeit dieser Feindin der Poesie zu stehen, dagegen in andern die Poesie einheimisch und überall sichtbar ist. Für den Geschichtschreiber sind die Zeiten dieses
15 Kampfes äußerst merkwürdig, ihre Darstellung ein reizendes und belohnendes Geschäft. Es sind gewöhnlich die Geburtszeiten der Dichter. Der Widersacherin ist nichts unangenehmer, als daß sie der Poesie gegenüber selbst zu einer poetischen Person wird, und nicht selten in der Hitze die Waffen mit ihr tauscht, und von ihrem eigenen heimtückischen Geschosse heftig getroffen
20 wird, dahingegen die Wunden der Poesie, die sie von ihren eigenen Waffen erhält, leicht heilen und sie nur noch reizender und gewaltiger machen."

„Der Krieg überhaupt", sagte Heinrich, „scheint mir eine poetische Wirkung. Die Leute glauben sich für irgendeinen armseligen Besitz schlagen zu müssen, und merken nicht, daß sie der romantische Geist aufregt, um die un-
25 nützen Schlechtigkeiten durch sich selbst zu vernichten. Sie führen die Waffen für die Sache der Poesie, und beide Heere folgen e i n e r unsichtbaren Fahne."

„Im Kriege", versetzte Klingsohr, „regt sich das Urgewässer. Neue Weltteile sollen entstehen, neue Geschlechter sollen aus der großen Auflösung anschießen. Der wahre Krieg ist der Religionskrieg; der geht geradezu auf
30 Untergang, und der Wahnsinn der Menschen erscheint in seiner völligen Gestalt. Viele Kriege, besonders die vom Nationalhaß entspringen, gehören in diese Klasse mit, und sie sind echte Dichtungen. Hier sind die wahren Helden zu Hause, die das edelste Gegenbild der Dichter, nichts anders, als unwillkürlich von Poesie durchdrungene Weltkräfte sind. Ein Dichter, der
16*

zugleich Held wäre, ist schon ein göttlicher Gesandter, aber seiner Darstellung ist unsere Poesie nicht gewachsen."

„Wie versteht Ihr das, lieber Vater?" sagte Heinrich. „Kann ein Gegenstand zu überschwenglich für die Poesie sein?"

„Allerdings. Nur kann man im Grunde nicht sagen, für die Poesie, 5 sondern nur für unsere irdischen Mittel und Werkzeuge. Wenn es schon für einen einzelnen Dichter nur ein eigentümliches Gebiet gibt, innerhalb dessen er bleiben muß, um nicht alle Haltung und den Atem zu verlieren: so gibt es auch für die ganze Summe menschlicher Kräfte eine bestimmte Grenze der Darstellbarkeit, über welche hinaus die Darstellung die nötige Dichtig- 10 keit und Gestaltung nicht behalten kann, und in ein leeres täuschendes Unding sich verliert. Besonders als Lehrling kann man nicht genug sich vor diesen Ausschweifungen hüten, da eine lebhafte Phantasie nur gar zu gern nach den Grenzen sich begibt, und übermütig das Unsinnliche, Übermäßige zu ergreifen und auszusprechen sucht. Reifere Erfahrung lehrt erst, jene 15 Unverhältnismäßigkeit der Gegenstände zu vermeiden, und die Aufspürung des Einfachsten und Höchsten der Weltweisheit zu überlassen. Der ältere Dichter steigt nicht höher, als er es gerade nötig hat, um seinen mannig- faltigen Vorrat in eine leichtfaßliche Ordnung zu stellen, und hütet sich wohl, die Mannigfaltigkeit zu verlassen, die ihm Stoff genug und auch die nötigen 20 Vergleichungspunkte darbietet. Ich möchte fast sagen, das Chaos muß in jeder Dichtung durch den regelmäßigen Flor der Ordnung schimmern. Den Reichtum der Erfindung macht nur eine leichte Zusammenstellung faßlich und anmutig, dagegen auch das bloße Ebenmaß die unangenehme Dürre einer Zahlenfigur hat. Die beste Poesie liegt uns ganz nahe, und ein ge- 25 wöhnlicher Gegenstand ist nicht selten ihr liebster Stoff. Für den Dichter ist die Poesie an beschränkte Werkzeuge gebunden, und eben dadurch wird sie zur Kunst. Die Sprache überhaupt hat ihren bestimmten Kreis. Noch enger ist der Umfang einer besondern Volkssprache. Durch Übung und Nach- denken lernt der Dichter seine Sprache kennen. Er weiß, was er mit ihr 30 leisten kann, genau, und wird keinen törichten Versuch machen, sie über ihre Kräfte anzuspannen. Nur selten wird er alle ihre Kräfte in einen Punkt zusammendrängen, denn sonst wird er ermüdend, und vernichtet selbst die kostbare Wirkung einer gutangebrachten Kraftäußerung. Auf seltsame Sprünge richtet sie nur ein Gaukler, kein Dichter ab. Überhaupt können die 35 Dichter nicht genug von den Musikern und Malern lernen. In diesen

Künsten wird es recht auffallend, wie nötig es ist, wirtschaftlich mit den
Hilfsmitteln der Kunst umzugehn, und wie viel auf geschickte Verhältnisse
ankommt. Dagegen könnten freilich jene Künstler auch von uns die poetische
Unabhängigkeit und den innern Geist jeder Dichtung und Erfindung, jedes
5 echten Kunstwerks überhaupt, dankbar annehmen. Sie sollten poetischer und
wir musikalischer und malerischer sein — beides nach der Art und Weise
unserer Kunst. Der Stoff ist nicht der Zweck der Kunst, aber die Ausführung ist es. Du wirst selbst sehen, welche Gesänge dir am besten geraten,
gewiß die, deren Gegenstände dir am geläufigsten und gegenwärtigsten sind.
10 Daher kann man sagen, daß die Poesie ganz auf Erfahrung beruht. Ich
weiß selbst, daß mir in jungen Jahren ein Gegenstand nicht leicht zu entfernt und zu unbekannt sein konnte, den ich nicht am liebsten besungen hätte.
Was wurde es? ein leeres, armseliges Wortgeräusch, ohne einen Funken
wahrer Poesie. Daher ist auch ein Märchen eine sehr schwierige Aufgabe,
15 und selten wird ein junger Dichter sie gut lösen.“

„Ich möchte gern eins von dir hören“, sagte Heinrich. „Die wenigen,
die ich gehört habe, haben mich unbeschreiblich ergötzt, so unbedeutend sie
auch sein mochten.“

„Ich will heute abend deinen Wunsch befriedigen. Es ist mir eins er-
20 innerlich, was ich noch in ziemlich jungen Jahren machte, wovon es auch
noch deutliche Spuren an sich trägt, indes wird es dich vielleicht desto lehrreicher unterhalten, und dich an manches erinnern, was ich dir gesagt habe.“

„Die Sprache“, sagte Heinrich, „ist wirklich eine kleine Welt in Zeichen
und Tönen. Wie der Mensch sie beherrscht, so möchte er gern die große Welt
25 beherrschen, und sich frei darin ausdrücken können. Und eben in dieser
Freude, das, was außer der Welt ist, in ihr zu offenbaren, das tun zu
können, was eigentlich der ursprüngliche Trieb unsers Daseins ist, liegt der
Ursprung der Poesie.“

„Es ist recht übel“, sagte Klingsohr, „daß die Poesie einen besondern
30 Namen hat, und die Dichter eine besondere Zunft ausmachen. Es ist gar
nichts Besonderes. Es ist die eigentümliche Handlungsweise des menschlichen Geistes. Dichtet und trachtet nicht jeder Mensch in jeder Minute?“ —
Eben trat Mathilde ins Zimmer, als Klingsohr noch sagte: „Man betrachte
nur die Liebe. Nirgends wird wohl die Notwendigkeit der Poesie zum Be-
35 stand der Menschheit so klar, als in ihr. Die Liebe ist stumm, nur die Poesie

kann für sie sprechen. Oder die Liebe ist selbst nichts, als die höchste Naturpoesie. Doch ich will dir nicht Dinge sagen, die du besser weißt als ich."

„Du bist ja der Vater der Liebe", sagte Heinrich, indem er Mathilden
umschlang, und beide seine Hand küßten.

Klingsohr umarmte sie und ging hinaus. „Liebe Mathilde", sagte Hein- 5
rich nach einem langen Kusse, „es ist mir wie ein Traum, daß du mein bist,
aber noch wunderbarer ist mir es, daß du es nicht immer gewesen bist." —
„Mich dünkt", sagte Mathilde, „ich kennte dich seit undenklichen Zeiten." —
„Kannst du mich denn lieben?" — „Ich weiß nicht, was Liebe ist, aber das
kann ich dir sagen, daß mir ist, als finge ich erst jetzt zu leben an, und daß 10
ich dir so gut bin, daß ich gleich für dich sterben wollte." — „Meine
Mathilde, erst jetzt fühle ich, was es heißt unsterblich zu sein." — „Lieber
Heinrich, wie unendlich gut bist du, welcher herrliche Geist spricht aus dir.
Ich bin ein armes, unbedeutendes Mädchen." — „Wie du mich tief
beschämst! bin ich doch nur durch dich, was ich bin. Ohne dich wäre ich nichts. 15
Was ist ein Geist ohne Himmel, und du bist der Himmel, der mich trägt
und erhält." — „Welches selige Geschöpf wäre ich, wenn du so treu wärst,
wie mein Vater. Meine Mutter starb kurz nach meiner Geburt; mein
Vater weint fast alle Tage noch um sie." — „Ich verdiene es nicht, aber
möchte ich glücklicher sein als er." — „Ich lebte gern recht lange an deiner 20
Seite, lieber Heinrich. Ich werde durch dich gewiß viel besser." — „Ach!
Mathilde, auch der Tod wird uns nicht trennen." — „Nein, Heinrich, wo
ich bin, wirst du sein." — „Ja, wo du bist, Mathilde, werd' ich ewig sein."
— „Ich begreife nichts von der Ewigkeit, aber ich dächte, das müßte die
Ewigkeit sein, was ich empfinde, wenn ich an dich denke." — „Ja, Mathilde, 25
wir sind ewig, weil wir uns lieben." — „Du glaubst nicht, Lieber,
wie inbrünstig ich heute früh, wie wir nach Hause kamen, vor dem Bilde
der himmlischen Mutter niederkniete, wie unsäglich ich zu ihr gebetet habe.
Ich glaubte in Tränen zu zerfließen. Es kam mir vor, als lächelte sie mir zu.
Nun weiß ich erst, was Dankbarkeit ist." — „O Geliebte, der Himmel hat 30
dich mir zur Verehrung gegeben. Ich bete dich an. Du bist die Heilige, die
meine Wünsche zu Gott bringt, durch die er sich mir offenbart, durch die er
mir die Fülle seiner Liebe kund tut. Was ist die Religion, als ein unendliches
Einverständnis, eine ewige Vereinigung liebender Herzen? Wo zwei versammelt sind, ist er ja unter ihnen. Ich habe ewig an dir zu atmen; meine 35
Brust wird nie aufhören, dich in sich zu ziehn. Du bist die göttliche Herrlich-

keit, das ewige Leben in der lieblichsten Hülle." — „Ach! Heinrich, du weißt
das Schicksal der Rosen; wirst du auch die welken Lippen, die bleichen
Wangen mit Zärtlichkeit an deine Lippen drücken? Werden die Spuren des
Alters nicht die Spuren der vorübergegangenen Liebe sein?" — „Oh!
5 könntest du durch meine Augen in mein Gemüt sehn! aber du liebst mich und
so glaubst du mir auch. Ich begreife das nicht, was man von der Vergänglichkeit der Reize sagt. Oh! sie sind unverwelklich. Was mich so unzertrennlich zu dir zieht, was ein ewiges Verlangen in mir geweckt hat, das ist nicht
aus dieser Zeit. Könntest du nur sehn, wie du mir erscheinst, welches wunder-
10 bare Bild deine Gestalt durchdringt und mir überall entgegenleuchtet, du
würdest kein Alter fürchten. Deine irdische Gestalt ist nur ein Schatten
dieses Bildes. Die irdischen Kräfte ringen und quellen um es festzuhalten,
aber die Natur ist noch unreif; das Bild ist ein ewiges Urbild, ein Teil der
unbekannten heiligen Welt." — „Ich verstehe dich, lieber Heinrich, denn
15 ich sehe etwas Ähnliches, wenn ich dich anschaue." — „Ja, Mathilde, die
höhere Welt ist uns näher, als wir gewöhnlich denken. Schon hier leben
wir in ihr, und wir erblicken sie auf das innigste mit der irdischen Natur
verwebt." — „Du wirst mir noch viel herrliche Sachen offenbaren, Ge-
liebtester." — „Oh! Mathilde, von dir allein kommt mir die Gabe der
20 Weissagung. Alles ist ja dein, was ich habe; deine Liebe wird mich in die
Heiligtümer des Lebens, in das Allerheiligste des Gemüts führen; du wirst
mich zu den höchsten Anschauungen begeistern. Wer weiß, ob unsre Liebe
nicht dereinst noch zu Flammenfittichen wird, die uns aufheben, und uns in
unsre himmlische Heimat tragen, ehe das Alter und der Tod uns erreichen.
25 Ist es nicht schon ein Wunder, daß du mein bist, daß ich dich in meinen
Armen halte, daß du mich liebst und ewig mein sein willst?" — „Auch mir
ist jetzt alles glaublich, und ich fühle ja so deutlich eine stille Flamme in mir
lodern; wer weiß, ob sie uns nicht verklärt, und die irdischen Banden allmählich auflöst. Sage mir nur, Heinrich, ob du auch schon das grenzenlose
30 Vertrauen zu mir hast, was ich zu dir habe. Noch nie hab' ich so etwas
gefühlt, selbst nicht gegen meinen Vater, den ich doch so unendlich liebe." —
„Liebe Mathilde, es peinigt mich ordentlich, daß ich dir nicht alles auf
einmal sagen, daß ich dir nicht gleich mein ganzes Herz auf einmal hingeben kann. Es ist auch zum erstenmal in meinem Leben, daß ich ganz offen
35 bin. Keinen Gedanken, keine Empfindung kann ich vor dir mehr geheim
haben; du mußt alles wissen. Mein ganzes Wesen soll sich mit dem deinigen

vermischen. Nur die grenzenloseste Hingebung kann meiner Liebe genügen.
In ihr besteht sie ja. Sie ist ja ein geheimnisvolles Zusammenfließen unsers
geheimsten und eigentümlichsten Daseins." — „Heinrich, so können sich noch
nie zwei Menschen geliebt haben." — „Ich kann's nicht glauben. Es gab ja
noch keine Mathilde." — „Auch keinen Heinrich." — „Ach! schwör es mir 5
noch einmal, daß du ewig mein bist; die Liebe ist eine endlose Wiederholung."
— „Ja, Heinrich, ich schwöre ewig dein zu sein, bei der unsichtbaren Gegenwart meiner guten Mutter." — „Ich schwöre ewig dein zu sein, Mathilde,
so wahr die Liebe die Gegenwart Gottes bei uns ist." Eine lange Umarmung, unzählige Küsse besiegelten den ewigen Bund des seligen Paars. 10

Neuntes Kapitel

Abends waren einige Gäste da; der Großvater trank die Gesundheit des
jungen Brautpaars und versprach, bald ein schönes Hochzeitfest auszurich-
ten. „Was hilft das lange Zaudern", sagte der Alte. „Frühe Hochzeiten,
lange Liebe. Ich habe immer gesehn, daß Ehen, die früh geschlossen wurden, 15
am glücklichsten waren. In spätern Jahren ist gar keine solche Andacht mehr
im Ehestande, als in der Jugend. Eine gemeinschaftlich genoßne Jugend ist
ein unzerreißliches Band. Die Erinnerung ist der sicherste Grund der Liebe."
Nach Tische kamen mehrere. Heinrich bat seinen neuen Vater um die Erfüllung seines Versprechens. Klingsohr sagte zu der Gesellschaft: „Ich habe 20
heute Heinrichen versprochen, ein Märchen zu erzählen. Wenn Ihr es zufrieden seid, so bin ich bereit." — „Das ist ein kluger Einfall von Heinrich",
sagte Schwaning. „Ihr habt lange nichts von Euch hören lassen." Alle setzten sich um das lodernde Feuer im Kamin. Heinrich saß dicht bei Mathilden
und schlang seinen Arm um sie. Klingsohr begann: 25
„Die lange Nacht war eben angegangen. Der alte Held schlug an seinen
Schild, daß es weit umher in den öden Gassen der Stadt erklang. Er wieder-
holte das Zeichen dreimal. Da fingen die hohen bunten Fenster des Palastes
an von innen heraus helle zu werden, und ihre Figuren bewegten sich. Sie
bewegten sich lebhafter, je stärker das rötliche Licht ward, das die Gassen zu 30
erleuchten begann. Auch sah man allmählich die gewaltigen Säulen und
Mauern selbst sich erhellen; endlich standen sie im reinsten, milchblauen
Schimmer, und spielten mit den sanftesten Farben. Die ganze Gegend ward

nun sichtbar, und der Widerschein der Figuren, das Getümmel der Spieße, der Schwerter, der Schilder, und der Helme, die sich nach hier und da erscheinenden Kronen von allen Seiten neigten, und endlich wie diese verschwanden, und einem schlichten, grünen Kranze Platz machten, um diesen

5 her einen weiten Kreis schlossen: alles dies spiegelte sich in dem starren Meere, das den Berg umgab, auf dem die Stadt lag, und auch der ferne hohe Berggürtel, der sich rund um das Meer herzog, ward bis in die Mitte mit einem milden Abglanz überzogen. Man konnte nichts deutlich unterscheiden; doch hörte man ein wunderliches Getöse herüber, wie aus einer

10 fernen ungeheuren Werkstatt. Die Stadt erschien dagegen hell und klar. Ihre glatten, durchsichtigen Mauern warfen die schönen Strahlen zurück, und das vortreffliche Ebenmaß, der edle Stil aller Gebäude, und ihre schöne Zusammenordnung kam zum Vorschein. Vor allen Fenstern standen zierliche Gefäße von Ton, voll der mannigfaltigsten Eis- und Schnee-

15 blumen, die auf das anmutigste funkelten.

Am herrlichsten nahm sich auf dem großen Platze vor dem Palaste der Garten aus, der aus Metallbäumen und Kristallpflanzen bestand, und mit bunten Edelsteinblüten und Früchten übersäet war. Die Mannigfaltigkeit und Zierlichkeit der Gestalten, und die Lebhaftigkeit der Lichter und Farben

20 gewährten das herrlichste Schauspiel, dessen Pracht durch einen hohen Springquell in der Mitte des Gartens, der zu Eis erstarrt war, vollendet wurde. Der Held ging vor den Toren des Palastes langsam vorüber. Eine Stimme rief seinen Namen im Innern. Er lehnte sich an das Tor, das mit einem sanften Klange sich öffnete, und trat in den Saal. Seinen Schild

25 hielt er vor die Augen. ‚Hast du noch nichts entdeckt?‘ sagte die schöne Tochter Arcturs, mit klagender Stimme. Sie lag an seidnen Polstern auf einem Throne, der von einem großen Schwefelkristall künstlich erbaut war, und einige Mädchen rieben emsig ihre zarten Glieder, die wie aus Milch und Purpur zusammengeflossen schienen. Nach allen Seiten strömte unter den

30 Händen der Mädchen das reizende Licht von ihr aus, was den Palast so wundersam erleuchtete. Ein duftender Wind wehte im Saale. Der Held schwieg. ‚Laß mich deinen Schild berühren‘, sagte sie sanft. Er näherte sich dem Throne und betrat den köstlichen Teppich. Sie ergriff seine Hand, drückte sie mit Zärtlichkeit an ihren himmlischen Busen und rührte seinen

35 Schild an. Seine Rüstung klang, und eine durchdringende Kraft beseelte seinen Körper. Seine Augen blitzten und das Herz pochte hörbar an den

Panzer. Die schöne Freya schien heiterer, und das Licht ward brennender, das von ihr ausströmte. ‚Der König kommt‘, rief ein prächtiger Vogel, der im Hintergrunde des Thrones saß. Die Dienerinnen legten eine himmelblaue Decke über die Prinzessin, die sie bis über den Busen bedeckte. Der Held senkte seinen Schild und sah nach der Kuppel hinauf, zu welcher zwei 5 breite Treppen von beiden Seiten des Saals sich hinaufschlangen. Eine leise Musik ging dem Könige voran, der bald mit einem zahlreichen Gefolge in der Kuppel erschien und herunterkam.

Der schöne Vogel entfaltete seine glänzenden Schwingen, bewegte sie sanft und sang, wie mit tausend Stimmen, dem Könige entgegen: 10

> Nicht lange wird der schöne Fremde säumen.
> Die Wärme naht, die Ewigkeit beginnt.
> Die Königin erwacht aus langen Träumen,
> Wenn Meer und Land in Liebesglut zerrinnt.
> Die kalte Nacht wird diese Stätte räumen,   15
> Wenn Fabel erst das alte Recht gewinnt.
> In Freyas Schoß wird sich die Welt entzünden
> Und jede Sehnsucht ihre Sehnsucht finden.

Der König umarmte seine Tochter mit Zärtlichkeit. Die Geister der Gestirne stellten sich um den Thron, und der Held nahm in der Reihe seinen 20 Platz ein. Eine unzählige Menge Sterne füllten den Saal in zierlichen Gruppen. Die Dienerinnen brachten einen Tisch und ein Kästchen, worin eine Menge Blätter lagen, auf denen heilige tiefsinnige Zeichen standen, die aus lauter Sternbildern zusammengesetzt waren. Der König küßte ehrfurchtsvoll diese Blätter, mischte sie sorgfältig untereinander, und reichte 25 seiner Tochter einige zu. Die andern behielt er für sich. Die Prinzessin zog sie nach der Reihe heraus und legte sie auf den Tisch, dann betrachtete der König die seinigen genau, und wählte mit vielem Nachdenken, ehe er eins dazu hinlegte. Zuweilen schien er gezwungen zu sein, dies oder jenes Blatt zu wählen. Oft aber sah man ihm die Freude an, wenn er durch ein gut- 30 getroffenes Blatt eine schöne Harmonie der Zeichen und Figuren legen konnte. Wie das Spiel anfing, sah man an allen Umstehenden Zeichen der lebhaftesten Teilnahme, und die sonderbarsten Mienen und Gebärden, gleichsam als hätte jeder ein unsichtbares Werkzeug in Händen, womit er eifrig arbeite. Zugleich ließ sich eine sanfte, aber tief bewegende Musik 35 in der Luft hören, die von den im Saale sich wunderlich durcheinander

schlingenden Sternen und den übrigen sonderbaren Bewegungen zu entstehen schien. Die Sterne schwangen sich, bald langsam, bald schnell, in beständig veränderten Linien umher, und bildeten, nach dem Gange der Musik,
die Figuren der Blätter auf das kunstreichste nach. Die Musik wechselte,
5 wie die Bilder auf dem Tische, unaufhörlich, und so wunderlich und hart
auch die Übergänge nicht selten waren, so schien doch nur ein einfaches Thema
das Ganze zu verbinden. Mit einer unglaublichen Leichtigkeit flogen die
Sterne den Bildern nach. Sie waren bald in einer großen Verschlingung,
bald wieder in einzelne Haufen schön geordnet, bald zerstäubte der lange
10 Zug, wie ein Strahl, in unzählige Funken, bald kam durch immer wachsende
kleinere Kreise und Muster wieder eine große, überraschende Figur zum
Vorschein. Die bunten Gestalten in den Fenstern blieben während dieser
Zeit ruhig stehen. Der Vogel bewegte unaufhörlich die Hülle seiner kostbaren Federn auf die mannigfaltigste Weise. Der alte Held hatte bisher auch
15 sein unsichtbares Geschäft emsig betrieben, als auf einmal der König voll
Freuden ausrief: ‚Es wird alles gut. Eisen, wirf du dein Schwert in die
Welt, daß sie erfahren, wo der Friede ruht.‘ Der Held riß das Schwert von
der Hüfte, stellte es mit der Spitze gen Himmel, dann ergriff er es und
warf es aus dem geöffneten Fenster über die Stadt und das Eismeer. Wie
20 ein Komet flog es durch die Luft, und schien an dem Berggürtel mit
hellem Klange zu zersplittern, denn es fiel in lauter Funken herunter.

Zu der Zeit lag der schöne Knabe Eros in seiner Wiege und schlummerte
sanft, während Ginnistan seine Amme die Wiege schaukelte und seiner
Milchschwester Fabel die Brust reichte. Ihr buntes Halstuch hatte sie über
25 die Wiege ausgebreitet, daß die hellbrennende Lampe, die der Schreiber
vor sich stehen hatte, das Kind mit ihrem Scheine nicht beunruhigen
möchte. Der Schreiber schrieb unverdrossen, sah sich nur zuweilen mürrisch
nach den Kindern um, und schnitt der Amme finstere Gesichter, die ihn gut-
mütig anlächelte und schwieg.

30 Der Vater der Kinder ging immer ein und aus, indem er jedesmal die
Kinder betrachtete und Ginnistan freundlich begrüßte. Er hatte unaufhörlich dem Schreiber etwas zu sagen. Dieser vernahm ihn genau, und wenn
er es aufgezeichnet hatte, reichte er die Blätter einer edlen, göttergleichen
Frau hin, die sich an einen Altar lehnte, auf welchem eine dunkle Schale
35 mit klarem Wasser stand, in welches sie mit heiterm Lächeln blickte. Sie
tauchte die Blätter jedesmal hinein, und wenn sie beim Herausziehn gewahr

wurde, daß einige Schrift stehengeblieben und glänzend geworden war, so
gab sie das Blatt dem Schreiber zurück, der es in ein großes Buch heftete,
und oft verdrießlich zu sein schien, wenn seine Mühe vergeblich gewesen und
alles ausgelöscht war. Die Frau wandte sich zuzeiten gegen Ginnistan und
die Kinder, tauchte den Finger in die Schale, und spritzte einige Tropfen 5
auf sie hin, die, sobald sie die Amme, das Kind, oder die Wiege berührten,
in einen blauen Dunst zerrannen, der tausend seltsame Bilder zeigte, und
beständig um sie herzog und sich veränderte. Traf einer davon zufällig auf
den Schreiber, so fielen eine Menge Zahlen und geometrische Figuren
nieder, die er mit vieler Emsigkeit auf einen Faden zog, und sich zum Zierat 10
um den magern Hals hing. Die Mutter des Knaben, die wie die Anmut
und Lieblichkeit selbst aussah, kam oft herein. Sie schien beständig beschäftigt,
und trug immer irgendein Stück Hausgeräte mit sich hinaus: bemerkte es
der argwöhnische und mit spähenden Blicken sie verfolgende Schreiber, so
begann er eine lange Strafrede, auf die aber kein Mensch achtete. Alle 15
schienen seiner unnützen Widerreden gewohnt. Die Mutter gab auf einige
Augenblicke der kleinen Fabel die Brust; aber bald ward sie wieder ab-
gerufen, und dann nahm Ginnistan das Kind zurück, das an ihr lieber zu
trinken schien. Auf einmal brachte der Vater ein zartes eisernes Stäbchen
herein, das er im Hofe gefunden hatte. Der Schreiber besah es und drehte 20
es mit vieler Lebhaftigkeit herum, und brachte bald heraus, daß es sich von
selbst, in der Mitte an einem Faden aufgehängt, nach Norden drehe. Ginnistan nahm es auch in die Hand, bog es, drückte es, hauchte es an, und hatte
ihm bald die Gestalt einer Schlange gegeben, die sich nun plötzlich in den
Schwanz biß. Der Schreiber ward bald des Betrachtens überdrüssig. Er 25
schrieb alles genau auf, und war sehr weitläufig über den Nutzen, den
dieser Fund gewähren könne. Wie ärgerlich war er aber, als sein ganzes
Schreibwerk die Probe nicht bestand, und das Papier weiß aus der Schale
hervorkam. Die Amme spielte fort. Zuweilen berührte sie die Wiege damit,
da fing der Knabe an wach zu werden, schlug die Decke zurück, hielt die eine 30
Hand gegen das Licht, und langte mit der andern nach der Schlange. Wie
er sie erhielt, sprang er rüstig, daß Ginnistan erschrak, und der Schreiber
beinah vor Entsetzen vom Stuhle fiel, aus der Wiege, stand, nur von
seinen langen goldnen Haaren bedeckt, im Zimmer, und betrachtete mit unaussprechlicher Freude das Kleinod, das sich in seinen Händen nach Norden 35
ausstreckte, und ihn heftig im Innern zu bewegen schien. Zusehends wuchs er.

‚Sophie‘, sagte er mit rührender Stimme zu der Frau, ‚laß mich aus der Schale trinken.‘ Sie reichte sie ihm ohne Anstand, und er konnte nicht aufhören zu trinken, indem die Schale sich immer voll zu erhalten schien. Endlich gab er sie zurück, indem er die edle Frau innig umarmte. Er herzte Gin-
5 nistan, und bat sie um das bunte Tuch, das er sich anständig um die Hüften band. Die kleine Fabel nahm er auf den Arm. Sie schien unendliches Wohlgefallen an ihm zu haben, und fing zu plaudern an. Ginnistan machte sich viel um ihn zu schaffen. Sie sah äußerst reizend und leichtfertig aus, und drückte ihn mit der Innigkeit einer Braut an sich. Sie zog ihn mit heimlichen
10 Worten nach der Kammertür, aber Sophie winkte ernsthaft und deutete nach der Schlange; da kam die Mutter herein, auf die er sogleich zuflog und sie mit heißen Tränen bewillkommte. Der Schreiber war ingrimmig fortgegangen. Der Vater trat herein, und wie er Mutter und Sohn in stiller Umarmung sah, trat er hinter ihren Rücken zur reizenden Ginnistan,
15 und liebkoste ihr. Sophie stieg die Treppe hinauf. Die kleine Fabel nahm die Feder des Schreibers und fing zu schreiben an. Mutter und Sohn vertieften sich in ein leises Gespräch, und der Vater schlich sich mit Ginnistan in die Kammer, um sich von den Geschäften des Tags in ihren Armen zu erholen. Nach geraumer Zeit kam Sophie zurück. Der Schreiber trat
20 herein. Der Vater kam aus der Kammer und ging an seine Geschäfte. Ginnistan kam mit glühenden Wangen zurück. Der Schreiber jagte die kleine Fabel mit vielen Schmähungen von seinem Sitze, und hatte einige Zeit nötig seine Sachen in Ordnung zu bringen. Er reichte Sophien die von Fabel vollgeschriebenen Blätter, um sie rein zurück zu erhalten, geriet aber
25 bald in den äußersten Unwillen, wie Sophie die Schrift völlig glänzend und unversehrt aus der Schale zog und sie ihm hinlegte. Fabel schmiegte sich an ihre Mutter, die sie an die Brust nahm und das Zimmer aufputzte, die Fenster öffnete, frische Luft hereinließ und Zubereitungen zu einem köstlichen Mahle machte. Man sah durch die Fenster die herrlichsten Aus-
30 sichten und einen heitern Himmel über die Erde gespannt. Auf dem Hofe war der Vater in voller Tätigkeit. Wenn er müde war, sah er hinauf ans Fenster, wo Ginnistan stand, und ihm allerhand Näschereien herunterwarf. Die Mutter und der Sohn gingen hinaus, um überall zu helfen und den gefaßten Entschluß vorzubereiten. Der Schreiber rührte die Feder, und
35 machte immer eine Fratze, wenn er genötigt war, Ginnistan um etwas zu fragen, die ein sehr gutes Gedächtnis hatte, und alles behielt, was sich

zutrug. Eros kam bald in schöner Rüstung, um die das bunte Tuch wie eine Schärpe gebunden war, zurück, und bat Sophie um Rat, wann und wie er seine Reise antreten solle. Der Schreiber war vorlaut, und wollte gleich mit einem ausführlichen Reiseplan dienen, aber seine Vorschläge wurden überhört. ‚Du kannst sogleich reisen; Ginnistan mag dich begleiten‘, 5 sagte Sophie; ‚sie weiß mit den Wegen Bescheid, und ist überall gut bekannt. Sie wird die Gestalt deiner Mutter annehmen, um dich nicht in Versuchung zu führen. Findest du den König, so denke an mich; dann komme ich um dir zu helfen.‘

Ginnistan tauschte ihre Gestalt mit der Mutter, worüber der Vater 10 sehr vergnügt zu sein schien; der Schreiber freute sich, daß die beiden fortgingen; besonders da ihm Ginnistan ihr Taschenbuch zum Abschiede schenkte, worin die Chronik des Hauses umständlich aufgezeichnet war; nur blieb ihm die kleine Fabel ein Dorn im Auge, und er hätte, um seiner Ruhe und Zufriedenheit willen, nichts mehr gewünscht, als daß auch sie unter der 15 Zahl der Abreisenden sein möchte. Sophie segnete die Niederknienden ein, und gab ihnen ein Gefäß voll Wasser aus der Schale mit; die Mutter war sehr bekümmert. Die kleine Fabel wäre gern mitgegangen, und der Vater war zu sehr außer dem Hause beschäftigt, als daß er lebhaften Anteil hätte nehmen sollen. Es war Nacht, wie sie abreisten, und der Mond stand hoch 20 am Himmel. ‚Lieber Eros‘, sagte Ginnistan, ‚wir müssen eilen, daß wir zu meinem Vater kommen, der mich lange nicht gesehn und so sehnsuchtsvoll mich überall auf der Erde gesucht hat. Siehst du wohl sein bleiches abgehärmtes Gesicht? Dein Zeugnis wird mich ihm in der fremden Gestalt kenntlich machen.‘ 25

Die Liebe ging auf dunkler Bahn
Vom Monde nur erblickt,
Das Schattenreich war aufgetan
Und seltsam aufgeschmückt.

Ein blauer Dunst umschwebte sie 30
Mit einem goldnen Rand,
Und eilig zog die Phantasie
Sie über Strom und Land.

Es hob sich ihre volle Brust
In wunderbarem Mut; 35

Ein Vorgefühl der künft’gen Lust
Besprach die wilde Glut.

Die Sehnsucht klagt’ und wußt’ es nicht,
Daß Liebe näher kam,
Und tiefer grub in ihr Gesicht 40
Sich hoffnungsloser Gram.

Die kleine Schlange blieb getreu:
Sie wies nach Norden hin,
Und beide folgten sorgenfrei
Der schönen Führerin. 45

Die Liebe ging durch Wüstenein
Und durch der Wolken Land,
Trat in den Hof des Mondes ein
Die Tochter an der Hand.

5 Er saß auf seinem Silberthron,
Allein mit seinem Harm;
Da hört' er seines Kindes Ton,
Und sank in ihren Arm.

Eros stand gerührt bei den zärtlichen Umarmungen. Endlich sammelte
10 sich der alte erschütterte Mann, und bewillkommte seinen Gast. Er ergriff
sein großes Horn und stieß mit voller Macht hinein. Ein gewaltiger Ruf
dröhnte durch die uralte Burg. Die spitzen Türme mit ihren glänzenden
Knöpfen und die tiefen schwarzen Dächer schwankten. Die Burg stand
still, denn sie war auf das Gebirge jenseits des Meers gekommen. Von allen
15 Seiten strömten seine Diener herzu, deren seltsame Gestalten und Trachten
Ginnistan unendlich ergötzten, und den tapfern Eros nicht erschreckten.
Erstere grüßte ihre alten Bekannten, und alle erschienen vor ihr mit neuer
Stärke und in der ganzen Herrlichkeit ihrer Naturen. Der ungestüme Geist
der Flut folgte der sanften Ebbe. Die alten Orkane legten sich an die
20 klopfende Brust der heißen leidenschaftlichen Erdbeben. Die zärtlichen
Regenschauer sahen sich nach dem bunten Bogen um, der, von der Sonne,
die ihn mehr anzieht, entfernt, bleich dastand. Der rauhe Donner schalt
über die Torheiten der Blitze, hinter den unzähligen Wolken hervor, die
mit tausend Reizen dastanden und die feurigen Jünglinge lockten. Die
25 beiden lieblichen Schwestern, Morgen und Abend, freuten sich vorzüglich
über die beiden Ankömmlinge. Sie weinten sanfte Tränen in ihren Umarmungen. Unbeschreiblich war der Anblick dieses wunderlichen Hofstaats.
Der alte König konnte sich an seiner Tochter nicht satt sehen. Sie fühlte sich
zehnfach glücklich in ihrer väterlichen Burg, und ward nicht müde die be-
30 kannten Wunder und Seltenheiten zu beschauen. Ihre Freude war ganz
unbeschreiblich, als ihr der König den Schlüssel zur Schatzkammer und die
Erlaubnis gab, ein Schauspiel für Eros darin zu veranstalten, das ihn
solange unterhalten könnte, bis das Zeichen des Aufbruchs gegeben würde.
Die Schatzkammer war ein großer Garten, dessen Mannigfaltigkeit und
35 Reichtum alle Beschreibung übertraf. Zwischen den ungeheuren Wetter-
bäumen lagen unzählige Luftschlösser von überraschender Bauart, eins
immer köstlicher, als das andere. Große Herden von Schäfchen, mit silber-
weißer, goldner und rosenfarbner Wolle irrten umher, und die sonderbarsten Tiere belebten den Hain. Merkwürdige Bilder standen hie und da,
40 und die festlichen Aufzüge, die seltsamen Wagen, die überall zum Vorschein

kamen, beschäftigten die Aufmerksamkeit unaufhörlich. Die Beete standen
voll der buntesten Blumen. Die Gebäude waren gehäuft voll von Waffen
aller Art, voll der schönsten Teppiche, Tapeten, Vorhänge, Trinkgeschirre
und aller Arten von Geräten und Werkzeugen, in unübersehlichen Reihen.
Auf einer Anhöhe erblickten sie ein romantisches Land, das mit Städten 5
und Burgen, mit Tempeln und Begräbnissen übersäet war, und alle Anmut bewohnter Ebenen mit den furchtbaren Reizen der Einöde und
schroffer Felsengegenden vereinigte. Die schönsten Farben waren in den
glücklichsten Mischungen. Die Bergspitzen glänzten wie Lustfeuer in ihren
Eis- und Schneehüllen. Die Ebene lachte im frischesten Grün. Die Ferne 10
schmückte sich mit allen Veränderungen von Blau, und aus der Dunkelheit des Meeres wehten unzählige bunte Wimpel von zahlreichen Flotten.
Hier sah man einen Schiffbruch im Hintergrunde, und vorne ein länd-
liches fröhliches Mahl von Landleuten; dort den schrecklich schönen Ausbruch eines Vulkans, die Verwüstungen des Erdbebens, und im Vorder- 15
grunde ein liebendes Paar unter schattenden Bäumen in den süßesten Liebkosungen. Abwärts eine fürchterliche Schlacht, und unter ihr ein Theater
voll der lächerlichsten Masken. Nach einer andern Seite im Vordergrunde
einen jugendlichen Leichnam auf der Bahre, die ein trostloser Geliebter
festhielt, und die weinenden Eltern daneben; im Hintergrunde eine lieb- 20
liche Mutter mit dem Kinde an der Brust und Engel sitzend zu ihren Füßen,
und aus den Zweigen über ihrem Haupte herunterblickend. Die Szenen
verwandelten sich unaufhörlich, und flossen endlich in eine große geheimnisvolle Vorstellung zusammen. Himmel und Erde waren in vollem Aufruhr.
Alle Schrecken waren losgebrochen. Eine gewaltige Stimme rief zu den 25
Waffen. Ein entsetzliches Heer von Totengerippen, mit schwarzen Fahnen,
kam wie ein Sturm von dunkeln Bergen herunter, und griff das Leben
an, das mit seinen jugendlichen Scharen in der hellen Ebene in muntern
Festen begriffen war, und sich keines Angriffs versah. Es entstand ein entsetzliches Getümmel, die Erde zitterte; der Sturm brauste, und die Nacht 30
ward von fürchterlichen Meteoren erleuchtet. Mit unerhörten Grausamkeiten
zerriß das Heer der Gespenster die zarten Glieder der Lebendigen. Ein
Scheiterhaufen türmte sich empor, und unter dem grausenvollsten Geheul
wurden die Kinder des Lebens von den Flammen verzehrt. Plötzlich brach
aus dem dunklen Aschenhaufen ein milchblauer Strom nach allen Seiten 35
aus. Die Gespenster wollten die Flucht ergreifen, aber die Flut wuchs zu-

sehends, und verschlang die scheußliche Brut. Bald waren alle Schrecken
vertilgt. Himmel und Erde flossen in süße Musik zusammen. Eine wunder-
schöne Blume schwamm glänzend auf den sanften Wogen. Ein glänzender
Bogen schloß sich über die Flut auf welchem göttliche Gestalten auf prächti-
5 gen Thronen, nach beiden Seiten herunter, saßen. Sophie saß zuoberst,
die Schale in der Hand, neben einem herrlichen Manne, mit einem Eichen-
kranze um die Locken, und einer Friedenspalme statt des Zepters in der
Rechten. Ein Lilienblatt bog sich über den Kelch der schwimmenden Blume;
die kleine Fabel saß auf demselben, und sang zur Harfe die süßesten Lieder.
10 In dem Kelche lag Eros selbst, über ein schönes schlummerndes Mädchen
hergebeugt, die ihn fest umschlungen hielt. Eine kleinere Blüte schloß
sich um beide her, so daß sie von den Hüften an in eine Blume verwandelt
zu sein schienen.

Eros dankte Ginnistan mit tausend Entzücken. Er umarmte sie zärtlich,
15 und sie erwiderte seine Liebkosungen. Ermüdet von der Beschwerde des
Weges und den mannigfaltigen Gegenständen, die er gesehen hatte,
sehnte er sich nach Bequemlichkeit und Ruhe. Ginnistan, die sich von dem
schönen Jüngling lebhaft angezogen fühlte, hütete sich wohl, des Trankes
zu erwähnen, den Sophie ihm mitgegeben hatte. Sie führte ihn zu einem
20 abgelegenen Bade, zog ihm die Rüstung aus, und zog selbst ein Nachtkleid
an, in welchem sie fremd und verführerisch aussah. Eros tauchte sich in die
gefährlichen Wellen, und stieg berauscht wieder heraus. Ginnistan trocknete
ihn und rieb seine starken, von Jugendkraft gespannten Glieder. Er gedachte mit glühender Sehnsucht seiner Geliebten, und umfaßte in süßem
25 Wahne die reizende Ginnistan. Unbesorgt überließ er sich seiner ungestümen
Zärtlichkeit, und schlummerte endlich nach den wollüstigsten Genüssen an dem
reizenden Busen seiner Begleiterin ein.

Unterdessen war zu Hause eine traurige Veränderung vorgegangen. Der
Schreiber hatte das Gesinde in eine gefährliche Verschwörung verwickelt.
30 Sein feindseliges Gemüt hatte längst Gelegenheit gesucht, sich des Haus-
regiments zu bemächtigen, und sein Joch abzuschütteln. Er hatte sie gefunden. Zuerst bemächtigte sich sein Anhang der Mutter, die in eiserne
Bande gelegt wurde. Der Vater ward bei Wasser und Brot ebenfalls
hingesetzt. Die kleine Fabel hörte den Lärm im Zimmer. Sie verkroch sich
35 hinter dem Altare, und wie sie bemerkte, daß eine Tür an seiner Rückseite
verborgen war, so öffnete sie dieselbe mit vieler Behendigkeit, und fand,

daß eine Treppe in ihm hinunterging. Sie zog die Tür nach sich, und stieg
im Dunkeln die Treppe hinunter. Der Schreiber stürzte mit Ungestüm
herein, um sich an der kleinen Fabel zu rächen, und Sophien gefangen-
zunehmen. Beide waren nicht zu finden. Die Schale fehlte auch, und in
seinem Grimme zerschlug er den Altar in tausend Stücke, ohne jedoch die 5
heimliche Treppe zu entdecken.

Die kleine Fabel stieg geraume Zeit. Endlich kam sie auf einen freien
Platz hinaus, der rundherum mit einer prächtigen Kolonnade geziert, und
durch ein großes Tor geschlossen war. Alle Figuren waren hier dunkel.
Die Luft war wie ein ungeheurer Schatten; am Himmel stand ein schwarzer 10
strahlender Körper. Man konnte alles auf das deutlichste unterscheiden,
weil jede Figur einen andern Anstrich von Schwarz zeigte, und einen
lichten Schein hinter sich warf; Licht und Schatten schienen hier ihre Rollen
vertauscht zu haben. Fabel freute sich in einer neuen Welt zu sein. Sie
besah alles mit kindlicher Neugierde. Endlich kam sie an das Tor, vor 15
welchem auf einem massiven Postament eine schöne Sphinx lag.

‚Was suchst du?‘ sagte die Sphinx. ‚Mein Eigentum‘, erwiderte Fabel. —
‚Wo kommst du her?‘ — ‚Aus alten Zeiten‘. — ‚Du bist noch ein Kind‘ —
‚Und werde ewig ein Kind sein.‘ — ‚Wer wird dir beistehn?‘ — ‚Ich stehe
für mich. Wo sind die Schwestern?‘ fragte Fabel. — ‚Überall und nirgends‘, 20
gab die Sphinx zur Antwort. — ‚Kennst du mich?‘ — ‚Noch nicht.‘ —
‚Wo ist die Liebe?‘ — ‚In der Einbildung.‘ — ‚Und Sophie?‘ — Die
Sphinx murmelte unvernehmlich vor sich hin, und rauschte mit den Flügeln.
‚Sophie und Liebe‘, rief triumphierend Fabel, und ging durch das Tor.
Sie trat in die ungeheure Höhle, und ging fröhlich auf die alten Schwestern 25
zu, die bei der kärglichen Nacht einer schwarzbrennenden Lampe ihr wunderliches Geschäft trieben. Sie taten nicht, als ob sie den kleinen Gast bemerkten, der mit artigen Liebkosungen sich geschäftig um sie erzeigte. Endlich
krächzte die eine mit rauhen Worten und scheelem Gesicht: ‚Was willst du
hier, Müßiggängerin? wer hat dich eingelassen? Dein kindisches Hüpfen 30
bewegt die stille Flamme. Das Öl verbrennt unnützerweise. Kannst du dich
nicht hinsetzen und etwas vornehmen?‘ — ‚Schöne Base‘, sagte Fabel,
‚am Müßiggehn ist mir nichts gelegen. Ich mußte recht über eure Tür-
hüterin lachen. Sie hätte mich gern an die Brust genommen, aber sie
mußte zu viel gegessen haben, sie konnte nicht aufstehn. Laßt mich vor der 35
Tür sitzen, und gebt mir etwas zu spinnen; denn hier kann ich nicht gut

sehen, und wenn ich spinne, muß ich singen und plaudern dürfen, und das
könnte euch in euren ernsthaften Gedanken stören.' — ‚Hinaus sollst du
nicht, aber in der Nebenkammer bricht ein Strahl der Oberwelt durch die
Felsritzen, da magst du spinnen, wenn du so geschickt bist; hier liegen un-
5 geheure Haufen von alten Enden, die drehe zusammen; aber hüte dich:
wenn du saumselig spinnst, oder der Faden reißt, so schlingen sich die Fäden
um dich her und ersticken dich.' — Die Alte lachte hämisch, und spann.
Fabel raffte einen Arm voll Fäden zusammen, nahm Wocken und Spindel,
und hüpfte singend in die Kammer. Sie sah durch die Öffnung hinaus, und
10 erblickte das Sternbild des Phönixes. Froh über das glückliche Zeichen fing
sie an lustig zu spinnen, ließ die Kammertür ein wenig offen, und sang
halbleise:

Erwacht in euren Zellen,   Ein jeder lebt in allen,
　Ihr Kinder alter Zeit;   Und all in jedem auch.
15 Laßt eure Ruhestellen,   Ein Herz wird in euch wallen,
　Der Morgen ist nicht weit. Von einem Lebenshauch.

Ich spinne eure Fäden   25 Noch seid ihr nichts als Seele,
　In einen Faden ein;   　Nur Traum und Zauberei.
Aus ist die Zeit der Fehden. Geht furchtbar in die Höhle
20 Ein Leben sollt ihr sein. 　Und neckt die heil'ge Drei.

 Die Spindel schwang sich mit unglaublicher Behendigkeit zwischen den
30 kleinen Füßen, während sie mit beiden Händen den zarten Faden drehte.
Unter dem Liede wurden unzählige Lichterchen sichtbar, die aus der Türspalte
schlüpften und durch die Höhle in scheußlichen Larven sich verbreiteten. Die
Alten hatten während der Zeit immer mürrisch fortgesponnen, und auf das
Jammergeschrei der kleinen Fabel gewartet, aber wie entsetzten sie sich, als
35 auf einmal eine erschreckliche Nase über ihre Schultern guckte, und wie sie sich
umsahen, die ganze Höhle voll der gräßlichsten Figuren war, die tausenderlei
Unfug trieben. Sie fuhren ineinander, heulten mit fürchterlicher Stimme,
und wären vor Schrecken zu Stein geworden, wenn nicht in diesem Augenblicke der Schreiber in die Höhle getreten wäre, und eine Alraunwurzel bei
40 sich gehabt hätte. Die Lichterchen verkrochen sich in die Felsklüfte und die
Höhle wurde ganz hell, weil die schwarze Lampe in der Verwirrung um-
gefallen und ausgelöscht war. Die Alten waren froh, wie sie den Schreiber
kommen hörten, aber voll Ingrimms gegen die kleine Fabel. Sie riefen sie
17*

heraus, schnarchten sie fürchterlich an und verboten ihr fortzuspinnen. Der
Schreiber schmunzelte höhnisch, weil er die kleine Fabel nun in seiner Gewalt
zu haben glaubte und sagte: ‚Es ist gut, daß du hier bist und zur Arbeit
angehalten werden kannst. Ich hoffe, daß es an Züchtigungen nicht fehlen soll.
Dein guter Geist hat dich hergeführt. Ich wünsche dir langes Leben und viel 5
Vergnügen.‘ — ‚Ich danke dir für deinen guten Willen‘, sagte Fabel; ‚man
sieht dir jetzt die gute Zeit an; dir fehlt nur noch das Stundenglas und die
Hippe, so siehst du ganz wie der Bruder meiner schönen Basen aus. Wenn du
Gänsespulen brauchst, so zupfe ihnen nur eine Handvoll zarten Flaum aus den
Wangen.‘ Der Schreiber schien Miene zu machen, über sie herzufallen. Sie 10
lächelte und sagte: ‚Wenn dir dein schöner Haarwuchs und dein geistreiches
Auge lieb sind, so nimm dich in acht; bedenke meine Nägel, du hast nicht
viel mehr zu verlieren.‘ Er wandte sich mit verbißner Wut zu den Alten, die
sich die Augen wischten, und nach ihren Wocken umhertappten. Sie konnten
nichts finden, da die Lampe ausgelöscht war, und ergossen sich in Schimpf= 15
reden gegen Fabel. ‚Laßt sie doch gehn‘, sprach er tückisch, ‚daß sie euch
Taranteln fange, zur Bereitung eures Öls. Ich wollte euch zu euerm Troste
sagen, daß Eros ohne Rast umherfliegt, und eure Schere fleißig beschäftigen
wird. Seine Mutter, die euch so oft zwang, die Fäden länger zu spinnen,
wird morgen ein Raub der Flammen.‘ Er kitzelte sich, um zu lachen, wie er 20
sah, daß Fabel einige Tränen bei dieser Nachricht vergoß, gab ein Stück
von der Wurzel der Alten und ging naserümpfend von dannen. Die Schwe=
stern hießen der Fabel mit zorniger Stimme Taranteln suchen, ohngeachtet
sie noch Öl vorrätig hatten, und Fabel eilte fort. Sie tat, als öffne sie das
Tor, warf es ungestüm wieder zu, und schlich sich leise nach dem Hintergrunde 25
der Höhle, wo eine Leiter herunterhing. Sie kletterte schnell hinauf, und
kam bald vor eine Falltür, die sich in Arcturs Gemach öffnete.

Der König saß umringt von seinen Räten, als Fabel erschien. Die
nördliche Krone zierte sein Haupt. Die Lilie hielt er mit der Linken, die
Wage in der Rechten. Der Adler und Löwe saßen zu seinen Füßen. ‚Mon= 30
arch‘, sagte die Fabel, indem sie sich ehrfurchtsvoll vor ihm neigte; ‚Heil
deinem festgegründeten Throne! frohe Botschaft deinem verwundeten Her=
zen! baldige Rückkehr der Weisheit! Ewiges Erwachen dem Frieden! Ruhe
der rastlosen Liebe! Verklärung des Herzens! Leben dem Altertum und Ge=
stalt der Zukunft!‘ Der König berührte ihre offene Stirn mit der Lilie: 35
‚Was du bittest, sei dir gewährt.‘ — ‚Dreimal werde ich bitten; wenn ich

zum vierten Male komme, so ist die Liebe vor der Tür. Jetzt gib mir die
Leier.' — ‚Eridanus! bringe sie her‘, rief der König. Rauschend strömte
Eridanus von der Decke, und Fabel zog die Leier aus seinen blinkenden
Fluten.

5 Fabel tat einige weissagende Griffe; der König ließ ihr den Becher
reichen, aus dem sie nippte und mit vielen Danksagungen hinweg eilte. Sie
glitt in reizenden Bogenschwüngen über das Eismeer, indem sie fröhliche
Musik aus den Saiten lockte.

Das Eis gab unter ihren Tritten die herrlichsten Töne von sich. Der
10 Felsen der Trauer hielt sie für Stimmen seiner suchenden rückkehrenden
Kinder, und antwortete einem tausendfachen Echo.

Fabel hatte bald das Gestade erreicht. Sie begegnete ihrer Mutter, die
abgezehrt und bleich aussah, schlank und ernst geworden war, und in edlen
Zügen die Spuren eines hoffnungslosen Grams, und rührender Treue
15 verriet.

‚Was ist aus dir geworden, liebe Mutter?‘ sagte Fabel, ‚du scheinst mir
gänzlich verändert; ohne inneres Anzeichen hätt’ ich dich nicht erkannt. Ich
hoffte mich an deiner Brust einmal wieder zu erquicken; ich habe lange nach
dir geschmachtet.‘ Ginnistan liebkoste sie zärtlich, und sah heiter und freund-
20 lich aus. ‚Ich dachte es gleich‘, sagte sie, ‚daß dich der Schreiber nicht würde
gefangen haben. Dein Anblick erfrischt mich. Es geht mir schlimm und
knapp genug, aber ich tröste mich bald. Vielleicht habe ich einen Augenblick
Ruhe. Eros ist in der Nähe, und wenn er dich sieht, und du ihm vorplauderst,
verweilt er vielleicht einige Zeit. Indes kannst du dich an meine Brust legen;
25 ich will dir geben, was ich habe.‘ Sie nahm die Kleine auf den Schoß, reichte
ihr die Brust, und fuhr fort, indem sie lächelnd auf die Kleine hinuntersah,
die es sich gut schmecken ließ. ‚Ich bin selbst Ursach, daß Eros so wild und
unbeständig geworden ist. Aber mich reut es dennoch nicht, denn jene Stunden, die ich in seinen Armen zubrachte, haben mich zur Unsterblichen ge-
30 macht. Ich glaubte unter seinen feurigen Liebkosungen zu zerschmelzen. Wie
ein himmlischer Räuber schien er mich grausam vernichten und stolz über sein
bebendes Opfer triumphieren zu wollen. Wir erwachten spät aus dem ver-
botenen Rausche, in einem sonderbar vertauschten Zustande. Lange silber-
weiße Flügel bedeckten seine weißen Schultern, und die reizende Fülle und
35 Biegung seiner Gestalt. Die Kraft, die ihn so plötzlich aus einem Knaben
zum Jünglinge quellend getrieben, schien sich ganz in die glänzenden

Schwingen gezogen zu haben, und er war wieder zum Knaben geworden.
Die stille Glut seines Gesichts war in das tändelnde Feuer eines Irrlichts,
der heilige Ernst in verstellte Schalkheit, die bedeutende Ruhe in kindische
Unstetigkeit, der edle Anstand in drollige Beweglichkeit verwandelt. Ich
fühlte mich von einer ernsthaften Leidenschaft unwiderstehlich zu dem mut= 5
willigen Knaben gezogen, und empfand schmerzlich seinen lächelnden Hohn,
und seine Gleichgültigkeit gegen meine rührendsten Bitten. Ich sah meine
Gestalt verändert. Meine sorglose Heiterkeit war verschwunden, und hatte
einer traurigen Bekümmernis, einer zärtlichen Schüchternheit Platz ge=
macht. Ich hätte mich mit Eros vor allen Augen verbergen mögen. Ich hatte 10
nicht das Herz, in seine beleidigenden Augen zu sehn, und fühlte mich ent=
setzlich beschämt und erniedrigt. Ich hatte keinen andern Gedanken, als ihn,
und hätte mein Leben hingegeben, um ihn von seinen Unarten zu befreien.
Ich mußte ihn anbeten, so tief er auch alle meine Empfindungen kränkte.

Seit der Zeit, wo er sich aufmachte und mir entfloh, so rührend ich 15
auch mit den heißesten Tränen ihn beschwor, bei mir zu bleiben, bin ich ihm
überall gefolgt. Er scheint es ordentlich darauf anzulegen, mich zu necken.
Kaum habe ich ihn erreicht, so fliegt er tückisch weiter. Sein Bogen richtet
überall Verwüstungen an. Ich habe nichts zu tun, als die Unglücklichen zu
trösten, und habe doch selbst Trost nötig. Ihre Stimmen, die mich rufen, 20
zeigen mir seinen Weg, und ihre wehmütigen Klagen, wenn ich sie wieder
verlassen muß, gehen mir tief zu Herzen. Der Schreiber verfolgt uns mit
entsetzlicher Wut, und rächt sich an den armen Getroffenen. Die Frucht
jener geheimnisvollen Nacht, waren eine zahlreiche Menge wunderlicher
Kinder, die ihrem Großvater ähnlich sehn, und nach ihm genannt sind. Ge= 25
flügelt wie ihr Vater begleiten sie ihn beständig, und plagen die Armen,
die sein Pfeil trifft. Doch da kömmt der Fröhlichen Zug. Ich muß fort;
lebe wohl, süßes Kind. Seine Nähe erregt meine Leidenschaft. Sei glücklich
in deinem Vorhaben.' — Eros zog weiter, ohne Ginnistan, die auf ihn zu=
eilte, einen zärtlichen Blick zu gönnen. Aber zu Fabel wandte er sich freund= 30
lich, und seine kleinen Begleiter tanzten fröhlich um sie her. Fabel freute
sich, ihren Milchbruder wiederzusehn, und sang zu ihrer Leier ein munteres
Lied. Eros schien sich besinnen zu wollen und ließ den Bogen fallen. Die
Kleinen entschliefen auf dem Rasen. Ginnistan konnte ihn fassen, und er litt
ihre zärtlichen Liebkosungen. Endlich fing Eros auch an zu nicken, schmiegte 35
sich an Ginnistans Schoß, und schlummerte ein, indem er seine Flügel über

sie ausbreitete. Unendlich froh war die müde Ginnistan, und verwandte kein
Auge von dem holden Schläfer. Während des Gesanges waren von allen
Seiten Taranteln zum Vorschein gekommen, die über die Grashalme ein
glänzendes Netz zogen, und lebhaft nach dem Takte sich an ihren Fäden
5 bewegten. Fabel tröstete nun ihre Mutter, und versprach ihr baldige Hilfe.
Vom Felsen tönte der sanfte Widerhall der Musik, und wiegte die Schläfer
ein. Ginnistan sprengte aus dem wohlverwahrten Gefäß einige Tropfen in
die Luft, und die anmutigsten Träume fielen auf sie nieder. Fabel nahm
das Gefäß mit und setzte ihre Reise fort. Ihre Saiten ruhten nicht, und
10 die Taranteln folgten auf schnellgesponnenen Fäden den bezaubernden Tönen.

Sie sah bald von weitem die hohe Flamme des Scheiterhaufens, die
über den grünen Wald emporstieg. Traurig sah sie gen Himmel, und freute
sich, wie sie Sophiens blauen Schleier erblickte, der wallend über der Erde
schwebte, und auf ewig die ungeheure Gruft bedeckte. Die Sonne stand
15 feuerrot vor Zorn am Himmel, die gewaltige Flamme sog an ihrem geraubten Lichte, und so heftig sie es auch an sich zu halten schien, so ward sie doch
immer bleicher und fleckiger. Die Flamme ward weißer und mächtiger, je
fahler die Sonne ward. Sie sog das Licht immer stärker in sich, und bald
war die Glorie um das Gestirn des Tages verzehrt, und nur als eine matte,
20 glänzende Scheibe stand es noch da, indem jede neue Regung des Neides und
der Wut den Ausbruch der entfliehenden Lichtwellen vermehrte. Endlich war
nichts von der Sonne mehr übrig, als eine schwarze ausgebrannte Schlacke,
die herunter ins Meer fiel. Die Flamme war über allen Ausdruck glänzend
geworden. Der Scheiterhaufen war verzehrt. Sie hob sich langsam in die
25 Höhe und zog nach Norden. Fabel trat in den Hof, der verödet aussah; das
Haus war unterdes verfallen. Dornsträuche wuchsen in den Ritzen der
Fenstergesimse und Ungeziefer aller Art kribbelte auf den zerbrochenen
Stiegen. Sie hörte im Zimmer einen entsetzlichen Lärm; der Schreiber und
seine Gesellen hatten sich an dem Flammentode der Mutter geweidet, waren
30 aber gewaltig erschrocken, wie sie den Untergang der Sonne wahrgenommen
hatten.

Sie hatten sich vergeblich angestrengt, die Flamme zu löschen, und waren
bei dieser Gelegenheit nicht ohne Beschädigungen geblieben. Der Schmerz
und die Angst preßte ihnen entsetzliche Verwünschungen und Klagen aus.
35 Sie erschraken noch mehr, als Fabel ins Zimmer trat, und stürmten mit
wütendem Geschrei auf sie ein, um an ihr den Grimm auszulassen. Fabel

schlüpfte hinter die Wiege, und ihre Verfolger traten ungestüm in das Gewebe der Taranteln, die sich durch unzählige Bisse an ihnen rächten. Der
ganze Haufen fing nun toll an zu tanzen, wozu Fabel ein lustiges Lied
spielte. Mit vielem Lachen über ihre possierlichen Fratzen ging sie auf die
Trümmer des Altars zu, und räumte sie weg, um die verborgene Treppe zu 5
finden, auf der sie mit ihrem Tarantelgefolge hinunterstieg. Die Sphinx
fragte: ‚Was kommt plötzlicher, als der Blitz?‘ — ‚Die Rache‘, sagte Fabel. —
‚Was ist am vergänglichsten?‘ — ‚Unrechter Besitz.‘ — ‚Wer kennt die
Welt?‘ — ‚Wer sich selbst kennt.‘ — ‚Was ist das ewige Geheimnis?‘ —
‚Die Liebe.‘ — ‚Bei wem ruht es?‘ — ‚Bei Sophien.‘ Die Sphinx 10
krümmte sich kläglich, und Fabel trat in die Höhle.

‚Hier bringe ich euch Taranteln‘, sagte sie zu den Alten, die ihre Lampe
wieder angezündet hatten und sehr emsig arbeiteten. Sie erschraken, und die
eine lief mit der Schere auf sie zu, um sie zu erstechen. Unversehens trat sie
auf eine Tarantel, und diese stach sie in den Fuß. Sie schrie erbärmlich. Die 15
andern wollten ihr zu Hilfe kommen und wurden ebenfalls von den er-
zürnten Taranteln gestochen. Sie konnten sich nun nicht an Fabel ver-
greifen, und sprangen wild umher. ‚Spinn uns gleich‘, riefen sie grimmig
der Kleinen zu, ‚leichte Tanzkleider. Wir können uns in den steifen Röcken
nicht rühren, und vergehn fast vor Hitze, aber mit Spinnensaft mußt du 20
den Faden einweichen, daß er nicht reißt, und wirke Blumen hinein, die im
Feuer gewachsen sind, sonst bist du des Todes.‘ — ‚Recht gern‘, sagte Fabel
und ging in die Nebenkammer.

‚Ich will euch drei tüchtige Fliegen verschaffen‘, sagte sie zu den Kreuzspinnen, die ihre luftigen Gewebe rundum an der Decke und den Wänden 25
angeheftet hatten, ‚aber ihr müßt mir gleich drei hübsche, leichte Kleider
spinnen. Die Blumen, die hineingewirkt werden sollen, will ich auch gleich
bringen.‘ Die Kreuzspinnen waren bereit und fingen rasch zu weben an.
Fabel schlich sich zur Leiter und begab sich zu Arctur. ‚Monarch‘, sagte sie,
‚die Bösen tanzen, die Guten ruhn. Ist die Flamme angekommen?‘ — ‚Sie 30
ist angekommen‘, sagte der König. ‚Die Nacht ist vorbei und das Eis schmilzt.
Meine Gattin zeigt sich von weitem. Meine Feindin ist versengt. Alles fängt
zu leben an. Noch darf ich mich nicht sehn lassen, denn allein bin ich nicht
König. Bitte was du willst.‘ — ‚Ich brauche‘, sagte Fabel, ‚Blumen, die im
Feuer gewachsen sind. Ich weiß, du hast einen geschickten Gärtner, der sie 35
zu ziehen versteht.‘ — ‚Zink‘, rief der König, ‚gib uns Blumen.‘ Der

Blumengärtner trat aus der Reihe, holte einen Topf voll Feuer, und säete
glänzenden Samenstaub hinein. Es währte nicht lange, so flogen die Blumen
empor. Fabel sammelte sie in ihre Schürze, und machte sich auf den Rückweg.
Die Spirren waren fleißig gewesen, und es fehlte nichts mehr, als das An-
5 heften der Blumen, welches sie sogleich mit vielem Geschmack und Behendigkeit begannen. Fabel hütete sich wohl die Enden abzureißen, die noch an den
Weberinnen hingen.

Sie trug die Kleider den ermüdeten Tänzerinnen hin, die triefend von
Schweiß umgesunken waren, und sich einige Augenblicke von der ungewohn-
10 ten Anstrengung erholten. Mit vieler Geschicklichkeit entkleidete sie die hagern
Schönheiten, die es an Schmähungen der kleinen Dienerin nicht fehlen
ließen, und zog ihnen die neuen Kleider an, die sehr niedlich gemacht waren
und vortrefflich paßten. Sie pries während dieses Geschäftes die Reize
und den liebenswürdigen Charakter ihrer Gebieterinnen, und die Alten
15 schienen ordentlich erfreut über die Schmeicheleien und die Zierlichkeit des
Anzuges. Sie hatten sich unterdes erholt, und fingen von neuer Tanzlust
beseelt, wieder an, sich munter umherzudrehen, indem sie heimtückisch der
Kleinen langes Leben und große Belohnungen versprachen. Fabel ging in die
Kammer zurück, und sagte zu den Kreuzspinnen: ‚Ihr könnt nun die Fliegen
20 getrost verzehren, die ich in eure Weben gebracht habe.‘ Die Spinnen waren
so schon ungeduldig über das Hin- und Herreißen, da die Enden noch in ihnen
waren und die Alten so toll umhersprangen; sie rannten also hinaus, und
fielen über die Tänzerinnen her; diese wollten sich mit der Schere verteidigen, aber Fabel hatte sie in aller Stille mitgenommen. Sie unterlagen also
25 ihren hungrigen Handwerksgenossen, die lange keine so köstlichen Bissen ge-
schmeckt hatten, und sie bis auf das Mark aussaugten. Fabel sah durch die
Felsenkluft hinaus, und erblickte den Perseus mit dem großen eisernen
Schilde. Die Schere flog von selbst dem Schilde zu, und Fabel bat ihn,
Eros’ Flügel damit zu verschneiden, und dann mit seinem Schilde die
30 Schwestern zu verewigen, und das große Werk zu vollenden.

Sie verließ nun das unterirdische Reich, und stieg fröhlich zu Arcturs
Palaste.

‚Der Flachs ist versponnen. Das Leblose ist wieder entseelt. Das Lebendige
wird regieren, und das Leblose bilden und gebrauchen. Das Innere wird
35 offenbart, und das Äußere verborgen. Der Vorhang wird sich bald heben,
und das Schauspiel seinen Anfang nehmen. Noch einmal bitte ich, dann

spinne ich Tage der Ewigkeit.' — ‚Glückliches Kind', sagte der gerührte
Monarch, ‚du bist unsre Befreierin.' — ‚Ich bin nichts als Sophiens Pate',
sagte die Kleine. ‚Erlaube, daß Turmalin, der Blumengärtner, und Gold
mich begleiten. Die Asche meiner Pflegemutter muß ich sammeln, und der
alte Träger muß wieder aufstehn, daß die Erde wieder schwebe und nicht 5
auf dem Chaos liege.'

Der König rief allen dreien und befahl ihnen, die Kleine zu begleiten.
Die Stadt war hell, und auf den Straßen war ein lebhaftes Verkehr. Das
Meer brach sich brausend an der hohlen Klippe, und Fabel fuhr auf des
Königs Wagen mit ihren Begleitern hinüber. Turmalin sammelte sorgfältig 10
die auffliegende Asche. Sie gingen rund um die Erde, bis sie an den alten
Riesen kamen, an dessen Schultern sie hinunterklimmten. Er schien vom
Schlage gelähmt, und konnte kein Glied rühren. Gold legte ihm eine Münze
in den Mund, und der Blumengärtner schob eine Schüssel unter seine Lenden.
Fabel berührte ihm die Augen und goß das Gefäß auf seiner Stirn aus. 15
Sowie das Wasser über das Auge in den Mund und herunter über ihn in
die Schüssel floß, zuckte ein Blitz des Lebens ihm in allen Muskeln. Er
schlug die Augen auf und hob sich rüstig empor. Fabel sprang zu ihren Begleitern auf die steigende Erde, und bot ihm freundlich guten Morgen. ‚Bist
du wieder da, liebliches Kind?' sagte der Alte; ‚habe ich doch immer von dir 20
geträumt. Ich dachte immer, du würdest erscheinen, ehe mir die Erde und die
Augen zu schwer würden. Ich habe wohl lange geschlafen.' ‚Die Erde ist
wieder leicht, wie sie es immer den Guten war', sagte Fabel. ‚Die alten
Zeiten kehren zurück. In kurzem bist du wieder unter alten Bekannten. Ich
will dir fröhliche Tage spinnen, und an einem Gehilfen soll es auch nicht 25
fehlen, damit du zuweilen an unsern Freuden teilnehmen, und im Arm einer
Freundin Jugend und Stärke einatmen kannst. Wo sind unsere alten
Gastfreundinnen, die Hesperiden?' — ‚An Sophiens Seite. Bald wird ihr
Garten wieder blühen und die goldne Frucht duften. Sie gehen umher und
sammeln die schmachtenden Pflanzen.' 30

Fabel entfernte sich und eilte dem Hause zu. Es war zu völligen Ruinen
geworden. Efeu umzog die Mauern. Hohe Büsche beschatteten den ehmaligen
Hof, und weiches Moos polsterte die alten Stiegen. Sie trat ins Zimmer.
Sophie stand am Altar, der wieder aufgebaut war. Eros lag zu ihren
Füßen in voller Rüstung, ernster und edler als jemals. Ein prächtiger Kron- 35
leuchter hing von der Decke. Mit bunten Steinen war der Fußboden aus-

gelegt, und zeigte einen großen Kreis um den Altar her, der aus lauter edlen
bedeutungsvollen Figuren bestand. Ginnistan bog sich über ein Ruhebett,
worauf der Vater in tiefem Schlummer zu liegen schien, und weinte. Ihre
blühende Anmut war durch einen Zug von Andacht und Liebe unendlich er-
5 höht. Fabel reichte die Urne, worin die Asche gesammelt war, der heiligen
Sophie, die sie zärtlich umarmte.

»Liebliches Kind‹, sagte sie, ›dein Eifer und deine Treue haben dir einen
Platz unter den ewigen Sternen erworben. Du hast das Unsterbliche in dir
gewählt. Der Phönix gehört dir. Du wirst die Seele unsers Lebens sein.
10 Jetzt wecke den Bräutigam auf. Der Herold ruft, und Eros soll Freya
suchen und aufwecken.‹

Fabel freute sich unbeschreiblich bei diesen Worten. Sie rief ihren Begleitern Gold und Zink, und nahte sich dem Ruhebette. Ginnistan sah er-
wartungsvoll ihrem Beginnen zu. Gold schmolz die Münze und füllte das
15 Behältnis, worin der Vater lag, mit einer glänzenden Flut. Zink schlang
um Ginnistans Busen eine Kette. Der Körper schwamm auf den zitternden
Wellen. »Bücke dich, liebe Mutter‹, sagte Fabel, ›und lege die Hand auf
das Herz des Geliebten.‹

Ginnistan bückte sich. Sie sah ihr vielfaches Bild. Die Kette berührte
20 die Flut, ihre Hand sein Herz; er erwachte und zog die entzückte Braut an
seine Brust. Das Metall gerann, und ward ein heller Spiegel. Der Vater
erhob sich, seine Augen blitzten, und so schön und bedeutend auch seine Gestalt war, so schien doch sein ganzer Körper eine feine unendlich bewegliche
Flüssigkeit zu sein, die jeden Eindruck in den mannigfaltigsten und reizendsten
25 Bewegungen verriet.

Das glückliche Paar näherte sich Sophien, die Worte der Weihe über sie
aussprach, und sie ermahnte, den Spiegel fleißig zu Rate zu ziehn, der alles
in seiner wahren Gestalt zurückwerfe, jedes Blendwerk vernichte, und ewig
das ursprüngliche Bild festhalte. Sie ergriff nun die Urne und schüttete die
30 Asche in die Schale auf dem Altar. Ein sanftes Brausen verkündigte die
Auflösung, und ein leiser Wind wehte in den Gewändern und Locken der
Umstehenden.

Sophie reichte die Schale dem Eros und dieser den andern. Alle kosteten
den göttlichen Trank, und vernahmen die freundliche Begrüßung der Mutter
35 in ihrem Innern, mit unsäglicher Freude. Sie war jedem gegenwärtig, und
ihre geheimnisvolle Anwesenheit schien alle zu verklären.

Die Erwartung war erfüllt und übertroffen. Alle merkten, was ihnen gefehlt habe, und das Zimmer war ein Aufenthalt der Seligen geworden. Sophie sagte: ‚Das große Geheimnis ist allen offenbart, und bleibt ewig unergründlich. Aus Schmerzen wird die neue Welt geboren, und in Tränen wird die Asche zum Trank des ewigen Lebens aufgelöst. In jedem wohnt die 5 himmlische Mutter, um jedes Kind ewig zu gebären. Fühlt ihr die süße Geburt im Klopfen eurer Brust?‘

Sie goß in den Altar den Rest aus der Schale hinunter. Die Erde bebte in ihren Tiefen. Sophie sagte: ‚Eros, eile mit deiner Schwester zu deiner Geliebten. Bald seht ihr mich wieder.‘   10

Fabel und Eros gingen mit ihrer Begleitung schnell hinweg. Es war ein mächtiger Frühling über die Erde verbreitet. Alles hob und regte sich. Die Erde schwebte näher unter dem Schleier. Der Mond und die Wolken zogen mit fröhlichem Getümmel nach Norden. Die Königsburg strahlte mit herrlichem Glanze über das Meer, und auf ihren Zinnen stand der König in 15 voller Pracht mit seinem Gefolge. Überall erblickten sie Staubwirbel, in denen sich bekannte Gestalten zu bilden schienen. Sie begegneten zahlreichen Scharen von Jünglingen und Mädchen, die nach der Burg strömten, und sie mit Jauchzen bewillkommten. Auf manchen Hügeln saß ein glückliches eben erwachtes Paar in lang entbehrter Umarmung, hielt die neue Welt 20 für einen Traum, und konnte nicht aufhören, sich von der schönen Wahrheit zu überzeugen.

Die Blumen und Bäume wuchsen und grünten mit Macht. Alles schien beseelt. Alles sprach und sang. Fabel grüßte überall alte Bekannte. Die Tiere nahten sich mit freundlichen Grüßen den erwachten Menschen. Die 25 Pflanzen bewirteten sie mit Früchten und Düften, und schmückten sie auf das zierlichste. Kein Stein lag mehr auf einer Menschenbrust, und alle Lasten waren in sich selbst zu einem festen Fußboden zusammengesunken. Sie kamen an das Meer. Ein Fahrzeug von geschliffenem Stahl lag am Ufer festgebunden. Sie traten hinein und lösten das Tau. Die Spitze richtete 30 sich nach Norden, und das Fahrzeug durchschnitt, wie im Fluge, die buhlenden Wellen. Lispelndes Schilf hielt seinen Ungestüm auf, und es stieß leise an das Ufer. Sie eilten die breiten Treppen hinan. Die Liebe wunderte sich über die königliche Stadt und ihre Reichtümer. Im Hofe sprang der lebendiggewordne Quell, der Hain bewegte sich mit den süßesten Tönen, und ein 35 wunderbares Leben schien in seinen heißen Stämmen und Blättern, in

seinen funkelnden Blumen und Früchten zu quellen und zu treiben. Der alte
Held empfing sie an den Toren des Palastes. ‚Ehrwürdiger Alter‘, sagte
Fabel, ‚Eros bedarf dein Schwert. Gold hatte ihm eine Kette gegeben,
die mit einem Ende in das Meer hinunterreicht und mit dem andern um
5 seine Brust geschlungen ist. Fasse sie mit mir an, und führe uns in den
Saal, wo die Prinzessin ruht.‘ Eros nahm aus der Hand des Alten das
Schwert, setzte den Knopf auf seine Brust, und neigte die Spitze vorwärts.
Die Flügeltüren des Saals flogen auf, und Eros nahte sich entzückt der
schlummernden Freya. Plötzlich geschah ein gewaltiger Schlag. Ein heller
10 Funken fuhr von der Prinzessin nach dem Schwerte; das Schwert und die
Kette leuchteten, der Held hielt die kleine Fabel, die beinah umgesunken
wäre. Eros’ Helmbusch wallte empor. ‚Wirf das Schwert weg‘, rief Fabel,
‚und erwecke deine Geliebte.‘ Eros ließ das Schwert fallen, flog auf die
Prinzessin zu, und küßte feurig ihre süßen Lippen. Sie schlug ihre großen
15 dunkeln Augen auf, und erkannte den Geliebten. Ein langer Kuß versiegelte
den ewigen Bund.

Von der Kuppel herunter kam der König mit Sophien an der Hand.
Die Gestirne und die Geister der Natur folgten in glänzenden Reihen. Ein
unaussprechlich heitrer Tag erfüllte den Saal, den Palast, die Stadt, und
20 den Himmel. Eine zahllose Menge ergoß sich in den weiten königlichen Saal,
und sah mit stiller Andacht die Liebenden vor dem Könige und der Königin
knien, die sie feierlich segneten. Der König nahm sein Diadem vom Haupte,
und band es um Eros goldene Locken. Der alte Held zog ihm die Rüstung
ab, und der König warf seinen Mantel um ihn her. Dann gab er ihm die
25 Lilie in die linke Hand, und Sophie knüpfte ein köstliches Armband um die
verschlungenen Hände der Liebenden, indem sie zugleich ihre Krone auf
Freyas braune Haare setzte.

‚Heil unsern alten Beherrschern‘, rief das Volk. ‚Sie haben immer unter
uns gewohnt, und wir haben sie nicht erkannt! Heil uns! Sie werden uns
30 ewig beherrschen! Segnet uns auch!‘ Sophie sagte zu der neuen Königin:
‚Wirf du das Armband eures Bundes in die Luft, daß das Volk und die
Welt euch verbunden bleiben.‘ Das Armband zerfloß in der Luft, und bald
sah man lichte Ringe um jedes Haupt, und ein glänzendes Band zog sich über
die Stadt und das Meer und die Erde, die ein ewiges Fest des Frühlings
35 feierte. Perseus trat herein und trug eine Spindel und ein Körbchen. Er
brachte dem neuen Könige das Körbchen. ‚Hier‘, sagte er, ‚sind die Reste

deiner Feinde.' Eine steinerne Platte mit schwarzen und weißen Feldern lag
darin, und daneben eine Menge Figuren von Alabaster und schwarzem Marmor. ,Es ist ein Schachspiel', sagte Sophie; ,aller Krieg ist auf diese Platte
und in diese Figuren gebannt. Es ist ein Denkmal der alten trüben Zeit.'
Perseus wandte sich zu Fabel, und gab ihr die Spindel. ,In deinen Händen 5
wird diese Spindel uns ewig erfreuen, und aus dir selbst wirst du uns einen
goldnen unzerreißlichen Faden spinnen.' Der Phönix flog mit melodischem
Geräusch zu ihren Füßen, spreizte seine Fittiche vor ihr aus, auf die sie sich
setzte, und schwebte mit ihr über den Thron, ohne sich wieder niederzulassen.
Sie sang ein himmlisches Lied, und fing zu spinnen an, indem der Faden 10
aus ihrer Brust sich hervorzuwinden schien. Das Volk geriet in neues Entzücken, und aller Augen hingen an dem lieblichen Kinde. Ein neues Jauchzen
kam von der Tür her. Der alte Mond kam mit seinem wunderlichen Hofstaat herein, und hinter ihm trug das Volk Ginnistan und ihren Bräutigam,
wie im Triumph, einher.   15

Sie waren mit Blumenkränzen umwunden; die königliche Familie empfing sie mit der herzlichsten Zärtlichkeit, und das neue Königspaar rief sie
zu seinen Statthaltern auf Erden aus.

,Gönnet mir', sagte der Mond, ,das Reich der Parzen, dessen seltsame
Gebäude eben auf dem Hofe des Palastes aus der Erde gestiegen sind. Ich 20
will euch mit Schauspielen darin ergötzen, wozu die kleine Fabel mir be-
hilflich sein wird.'

Der König willigte in die Bitte, die kleine Fabel nickte freundlich, und
das Volk freute sich auf den seltsamen unterhaltenden Zeitvertreib. Die
Hesperiden ließen zur Thronbesteigung Glück wünschen, und um Schutz in 25
ihren Gärten bitten. Der König ließ sie bewillkommen, und so folgten sich
unzählige fröhliche Botschaften. Unterdessen hatte sich unmerklich der Thron
verwandelt, und war ein prächtiges Hochzeitbett geworden, über dessen Himmel der Phönix mit der kleinen Fabel schwebte. Drei Karyatiden aus
dunkelm Porphyr trugen es hinten, und vorn ruhte dasselbe auf einer 30
Sphinx aus Basalt. Der König umarmte seine errötende Geliebte, und das
Volk folgte dem Beispiel des Königs, und liebkoste sich untereinander. Man
hörte nichts, als zärtliche Namen und ein Kußgeflüster. Endlich sagte
Sophie: ,Die Mutter ist unter uns, ihre Gegenwart wird uns ewig be-
glücken. Folgt uns in unsere Wohnung, in dem Tempel dort werden wir 35

ewig wohnen, und das Geheimnis der Welt bewahren.' Die Fabel spann
emsig und sang mit lauter Stimme:

> Gegründet ist das Reich der Ewigkeit,
> In Lieb' und Frieden endigt sich der Streit,
> Vorüber ging der lange Traum der Schmerzen,
> Sophie ist ewig Priesterin der Herzen."

5

Zweiter Teil

Die Erfüllung

Das Kloster oder der Vorhof

Astralis

10

> An einem Sommermorgen ward ich jung;
> Da fühlt' ich meines eignen Lebens Puls
> Zum erstenmal — und wie die Liebe sich
> In tiefere Entzückungen verlor,
> Erwacht' ich immer mehr, und das Verlangen
> Nach innigerer, gänzlicher Vermischung
> Ward dringender mit jedem Augenblick.
> Wollust ist meines Daseins Zeugungskraft.
> Ich bin der Mittelpunkt, der heil'ge Quell,
> Aus welchem jede Sehnsucht stürmisch fließt,
> Wohin sich jede Sehnsucht, mannigfach
> Gebrochen, wieder still zusammenzieht.
> Ihr kennt mich nicht und saht mich werden —
> Wart ihr nicht Zeugen, wie ich noch
> Nachtwandler mich zum ersten Male traf
> An jenem frohen Abend? Flog euch nicht
> Ein süßer Schauer der Entzündung an? —
> Versunken lag ich ganz in Honigkelchen.
> Ich duftete, die Blume schwankte still

15

20

25

In goldner Morgenluft. Ein innres Quellen
War ich, ein sanftes Ringen, alles floß
Durch mich und über mich und hob mich leise.
Da sank das erste Stäubchen in die Narbe,
Denkt an den Kuß nach aufgehobnem Tisch.   5
Ich quoll in meine eigne Flut zurück —
Es war ein Blitz — nun konnt' ich schon mich regen,
Die zarten Fäden und den Kelch bewegen.
Schnell schossen, wie ich selber mich begann,
Zu ird'schen Sinnen die Gedanken an.   10
Noch war ich blind, doch schwankten lichte Sterne
Durch meines Wesens wunderbare Ferne,
Nichts war noch nah, ich fand mich nur von weiten,
Ein Anklang alter, so wie künft'ger Zeiten.
Aus Wehmut, Lieb' und Ahndungen entsprungen   15
War der Besinnung Wachstum nur ein Flug,
Und wie die Wollust Flammen in mir schlug,
Ward ich zugleich vom höchsten Weh durchdrungen.
Die Welt lag blühend um den hellen Hügel,
Die Worte des Propheten wurden Flügel,   20
Nicht einzeln mehr nur Heinrich und Mathilde
Vereinten beide sich zu einem Bilde. —
Ich hob mich nun gen Himmel neugeboren,
Vollendet war das irdische Geschick
Im seligen Verklärungsaugenblick,   25
Es hatte nun die Zeit ihr Recht verloren
Und forderte, was sie geliehn, zurück.

Es bricht die neue Welt herein
Und verdunkelt den hellsten Sonnenschein,
Man sieht nun aus bemoosten Trümmern   30
Eine wunderseltsame Zukunft schimmern,
Und was vordem alltäglich war,
Scheint jetzo fremd und wunderbar.
[Eins in allem und alles in Einen
Gottes Bild auf Kräutern und Steinen   35

Gottes Geist in Menschen und Tieren,
Dies muß man sich zu Gemüte führen.
Keine Ordnung mehr nach Raum und Zeit
Hier Zukunft in der Vergangenheit.]
5 Der Liebe Reich ist aufgetan,
Die Fabel fängt zu spinnen an.
Das Urspiel jeder Natur beginnt,
Auf kräftige Worte jedes sinnt,
Und so das große Weltgemüt
10 Überall sich regt und unendlich blüht.
Alles muß ineinandergreifen,
Eins durch das andre gedeihn und reifen;
Jedes in allen dar sich stellt,
Indem es sich mit ihnen vermischet
15 Und gierig in ihre Tiefen fällt,
Sein eigentümliches Wesen erfrischet
Und tausend neue Gedanken erhält.
Die Welt wird Traum, der Traum wird Welt,
Und was man glaubt, es sei geschehn,
20 Kann man von weitem erst kommen sehn.
Frei soll die Phantasie erst schalten,
Nach ihrem Gefallen die Fäden verweben,
Hier manches verschleiern, dort manches entfalten,
Und endlich in magischen Dunst verschweben.
25 Wehmut und Wollust, Tod und Leben
Sind hier in innigster Sympathie —
Wer sich der höchsten Lieb' ergeben,
Genest von ihren Wunden nie.
Schmerzhaft muß jenes Band zerreißen,
30 Was sich ums innre Auge zieht,
Einmal das treuste Herz verwaisen,
Eh es der trüben Welt entflieht.
Der Leib wird aufgelöst in Tränen,
Zum weiten Grabe wird die Welt,
35 In das, verzehrt von bangem Sehnen,
Das Herz, als Asche, niederfällt.

Auf dem schmalen Fußsteige, der ins Gebirg hinauflief, ging ein Pilgrim in tiefen Gedanken. Mittag war vorbei. Ein starker Wind sauste durch die blaue Luft. Seine dumpfen, mannigfaltigen Stimmen verloren sich, wie sie kamen. War er vielleicht durch die Gegenden der Kindheit geflogen? Oder durch andre redende Länder? Es waren Stimmen, deren Echo nach im 5 Innersten klang und dennoch schien sie der Pilgrim nicht zu kennen. Er hatte nun das Gebirg erreicht, wo er das Ziel seiner Reise zu finden hoffte. — Hoffte? — Er hoffte gar nichts mehr. Die entsetzlichste Angst und dann die trockne Kälte der gleichgültigsten Verzweiflung trieben ihn, die wilden Schrecknisse des Gebirgs aufzusuchen. Der mühselige Gang beruhigte das 10 zerstörende Spiel der innern Gewalten. Er war matt aber still. Noch sah er nichts was um ihn her sich allmählich gehäuft hatte, als er sich auf einen Stein setzte, und den Blick rückwärts wandte. Es dünkte ihm, als träume er jetzt oder habe er geträumt. Eine unübersehliche Herrlichkeit schien sich vor ihm aufzutun. Bald flossen seine Tränen, indem sein Innres plötzlich brach. 15 Er wollte sich in die Ferne verweinen, daß auch keine Spur seines Daseins übrigbliebe. Unter dem heftigen Schluchzen schien er zu sich selbst zu kommen; die weiche heitre Luft durchdrang ihn, seinen Sinnen ward die Welt wieder gegenwärtig und alte Gedanken fingen tröstlich zu reden an.

Dort lag Augsburg mit seinen Türmen. Fern am Gesichtskreis blinkte 20 der Spiegel des furchtbaren, geheimnisvollen Stroms. Der ungeheure Wald bog sich mit tröstlichem Ernst zu dem Wanderer, das gezackte Gebirg ruhte so bedeutend über der Ebene und beide schienen zu sagen: „Eile nur, Strom, du entfliehst uns nicht — Ich will dir folgen mit geflügelten Schiffen. Ich will dich brechen und halten und dich verschlucken in meinen Schoß. 25 Vertraue du uns, Pilgrim, es ist auch unser Feind, den wir selbst erzeugten — Laß ihn eilen mit seinem Raub, er entflieht uns nicht."

Der arme Pilgrim gedachte der alten Zeiten und ihrer unsäglichen Entzückungen. — Aber wie matt gingen diese köstlichen Erinnerungen vorüber. Der breite Hut verdeckte ein jugendliches Gesicht. Es war bleich, wie eine 30 Nachtblume. In Tränen hatte sich der Balsamsaft des jungen Lebens, in tiefe Seufzer sein schwellender Hauch verwandelt. In ein fahles Aschgrau waren alle seine Farben verschossen.

Seitwärts am Gehänge schien ihm ein Mönch unter einem alten Eichbaum zu knien. „Sollte das der alte Hofkaplan sein?" so dacht' er bei sich, 35 ohne große Verwunderung. Der Mönch kam ihm größer und ungestalter

vor, je näher er zu ihm trat. Er bemerkte nun seinen Irrtum, denn es war
ein einzelner Felsen, über den sich der Baum herbog. Stillgerührt faßte er
den Stein in seine Arme, und drückte ihn lautweinend an seine Brust.
„Ach daß doch jetzt deine Reden sich bewährten und die heil'ge Mutter ein
5 Zeichen an mir täte! Bin ich doch so ganz elend und verlassen. Wohnt in
meiner Wüste kein Heiliger, der mir sein Gebet liehe? Bete du, teurer
Vater, jetzt in diesem Augenblick für mich.“

Wie er so bei sich dachte fing der Baum an zu zittern. Dumpf dröhnte
der Felsen und wie aus tiefer, unterirdischer Ferne erhoben sich einige klare
10 Stimmchen und sangen:

> Ihr Herz war voller Freuden
> Von Freuden sie nur wußt'
> Sie wußt' von keinem Leiden
> Druckt's Kindelein an ihr' Brust.

15
> Sie küßt ihm seine Wangen,
> Sie küßt es mannigfalt,
> Mit Liebe ward sie umfangen
> Durch Kindleins schöne Gestalt.

Die Stimmchen schienen mit unendlicher Lust zu singen. Sie wieder-
20 holten den Vers einigemal. Es ward alles wieder ruhig und nun hörte der
erstaunte Pilger, daß jemand aus dem Baume sagte:
„Wenn du ein Lied zu meinen Ehren auf deiner Laute spielen wirst, so
wird ein armes Mädchen herfürkommen. Nimm sie mit und laß sie nicht
von dir. Gedenke meiner, wenn du zum Kaiser kommst. Ich habe mir diese
25 Stätte ausersehn um mit meinem Kindlein hier zu wohnen. Laß mir ein
starkes, warmes Haus hier bauen. Mein Kindlein hat den Tod überwunden.
Härme dich nicht. Ich bin bei dir. Du wirst noch eine Weile auf Erden
bleiben, aber das Mädchen wird dich trösten, bis du auch stirbst und zu
unsern Freuden eingehst.“ — „Es ist Mathildens Stimme“, rief der Pilger,
30 und fiel auf seine Knie, um zu beten. Da drang durch die Äste ein langer
Strahl zu seinen Augen und er sah durch den Strahl in eine ferne, kleine,
wundersame Herrlichkeit hinein, welche nicht zu beschreiben, noch kunstreich
mit Farben nachzubilden möglich gewesen wäre. Es waren überaus feine
Figuren und die innigste Lust und Freude, ja eine himmlische Glückseligkeit
35 war darin überall zu schauen, sogar daß die leblosen Gefäße, das Säul-
werk, die Teppiche, Zieraten, kurzum alles was zu sehn war, nicht gemacht,

sondern, wie ein vollsaftiges Kraut, aus eigner Lustbegierde also gewachsen
und zusammengekommen zu sein schien. Es waren die schönsten menschlichen
Gestalten, die dazwischen umhergingen und sich über die Maßen freundlich
und holdselig gegeneinander erzeigten. Ganz vorn stand die Geliebte des
Pilgers und hatt' es das Ansehn, als wolle sie mit ihm sprechen. Doch war 5
nichts zu hören und betrachtete der Pilger nur mit tiefer Sehnsucht ihre
anmutigen Züge und wie sie so freundlich und lächelnd ihm zuwinkte, und die
Hand auf ihre linke Brust legte. Der Anblick war unendlich tröstend und
erquickend und der Pilger lag noch lang in seliger Entzückung, als die Erscheinung wieder hinweggenommen war. Der heilige Strahl hatte alle 10
Schmerzen und Bekümmernisse aus seinem Herzen gesogen, so daß sein
Gemüt wieder rein und leicht, und sein Geist wieder frei und fröhlich war,
wie vordem. Nichts war übriggeblieben, als ein stilles inniges Sehnen und
ein wehmütiger Klang im Allerinnersten. Aber die wilden Qualen der Einsamkeit, die herbe Pein eines unsäglichen Verlustes, die trübe, entsetzliche 15
Leere, die irdische Ohnmacht war gewichen, und der Pilgrim sah sich wieder
in einer vollen, bedeutsamen Welt. Stimme und Sprache waren wieder
lebendig bei ihm geworden, und es dünkte ihm nunmehr alles viel bekannter
und weissagender, als ehemals, so daß ihm der Tod, wie eine höhere Offenbarung des Lebens, erschien, und er sein eignes, schnell vorübergehendes 20
Dasein mit kindlicher, heitrer Rührung betrachtete. Zukunft und Vergangenheit hatten sich in ihm berührt und einen innigen Verein geschlossen.
Er stand weit außer der Gegenwart, und die Welt ward ihm erst teuer,
wie er sie verloren hatte, und sich nur als Fremdling in ihr fand, der ihre
weiten, bunten Säle noch eine kurze Weile durchwandern sollte. Es war 25
Abend geworden, und die Erde lag vor ihm wie ein altes, liebes Wohnhaus,
was er nach langer Entfernung verlassen wiederfände. Tausend Erinnerungen wurden ihm gegenwärtig. Jeder Stein, jeder Baum, jede Anhöhe
wollte wiedergekannt sein. Jedes war das Merkmal einer alten Geschichte.

    Der Pilger ergriff seine Laute und sang: 30

Liebeszähren, Liebesflammen	Er hat froh sie aufgenommen
Fließt zusammen;	Als sie kommen,
Heiligt diese Wunderstätten,	Sie geschützt vor Ungewittern;
Wo der Himmel mir erschienen; 34	Sie wird einst in ihrem Garten 40
Schwärmt um diesen Baum wie Bienen	Ihn begießen und ihn warten,
In unzähligen Gebeten.	Wunder tun mit seinen Splittern.

Auch der Felsen ist gesunken
Freudentrunken
Zu der sel'gen Mutter Füßen,
Ist die Andacht auch in Steinen
5 Sollte da der Mensch nicht weinen
Und sein Blut für sie vergießen?

Die Bedrängten müssen ziehen
Und hier knieen,
Alle werden hier genesen.
10 Keiner wird fortan noch klagen
Alle werden fröhlich sagen:
„Einst sind wir betrübt gewesen."

Ernste Mauern werden stehen
Auf den Höhen.
15 In den Tälern wird man rufen,
Wenn die schwersten Zeiten kommen,
„Keinem sei das Herz beklommen,
Nur hinan zu jenen Stufen."

Gottes Mutter und Geliebte
20 Der Betrübte
Wandelt nun verklärt von hinnen.
Ew'ge Güte, ew'ge Milde,
Oh! ich weiß, du bist Mathilde
Und das Ziel von meinem Sinnen.

25 Ohne mein verwegnes Fragen
Wirst mir sagen,
Wenn ich zu dir soll gelangen.
Gern will ich in tausend Weisen
Noch der Erde Wunder preisen,
30 Bis du kommst mich zu umfangen.

Alte Wunder, künft'ge Zeiten,
Seltsamkeiten,
Weichet nie aus meinem Herzen.
Unvergeßlich sei die Stelle,
35 Wo des Lichtes heil'ge Quelle
Weggespült den Traum der Schmerzen.

Unter seinem Gesang war er nichts gewahr worden. Wie er aber aufsah, stand ein junges Mädchen nah bei ihm am Felsen, die ihn freundlich,
wie einen alten Bekannten, grüßte und ihn einlud mit zu ihrer Wohnung
40 zu gehn, wo sie ihm schon ein Abendessen zubereitet habe. Er schloß sie
zärtlich in seinen Arm. Ihr ganzes Wesen und Tun war ihm befreundet.
Sie bat ihn noch einige Augenblicke zu verziehn, trat unter den Baum, sah
mit einem unaussprechlichen Lächeln hinauf und schüttete aus ihrer Schürze
viele Rosen auf das Gras. Sie kniete still daneben, stand aber bald wieder
45 auf und führte den Pilger fort. „Wer hat dir von mir gesagt?" frug der
Pilgrim. „Unsere Mutter." — „Wer ist deine Mutter?" — „Die Mutter
Gottes." — „Seit wann bist du hier?" — „Seitdem ich aus dem Grabe
gekommen bin." — „Warst du schon einmal gestorben?" — „Wie könnt' ich
denn leben?" — „Lebst du hier ganz allein?" — „Ein alter Mann ist
50 zu Hause, doch kenn' ich noch viele, die gelebt haben." — „Hast du Lust, bei
mir zu bleiben?" — „Ich habe dich ja lieb." — „Woher kennst du mich?"
— „Oh! von alten Zeiten; auch erzählte mir meine ehemalige Mutter zeither immer von dir." — „Hast du noch eine Mutter?" — „Ja, aber es ist

eigentlich dieselbe." — „Wie hieß sie?" — „Maria." — „Wer war dein
Vater?" — „Der Graf von Hohenzollern." — „Den kenn' ich auch." —
„Wohl mußt du ihn kennen, denn er ist auch dein Vater." — „Ich habe
ja meinen Vater in Eisenach." — „Du hast mehr Eltern." — „Wo gehn
wir denn hin?" — „Immer nach Hause."   5

Sie waren jetzt auf einen geräumigen Platz im Holze gekommen, auf
welchem einige verfallne Türme hinter tiefen Gräben standen. Junges Gebüsch schlang sich um die alten Mauern, wie ein jugendlicher Kranz um das
Silberhaupt eines Greises. Man sah in die Unermeßlichkeit der Zeiten,
und erblickte die weitesten Geschichten in kleine glänzende Minuten zusam- 10
mengezogen, wenn man die grauen Steine, die blitzähnlichen Risse, und die
hohen schaurigen Gestalten betrachtete. So zeigt uns der Himmel unendliche Räume in dunkles Blau gekleidet und wie milchfarbne Schimmer,
so unschuldig wie die Wangen eines Kindes, die fernsten Heere seiner
schweren ungeheuren Welten. Sie gingen durch einen alten Torweg und 15
der Pilger war nicht wenig erstaunt, als er sich nun von lauter seltnen
Gewächsen umringt und die Reize des anmutigsten Gartens unter diesen
Trümmern versteckt sah. Ein kleines steinernes Häuschen von neuer Bauart
mit großen hellen Fenstern lag dahinter. Dort stand ein alter Mann hinter
den breitblättrigen Stauden und band die schwanken Zweige an Stäbchen. 20
Den Pilgrim führte seine Begleiterin zu ihm und sagte: „Hier ist Heinrich
nach dem du mich oft gefragt hast." Wie sich der Alte zu ihm wandte, glaubte
Heinrich den Bergmann vor sich zu sehn. „Du siehst den Arzt Sylvester",
sagte das Mädchen. Sylvester freute sich ihn zu sehn, und sprach: „Es ist
eine geraume Zeit her, daß ich deinen Vater ebenso jung bei mir sah. Ich 25
ließ es mir damals angelegen sein, ihn mit den Schätzen der Vorwelt, mit
der kostbaren Hinterlassenschaft einer zu früh abgeschiedenen Welt bekannt
zu machen. Ich bemerkte in ihm die Anzeichen eines großen Bildkünstlers.
Sein Auge regte sich voll Lust ein wahres Auge, ein schaffendes Werkzeug
zu werden. Sein Gesicht zeugte von innrer Festigkeit und ausdauerndem 30
Fleiß. Aber die gegenwärtige Welt hatte zu tiefe Wurzeln schon bei ihm
geschlagen. Er wollte nicht Achtung geben auf den Ruf seiner eigensten
Natur, die trübe Strenge seines vaterländischen Himmels hatte die zarten
Spitzen der edelsten Pflanze in ihm verdorben. Er ward ein geschickter
Handwerker und die Begeisterung ist ihm zur Torheit geworden."   35

„Wohl", versetzte Heinrich, „hab' ich in ihm oft mit Schmerzen einen

stillen Mißmut bemerkt. Er arbeitet unaufhörlich aus Gewohnheit und nicht aus innerer Lust. Es scheint ihm etwas zu fehlen, was die friedliche Stille seines Lebens, die Bequemlichkeiten seines Auskommens, die Freude sich geehrt und geliebt von seinen Mitbürgern zu sehn, und in allen Stadt-
5 angelegenheiten zu Rate gezogen zu werden, ihm nicht ersetzen kann. Seine Bekannten halten ihn für sehr glücklich, aber sie wissen nicht, wie lebenssatt er ist, wie leer ihm oft die Welt vorkommt, wie sehnlich er sich hinweg-wünscht, und wie er nicht aus Erwerblust, sondern um diese Stimmung zu verscheuchen, so fleißig arbeitet."

10 „Was mich am meisten wundert", versetzte Sylvester, „daß er Eure Erziehung ganz in den Händen Eurer Mutter gelassen hat und sorgfältig sich gehütet, in Eure Entwicklung sich zu mischen oder Euch zu irgendeinem bestimmten Stande anzuhalten. Ihr habt von Glück zu sagen, daß Ihr habt aufwachsen dürfen, ohne von Euren Eltern die mindeste Beschränkung zu
15 leiden, denn die meisten Menschen sind nur Überbleibsel eines vollen Gast-mahls, das Menschen von verschiedenem Appetit und Geschmack geplündert haben."

„Ich weiß selbst nicht", erwiderte Heinrich, „was Erziehung heißt, wenn es nicht das Leben und die Sinnesweise meiner Eltern ist oder der Unter-
20 richt meines Lehrers des Hofkaplans. Mein Vater scheint mir, bei aller seiner kühlen und durchaus festen Denkungsart, die ihn alle Verhältnisse, wie ein Stück Metall und eine künstliche Arbeit ansehn läßt, doch unwill-kürlich und ohne es daher selbst zu wissen, eine stille Ehrfurcht und Gottes-furcht vor allen unbegreiflichen und höhern Erscheinungen zu haben, und
25 daher das Aufblühen eines Kindes mit demütiger Selbstverleugnung zu betrachten. Ein Geist ist hier geschäftig, der frisch aus der unendlichen Quelle kommt, und dieses Gefühl der Überlegenheit eines Kindes in den allerhöchsten Dingen, der unwiderstehliche Gedanke einer nähern Führung dieses unschuldigen Wesens, das jetzt im Begriff steht eine so bedenkliche
30 Laufbahn anzutreten, bei seinen nähern Schritten, das Gepräge einer wun-derbaren Welt, was noch keine irdische Flut unkenntlich gemacht hat, und endlich die Sympathie der Selbsterinnerung jener fabelhaften Zeiten, wo die Welt uns heller, freundlicher und seltsamer dünkte und der Geist der Weissagung fast sichtbar uns begleitete, alles dies hat meinen Vater gewiß
35 zu der andächtigsten und bescheidensten Behandlung vermocht."

„Laß uns hieher auf die Rasenbank unter die Blumen setzen", unterbrach

ihn der Alte. „Cyane wird uns rufen, wenn unser Abendessen bereit ist,
und wenn ich Euch bitten darf, so fahrt fort mir von Eurem frühern Leben
etwas zu erzählen. Wir Alten hören am liebsten von den Kinderjahren
reden, und es dünkt mich, als ließt Ihr mich den Duft einer Blume ein-
ziehn, den ich seit meiner Kindheit nicht wieder eingeatmet hätte. Nur sagt 5
mir noch vorher, wie Euch meine Einsiedelei und mein Garten gefällt, denn
diese Blumen sind meine Freundinnen. Mein Herz ist in diesem Garten.
Ihr seht nichts, was mich nicht liebt und von mir nicht zärtlich geliebt wird.
Ich bin hier mitten unter meinen Kindern und komme mir vor, wie ein
alter Baum, aus dessen Wurzeln diese muntre Jugend ausgeschlagen sei." 10

„Glücklicher Vater," sagte Heinrich, „Euer Garten ist die Welt. Ruinen
sind die Mütter dieser blühenden Kinder. Die bunte, lebendige Schöpfung
zieht ihre Nahrung aus den Trümmern vergangner Zeiten. Aber mußte
die Mutter sterben, daß die Kinder gedeihen können, und bleibt der Vater
zu ewigen Tränen allein an ihrem Grabe sitzen?"   15

Sylvester reichte dem schluchzenden Jünglinge die Hand, und stand auf,
um ihm ein eben aufgeblühtes Vergißmeinnicht zu holen, das er an einen
Zypressenzweig band und ihm brachte. Wunderlich rührte der Abendwind
die Wipfel der Kiefern, die jenseits den Ruinen standen. Ihr dumpfes
Brausen tönte herüber. Heinrich verbarg sein Gesicht in Tränen an dem 20
Halse des guten Sylvester, und wie er sich wieder erhob, trat eben der
Abendstern in voller Glorie über den Wald herüber.

Nach einiger Stille fing Sylvester an: „Ich möcht Euch wohl in
Eisenach unter Euren Gespielen gesehn haben. Eure Eltern, die vortreffliche Landgräfin, die biedern Nachbarn Eures Vaters, und der alte Hof- 25
kaplan machen eine schöne Gesellschaft aus. Ihre Gespräche müssen früh-
zeitig auf Euch gewirkt haben, besonders da Ihr das einzige Kind wart.
Auch stell' ich mir die Gegend äußerst anmutig und bedeutsam vor."

„Ich lerne", versetzte Heinrich, „meine Gegend erst recht kennen, seit
ich weg bin und viele andre Gegenden gesehn habe. Jede Pflanze, jeder 30
Baum, jeder Hügel und Berg hat seinen besondern Gesichtskreis, seine
eigentümliche Gegend. Sie gehört zu ihm und sein Bau, seine ganze Beschaffenheit wird durch sie erklärt. Nur das Tier und der Mensch können
zu allen Gegenden kommen; alle Gegenden sind die ihrigen. So machen alle
zusammen eine große Weltgegend, einen unendlichen Gesichtskreis aus, 35
dessen Einfluß auf den Menschen und das Tier ebenso sichtbar ist, wie der

Einfluß der engern Umgebung auf die Pflanze. Daher Menschen die viel
gereift find, Zugvögel und Raubtiere, unter den übrigen fich durch besondern
Verftand und andre wunderbare Gaben und Arten auszeichnen. Doch gibt
es auch gewiß mehr oder weniger Fähigkeit unter ihnen, von diesen Welt-
5 kreiſen und ihrem mannigfaltigen Inhalt und Ordnung gerührt, und gebildet zu werden. Auch fehlt bei den Menschen wohl manchen die nötige Auf-
merkſamkeit und Gelaſſenheit, um den Wechfel der Gegenftände und ihre
Zufammenftellung erft gehörig zu betrachten und dann darüber nachzu-
denken und die nötigen Vergleichungen anzuftellen. Oft fühl' ich jetzt, wie
10 mein Vaterland meine frühften Gedanken mit unvergänglichen Farben
angehaucht hat, und fein Bild eine feltfame Andeutung meines Gemüts
geworden ift, die ich immer mehr errate, je tiefer ich einfehe, daß Schickſal
und Gemüt Namen eines Begriffs find." — „Auf mich", fagte Sylvefter,
„hat freilich die lebendige Natur, die regfame Überkleidung der Gegend,
15 immer am meiften gewirkt. Ich bin nicht müde geworden, befonders die ver-
ſchiedene Pflanzennatur auf das forgfältigfte zu betrachten. Die Gewächſe
find fo die unmittelbarfte Sprache des Bodens; jedes neue Blatt, jede
fonderbare Blume ift irgendein Geheimnis, was fich hervordrängt und
das, weil es fich vor Liebe und Luft nicht bewegen und nicht zu Worten
20 kommen kann, eine ftumme, ruhige Pflanze wird. Findet man in der Ein-
famkeit eine folche Blume, ift es da nicht, als wäre alles umher verklärt
und hielten fich die kleinen befiederten Töne am liebften in ihrer Nähe auf.
Man möchte für Freuden weinen, und abgefondert von der Welt nur feine
Hände und Füße in die Erde ftecken, um Wurzeln zu treiben und nie diefe
25 glückliche Nachbarfchaft zu verlaffen. Über die ganze trockne Welt ift diefer
grüne, geheimnisvolle Teppich der Liebe gezogen. Mit jedem Frühjahr
wird er erneuert, und feine feltfame Schrift ift nur dem Geliebten lesbar
wie der Blumenftrauß des Orients. Ewig wird er lefen und fich nicht fatt
lefen und täglich neue Bedeutungen, neue entzückendere Offenbarungen der
30 liebenden Natur gewahr werden. Diefer unendliche Genuß ift der geheime
Reiz, den die Begehung der Erdfläche für mich hat, indem mir jede Gegend
andre Rätfel löft, und mich immer mehr erraten läßt, woher der Weg
komme und wohin er gehe."
    „Ja", fagte Heinrich, „wir haben von Kinderjahren angefangen zu
35 reden, und von der Erziehung, weil wir in Eurem Garten waren und die
eigentliche Offenbarung der Kindheit, die unfchuldige Blumenwelt, un-

merklich in unser Gedächtnis und auf unsre Lippen die Erinnerung der
alten Blumenschaft brachte. Mein Vater ist auch ein großer Freund des
Gartenlebens, und die glücklichsten Stunden seines Lebens bringt er unter
den Blumen zu. Dies hat auch gewiß seinen Sinn für die Kinder so offen
erhalten, da Blumen die Ebenbilder der Kinder sind. Den vollen Reichtum 5
des unendlichen Lebens, die gewaltigen Mächte der spätern Zeit, die Herrlichkeit des Weltendes und die goldne Zukunft aller Dinge sehn wir hier
noch innig ineinander geschlungen, aber doch auf das deutlichste und klarste
in zarter Verjüngung. Schon treibt die allmächtige Liebe, aber sie zündet
noch nicht. Es ist keine verzehrende Flamme; es ist ein zerrinnender Duft. 10
Und so innig die Vereinigung der zärtlichen Seelen auch ist, so ist sie doch
von keiner heftigen Bewegung und keiner fressenden Wut begleitet, wie
bei den Tieren. So ist die Kindheit in der Tiefe zunächst an der Erde, da
hingegen die Wolken vielleicht die Erscheinungen der zweiten, höhern Kindheit, des wiedergefundnen Paradieses sind und darum so wohltätig auf die 15
erstere heruntertauen.''

„Es ist gewiß etwas sehr Geheimnisvolles in den Wolken'', sagte Sylvester, „und eine gewisse Bewölkung hat oft einen ganz wunderbaren Einfluß auf uns. Sie ziehn und wollen uns mit ihrem kühlen Schatten auf
und davon nehmen und wenn ihre Bildung lieblich und bunt, wie ein aus- 20
gehauchter Wunsch unsers Innern ist, so ist auch ihre Klarheit, das herrliche
Licht, was dann auf Erden herrscht, wie die Vorbedeutung einer unbekannten, unsäglichen Herrlichkeit. Aber es gibt auch düstere und ernste und
entsetzliche Umwölkungen, in denen alle Schrecken der alten Nacht zu drohen
scheinen. Nie scheint sich der Himmel wieder aufheitern zu wollen, das heitre 25
Blau ist vertilgt und ein fahles Kupferrot auf schwarzgrauem Grunde weckt
Grauen und Angst in jeder Brust. Wenn dann die verderblichen Strahlen
herunterzucken und mit höhnischem Gelächter die schmetternden Donner-
schläge hinterdreinfallen, so werden wir bis ins Innerste beängstigt, und
wenn in uns dann nicht das erhabne Gefühl unsrer sittlichen Obermacht 30
entsteht, so glauben wir den Schrecknissen der Hölle, der Gewalt böser
Geister überliefert zu sein.

„Es sind Nachhalle der alten unmenschlichen Natur, aber auch weckende
Stimmen der höhern Natur, des himmlischen Gewissens in uns. Das
Sterbliche dröhnt in seinen Grundfesten, aber das Unsterbliche fängt heller 35
zu leuchten an und erkennt sich selbst.''

„Wann wird es doch", sagte Heinrich, „gar keiner Schrecken, keiner Schmerzen, keiner Not und keines Übels mehr im Weltall bedürfen?"

„Wenn es nur eine Kraft gibt — die Kraft des Gewissens. — Wenn die Natur züchtig und sittlich geworden ist. Es gibt nur eine Ursache des
5 Übels. — die allgemeine Schwäche, und diese Schwäche ist nichts als geringe sittliche Empfänglichkeit und Mangel an Reiz der Freiheit."

„Macht mir doch die Natur des Gewissens begreiflich."

„Wenn ich das könnte, so wär' ich Gott, denn indem man das Gewissen begreift, entsteht es. Könnt Ihr mir das Wesen der Dichtkunst begreiflich
10 machen?"

„Etwas Persönliches läßt sich nicht bestimmt abfragen."

„Wie viel weniger also das Geheimnis der höchsten Unteilbarkeit. Läßt sich Musik dem Tauben erklären?"

„Also wäre der Sinn ein Anteil an der neuen durch ihn eröffneten
15 Welt selbst? Man verstünde die Sache nur, wenn man sie hätte?"

„Das Weltall zerfällt in unendliche, immer von größern Welten wieder befaßte Welten. Alle Sinne sind am Ende ein Sinn. Ein Sinn führt wie eine Welt allmählich zu allen Welten. Aber alles hat seine Zeit, und seine Weise. Nur die Person des Weltalls vermag das Verhältnis unsrer
20 Welt einzusehn. Es ist schwer zu sagen, ob wir innerhalb der sinnlichen Schranken unsers Körpers wirklich unsre Welt mit neuen Welten, unsre Sinne mit neuen Sinnen vermehren können, oder ob jeder Zuwachs unsrer Erkenntnis, jede neuerworbene Fähigkeit nur zur Ausbildung unsers gegenwärtigen Weltsinns zu rechnen ist."

25 „Vielleicht ist beides eins", sagte Heinrich. „Ich weiß nur soviel, daß für mich die Fabel Gesamtwerkzeug meiner gegenwärtigen Welt ist. Selbst das Gewissen, diese Sinn und Welten erzeugende Macht, dieser Keim aller Persönlichkeit, erscheint mir, wie der Geist des Weltgedichts, wie der Zufall der ewigen romantischen Zusammenkunft, des unendlich veränder-
30 lichen Gesamtlebens."

„Werter Pilger", versetzte Sylvester, „das Gewissen erscheint in jeder ernsten Vollendung, in jeder gebildeten Wahrheit. Jede durch Nachdenken zu einem Weltbild umgearbeitete Neigung und Fertigkeit wird zu einer Erscheinung, zu einer Verwandlung des Gewissens. Alle Bildung führt
35 zu dem, was man nicht anders, wie Freiheit nennen kann, ohnerachtet damit

nicht ein bloßer Begriff, sondern der schaffende Grund alles Daseins bezeichnet werden soll. Diese Freiheit ist Meisterschaft. Der Meister übt
freie Gewalt nach Absicht und in bestimmter und überdachter Folge aus.
Die Gegenstände seiner Kunst sind sein, und stehn in seinem Belieben und
er wird von ihnen nicht gefesselt oder gehemmt. Und gerade diese allum- 5
fassende Freiheit, Meisterschaft oder Herrschaft ist das Wesen, der Trieb
des Gewissens. In ihm offenbart sich die heilige Eigentümlichkeit, das unmittelbare Schaffen der Persönlichkeit, und jede Handlung des Meisters
ist zugleich Kundwerdung der hohen, einfachen, unverwickelten Welt —
Gottes Wort."   10

„Also ist auch das was ehemals, wie mich deucht, Tugendlehre genannt
wurde, nur die Religion, als Wissenschaft, die sogenannte Theologie im
eigentlichsten Sinn? Nur eine Gesetzordnung, die sich zur Gottesverehrung
verhält, wie die Natur zu Gott? Ein Wortbau, eine Gedankenfolge, die
die Oberwelt bezeichnet, vorstellt und sie auf einer gewissen Stufe der Bil- 15
dung vertritt? Die Religion für das Vermögen der Einsicht und des Ur-
teils?, der Richtspruch, das Gesetz der Auflösung und Bestimmung aller
möglichen Verhältnisse eines persönlichen Wesens?"

„Allerdings ist das Gewissen", sagte Sylvester, „der eingeborne Mittler
jedes Menschen. Es vertritt die Stelle Gottes auf Erden, und ist daher so 20
vielen das Höchste und Letzte. Aber wie entfernt war die bisherige Wissenschaft, die man Tugend- oder Sittenlehre nannte, von der reinen Gestalt
dieses erhabenen, weitumfassenden persönlichen Gedankens. Das Gewissen
ist der Menschen eigenstes Wesen in voller Verklärung, der himmlische Ur-
mensch. Es ist nicht dies und jenes, es gebietet nicht in allgemeinen Sprüchen, 25
es besteht nicht aus einzelnen Tugenden. Es gibt nur e i n e Tugend — den
reinen, ernsten Willen, der im Augenblick der Entscheidung unmittelbar sich
entschließt und wählt. In lebendiger, eigentümlicher Unteilbarkeit bewohnt
es und beseelt es das zärtliche Sinnbild des menschlichen Körpers und vermag alle geistigen Gliedmaßen in die wahrhafteste Tätigkeit zu versetzen." 30

„O trefflicher Vater", unterbrach ihn Heinrich, „mit welcher Freude
erfüllt mich das Licht, was aus Euren Worten ausgeht. Also ist der wahre
Geist der Fabel eine freundliche Verkleidung des Geistes der Tugend, und
der eigentliche Zweck der untergeordneten Dichtkunst die Regsamkeit des
höchsten, eigentümlichsten Daseins. Eine überraschende Selbstheit ist 35
zwischen einem wahrhaften Liede und einer edeln Handlung. Das müßige

Gewiſſen in einer glatten, nicht widerſtehenden Welt wird zum feſſelnden
Geſpräch, zur alleserzählenden Fabel. In den Fluren und Hallen dieſer Urwelt lebt der Dichter, und die Tugend iſt der Geiſt ſeiner irdiſchen Bewegungen und Einflüſſe. So wie dieſe die unmittelbar wirkende Gottheit
5 unter den Menſchen und das wunderbare Widerlicht der höhern Welt iſt,
ſo iſt es auch die Fabel. Wie ſicher kann nun der Dichter den Eingebungen
ſeiner Begeiſterung oder, wenn auch er einen höhern überirdiſchen Sinn
hat, höhern Weſen folgen und ſich ſeinem Berufe mit kindlicher Demut
überlaſſen. Auch in ihm redet die höhere Stimme des Weltalls und ruft
10 mit bezaubernden Sprüchen in erfreulichere, bekanntere Welten. Wie ſich die
Religion zur Tugend verhält, ſo die Begeiſterung zur Fabellehre, und
wenn in heiligen Schriften die Geſchichten der Offenbarung aufbehalten
ſind, ſo bildet in den Fabellehren das Leben einer höhern Welt ſich in
wunderbar entſtandnen Dichtungen auf mannigfache Weiſe ab. Fabel und
15 Geſchichte begleiten ſich in den innigſten Beziehungen auf den verſchlun-
genſten Pfaden und in den ſeltſamſten Verkleidungen, und die Bibel und
die Fabellehre ſind Sternbilder eines Umlaufs."

„Ihr redet völlig wahr", ſagte Sylveſter, „und nun wird es Euch wohl
begreiflich ſein, daß die ganze Natur nur durch den Geiſt der Tugend beſteht
20 und immer beſtändiger werden ſoll. Er iſt das allzündende, allbelebende
Licht innerhalb der irdiſchen Umfaſſung. Vom Sternhimmel, dieſem erhabenen Dom des Steinreichs, bis zu dem krauſen Teppich einer bunten
Wieſe wird alles durch ihn erhalten, durch ihn mit uns verknüpft, und uns
verſtändlich gemacht, und durch ihn die unbekannte Bahn der unendlichen
25 Naturgeſchichte bis zur Verklärung fortgeleitet."

„Ja, und Ihr habt vorher ſo ſchön für mich die Tugend an die Religion
angeſchloſſen. Alles, was die Erfahrung und die irdiſche Wirkſamkeit begreift macht den Bezirk des Gewiſſens aus, welches dieſe Welt mit höhern
Welten verbindet. Bei höhern Sinnen entſteht Religion und was vorher
30 unbegreifliche Notwendigkeit unſerer innerſten Natur ſchien, ein Allgeſetz
ohne beſtimmten Inhalt, wird nun zu einer wunderbaren, einheimiſchen,
unendlich mannigfaltigen und durchaus befriedigenden Welt, zu einer unbegreiflich innigen Gemeinſchaft aller Seligen in Gott und zur vernehm-
lichen, vergötternden Gegenwart des allerperſönlichſten Weſens oder ſeines
35 Willens, ſeiner Liebe in unſerm tiefſten Selbſt."

„Die Unſchuld Eures Herzens macht Euch zum Propheten", erwiderte

Sylvester: „Euch wird alles verständlich werden, und die Welt und ihre Geschichte verwandelt sich Euch in die Heilige Schrift, so wie Ihr an der Heiligen Schrift das große Beispiel habt, wie in einfachen Worten und Geschichten das Weltall offenbart werden kann; wenn auch nicht geradezu, doch mittelbar durch Anregung und Erweckung höherer Sinne.   5

Mich hat die Beschäftigung mit der Natur dahin geführt, wohin Euch die Lust und Begeisterung der Sprache gebracht haben. Kunst und Geschichte hat mich die Natur kennen gelehrt. Meine Eltern wohnten in Sizilien unweit dem weltberühmten Berge Ätna. Ein bequemes Haus von vormaliger Bauart, welches verdeckt von uralten Kastanienbäumen dicht an 10 den felsigen Ufern des Meeres, die Zierde eines mit mannigfaltigen Gewächsen besetzten Gartens ausmachte, war ihre Wohnung. In der Nähe lagen viele Hütten, in denen sich Fischer, Hirten und Winzer aufhielten. Unsre Kammern und Keller waren mit allem, was das Leben erhält und erhöht, reichlich versehn, und unser Hausgeräte ward durch wohlerdachte 15 Arbeit auch den verborgenen Sinnen angenehm. Es fehlte auch sonst nicht an mannigfaltigen Gegenständen, deren Betrachtung und Gebrauch das Gemüt über das gewöhnliche Leben und seine Bedürfnisse erhoben, und es zu einem angemessenern Zustande vorzubereiten, ihm den lautern Genuß seiner vollen eigentümlichen Natur zu versprechen und zu gewähren schienen. 20 Man sah steinerne Menschenbilder, mit Geschichten bemalte Gefäße, kleinere Steine mit den deutlichsten Figuren, und andre Gerätschaften mehr, die aus andern und erfreulicheren Zeiten zurückgeblieben sein mochten. Auch lagen in Fächern übereinander viele Pergamentrollen, auf denen in langen Reihen Buchstaben die Kenntnisse und Gesinnungen, die Geschichten und 25 Gedichte jener Vergangenheit in anmutigen und künstlichen Ausdrücken bewahrt standen. Der Ruf meines Vaters, den er sich als ein geschickter Sterndeuter zuwege brachte, zog ihm zahlreiche Anfragen, und Besuche, selbst aus entlegnern Ländern, zu, und da das Vorwissen der Zukunft den Menschen eine sehr seltne und köstliche Gabe dünkte, so glaubten sie ihre 30 Mitteilungen gut belohnen zu müssen, so daß mein Vater durch die erhaltnen Geschenke in den Stand gesetzt wurde, die Kosten seiner bequemen und genußreichen Lebensart hinreichend bestreiten zu können."

*

Tiecks Bericht über die Fortsetzung

Weiter ist der Verfasser nicht in Ausarbeitung dieses zweiten Teils gekommen. Diesen nannte er „die Erfüllung", so wie den ersten „Erwartung", weil hier alles aufgelöst, und erfüllt werden sollte,
5 was jener hatte ahnden lassen. Es war die Absicht des Dichters, nach Vollendung des „Ofterdingen" noch sechs Romane zu schreiben, in denen er seine Ansichten der Physik, des bürgerlichen Lebens, der Handlung, der Geschichte, der Politik und der Liebe, so wie im „Ofterdingen" der Poesie niederlegen wollte. Ohne
10 mein Erinnern wird der unterrichtete Leser sehn, daß der Verfasser sich in diesem Gedichte nicht genau an die Zeit, oder an die Person jenes bekannten Minnesängers gebunden hat, obgleich alles an ihn und sein Zeitalter erinnern soll. Nicht nur für die Freunde des Verfassers, sondern für die Kunst selbst, ist es ein
15 unersetzlicher Verlust, daß er diesen Roman nicht hat beendigen können, dessen Originalität und große Absicht sich im zweiten Teile noch mehr als im ersten würde gezeigt haben. Denn es war ihm nicht darum zu tun, diese oder jene Begebenheit darzustellen, eine Seite der Poesie aufzufassen, und sie durch Figuren und Ge-
20 schichten zu erklären, sondern er wollte, wie auch schon im letzten Kapitel des ersten Teils bestimmt angedeutet ist, das eigentliche Wesen der Poesie aussprechen und ihre innerste Absicht erklären. Darum verwandelt sich Natur, Historie, der Krieg und das bürgerliche Leben mit seinen gewöhnlichsten Vorfällen in Poesie, weil
25 diese der Geist ist, der alle Dinge belebt.

Ich will den Versuch machen, soviel es mir aus Gesprächen mit meinem Freunde erinnerlich ist, und soviel ich aus seinen hinterlassenen Papieren ersehen kann, dem Leser einen Begriff von dem Plan und dem Inhalte des zweiten Teiles dieses Werkes zu ver-
30 schaffen.

Dem Dichter, welcher das Wesen seiner Kunst im Mittelpunkt ergriffen hat, erscheint nichts widersprechend und fremd, ihm sind die Rätsel gelöst, durch die Magie der Phantasie kann er alle

Zeitalter und Welten verknüpfen, die Wunder verschwinden
und alles verwandelt sich in Wunder: so ist dieses Buch gedichtet,
und besonders findet der Leser in dem Märchen, welches den
ersten Teil beschließt, die kühnsten Verknüpfungen; hier sind alle
Unterschiede aufgehoben, durch welche Zeitalter voneinander ge- 5
trennt erscheinen, und eine Welt der andern als feindselig begegnet. Durch dieses Märchen wollte sich der Dichter hauptsächlich den Übergang zum zweiten Teile machen, in welchem die
Geschichte unaufhörlich aus dem Gewöhnlichsten in das Wunder-
vollste überschweift, und sich beides gegenseitig erklärt und er- 10
gänzt; der Geist, welcher den Prolog in Versen hält, sollte nach
jedem Kapitel wiederkehren, und diese Stimmung, diese wunderbare Ansicht der Dinge fortsetzen. Durch dieses Mittel blieb die
unsichtbare Welt mit dieser sichtbaren in ewiger Verknüpfung.
Dieser sprechende Geist ist die Poesie selber, aber zugleich der 15
siderische Mensch, der mit der Umarmung Heinrichs und Mathildens geboren ist. In folgendem Gedichte, welches seine Stelle im
„Ofterdingen" finden sollte, hat der Verfasser auf die leichteste
Weise den innern Geist seiner Bücher ausgedrückt:

Wenn nicht mehr Zahlen und Figuren 20   Wenn dann sich wieder Licht und Schatten
Sind Schlüssel aller Kreaturen,   Zu echter Klarheit werden gatten,
Wenn die, so singen oder küssen,   Und man in Märchen und Gedichten
Mehr als die Tiefgelehrten wissen,   Erkennt die ew'gen Weltgeschichten,
Wenn sich die Welt ins freie Leben,   Dann fliegt vor einem geheimen Wort 30
Und in die Welt wird zurückbegeben, 25   Das ganze verkehrte Wesen sofort.

Der Gärtner, welchen Heinrich spricht, ist derselbe alte Mann,
der schon einmal Ofterdingens Vater aufgenommen hatte, das
junge Mädchen, welche Cyane heißt, ist nicht sein Kind, sondern
die Tochter des Grafen von Hohenzollern, sie ist aus dem Morgen- 35
lande gekommen, zwar früh, aber doch kann sie sich ihrer Heimat
erinnern, sie hat lange in Gebirgen, in welchen sie von ihrer verstorbenen Mutter erzogen ist, ein wunderliches Leben geführt:
einen Bruder hat sie früh verloren, einmal ist sie selbst in einem
Grabgewölbe dem Tode sehr nahe gewesen, aber hier hat sie ein 40
alter Arzt auf eine seltsame Weise vom Tode errettet. Sie ist heiter

und freundlich und mit dem Wunderbaren sehr vertraut. Sie erzählt dem Dichter seine eigene Geschichte, als wenn sie dieselbe
einst von ihrer Mutter so gehört hätte. — Sie schickt ihn nach
einem entlegenen Kloster, dessen Mönche als eine Art von Geister-
5 kolonie erscheinen, alles ist hier wie eine mystische, magische Loge.
Sie sind die Priester des heiligen Feuers in jungen Gemütern. Er
hört den fernen Gesang der Brüder; in der Kirche selbst hat er eine
Vision. Mit einem alten Mönch spricht Heinrich über Tod und
Magie, er hat Ahndungen vom Tode und dem Stein der Weisen;
10 er besucht den Klostergarten und den Kirchhof; über den letztern
findet sich folgendes Gedicht:

Lobt doch unsre stillen Feste,
Unsre Gärten, unsre Zimmer,
Das bequeme Hausgeräte,
15 Unser Hab' und Gut.
Täglich kommen neue Gäste,
Diese früh, die andern späte,
Auf den weiten Herden immer
Lodert neue Lebensglut.

20 Tausend zierliche Gefäße
Einst betaut mit tausend Tränen,
Goldne Ringe, Sporen, Schwerter,
Sind in unserm Schatz:
Viel Kleinodien und Juwelen
25 Wissen wir in dunkeln Höhlen,
Keiner kann den Reichtum zählen,
Zählt' er auch ohn' Unterlaß.

Kinder der Vergangenheiten,
Helden aus den grauen Zeiten,
30 Der Gestirne Riesengeister,
Wunderlich gesellt,
Holde Frauen, ernste Meister,
Kinder und verlebte Greise
Sitzen hier in einem Kreise,
35 Wohnen in der alten Welt.

Keiner wird sich je beschweren,
Keiner wünschen fortzugehen,
Wer an unsern vollen Tischen
Einmal fröhlich saß.
40 Klagen sind nicht mehr zu hören,
Keine Wunden mehr zu sehen,
Keine Tränen abzuwischen;
Ewig läuft das Stundenglas.

Tiefgerührt von heil'ger Güte
45 Und versenkt in sel'ges Schauen
Steht der Himmel im Gemüte,
Wolkenloses Blau;
Lange fliegende Gewande
Tragen uns durch Frühlingsauen,
50 Und es weht in diesem Lande
Nie ein Lüftchen kalt und rauh.

Süßer Reiz der Mitternächte,
Stiller Kreis geheimer Mächte,
Wollust rätselhafter Spiele,
55 Wir nur kennen euch.
Wir nur sind am hohen Ziele,
Bald in Strom uns zu ergießen
Dann in Tropfen zu zerfließen
Und zu nippen auch zugleich.

Uns ward erst die Liebe, Leben;
Innig wie die Elemente
Mischen wir des Daseins Fluten,
Brausend Herz mit Herz.
Lüstern scheiden sich die Fluten,   5
Denn der Kampf der Elemente
Ist der Liebe höchstes Leben
Und des Herzens eignes Herz.

Leiser Wünsche süßes Plaudern
Hören wir allein, und schauen   10
Immerdar in sel'ge Augen,
Schmecken nichts als Mund und Kuß.
Alles was wir nur berühren
Wird zu heißen Balsamfrüchten,
Wird zu weichen zarten Brüsten,   15
Opfer kühner Lust.

Immer wächst und blüht Verlangen
Am Geliebten festzuhangen,
Ihn im Innern zu empfangen,
Eins mit ihm zu sein,   20
Seinem Durste nicht zu wehren,
Sich im Wechsel zu verzehren,
Voneinander sich zu nähren,
Voneinander nur allein.

So in Lieb' und hoher Wollust   25
Sind wir immerdar versunken,
Seit der wilde trübe Funken
Jener Welt erlosch;
Seit der Hügel sich geschlossen,
Und der Scheiterhaufen sprühte,   30
Und dem schauernden Gemüte
Nun das Erdgesicht zerfloß.

Zauber der Erinnerungen,
Heil'ger Wehmut süße Schauer
Haben innig uns durchklungen,   35
Kühlen unsre Glut.

Wunden gibt's, die ewig schmerzen,
Eine göttlich tiefe Trauer
Wohnt in unser aller Herzen,
Löst uns auf in eine Flut.   40

Und in dieser Flut ergießen
Wir uns auf geheime Weise
In den Ozean des Lebens
Tief in Gott hinein;
Und aus seinem Herzen fließen   45
Wir zurück zu unserm Kreise,
Und der Geist des höchsten Strebens
Taucht in unsre Wirbel ein.

Schüttelt eure goldnen Ketten
Mit Smaragden und Rubinen,   50
Und die blanken saubern Spangen,
Blitz und Klang zugleich.
Aus des feuchten Abgrunds Betten,
Aus den Gräbern und Ruinen,
Himmelsrosen auf den Wangen   55
Schwebt ins bunte Fabelreich.

Könnten doch die Menschen wissen,
Unsre künftigen Genossen,
Daß bei allen ihren Freuden
Wir geschäftig sind: 60
Jauchzend würden sie verscheiden,
Gern das bleiche Dasein missen —
Oh! die Zeit ist bald verflossen,
Kommt, Geliebte, doch geschwind!

Helft uns nur den Erdgeist binden,   65
Lernt den Sinn des Todes fassen
Und das Wort des Lebens finden;
Einmal kehrt euch um.
Deine Macht muß bald verschwinden,
Dein erborgtes Licht verblassen,   70
Werden dich in kurzem binden,
Erdgeist, deine Zeit ist um.

Dieses Gedicht war vielleicht wiederum ein Prolog zu einem zweiten Kapitel. Jetzt sollte sich eine ganz neue Periode des Werkes eröffnen, aus dem stillsten Tode sollte sich das höchste Leben hervortun; er hat unter Toten gelebt und selbst mit ihnen gesprochen,
5 das Buch sollte fast dramatisch werden, und der epische Ton gleichsam nur die einzelnen Szenen verknüpfen und leicht erklären. Heinrich befindet sich plötzlich in dem unruhigen Italien, das von Kriegen zerrüttet wird, er sieht sich als Feldherr an der Spitze eines Heeres. Alle Elemente des Krieges spielen in poetischen
10 Farben; er überfällt mit einem flüchtigen Haufen eine feindliche Stadt, hier erscheint als Episode die Liebe eines vornehmen Pisaners zu einem florentinischen Mädchen. Kriegslieder. „Ein großer Krieg, wie ein Zweikampf, durchaus edel, philosophisch, human. Geist der alten Chevalerie. Ritterspiel. Geist der bacchischen Weh-
15 mut. — Die Menschen müssen sich selbst untereinander töten, das ist edler als durch das Schicksal fallen. Sie suchen den Tod. — Ehre, Ruhm ist des Kriegers Lust und Leben. Im Tode und als Schatten lebt der Krieger. Todeslust ist Kriegergeist. — Auf Erden ist der Krieg zu Hause. Krieg muß auf Erden sein." — In Pisa
20 findet Heinrich den Sohn des Kaisers Friedrich des Zweiten, der sein vertrauter Freund wird. Auch nach Loretto kömmt er. Mehrere Lieder sollten hier folgen.

Von einem Sturm wird der Dichter nach Griechenland verschlagen. Die alte Welt mit ihren Helden und Kunstschätzen er-
25 füllt sein Gemüt. Er spricht mit einem Griechen über die Moral. Alles wird ihm aus jener Zeit gegenwärtig, er lernt die alten Bilder und die alte Geschichte verstehn. Gespräche über die griechischen Staatsverfassungen; über Mythologie.

Nachdem Heinrich die Heldenzeit und das Altertum hat ver-
30 stehen lernen, kommt er nach dem Morgenlande, nach welchem sich von Kindheit auf seine Sehnsucht gerichtet hatte. Er besucht Jerusalem; er lernt orientalische Gedichte kennen. Seltsame Begebenheiten mit den Ungläubigen halten ihn in einsamen Gegenden zurück, er findet die Familie des morgenländischen Mädchens
35 (s. den I. Teil); die dortige Lebensweise einiger nomadischen Stämme. Persische Märchen. Erinnerungen aus der ältesten Welt.

Immer sollte das Buch unter den verschiedensten Begebenheiten
denselben Farbencharakter behalten, und an die blaue Blume erinnern: durchaus sollten zugleich die entferntesten und verschiedenartigsten Sagen verknüpft werden, griechische, orientalische, biblische und christliche, mit Erinnerungen und Andeutun- 5
gen der indischen wie der nordischen Mythologie. Die Kreuzzüge.
Das Seeleben. Heinrich geht nach Rom. Die Zeit der römischen
Geschichte.

Mit Erfahrungen gesättigt kehrt Heinrich nach Deutschland
zurück. Er findet seinen Großvater, einen tiefsinnigen Charakter, 10
Klingsohr ist in seiner Gesellschaft. Abendgespräche mit den
beiden.

Heinrich begibt sich an den Hof Friedrichs, er lernt den Kaiser
persönlich kennen. Der Hof sollte eine sehr würdige Erscheinung
machen, die Darstellung der besten, größten und wunderbarsten 15
Menschen aus der ganzen Welt versammelt, deren Mittelpunkt
der Kaiser selbst ist. Hier erscheint die größte Pracht, und die
wahre große Welt. Deutscher Charakter und deutsche Geschichte
werden deutlich gemacht. Heinrich spricht mit dem Kaiser über
Regierung, über Kaisertum, dunkle Reden von Amerika und Ost- 20
indien. Die Gesinnungen eines Fürsten. Mystischer Kaiser. Das
Buch „De tribus impostoribus".

Nachdem nun Heinrich auf eine neue und größere Weise als
im ersten Teile, in der „Erwartung", wiederum die Natur,
Leben und Tod, Krieg, Morgenland, Geschichte und Poesie erlebt 25
und erfahren hat, kehrt er wie in eine alte Heimat in sein Gemüt
zurück. Aus dem Verständnis der Welt und seiner selbst entsteht
der Trieb zur Verklärung: die wunderbarste Märchenwelt tritt
nun ganz nahe, weil das Herz ihrem Verständnis völlig geöffnet ist.

In der Manessischen Sammlung der Minnesinger finden wir 30
einen ziemlich unverständlichen Wettgesang des Heinrich von
Ofterdingen und Klingsohr mit andern Dichtern: statt dieses
Kampfspieles wollte der Verfasser einen andern seltsamen poetischen Streit darstellen, den Kampf des guten und bösen Prinzips
in Gesängen der Religion und Irreligion, die unsichtbare Welt 35
der sichtbaren entgegengestellt. „In bacchischer Trunkenheit wet-

ten die Dichter aus Enthusiasmus um den Tod." Wissenschaften
werden poetisiert, auch die Mathematik streitet mit. Indianische
Pflanzen werden besungen: indische Mythologie in neuer Verklärung.

5 Dieses ist der letzte Akt Heinrichs auf Erden, der Übergang
zu seiner eignen Verklärung. Dieses ist die Auflösung des ganzen
Werks, die Erfüllung des Märchens, welches den ersten Teil beschließt. Auf die übernatürlichste und zugleich natürlichste Weise
wird alles erklärt und vollendet, die Scheidewand zwischen Fabel
10 und Wahrheit, zwischen Vergangenheit und Gegenwart ist ein-
gefallen: Glauben, Phantasie, Poesie schließen die innerste Welt auf.

Heinrich kommt in Sophiens Land, in eine Natur, wie sie sein
könnte, in eine allegorische, nachdem er mit Klingsohr über einige
sonderbare Zeichen und Ahndungen gesprochen hat. Diese er-
15 wachen hauptsächlich bei einem alten Liede, welches er zufällig
singen hört, in welchem ein tiefes Wasser an einer verborgenen
Stelle beschrieben wird. Durch diesen Gesang erwachen längst-
vergessene Erinnerungen, er geht nach dem Wasser und findet
einen kleinen goldenen Schlüssel, welchen ihm vor Zeiten ein
20 Rabe geraubt hatte, und den er niemals hatte wiederfinden können. Diesen Schlüssel hatte ihm bald nach Mathildens Tode ein
alter Mann gegeben, mit dem Bedeuten, er solle ihn zum Kaiser
bringen, der würde ihm sagen, was damit zu tun sei. Heinrich
geht zum Kaiser, welcher hocherfreut ist, und ihm eine alte Ur-
25 kunde gibt, in welcher geschrieben steht, daß der Kaiser sie einem
Manne zum Lesen geben sollte, welcher ihm einst einen goldenen
Schlüssel zufällig bringen würde, dieser Mann würde an einem
verborgenen Orte ein altes talismanisches Kleinod, einen Karfunkel
zur Krone finden, zu welchem die Stelle noch leer gelassen sei. Der
30 Ort selbst ist auch im Pergament beschrieben. — Nach dieser Beschreibung macht sich Heinrich auf den Weg nach einem Berge,
er trifft unterwegs den Fremden, der ihm und seinen Eltern zuerst
von der blauen Blume erzählt hatte, er spricht mit ihm über die
Offenbarung. Er geht in den Berg hinein und Cyane folgt ihm
35 treulich nach.

Bald kommt er in jenes wunderbare Land, in welchem Luft

und Wasser, Blumen und Tiere von ganz verschiedener Art sind
als in unsrer irdischen Natur. Zugleich verwandelt sich das Gedicht
stellenweise in ein Schauspiel. „Menschen, Tiere, Pflanzen, Steine
und Gestirne, Elemente, Töne, Farben, kommen zusammen wie
eine Familie, handeln und sprechen wie ein Geschlecht." — 5
„Blumen und Tiere sprechen über den Menschen." — „Die
Märchenwelt wird ganz sichtbar, die wirkliche Welt selbst wird
wie ein Märchen angesehn." Er findet die blaue Blume, es ist
Mathilde, die schläft und den Karfunkel hat, ein kleines Mädchen,
sein und Mathildens Kind, sitzt bei einem Sarge, und verjüngt 10
ihn. — „Dieses Kind ist die Urwelt, die goldne Zeit am Ende." —
„Hier ist die christliche Religion mit der heidnischen ausgesöhnt,
die Geschichte des Orpheus, der Psyche, und andere werden besungen."

Heinrich pflückt die blaue Blume, und erlöst Mathilden von 15
ihrem Zauber, aber sie geht ihm wieder verloren, er erstarrt im
Schmerz und wird ein Stein. „Edda (die blaue Blume, die Morgenländerin, Mathilde) opfert sich an dem Steine, er verwandelt sich
in einen klingenden Baum. Cyane haut den Baum um, und verbrennt sich mit ihm, er wird ein goldner Widder. Edda, Mathilde, 20
muß ihn opfern, er wird wieder ein Mensch. Während dieser
Verwandlungen hat er allerlei wunderliche Gespräche."

Er ist glücklich mit Mathilden, die zugleich die Morgenländerin
und Cyane ist. Das froheste Fest des Gemüts wird gefeiert. Alles
Vorhergehende war Tod. Letzter Traum und Erwachen. „Klings- 25
ohr kömmt wieder als König von Atlantis. Heinrichs Mutter ist
Phantasie, der Vater ist der Sinn, Schwaning ist der Mond, der
Bergmann ist der Antiquar, auch zugleich das Eisen. Kaiser Friedrich ist Arctur. Auch der Graf von Hohenzollern und die Kaufleute kommen wieder." Alles fließt in eine Allegorie zusammen. 30
Cyane bringt dem Kaiser den Stein, aber Heinrich ist nun selbst
der Dichter aus jenem Märchen, welches ihm vordem die Kaufleute erzählten.

Das selige Land leidet nur noch von einer Bezauberung, indem
es dem Wechsel der Jahreszeiten unterworfen ist, Heinrich zer- 35
stört das Sonnenreich. Mit einem großen Gedicht, wovon nur der

Anfang aufgeschrieben ist, sollte das ganze Werk beschlossen werden:

Die Vermählung der Jahreszeiten

Tief in Gedanken stand der neue Monarch. Er gedachte
5 Jetzt des nächtlichen Traums, und der Erzählungen auch,
Als er zuerst von der himmlischen Blume gehört und getroffen
Still von der Weissagung, mächtige Liebe gefühlt.
Noch dünkt ihn, er höre die tiefeindringende Stimme,
Eben verließe der Gast erst den geselligen Kreis,
10 Flüchtige Schimmer des Mondes erhellten die klappernden Fenster
Und in des Jünglings Brust tobe verzehrende Glut.
„Edda", sagte der König, „was ist des liebenden Herzens
Innigster Wunsch? was ist ihm der unsäglichste Schmerz?
Sag es, wir wollen ihm helfen, die Macht ist unser, und herrlich
15 Werde die Zeit, nun du wieder den Himmel beglückst." —
„Wären die Zeiten nicht so ungesellig, verbände
Zukunft mit Gegenwart und mit Vergangenheit sich,
Schlösse Frühling sich an Herbst, und Sommer an Winter,
Wäre zu spielendem Ernst Jugend mit Alter gepaart:
20 Dann, mein süßer Gemahl, versiegte die Quelle der Schmerzen,
Aller Empfindungen Wunsch wäre dem Herzen gewährt."
Also die Königin; freudig umschlang sie der schöne Geliebte:
„Ausgesprochen hast du wahrlich ein himmlisches Wort,
Was schon längst auf den Lippen der tiefer Fühlenden schwebte,
25 Aber den deinigen erst rein und gedeihlich entklang.
Führe man schnell den Wagen herbei, wir holen sie selber,
Erstlich die Zeiten des Jahrs, dann auch des Menschengeschlechts."

Sie fahren zur Sonne, und holen zuerst den Tag, dann zur Nacht, dann nach Norden, um den Winter, alsdann nach Süden, 30 um den Sommer zu finden, von Osten bringen sie den Frühling, von Westen den Herbst. Dann eilen sie zur Jugend, dann zum Alter, zur Vergangenheit, wie zur Zukunft. —

Dieses ist, was ich dem Leser aus meinen Erinnerungen, und aus einzelnen Worten und Winken in den Papieren meines Freundes 35 habe geben können. Die Ausarbeitung dieser großen Aufgabe würde ein bleibendes Denkmal einer neuen Poesie gewesen sein. Ich habe in dieser Anzeige lieber trocken und kurz sein wollen,

als in die Gefahr geraten, von meiner Phantasie etwas hinzuzu-
setzen. Vielleicht rührt manchen Leser das Fragmentarische dieser
Verse und Worte so wie mich, der nicht mit einer andächtigern
Wehmut ein Stückchen von einem zertrümmerten Bilde des
Raffael oder Correggio betrachten würde.   L. T.   5

*

Notizen zur Fortsetzung

I.

Ein Kloster, höchst wunderbar, wie ein Eingang ins Paradies.

Erstes Kapitel ein Adagio.

[Heinrich von Afterdingen mischt sich in der Schweiz in bürgerliche 10
Händel.]

[Ruinen von Vindonissa.]

Italienische Händel. Hier wird Heinrich Feldherr. Beschreibung eines
Gefechts etc.

Meer. [Erzählung.]   15

Nach Griechenland verschlagen.

Tunis.

Rückreise über Rom.

Kaiserlicher Hof.

Wartburg. Innrer Streit der Poesie. Mystizism dieses Streites. Form- 20
lose — förmliche Poesie.

Kyffhäuser.

Erzählung des Mädchens, der blauen Blume.

Offenbarung der Poesie auf Erden — lebendige Weissagung. After-
dingens Apotheose: Fest des Gemüts. Höchst wunderbares Drama in 25
Versen, wie „Sakontala".

Eingangs- und Schlußgedichte und Überschriften jedes Kapitels.

Zwischen jedem Kapitel spricht die Poesie.

Der Dichter aus der Erzählung — König der Poesie. Die Fabel erscheint.

Mutter und Vater blühn auf.   30

Kein rechter historischer Übergang [aus] nach dem zweiten Teile —
dunkel — trüb — verworren.
Die Vermählung der Jahreszeiten.

Blumengespräche. Tiere.
5 Heinrich von Afterdingen wird Blume, Tier, Stein — Stern.
Nach Jakob Böhme am Schluß des Buchs.

Die Dichter wetten aus Enthusiasmus und bacchischer Trunkenheit um
den Tod.
Gespräch mit dem Kaiser über Regierung etc. Mystischer Kaiser. Buch
10 „De tribus impostoribus“.
Geburt des siderischen Menschen mit der ersten Umarmung Mathildens
und Heinrichs. Dieses Wesen spricht nun immer zwischen den Kapiteln.
Die Wunderwelt ist nun aufgetan.
Mystizism mit dem kaiserlichen Hause. Urkaiserfamilie.

15 Sophie ist das Heilige, Unbekannte. Das Licht- und Schattenreich leben
durcheinander. Fabel ist mit Fleiß irdisch. Heinrich kommt in die Gärten
der Hesperiden.
Der Schluß ist Übergang aus der wirklichen Welt in die geheime —
Tod — letzter Traum und Erwachen.
20 Überall muß hier schon das Überirdische durchschimmern — Das
Märchenhafte.
Die blaue Blume richtet sich noch nach den Jahreszeiten. Heinrich ver-
nichtet diesen Zauber — zerstört das Sonnenreich. Klingsohr ist der König
von Atlantis. Heinrichs Mutter ist Phantasie. Der Vater ist der Sinn.
25 Schwaning ist der Mond und der
Antiquar ist der
Der Bergmann [war das Eisen] und auch das Eisen.
Der Graf von Hohenzollern und die Kaufleute kommen auch wieder.
Nur nicht sehr streng allegorisch. Kaiser Friedrich ist Arctur.
30 Die Morgenländerin ist auch die Poesie.
Dreieiniges Mädchen.
Heinrich muß erst von Blumen für die blaue Blume empfänglich gemacht
werden. Geheimnisvolle Verwandlung. Übergang in die höhere Natur.

Schmerzen versteinern etc.

Die Erzählung vom Dichter kann gar wohl Heinrichs Schicksal werden. Metempsychose.

Kloster — wie eine mystische magische Loge — Priester des heiligen Feuers in jungen Gemütern. Ferner Gesang der Brüder. Vision in der 5 Kirche. Gespräch über Tod — Magie etc. Heinrichs Ahndungen des Todes. Stein der Weisen.

(Individueller Geist jedes Buchs, auch meines Heinrichs.)

Garten am Kloster.

(Pathologischer Einfluß der Schönheit auf ein freieres, leichteres Spiel 10 der Gemütskräfte.)

[Heinrichs Kampf mit einem Wolfe rettet einen Klosterbruder. Lamm mit einem goldnen Felle.]

Allerhand Wissenschaften poetisiert, auch die Mathematik im Wettstreit.

Ostindianische Pflanzen — etwas indische Mythologie.   15

„Sakontala".

Gespräche der Blumen und Tiere über Menschen, Religion, Natur und Wissenschaften.

Klingsohr — Poesie der Wissenschaften.

(Leichtigkeit zu Dialogieren. Aufgegebne Tendenz, die Natur zu kopie- 20 ren etc.)

Die Welt — ehmalige Freiheit.

(Der Tod macht das gemeine Leben so poetisch.)

Das Hirtenmädchen ist die Tochter des Grafen von Hohenzollern.

Die Kinder sind nicht gestorben.   25

Ihre Erinnerung ans Morgenland.

Ihr wunderliches Leben in den Gebirgen — Erziehung durch ihre ver-storbene Mutter.

Ihre wunderliche Errettung aus dem Grabgewölbe durch einen alten Arzt.

Das Mädchen hat ihren Bruder verloren. Sie ist heiter und freundlich — 30 Mit dem Wunderbaren so bekannt. Sie erzählt ihm seine eigne Geschichte — als hätt' ihr ihre Mutter einmal davon erzählt.

Die Mönche im Kloster scheinen eine Art von Geisterkolonie.

Erinnerung ans Feenmärchen von Nadir und Nadine. Viele Erinne-

rungen an Märchen. Heinrichs Gespräche mit dem Mädchen. Wunderliche
Mythologie. Die Märchenwelt muß jetzt recht oft durchscheinen. Die wirkliche Welt selbst wie ein Märchen angesehn.

Heinrich kommt nach Loretto.

5   Das Gesicht.
       Heldenzeit.
       Das Altertum.
       Das Morgenland.
       [Der Streit der Sänger.]
10   Der Kaiser.
       Der Streit der Sänger.
       Die Verklärung.

       Skizze der Verklärung.
       Anfang in Stanzen. Heinrich.

15   Auch zukünftige Menschen in der Verklärung.

       Gegen das Gleichnis mit der Sonne ist Heinrich bei mir.
       Der Streit der Sänger ist schon der erste Akt auf Erden.

       Heinrich wird im Wahnsinn Stein — [Blume] klingender Baum —
goldner Widder —
20   Heinrich errät den Sinn der Welt — Sein freiwilliger Wahnsinn. Es
ist das Rätsel, was ihm aufgegeben wird. Die Hesperiden sind Fremdlinge — ewige Fremden die Geheimnisse.
       Die Erzählung von mir [aus den] von dem Dichter, der seine Geliebte
verloren hat, muß nur auf Heinrichen angewandt werden.

25   Wenn nicht mehr Zahlen und Figuren
              Sind Schlüssel aller Kreaturen,
              Wenn die so singen, oder küssen
              Mehr als die Tiefgelehrten wissen
              Wenn sich die Welt ins freie Leben,
30   Und in die [freie] Welt wird zurückbegeben,

> Wenn dann sich wieder Licht und Schatten
> Zu echter Klarheit wieder gatten
> Und man in Märchen und Gedichten
> Erkennt die [alten] wahren Weltgeschichten,
> Dann fliegt vor einem geheimen Wort   5
> Das ganze verkehrte Wesen fort.

II.

Heinrich könnte vor ein Theater kommen.

Das Fest kann aus lauter allegorischen Szenen zur Verherrlichung der
Poesie bestehn. Heinrich gerät unter Bacchantinnen — Sie töten ihn —   10
der Hebrus tönt von der schwimmenden Leier. Umgekehrtes Märchen.

Mathilde steigt in die Unterwelt und holt ihn.

Poetische Parodie auf Amphion.

Die ganze erste Hälfte des zweiten Teils muß recht leicht, dreist, sorglos
und nur mit einigen scharfen Strichen bemerkt werden.   15

Die Poesie der verschiednen Nationen und Zeiten. Ossian. Edda. Morgen-
ländische Poesie. Wilde. Französische und spanische, griechische, deutsche etc.
Druiden. Minnesinger.

Das Buch schließt just umgekehrt wie das Märchen — mit einer einfachen Familie.   20

Es wird stiller einfacher und menschlicher nach dem Ende zu.

Züge aus Heinrichs Jugend. Erzählung seiner Mutter.

Heinrich und Mathildens wunderbares Kind.

Es ist die Urwelt, die goldne Zeit am Ende.

Saturn = Arctur.   25

Die Szenen im Feste sind Schauspiele.

Die entferntesten und verschiedenartigsten Sagen und Begebenheiten
verknüpft. Dies ist eine Erfindung von mir.

(Elysium und Tartarus sind wie Fieber und Schlaf beisammen.)

Sollte es nicht gut sein, hinten die Familie sich in eine wunderliche   30
mystische Versammlung von Antiken verwandeln zu lassen?

Farbencharakter. Alles blau in meinem Buche, hinten Farbenspiel.
Individualität jeder Farbe.

(Das Auge ist allein räumlich, die andern Sinne alle zeitlich.)

(Verteilung einer Individualität auf mehrere Personen.)

5 (Naturpoet. Kunstpoet.)

Metra müssen begeistern. Eigentliche Poesie.

Hinten wunderbare Mythologie.

Ein altes Muttergottesbild in einem hohlen Baume über ihn. Es läßt
sich eine Stimme hören — Er soll eine Kapelle bauen lassen. Das hat das
10 Hirtenmädchen in seinem Schutz, und erzieht es mit Gesichten. Es schickt ihn
zu den Toten — die Klosterherrn sind Tote.

Die epische Periode muß ein historisches Schauspiel werden, wenn auch
durch Erzählung die Szenen verbunden sind.

Rede Heinrichs in Jamben. Liebe eines jungen vornehmen Pisaners zu
15 einer Florentinerin.

Heinrich überfällt mit einem flüchtigen Haufen die feindliche Stadt.
Alle Elemente des Kriegs in poetischen Farben.

Ein großer Krieg, wie ein Zweikampf — durchaus generös — philosophisch — human. Geist der alten Chevalerie. Ritterspiel. Geist der
20 bacchischen Wehmut.

Die Menschen müssen sich selbst untereinander töten — das ist edler als
durchs Schicksal fallen. Sie suchen den Tod.

Ehre, Ruhm etc. ist des Kriegers Lust und Leben.

Im Tode und als Schatten lebt der Krieger.

25 Todeslust ist Kriegergeist. Romantisches Leben des Kriegers.

Auf Erden ist der Krieg zu Hause, Krieg muß auf Erden sein.

Kriegslieder. Orientalische Gedichte. Lied zu Loretto. Streit der Sänger.
Verklärung.

Heinrich kommt nicht nach Tunis. Er kommt nach Jerusalem.

30 Wunderliche Gespräche mit den Toten. Gespräche mit dem alten
Mann über Physik etc., besonders Arzeneikunde, Physiognomik. Medi-

zinische Ansicht der Welt. Theophrast Paracelsus. Philosophie, Magie etc.
Geographie. Astrologie. Er ist der höhere Bergmann.

Erzählung des Hirtenmädchens — [Zölestine] Cyane.

Über den Streit auf der Wartburg und die [letzte] Verklärung noch
reiflich nachgedacht.   5

(An Unger geschrieben. Von Karl — Leben des Nadir Schach.)

(Wer recht poetisch ist, dem ist die ganze Welt ein fortlaufendes Drama.)

Mit dem Griechen Gespräche über Moral etc. Auf dieser Tour, in dem
Kapitel Altertum, kommt er auch in ein Arsenal.

Keinen Streit auf der Wartburg. Mehrere Szenen an Kaiser Fried- 10
richs Hofe.

Hinten ein ordentliches Märchen in Szenen fast nach Gozzi — nur viel
romantischer. Hinten die Poetisierung der Welt — Herstellung der Märchenwelt. Aussöhnung der christlichen Religion mit der heidnischen. Die Geschichte des Orpheus — der Psyche etc.   15

Der Fremde von der ersten Seite.

Das ganze Menschengeschlecht wird am Ende poetisch. Neue goldne Zeit.
Poetisierter Idealism.

Menschen, Tiere, Pflanzen, Steine und Gestirne, Flammen, Töne,
Farben müssen hinten zusammen, wie eine Familie oder Gesellschaft, wie 20
ein Geschlecht handeln und sprechen.

Mystizism der Geschichte. Das Hirtenmädchen, oder Cyane opfert sich
für ihn auf.

Heinrich spricht mit Klingsohr über allerhand sonderbare Zeichen.

Er hört die Nacht ein Lied, was er ehmals gemacht. Sehnsucht nach dem 25
Kyffhäuser. Er sagt Klingsohr davon. Goldner Schlüssel. Urkunde etc.

Der führt ihn auf seinem Mantel nach dem Kyffhäuser.

(Klingsohr, ewiger Dichter, stirbt nicht, bleibt in der Welt.

Natürlicher Sohn von Friedrich dem Zweiten — das hohenstaufische
Haus — das künftige Kaiserhaus. Der fehlende Stein in der Krone. Schon 30
in Pisa findet er des Kaisers Sohn. Ihre Freundschaft.)

Johannes kommt und führt ihn in den Berg. Gespräch über die Offenbarung. Das Hirtenmädchen folgt ihm treulich nach. [Erzählung. Der alte
Mann erwacht. Das schöne Mädchen. Er kommt in die Höhle, wo

Mathilde schläft. — Das kleine Mädchen. Der Stein im Bouquet. Cyane
trägt den Stein zum Kaiser. Er findet den goldnen Schlüssel im Bassin.
Cyane trägt den Schlüssel.] Kommt in die Höhle, wo Mathilde schläft.
Meine erfundne Erzählung.

5   Nur erwacht die Geliebte nicht gleich. Gespräch mit dem kleinen Mädchen, das ist sein und Mathildens Kind.

    Er soll die blaue Blume pflücken und herbringen. [Das Hirtenmädchen
pflückt sie für ihn und]

    Cyane trägt den Stein weg.

10   Er [holt] pflückt die blaue Blume und wird [zum klingenden Baume]
ein Stein.

    [Mathilde kommt und macht ihn durch seine eignen Lieder]

    Die Morgenländerin [Edda, die eigentliche blaue Blume] opfert sich
an seinem Steine, er wird ein klingender Baum. Das Hirtenmädchen haut
15 den Baum um und verbrennt sich mit ihm. Er wird ein goldner Widder.
[Mathilde] Edda oder Mathilde muß ihn opfern. Er wird ein Mensch.
Während dieser Verwandlungen hat er allerlei wunderliche Gespräche.

III.

    Im Heinrich ist zuletzt eine ausführliche Beschreibung der innern Ver-
20 klärung des Gemüts. Er kommt in Sophiens Land — in die Natur, wie
sie sein könnte — in ein allegorisches Land.

    Der kaiserliche Hof muß eine große Erscheinung werden. Das Weltbeste
versammelt. Dunkle Reden von Amerika und Ostindien etc. Gespräch mit
dem Kaiser über Regierung, Kaisertum etc.

25   Poetischer Zusammenhang und Anordnung von Heinrich.

    Friedrich (?) treibt poetische Spielerei mit Spekulation. Die Begriffe
und ihre Worte sind seine Preis (oder Poesien?) Sie . . . meinem dunkeln,
mysteriösen Roman. Diese allegorischen Figuren, dieser Glaube an die
Persönlichkeit der Begriffe . . . durchaus . . .

*

Das Gesicht

[Erster Entwurf des Anfangs des zweiten Teiles]

Das Land erhob sich immer mehr und ward uneben und mannigfach. In allen Richtungen kreuzten sich Bergrücken. Die Schluchten wurden tiefer und schroffer. Felsen blickten schon überall durch, und über die dunkeln 5 Wälder ragten steile Klippen hervor, die nur mit wenigem Gebüsch bewachsen zu sein schienen. Der Weg lief an einem Abhange fort und hob sich nur unmerklich in die Höhe. Wenn auch das Grün der Ebene hier merklich verdunkelt war, so zeigten dafür verschiedene Bergpflanzen die buntesten Blumen, deren schöner Bau und erquickender Geruch den an- 10 genehmsten Eindruck machte. Die Gegend schien ganz einsam, und nur von weitem glaubte man die Glöckchen einer Herde zu vernehmen. In den Abgründen rauschten Bäche. Der Wald war in mannigfaltigen Haufen am Gebirge gelagert und reizte das Auge sich in seine duftige kühle Tiefe zu verlieren. Einzelne Raubvögel schwebten um die Spitzen der uralten Tan- 15 nen. Der Himmel war dunkel und durchsichtig. Nur leichte glänzende Wölkchen streiften langsam durch sein blaues Feld. Auf dem schmalen Fußsteige kam langsam ein Pilger herauf aus der Ebene. Mittag war vorbei. Ein ziemlich starker Wind ließ sich in der Luft verspüren, und seine dumpfe wunderliche Musik verlor sich in ungewisse Fernen. Sie wurde lauter und 20 vernehmlicher in den Wipfeln der Bäume, so daß zuweilen die Endsilben und einzelne Worte einer menschlichen Sprache hervorzutönen schienen. Durch die Bewegungen der Luft schien auch das Sonnenlicht sich zu bewegen und zu schwanken. Es hatten alle Gegenstände einen ungewissen Schein. Der Pilgrim ging in tiefen Gedanken. Nach einiger Zeit setzte er sich auf 25 einen großen Stein unter einen alten Baum, der nur unten noch grün, und oben dürr und abgebrochen war. — (Gespräch mit sich selbst. Er geht nachher weiter, findet die Ruine, verlassene Hütten, eine scheint noch bewohnt, rührende Habseligkeiten.)

Anmerkungen

S. 21 ff.: „Die Lehrlinge zu Sais", zuerst veröffentlicht in der ersten Ausgabe der Schriften 1802, Handschrift nicht erhalten, entstanden im Laufe des Jahres 1798. Unser Druck folgt auch in der Interpunktion der ersten Ausgabe mit Rücksicht auf den Prosarhythmus.

S. 21 Z. 15: *Alkahest:* das angebliche Universallösungsmittel der Alchimisten, das alle Substanzen in wasserhelle Flüssigkeiten verwandeln soll.

S. 25 Z. 1 ff.: Vom philosophischen Naturstand des Menschen, da dieser „noch einig mit sich selbst und der ihn umgebenden Welt war", spricht Schelling im Eingang seiner „Ideen zu einer Philosophie der Natur" (1797).

S. 25 Z. 21 ff.: Die jonische Naturphilosophie glaubte an einen einheitlichen Weltstoff, als welchen Thales das Wasser, Anaximenes die Luft, Heraklit das Feuer ansah.

S. 25 Z. 26 ff.: Mit dem Atomismus von Leukippos und Demokritos von Abdera vermischt Novalis hier die Lehre des Empedokles von Agrigent von Haß und Liebe als Ursachen der Bewegung und Mischung der Elemente.

S. 28 Z. 17: Vgl. Klingsohrs Märchen in Kap. 9 des „Heinrich von Ofterdingen", die Notizen zur Fortsetzung und die „Hymnen an die Nacht", bes. S. 139 Z. 5 ff., sowie die Fragmente S. 52.

S. 30 Z. 36 f.: *jenen feuerspeienden Stier:* Nach der griechischen Sage muß Jason, um das Goldene Vlies zu erlangen, mit zwei feueratmenden Stieren pflügen. Aus den Drachenzähnen, die er sät, wachsen Männer, deren er dadurch Herr wird, daß sie sich selbst bekämpfen. Darauf gehen wohl die Worte *Benutzt jene Zwiste.*

S. 31 Z. 5: *Dschinnistan:* Märchenreich. Wielands „Dschinnistan oder auserlesene Feen- und Geistermärchen, theils neu erfunden, theils neu übersetzt und umgearbeitet", Winterthur 1786—89, war Novalis wohlbekannt. Vgl. unten S. 251 Z. 23 und 298 Z. 34 und die Anm. dazu.

S. 31 Z. 13 ff. und Z. 36 ff. im Sinne Fichtes und auch Schellings.

S. 31 Z. 32 ff.: Vgl. Schellings „Epikurisch Glaubensbekenntnis Heinz Widerporstens" in Bd. 9 unserer Reihe.

S. 32 Z. 19 ff.: Die Einführung des Märchens weist auf seine Bedeutung hin. Es ist mehr als „ein bloßer Schmuck" (Huber, Euphorion, Ergänzungsheft 4, 1899). Zur Interpretation vgl. Kluckhohn, Die Auffassung der Liebe, S. 470.

Vgl. auch das Distichon in Bd. 4 dieser Reihe, S. 304, und über seinen scheinbaren Widerspruch zum Märchen Kluckhohn, Novalis' Schriften, Bd. I, S. 51* ff.
und 6. Ein erster Entwurf des Märchens steht in einer Fragmentenhandschrift
(VI, 430 von Juli 1798): „Ein Günstling des Glücks sehnte sich die unaussprechliche Natur zu umfassen. Er suchte den geheimnisvollen Aufenthalt der Isis. Sein
Vaterland und seine Geliebten verließ er und achtete im Drange seiner Leidenschaft
auf den Kummer seiner Braut nicht. Lange währte seine Reise. Die Mühseligkeiten
waren groß. Endlich begegnete er einem Quell und Blumen, die einen Weg für eine
Geisterfamilie bereiteten. Sie verrieten ihm den Weg zu dem Heiligtume. Entzückt
von Freude kam er an die Türe. Er trat ein und sah — seine Braut, die ihn mit
Lächeln empfing. Wie er sich umsah, fand er sich in seiner Schlafkammer, und eine
liebliche Nachtmusik tönte unter seinen Fenstern zu der süßen Auflösung des Ge-
heimnisses."

S. 39 Z. 26 ff.: Vgl. die Disticha von Novalis: „Hypothesen sind Netze, nur
der wird fangen, der auswirft" usw. Schriften hrsg. Kluckhohn, Bd. 2, S. 424.

S. 49: Zum Plan einer Fortsetzung gehört wohl folgendes Blatt (vgl. darüber
Kluckhohn, Novalis, Bd. I, S. 8): „Verwandlung des Tempels zu Sais.
Erscheinung der Isis. Tod des Lehrers. Träume im Tempel. Werkstatt des
Archaeus. Ankunft der griechischen Götter. Einweihung in die Geheimnisse. Bild-
säule des Memnons. Reise zu den Pyramiden. Das Kind und sein Johannes.
Der Messias der Natur. Neues Testament und neue Natur als neues Jerusalem.
Kosmogenien der Alten. Indische Gottheiten." (*Archäus*, bei Paracelsus die
Anima mundi oder das belebte Prinzip, wird bei J. B. van Helmont, dessen
Werke sich Novalis im September 1798 von A. W. Schlegel erbat, im „Ortus
medicinae id est initia physicae inaudita" [Kapitel 7] als faber und excita-
tor et director internus generationis bezeichnet. — *Messias der Natur* vgl.
oben S. 52 Z. 11 f., 19 ff.)

Pläne zur Fortsetzung der „Lehrlinge" und des zweiten Teils des „Ofterdingen"
scheinen sich zu verbinden in folgender Fragmentennotiz (X, 368): „Jesus der
Held. Sehnsucht nach dem Heiligen Grabe. Kreuzlied. Nonnen- und Mönchslied.
Der Anachoret. Die Weinende. Der Suchende. Das Gebet. Sehnsucht nach der
Jungfrau. Die ewge Lampe. Sein Leiden. Jesus in Sais. Das Lied der Toten."

S. 50 Z. 26: Über das Gewissen vgl. S. 283 f.

S. 51 Z. 17: *diese Herrn:* Ritter, Schelling, Baader. Diese Sätze hat
Novalis aus einem Brief an Caroline Schlegel vom 20. I. 1799 in sein Brouillon
eingetragen.

S. 52 Z. 5 f.: Vgl. Bd. 4 dieser Reihe, S. 303 (Fragment VI, 245). Zu den
folgenden Fragmenten vgl. ebd. S. 306 ff.

S. 55 Z. 5 ff.: Vgl. die „Mathematischen Fragmente" (Schriften hrsg.
Kluckhohn, Bd. 2, S. 295 ff.).

S. 56 Z. 3 ff.: Dieses Fragment (unvollständig gedruckt bei Kluckhohn, Bd. 3, S. 396 als XII, 10) steht in einer Handschrift im Besitz von Dr. Karl Wolfskehl in München, die Ernst Kamnitzer im Anhang seiner Ausgabe: Novalis, Fragmente, Wolfgang Jeß Verlag in Dresden 1929, S. 750 ff. erstmalig publiziert hat. Herr Dr. Wolfskehl hat den Wiederabdruck freundlich gestattet.

S. 56 f.: Zu Fragmenten von Novalis über den Tod gehören noch Blütenstaub Nr. 10a und 14 (Bd. 4 dieser Reihe, S. 281 f.), VI, Nr. 244 ff. (ebb. 303) sowie Schriften, Bd. 2, S. 209, 349 u. a. Vgl. ferner sein Sophien-Erlebnis (Bd. 4 dieser Reihe, S. 270 ff.), die „Hymnen an die Nacht" und „Heinrich von Osterdingen", bes. Teil II, und Fr. Schlegels Äußerung unten S. 312 zu S. 164.

S. 56 Z. 26: Was hier über *Verklärung* als höheren Tod gesagt wird, erleichtert das Verständnis der Notizen für das letzte Kapitel des „Ofterdingen" „Die Verklärung". Ebenso entspricht das folgende Fragment dem Ziel des „Ofterdingen" und des Märchens, das Klingsohr erzählt.

S. 58: Franz Xaver Baader, Vom Wärmestoff ..., 1786, S. 39. Schon Kant hat die durch die ganze Natur hindurchgehende Attraktionskraft in ihrer Polarität zur Repulsionskraft nachgewiesen. Eine Gleichsetzung der Attraktionskraft mit Liebe findet sich bei Hemsterhuis, Herder, in ihrer Nachfolge auch beim jungen Schiller u. a. Später hat unter andern Karl von Eckartshausen diesen Gedanken in einer Festrede der bayerischen Akademie der Wissenschaften von 1793 näher ausgeführt: „Über das erste Wesensgesetz in der Schöpfung": die Liebe. — Spätere Schriften Baaders siehe in Bd. 11 unserer Reihe.

S. 58 ff.: Literatur zu Schelling siehe in Bd. 3 dieser Reihe, S. 324 f. Franz Rosenzweig, Das älteste Systemprogramm des deutschen Idealismus, Sitzungsberichte der Heidelberger Akademie der Wissenschaften, Philosophisch-historische Klasse 1917, 5. Abh., S. 6.

S. 59 Z. 23 ff.: aus den „Ideen zu einer Philosophie der Natur", 1797, Werke, erste Abteilung, Bd. 2, S. 55.

S. 60 Z. 20 ff.: 1799. Ebd. Bd. 3, S. 269, 271 — 75.

S. 63 Z. 16: Später hat Schelling die *spekulative Physik*, die ihre Grundsätze aus der Naturphilosophie nimmt, von der Naturphilosophie als solcher ausdrücklich geschieden: „Über das Verhältnis der Naturphilosophie zur Philosophie überhaupt", 1802, Werke, Bd. 5, S. 107.

S. 63 Z. 23 ff.: Zum Unterschied der dynamischen Auffassung der Physik von der mechanischen und atomistischen der Zeit vgl. auch die Schrift „Allgemeine Deduktion des Dynamischen Prozesses oder der Kategorien der Physik" von 1800. Hier heißt es in § 63: „Durch die atomistische Erklärungsart erfährt man immer nur, wie es dieser oder jener Physiker machen würde, wenn er die Natur wäre, oder wenn er z. B. magnetische oder elektrische Erscheinungen hervorbringen sollte. Durch die gehörige Anwendung der dynamischen Erklärungsart erfährt man, wie es die Natur selbst macht." (Bd. 4, S. 75.)

S. 64 Z. 17 ff.: Aus „Allgemeine Deduktion des dynamischen Prozesses oder die Kategorien der Physik", 1800, ebd. Bd. 4, S. 77.

S. 64 Z. 21 ff.: Aus „System der gesamten Philosophie und der Naturphilosophie insbesondere", 1804, zweiter Teil, B. Spezielle Naturphilosophie oder Konstruktion der einzelnen Potenzen der Natur. Oberste Grundsätze oder Axiome der Naturphilosophie II, ebd., Bd. 6, S. 278 f.

S. 65 Z. 13 ff.: Erschienen in den „Jahrbüchern der Medizin als Wissenschaft", 1806, ebd., Bd. 7, S. 140 ff.

S. 66 Z. 17 ff.: Ebd., Bd. 10, S. 439. Dies Gedicht bringt Schellings Anschauung von dem Geschlechtsgegensatz, der durch die ganze Natur hindurch gehe, zum Ausdruck. Vgl. „System der gesamten Philosophie und der Naturphilosophie insbesondere" (1804), § 211, Werke, Abt. 1, Bd. 6, S. 406—15, zusammengefaßt in § 212: „Die Bedeutung des Geschlechts ist, daß die beiden Attribute der Natur, die Schwere (oder das kohäsive Prinzip) und das Licht, die im Organismus als eins gesetzt werden, als selbständig zugleich und als identisch angeschaut werden. (Dies nur möglich unter der Form der Geschlechtsverschiedenheit.) — Die Personifikation des ideellen Prinzips in der organischen Natur ist das männliche, die Personifikation des reellen Prinzips oder der Schwere das weibliche Geschlecht. — Männliches und weibliches Geschlecht verhalten sich daher im einzelnen wieder ebenso, wie sich Tier und Pflanze im ganzen verhalten." „Tier und Pflanze" und ein Epigramm „Los der Erde", das die Idee des allgemeinen Dualismus, der Unzertrennlichkeit von Liebe und Krieg behandelt, gehören wohl zu jenen naturphilosophischen Gedichten, von denen Schelling nach Carolinens Zeugnis (Caroline, hrsg. von Erich Schmidt, Bd. 2, S. 139) eine große Zahl verfaßt hat und die mit dem geplanten kosmogonischen Naturepos zusammenhängen. Auch Goethe hatte „ein großes Naturgedicht" zu schreiben vorgehabt (Annalen 1799) und diesen Plan an Schelling abgetreten. Vgl. Caroline, a. a. O., Bd. 2, S. 6; Margarete Plath, Der Goethe-Schellingsche Plan eines philosophischen Naturgedichts, Preußische Jahrbücher, Bd. 61, 1901; Fritz Strich, Die Mythologie in der deutschen Literatur von Klopstock bis Wagner, 1910, Bd. 2, S. 29 ff. — Im Anschluß an Schellings Ideen von Licht und Schwere als zeugendem und mütterlichem Prinzip verfaßte Friedrich Schlegel das Gedicht „Rückkehr zum Licht", zuerst betitelt „Romanze vom Licht".

S. 67: Steffens an Schelling, 1. September 1800; Plitt, Aus Schellings Leben. In Briefen, Bd. 1, S. 307 ff.

S. 68 Z. 11 ff.: Henrich Steffens, Was ich erlebte, Bd. 5, 1842, S. 38.

S. 68 Z. 30 ff.: Ebd., Bd. 4, S. 286 ff.

S. 70 Z. 17 ff.: Henrich Steffens, Beiträge zur inneren Naturgeschichte der

Erde, I. Teil, 1801, Schlußkapitel: „Durch die ganze Organisation sucht die Natur nichts als die individuellste Bildung."

S. 70 Z. 30 ff.: H. Steffens, Grundzüge der philosophischen Naturwissenschaft, 1806, S. XX ff.

S. 72 Z. 8 ff.: „Fragmente aus dem Nachlaß eines jungen Physikers. Ein Taschenbuch für Freunde der Natur. Hrsg. von J. W. Ritter." Zwei Bändchen, Heidelberg 1810. Die Fragmente sind hier durchnumeriert. Zu Ritter vgl. die Einführung, S. 9 f.

S. 73 Z. 6 ff.: Über den Schlaf als „Versöhnung d. h. Rückkehr ins Universum" vgl. Schelling, System der gesamten Philosophie und der Naturphilosophie insbesondere, § 223.

S. 73 Z. 20 ff.: Vgl. die „Hymnen an die Nacht" und das Märchen Klingsohrs, oben S. 133 ff., 248 ff.

S. 73 Z. 30: *Vermählung mit der himmlischen Jungfrau:* hier hat Jacob Böhmes Lehre eingewirkt von der himmlischen Jungfrau, Sophia, der ewigen Weisheit, die im ursprünglichen Menschen lebendig war, aber nach dem Sündenfall aus ihm entwichen ist, und mit der er wieder vereint werden soll durch die innere Wiedergeburt.

S. 75 ff: R e d e n ü b e r d i e R e l i g i o n. Die erste Ausgabe von 1799 ist neu herausgegeben von Rudolf Otto 1899, seitdem mehrere Auflagen, textlich nicht ganz zuverlässig. Unser Auszug folgt der Ausgabe von 1799, ergänzt nur die Interpunktion.

L i t e r a t u r: Außer der Einleitung von Otto und den in Bd. 4, S. 318 genannten Arbeiten von Dilthey, Wehrung, Gundolf vgl. besonders Rönnau, Schleiermachers Religionsbegriff, Zeitschrift für systematische Theologie, Bd. 6, 1929, S. 142—87.

Auf die Änderungen der zweiten und dritten Auflage und die in letzterer hinzugefügten „Erläuterungen" hier einzugehen verbietet die Beschränkung des Raumes.

S. 117 f.: Diese Darstellung einer Gesellschaft religiöser Menschen geht auf den Eindruck pietistischer bzw. Herrenhutischer Zusammenkünfte zurück. Vgl. auch S. 134.

S. 128 ff.: N o v a l i s.

L i t e r a t u r zur Weltanschauung des Novalis vgl. Bd. 4 dieser Reihe, S. 333. Außerdem: Stange, Novalis' Weltanschauung, Zeitschrift für systematische Theologie, Bd. 1, 1922, S. 609 ff. und die Fragmente in Bd. 4 dieser Reihe, Abt. 4.

S. 129 Z. 33 ff.: Vgl. „Hymnen an die Nacht", besonders S. 140 f. und 146 und Geistliche Lieder VII, Hymne, S. 151.

S. 132 Z. 9 f.: Dieser Satz steht so weder in den Reden über die Religion noch in den Athenäumsfragmenten Schleiermachers. Vielmehr scheidet dieser Religion und Moral scharf. Vgl. oben S. 81 ff. und S. 103.

S. 132 Z. 14 ff.: Diese Sätze hat Novalis aus einem Brief an Friedrich Schlegel vom 20. Januar 1799 in sein Brouillon notiert. Der erste Satz lautet im Brief: „Deine Meinung von der Negativität der christlichen Religion ist vortrefflich." Der Brief Schlegels, auf den Novalis hier Bezug nimmt, ist nicht erhalten. Vgl. aber den älteren Brief Schlegels vom 2. Dezember 1798, oben S. 157 ff.

S. 133 f.: Diese Fragmente sind im Sommer oder Herbst 1799 geschrieben, die auf S. 135 später.

S. 137 ff.: Die „Hymnen an die Nacht" besitzen wir in einer Handschrift des Dichters von 1799, wie aus den Schriftzügen zu erkennen ist; abgedruckt in den Ausgaben von Heilborn, Minor und Kluckhohn und am genauesten mit allen Korrekturen des Dichters von Heinz Ritter, „Novalis' Hymnen an die Nacht. Ihre Deutung nach Inhalt und Aufbau auf textkritischer Grundlage" (Beiträge zur neueren Literaturgeschichte, Neue Folge hrsg. von Max von Waldberg, Bd. 13, Heidelberg 1930). In der Handschrift sind die Hymnen mit Ausnahme der 3. und des Anfangs der 4. in abgesetzten Versen geschrieben. Der noch bei Lebzeiten des Dichters erschienene Druck im Athenäum, Bd. 3, 1800, setzt sie fortlaufend in Prosa. Wir folgen diesem Drucke, auch in der Interpunktion.

Zur Interpretation, zur Frage der Entstehungszeit und zum Vergleich der beiden Fassungen vgl. Heinz Ritter, a. a. O., Unger, Herder, Novalis und Kleist (Deutsche Forschungen, Bd. 9, 1922) und die Einleitungen von Kluckhohn, Schriften, Bd. 1, S. 60* ff. und 45 ff.

Die fünfte Hymne ist ein Gegenstück zu Schillers „Götter Griechenlands". Zu ihrem geschichtsphilosophischen Gehalt vgl. Richard Samuel, Die poetische Staats- und Geschichtsauffassung Friedrich von Hardenbergs (Deutsche Forschungen, Bd. 12, 1925), S. 172 ff.

S. 140 Z. 8: *wann*: in der Handschrift und im ersten Druck *wenn*.

S. 145 Z. 11: *walten*: so die Handschrift. Im ersten Druck: *wallen* (Druckfehler).

S. 147 ff.: Von den „Geistlichen Liedern" erschienen nach dem Tod des Dichters die ersten sieben zuerst im Musenalmanach auf das Jahr 1802, alle fünfzehn danach im zweiten Bande der „Schriften". Entstanden sind sie 1799 unter dem starken Eindruck von Schleiermachers „Reden" im Herbst, einige vielleicht auch schon vorher im Sommer, wie Tieck berichtet. Nur das 13. Lied gehört einer späteren Zeit an, dem Sommer 1800. Unsere Ausgabe folgt auch in der Reihenfolge der Lieder der ersten Veröffentlichung.

Eine Fragmentennotiz (X, 261) hält den Plan eines religiösen Journals fest mit christlichen Liedern, Predigten u. a. und sagt dabei: „In den meisten Lavaterschen Liedern ist noch zuviel Irdisches — und zuviel Moral und Asketik. — Zuwenig Wesentliches — zuwenig Mystik. Die Lieder müssen weit lebendiger, inniger, all-

gemeiner und mystischer sein. Die Predigten müssen auch schlechthin nicht dogmatisch — sondern unmittelbar zur Erregung des heiligen Intuitionssinnes — zur
Belebung der Herzenstätigkeit sein. Predigten und Lieder können Geschichten enthalten. Geschichten wirken vorzüglich religiös."

Die Lieder I, III, IV, V, VI, IX sind in verschiedene Gesangbücher aufgenommen worden, freilich mit mancherlei Änderungen. Die größte Verbreitung
fanden die Lieder I und VI. Mehrere der Lieder wurden wiederholt vertont, neben
anderen von Schubert, der auch die Abendmahlshymne und die Schlußstrophen
der fünften Hymne an die Nacht komponiert hat. Für das V. Lied sind etwa zwanzig
gedruckte Kompositionen nachgewiesen.

S. 151 Z. 45 ff.: Zum Verständnis dieser Abendmahlshymne vgl. das Fragment oben S. 129 Z. 33 ff., den Aufsatz „Die Christenheit oder Europa" (Bd. 10
dieser Reihe) und Johannes 6, Vers 53—56.

S. 152 Z. 40: *Heil'ge Wehmut:* Ein für Schleiermachers Religionsauffassung charakteristisches Wort (vgl. oben S. 125 Z. 28). Dies Lied ist aus der
Seele der Maria am Grabe des Herrn gedichtet.

S. 153 Z. 59: *naht:* so die Handschrift an Stelle von durchstrichenem *steht*,
das die ersten Drucke aufgenommen haben.

S. 154 Z. 52: *zu:* so die Handschrift, erster Druck: *für.*

S. 155 Z. 5 ff.: Nr. XII ist nach Nachweis Will Vespers (Euphorion, Bd. 15,
S. 568 ff.) einem Liede in Corners Großkatholischem Gesangbuch (1631) „Der
Altväter Verlangen nach dem Messias" nachgedichtet, abgedruckt bei Wacker-
nagel, Das deutsche Kirchenlied, Bd. 5, S. 1268, Nr. 1517.

S. 157 Z. 23 ff.: Friedrich Schlegels Aufsatz „Über die Philosophie. An
Dorothea", siehe in Bd. 4 dieser Reihe, S. 134 ff.

S. 157 Z. 31 ff.: nimmt Bezug auf einen Brief von Novalis vom 7. Novem-
ber 1798.

An seinen Bruder August Wilhelm schrieb Friedrich am 7. Mai 1799: „Mit
der Religion ist es uns keineswegs Scherz, sondern der bitterste Ernst, daß es an
der Zeit ist, eine zu stiften. Das ist der Zweck aller Zwecke, und der Mittelpunkt.
Ja ich sehe die größte Geburt der neuen Zeit schon ans Licht treten; bescheiden wie
das alte Christentum, dem man's nicht ansah, daß es bald das Römische Reich
verschlingen würde, wie auch jene große Katastrophe in ihren weiteren Kreisen die
französische Revolution verschlucken wird, deren solidester Wert vielleicht nur darin
besteht, sie inziiert zu haben." (F. Schlegels Briefe an seinen Bruder A. W. S.,
421. Ebd. S. 368: „Hat Hardenberg mehr Religion, so habe ich vielleicht mehr
Philosophie der Religion.")

Novalis' Kritik des Religionstiftenwollens vgl. oben S. 14. Friedrich Schlegel
selbst verurteilte das „Religionstiftenwollen" in den „Ideen" und später 1805:
„Jede mögliche neue Religion ist im Christentum schon a priori mit umfaßt; daher

ist es Torheit, eine neue Religion stiften wollen. — Die subjektive (formlose) Religion des Gefühls ist irreligiös, als individuell und egoistisch, läßt sich daher leicht widerlegen." (Friedrich Schlegels Philosophische Vorlesungen aus den Jahren 1804 bis 1806 hrsg. von Windischmann, Bd. 2, S. 434 f.)

S. 159 Z. 23 ff.: Die „I d e e n", Friedrich Schlegels Beitrag zu der durch Schleiermacher angeregten Religionsmode der Frühromantik, entstanden im Sommer 1799 und erschienen 1800 im dritten Bande des Athenäums. Friedrich Schlegel schrieb darüber an Schleiermacher: „Was in den Ideen in näherer Beziehung auf Deine Reden scheint als das übrige, ist eigentlich weder an Dich noch gegen Dich; sondern nur wie die Schwaben sagen, aus Gelegenheit Deiner. Die ganzen Ideen gehen bestimmt von Dir oder vielmehr von Deinen Reden ab, neigen nach der andern Seite in den Reden. Weil Du stark nach einer Seite hängst, habe ich mich auf die andre gelegt, und Hardenberg mich gleichsam, wie es scheint, angeschlossen." (Aus Schleiermachers Leben, Bd. 3, S. 122.) Später (1806) beurteilte Friedrich Schlegel seine „Ideen" als „poetisch genommenen Pantheismus" (Windischmann, Bd. 2, S. 446).

Für sein Verhältnis zu Schleiermachers Werk ist auch das Sonett „Reden über die Religion" von 1800 charakteristisch, dessen Schluß lautet:

> Doch plötzlich scheint's, als wollten Geister gerne
> Den schon Geweihten höh're Weihe zeigen,
> Getäuscht die Fremden lassen in der Blöße;
> Der Vorhang reißt und die Musik muß schweigen,
> Der Tempel auch verschwand und in der Ferne
> Zeigt sich die alte Sphinx in Riesengröße.

In einer Abschrift der „Ideen" von der Hand Dorotheas hat Novalis Randbemerkungen eingetragen (Novalis, Bd. 3, S. 357 ff.). Wir geben diese oben in Kursivschrift. Andere Fragmente der „Ideen" siehe Bd. 3 dieser Reihe, S. 129, 133—37, Bd. 4, S. 21 f. (hier wäre noch einzufügen die Idee 21: „Es ist der Menschheit eigen, daß sie sich über die Menschheit erheben muß"), 25, 112 ff., 152.

S. 160 Z. 25: Idee Nr. 13 und Novalis' Bemerkung dazu siehe Bd. 3, S. 135 und 311.

S. 164 Z. 1 ff. Nr. 138: Vgl. den Brief von Novalis von Anfang März 1799: „Ich stimme Dir bei, daß das Christentum eine Religion der Zukunft, wie die griechische eine der Vergangenheit, schon bei den Alten selbst. — Aber ist sie nicht noch mehr eine Religion des Todes, wie die klassische eine Rel[igion] des Lebens? Mir deucht, ich finde darüber herrliche Andeutungen in Deinen gedruckten Sachen und was ich mich aus den Papieren erinnere. Es muß dies ungefähr auch Deine Meinung sein. Wenn [Du] doch, die Du über das Christentum hast, einmal in einem Brennpunkt sammeln wolltest! — Vielleicht bist Du der erste Mensch in unserm Zeitalter, der Kunstsinn für den Tod hat. — Ich glaube, daß das Chr[istentum] sich eben deswegen, und weil Tod und Leben eins sind, sich mit dem äußersten Realismus behandeln ließe."

S. 164 Z. 14 ff.: Dieser Absatz aus dem „System der gesamten Philosophie und der Naturphilosophie insbesondere" 1804 (Werke, Bd. 6, S. 558 f.) ist ein scharfer Widerspruch gegen Schleiermachers Religionsauffassung. Vgl. auch Bd. 9 unserer Reihe.

S. 165 ff.: H e i n r i c h   v o n   O f t e r d i n g e n.

Literatur: A. S c h u b a r t, Novalis' Leben, Dichten und Denken, 1887.

W. D i l t h e y, Novalis („Das Erlebnis und die Dichtung").

E. S p e n l é, Novalis, Paris 1904.

K. J. O b e n a u e r, Novalis (Hölderlin/Novalis, 1925).

K. W o l t e r e c k, Goethes Einfluß auf Novalis' „Heinrich von Ofterdingen", Diss. München 1914.

O. W a l z e l, Die Formkunst von Hardenbergs „Heinrich von Ofterdingen" (Germanisch-romanische Monatsschrift, Bd. 7, 1919).

W. F e i l c h e n f e l d, Der Einfluß Jacob Böhmes auf Novalis (Germanische Studien, Heft 22, 1922).

K. M a y, Weltbild und innere Form der Klassik und Romantik im „Wilhelm Meister" und „Heinrich von Ofterdingen" (Romantik-Forschungen, Deutsche Vierteljahrsschrift für Literaturwissenschaft und Geistesgeschichte, Buchreihe Bd. 16, 1922).

Novalis' Schriften hrsg. von Paul K l u c k h o h n, Bd. 1, 1929.

Über die Entstehung des Romans haben wir nur wenige Äußerungen von Novalis selbst. Am 27. II. 1799 schrieb er an Caroline Schlegel über die „Lucinde" und seine eigenen Romanpläne, vom „Afterdingen" (so seine Schreibung) aber erst Anfang 1800. An Tieck am 23. Februar: „Mein Roman ist in vollem Gange. 12 gedruckte Bogen sind ohngefähr fertig. Der ganze Plan ruht ziemlich ausgeführt in meinem Kopfe. Es werden zwei Bände werden — der erste ist in drei Wochen hoffentlich fertig. Er enthält die Andeutungen und das Fußgestell des zweiten Teils. Das Ganze soll eine Apotheose der Poesie sein. Heinrich von Afterdingen wird im ersten Teile zum Dichter reif — und im zweiten als Dichter verklärt. Es wird mancherlei Ähnlichkeiten mit dem ‚Sternbald' haben — nur nicht die Leichtigkeit. Doch wird dieser Mangel vielleicht dem Inhalt nicht ungünstig. Es ist ein erster Versuch in jeder Hinsicht . . ." Am 5. April konnte Hardenberg beiden Freunden melden, daß der erste Teil fertig sei. „Es sollte mir lieb sein, wenn Ihr Roman und Märchen in einer glücklichen Mischung zu bemerken glaubtet, und der erste Teil Euch eine noch innigere Mischung im zweiten Teile prophezeite. Der Roman soll allmählich in Märchen übergehn." Dazu an Friedrich Schlegel am

18. Juni: „Deinen Tadel fühl' ich völlig — diese Ungeschicklichkeit in Übergängen, diese Schwerfälligkeit in der Behandlung des wandelnden und bewegten Lebens ist meine Hauptschwierigkeit. Geschmeidige Prosa ist mein frommer Wunsch. Der zweite Teil wird der Kommentar des ersten. Die Antipathie gegen Licht und Schatten, die Sehnsucht nach klaren, heißen, durchdringenden Äther, das Unbekanntheilige, die Vesta in Sophien, die Vermischung des Romantischen aller Zeiten, der petrifizierende und petrifizierte Verstand, Arctur, der Zufall, der Geist des Lebens, einzelne Züge bloß, als Arabesken — so betrachte nun mein Märchen. Der zweite Teil wird schon in der Form weit poetischer als der erste. Die Poesie ist nun geboren."

Im Druck erschien der erste Teil des Werkes 1802 in Berlin und gleichzeitig als erster Band der von Friedrich Schlegel und Ludwig Tieck herausgegebenen ersten Ausgabe von Novalis' Schriften, in deren zweitem Band der von Novalis noch ausgeführte Anfang des zweiten Teiles und Tiecks Bericht über die Fortsetzung mitgeteilt wurden. Unser Druck folgt dieser Ausgabe, für den Anfang des zweiten Teiles aber der Handschrift, auch in der Interpunktion.

Fragmente von Novalis über Märchen und über Roman und seine Auffassung des Romantischen sind in Bd. 3 unserer Reihe, S. 229 f., 231 ff. und S. 223 ff., 227 mitgeteilt; ebd. S. 235 ff. seine Auseinandersetzung mit „Wilhelm Meisters Lehrjahren". Die sehr scharfen Worte gegen dieses Werk finden sich auch in dem Brief an Tieck vom 23. II. 1800. Zu Hardenbergs Bemühungen um seinen eigenen Stil vgl. Bd. 3, S. 218 f., 225, 227, 234. Zu den Quellen für die sagenhaften Gestalten des Dichters Heinrich von Ofterdingen und des Zauberers Klingsohr vgl. die Ausgabe von Kluckhohn, Bd. 1, S. 87 ff. und Paul Riesenfeld, Heinrich von Ofterdingen in der deutschen Literatur, 1912.

S. 167 f.: Heinrichs Traum von der blauen Blume mag durch thüringische Volkssagen von der blauen Wunderblume der Johannesnacht, Träume in Jean Pauls Roman „Die unsichtbare Loge" (besonders im 20. Sektor), auch Tiecks Gedicht „Der Traum" (s. Bd. 3 unserer Reihe, S. 121 ff.) und Herdersche Schilderungen indischer Blumengöttinnen angeregt sein. (Vgl. jetzt auch Jutta Hecker, Das Symbol der Blauen Blume im Zusammenhang mit der Blumensymbolik der Romantik, Jenaer Germanistische Forschungen, Bd. 17, 1930.) Im wesentlichen aber ist der Traum Heinrichs eine Schöpfung von Novalis, während der Traum des Vaters mehr mit bekannten Sagenmotiven arbeitet.

S. 182 f.: Die *Arion*-Sage war von A. W. Schlegel in einer Ballade in Schillers Musenalmanach 1798, von Tieck in einem Lied in „Eine Erzählung aus einem italienischen Buch übersetzt" („Phantasien über die Kunst", 1799, und 2. Ausgabe des „Sternbald") behandelt worden. Beide Gedichte, die in Bd. 6 unserer Reihe zu finden sind, haben Novalis Anregungen geboten.

S. 208 Z. 33: *Werner.* Die Nennung dieses Namens ist eine Huldigung für den Lehrer des Dichters, vgl. oben S. 6.

S. 210 Z. 12: Novalis' Anschauung vom *Eigentum* vgl. Fragmente in Bd. 10.

S. 210 Z. 31 u. a.: Novalis verwendet in diesem Kapitel zahlreiche Ausdrücke der Bergmannssprache: *vor Ort:* am Ende eines Stollens, am Punkt der Arbeit — *mächtig:* dick — *gebrech:* leicht brechbar — *Kluft:* Spalte im Gestein — *Geschicke:* Erze und erzführende Gänge — *Trum:* Abspliß, Arm eines geteilten Hauptganges — *Höflichkeit:* Hoffnung erregende Beschaffenheit — *ausrichten:* einen *Gang* (erzhaltige Spalte) auffinden, aufschließen.

S. 211 Z. 28 ff.: Dieses Lied erschien zuerst im Musenalmanach für 1802 von Tieck und Schlegel unter der Überschrift „Bergmanns Leben", wurde wiederholt komponiert und fand auch in mehreren bergmännischen Liederbüchern Aufnahme.

S. 212 Z. 37 ff.: Dieses Gedicht hat verschiedene Ausdeutungen erfahren. Marie Joachimi-Deege (Die Weltanschauung der deutschen Romantik, 1905, S. 104) sieht den König als Allegorie für den „dogmatischen Gott im alten Himmel" an, welchen die Romantiker entthronen wollen usw., Feilchenfeld, a. a. O., sieht in ihm den „Intellekt des magischen Idealisten", in dem Schloß die Hirnschale, in den Quellen die fünf Sinne, in „seiner Mutter weißem Blut" das Hirn usw. Beide Deutungen sind gekünstelt. Das Gedicht wird schon sinnvoll, wenn man den König als das Gold auffaßt, das weiße Blut als die goldhaltigen Quarzadern, das unermeßliche Geschlecht als die Menschheit. Die dritte Strophe weist auf die neptunistische Theorie der Erdentstehung, wie sie Werner und Goethe vertraten, der Schluß der sechsten auf den Rutengänger, die letzte auf die alte alchimistische Lehre, daß das Gold, je mehr es sich ausbreitet, desto mehr an Macht einbüßen werde und auf Novalis' Eigentumsauffassung (s. oben zu S. 210 Z. 12) und auf seine erotisch-ozeanischen Jenseitsvorstellungen (vgl. dazu oben S. 146, 152, 290 Z. 40 ff.).

S. 219 Z. 24 ff.: Über Novalis' Verhältnis zur Geschichte vgl. Bd. 9 und Richard Samuel, a. a. O.

S. 223 Z. 19: *Beruhigung der Natur:* Novalis' Glaube an die kommende goldene Zeit und das künftige Moralischwerden der Natur. Vgl. oben S. 28 und Bd. 4 dieser Reihe, S. 306 ff.

S. 233 Z. 4 f.: Das ungewöhnliche Bild für den *Lebensgenuß* wird von Feilchenfeld, a. a. O., 63 f. als „eine Entgleisung in Böhmesche Gedankenbahnen" erklärt, nicht unbedingt zwingend.

S. 233 Z. 36: *Küssen:* im 18. Jahrhundert geläufige Form für *Kissen.*

S. 234 Z. 34: *Verschwiegner Eintracht volle Rose:* Die Rose bei Festen der Römer als Zeichen der Verpflichtung zur Verschwiegenheit.

S. 245 Z. 11 ff.: Novalis charakterisiert hier auch seine eigenen frühen Gedichte.

S. 246 Z. 5 ff.: Zu diesem Liebesgespräch vgl. Kluckhohn, Die Auffassung der Liebe . . ., S. 479 ff. und Bd. 4 dieser Reihe, S. 270 ff.

S. 247 Z. 13: Die Vorstellung des *Urbildes*, des inneren Bildes eines Menschen, das der eigentliche Gegenstand der Liebe sei, könnte Novalis durch Böhme, worauf der Ausdruck *quellen*, Z. 12, hinweist, nahe gebracht sein oder durch andere mystische Literatur, z. B. Fr. Mercurius van Helmont. Vgl. des letzteren „Ungemeine Meinungen von dem Macrocosmo und Microcosmo, aus dem Englischen", Hamburg 1601, S. 158, 164: „Weil denn ein jedweder Mensch dieses sein geistliches idealisches Bild als einen geistlichen Leib oder leiblichen Geist von ihm aussendet in einen anderen Menschen oder Ding, das er mit seinen Sinnen ergreifet und zu eben der Zeit ein gleiches Bildnis so von der Person oder einem anderen Dinge, das er ergriffen hat, ausfließet." Diese Vorstellung geht auf Plato zurück.

S. 248 ff.: Zur Interpretation von Klingsohrs Märchen vgl. außer älterer Literatur Obenauer, Das Märchen des Novalis von Eros und Fabel (Geisteskultur, Monatshefte der Comenius-Gesellschaft, Bd. 33, 1924, wieder abgedruckt in ‚Hölderlin, Novalis, Gesammelte Studien', 1925), und Kluckhohn, Novalis, Bd. 1, S. 53* ff., ferner Fragmente, Bd. 3 dieser Reihe, S. 229 ff. und Bd. 4, S. 294 und den Brief an Schlegel oben S. 313.

S. 249 Z. 22: *der Held* = Eisen.

S. 249 Z. 25: *die schöne Tochter Arcturs*, Freya, die germanische Göttin der Liebe, hier der Frieden. Das Reiben ihrer Glieder ist ein magnetischer Prozeß.

S. 250 Z. 2: *der König*: Arctur, als Hauptstern im Sternbild des Bärenhüters, unter dem der Krone, König des nördlichen Sternenhimmels, nach Novalis auch „der Zufall, der Geist des Lebens". Da seine Gemahlin Sophie, die ewige Weisheit im Sinne der Theosophie Böhmes, sich von ihm getrennt hat und in die mittlere, die Menschenwelt hinabgestiegen ist, ist sein Reich zu Eis erstarrt; „allein bin ich nicht König". Naturkräfte und Sternenbilder erfüllen seinen Palast.

S. 250 Z. 35 ff.: Sphärenharmonie. Vgl. S. 190 Z. 17.

S. 251 Z. 22 ff.: *der schöne Knabe Eros*: der Gott der Liebe — *Ginnistan*: die Phantasie, Tochter des Mondes. Ihr Name aus Wielands Märchensammlung „Dschinnistan" (vgl. oben zu S. 31 Z. 5). — *Fabel*: Poesie. — *der Schreiber*: „der petrifizierende und petrifizierte Verstand", Verkörperung des Rationalismus. — *der Vater*: der Sinn als Einheit aller Sinne, mit dem Herzen vermählt, aber immer wieder auch von der Phantasie angezogen. — *die Mutter*: das Herz, Verkörperung der ursprünglichen Naturkräfte der Menschen.

S. 252 Z. 19: *eisernes Stäbchen*: ein Splitter vom Schwert des Eisen, Magnetstab. Während der Verstand diesen nur auf seine Nützlichkeit untersucht, die Phantasie mit ihm spielt, empfängt Eros von ihm lebendige Kraft und versteht seinen Sinn, den Ruf nach Norden, zur Heraufführung des dritten Reiches.

In der Naturphilosophie hat der Magnetismus als Beseelung der Materie eine große Bedeutung.

S. 255: Der Hofstaat und die Schatzkammer des Mondes: die Welt der Träume. Vgl. S. 214 Z. 25 ff.

S. 257 Z. 2 ff.: Vordeutungen auf den Ausgang des Märchens und des Romans und Rückdeutung auf Heinrichs Traum am Anfang. Dies Bild von starker Symbolkraft und überzeugender Anschaulichkeit hat auch Ph. O. Runges „Tageszeiten" befruchtet (vgl. Bd. 12).

S. 257 Z. 17 ff.: Die Phantasie, die Eros den Trank der Sophie vorenthält, kann ihn darum im Reiche der Träume verführen. Der erotische Genuß schwächt die Phantasie, aber erst die Liebe macht sie auch unsterblich. Die Früchte dieser Verbindung sind die Sinne oder Sinnesbegierden (S. 262 Z. 24 ff.), ihre Wirkung auf Eros: ihm wachsen Flügel, die dann beschnitten werden müssen (S. 261 Z. 36 ff., 265 Z. 29, 266 Z. 35).

S. 258 Z. 25: *die alten Schwestern:* die Parzen.

S. 260 Z. 28 ff.: entsprechen den Bildern der Sternenkarte.

S. 261 Z. 2: *Eridanus:* ein ausgedehntes Sternbild am südlichen Himmel, das aber von dem der Leier weit entfernt ist, zugleich ein Metall und in der griechischen Sage der Fluß, in den Phaeton stürzte.

S. 263 Z. 3: *Taranteln:* Bild für die Leidenschaften, „die in der Gegenwart des unsteten Eros zum Vorschein kommen und die die Parzen brauchen, um den Lebensfaden des Menschen zu verkürzen" (Dilthey).

S. 263 Z. 11 ff.: Untergang des Sonnenreichs und des Wechsels von Tag und Nacht als Vorbedingung für das Heraufkommen des dritten Reiches wie in den „Hymnen an die Nacht".

S. 266 Z. 3: *Turmalin:* vgl. Novalis, Fragment VIII, 87: „Der Turmalin ist beständig magnetisch und beständig elektrisch zugleich." Turmalin, Zink und Gold sind die drei Elemente des Galvanismus.

S. 266 Z. 13 ff., S. 267 Z. 13 ff., S. 269 Z. 3 ff.: ist eine Erweckung durch den galvanischen Prozeß dargestellt.

S. 270 Z. 7: *Der Phönix:* hier als Sternbild der Poesie gedacht.

S. 271 Z. 10: Novalis plante im zweiten Teil des Romans vor jedem Kapitel die Poesie sprechen zu lassen, verkörpert in *Astralis,* dem siderischen Menschen, der mit dem ersten Kuß von Heinrich und Mathilde erzeugt war. Vgl. S. 235 Z. 28. Mit diesem Motiv der Erzeugung des Kindes durch einen Kuß nimmt Novalis eine Vorstellung orientalischer Mythen auf, die ihm durch Herder (Liebe und Selbstheit, Werke hrsg. Suphan, Bd. 15, S. 314) oder Zimmermann (Über die Einsamkeit, 1784, Bd. 4, S. 161) vermittelt sein mochte. Auf Nachwirkung von Böhmes Vorstellung der sieben Elementargeister in der Darstellung des Werdens von Astralis weist Feilchenfeld (a. a. O., S. 83) hin.

S. 272 Z. 10: Leibwerdung der Gedanken aus Geist vgl. Paracelsus u. a. — Die Verse S. 272 Z. 4 ff. beziehen sich auf den Kuß, Vers 19 auf den Morgenspaziergang, Vers 24 auf den Tod Mathildens. Die Verse S. 272 Z. 34 bis S. 273 Z. 4 sind in der Handschrift des Dichters (in der Sammlung Stefan Zweig in Salzburg) vom Dichter durchgestrichen; sie stehen Böhmeschen Vorstellungen nahe. S. 273 Z. 5 ff. zeigen, wie der Plan der Fortsetzung mit Klingsohrs Märchen zusammengehen sollte. — S. 273 Z. 29 ff.: Tod Mathildens, Erlebnis von Novalis selbst. — Z. 36: Opfer der Mutter.

S. 274: Der Anfang des zweiten Teiles ist in einer Handschrift des Dichters überliefert, die sich zum Teil in Weimar, zum Teil in Salzburg befindet. Wir folgen ihr in der Interpunktion. Die erste Fassung dieses Abschnittes s. S. 304.

S. 275 Z. 11 ff.: Die Verse sind einem alten Weihnachtslied entnommen. Vgl. Erk und Böhme, Volkslieder, Bd. 2, S. 203.

S. 275 Z. 27 f.: Die Worte Mathildens zeigen, wie Novalis seine zweite Verlobung auffaßte. Daß Mathilde zugleich die Morgenländerin und Cyane sei, ist eine unberechtigte Ausdeutung Tiecks.

S. 277 Z. 45 ff.: Dieses Gespräch ist von Spenlé u. a. im Sinne der Lehre von der Seelenwanderung gedeutet worden. Man hat auch Notizen zur Fortsetzung (unten S. 298 Z. 24 ff.) damit in Verbindung gebracht. Daß das Motiv der Seelenwanderung eine Rolle im Ofterdingen spielen sollte, ist aber nicht zu erweisen.

S. 283 ff.: Zum *Gewissen* vgl. die Fragmente IX, 936 (oben S. 50) und X, 442 (siehe Bd. 4 dieser Reihe, S. 27).

S. 284 Z. 7: *die heilige Eigentümlichkeit.* Über die Bedeutung dieses Begriffs für die Romantik vgl. Bd. 4 dieser Reihe, besonders S. 5, 40 f.

S. 287 ff.: Tiecks Bericht beruht auf den danach abgedruckten Berliner Notizblättern und einem Blatt, das das Gedicht „Die Vermählung der Jahreszeiten" und einige Notizen enthält, die dem Absatz Tieck, S. 295 Z. 28—32 zugrunde liegen, und wohl noch einer ähnlichen Aufzeichnung mit dem Lied der Toten, die nicht erhalten ist. Tiecks Verbindung der einzelnen Notizen ist nicht immer zuverlässig. Die aus den Handschriften (nicht immer ganz wörtlich) genommenen Anführungen hat Tieck mit „ " versehen.

S. 292 Z. 22 und S. 297 Z. 10: *De tribus impostoribus:* Dies Buch von den drei Betrügern stammt aus dem 16. Jahrhundert, aber das Wort von den drei großen Betrügern Moses, Christus und Mohammed wurde dem Kaiser Friedrich II. von seinen Gegnern in den Mund gelegt.

S. 294 Z. 17 ff.: Der Satz *Edda* und so weiter ist nicht wörtlich aus den Notizen Hardenbergs. Vgl. S. 303 Z. 13: Die Morgenländerin opfert sich für Heinrich, aber Edda oder Mathilde muß ihn opfern. Dieser Sachverhalt, der Mathildens Stellung von der der Morgenländerin und Cyanens deutlich abhebt, wird verwischt dadurch, daß Tieck Mathilde und die Morgenländerin zusammenwirft. So auch im nächsten Satz. Ebenso ist die Gleichsetzung des Bergmanns mit dem nicht sicher zu deutenden Antiquar und dem Eisen eine unsichere Interpretation.

S. 295 Z. 4: *der neue Monarch:* Heinrich. *Edda:* Mathilde.

S. 296 ff.: I und II: Notizblätter des Novalis in der Berliner Staatsbibliothek, wahrscheinlich vor dem Beginn der Ausarbeitung des zweiten Teiles geschrieben, weil deren Anfang sich auf S. 301 Z. 8 ff. skizziert findet. Die Reihenfolge der beiden Blätter ist unsicher. Minor und Heilborn setzen II vor I. Doch wird die Notiz *Tunis* S. 296 Z. 17 auf S. 301 Z. 29 widerrufen *nicht nach Tunis,* was dafür spricht, daß I vor II geschrieben sei, ebenso wie die Notizen über den Sängerkrieg. Vom Dichter durchstrichene Worte sind in [ ] eingeschlossen; die runden Klammern rühren von Novalis selbst her.

S. 297 Z. 25 ff.: Diese Notizen hat man im Sinne der Seelenwanderung deuten wollen. Sie weisen auf Beziehungen zwischen den Gestalten des Märchens im 9. Kapitel und der Erzählung im 3. und solchen des Romans selbst hin, ermöglichen aber keine Schlüsse, wie diese Beziehungen dichterisch gestaltet werden sollten. Tiecks Bericht (S. 294 Z. 25 ff.) sagt hier mehr als die Notizen zu sagen erlauben. Vgl. Walzel, a. a. O., S. 403 ff. Walzel weist zum Verständnis dieser Notizen auf Fragmente Hardenbergs über „Wilhelm Meister" hin, die Personen dieses Romans als Variationen weniger Hauptgestalten ansehen. Vgl. Bd. 3 dieser Reihe, S. 239 und 231 und das Fragment VI, 170: „Dasselbe Individuum in Variationen. Natalie — die schöne Seele", sowie oben S. 302 Z. 2.

S. 297 Z. 31: *Dreieiniges Mädchen:* nach dem Sprachgebrauch der Zeit bezeichnet das Wort *dreieinig* drei einträchtig verbundene Menschen, ohne daß man an Seelenwanderung und ähnliches zu denken braucht. Vgl. Kluckhohn, Die Auffassung der Liebe, S. 490, Anm. 2.

S. 298 Z. 34: *das Feenmärchen von Nadir und Nadine,* im ersten Bande von Wielands „Dschinnistan" (vgl. oben zu S. 31), „eine freie Übersetzung des Enchanteur ou la Bague de Puissance des Herrn Pajon", hat keine Beziehungen zum „Ofterdingen", soweit er ausgeführt oder der Fortsetzungsplan notiert wurde. Die üblichen Verzauberungen und ihre Lösungen sind sein Inhalt.

S. 299 Z. 5 ff.: Wahrscheinlich in Kapitelüberschriften. Zu „Das Gesicht" vgl. S. 304, zu „Die Verklärung" oben S. 56 Z. 26 und die Anm. dazu.

S. 299 Z. 16: *Gleichnis mit der Sonne:* Im „Wartburgkrieg" wird Ofterdingen dadurch überwunden, daß Walther von der Vogelweide ihm die Frage vorlegt, welcher Fürst der Sonne zu vergleichen sei, und Ofterdingen antwortet, der Herzog von Österreich, worauf Walther triumphiert, der Tag sei mehr zu preisen als die Sonne und so auch der Thüringer mehr als der Österreicher. Novalis fühlt sich wohl auf seiten Ofterdingens, insofern er den Tag nicht für das Höchste hält.

S. 299 Z. 23: *Die Erzählung von mir bezieht sich vielleicht auf einen

Novellenentwurf Hardenbergs aus dem Jahre 1800 (Fragmente, X, 67): „Novelle. Ein Mann hat seine Geliebte gefunden — unruhig wagt er eine neue Schiffahrt — er sucht Religion, ohne es zu wissen. — Seine Geliebte stirbt — Sie erscheint ihm im Geiste nun als die Gesuchte — Er findet zu Haus ein Kind von ihr und wird ein Gärtner. Schifferleben — fremde Länder — Meer — Himmel — Wetter — Sterne — Gärtnerleben."

S. 299 Z. 25 ff.: Diese Verse, wahrscheinlich für ein Gedicht von Astralis bestimmt, zeigen die Ideenverwandtschaft zwischen „Heinrich von Ofterdingen" und den „Lehrlingen zu Sais", die auch aus den oben zu S. 49 mitgeteilten Notizen hervorgehen.

S. 302 Z. 6: *Leben des Nadir Schach:* „Herkunft, Leben und Thaten, des Persianischen Monarchens, Schach Nadyr, vormals Kuli — Chan genannt, samt vielen Historischen Erzählungen und Nachrichten. Aus glaubwürdigen Autoribus sorgfältig zusammengetragen von Pithander von der Quelle", Leipzig und Rudolstadt 1738. (Anm. von Minor.)

S. 303 Z. 10 ff.: Zu diesen Verwandlungen am Schluß vgl. das Fragment IX, 83 oben S. 53 und andere unter der Überschrift „Natur und Menschheit" dort zusammengefaßte Fragmente.

S. 303 Z. 19 ff.: III: Aus einem Fragmentenheft von Anfang 1800 (X, 259, 260). Einige Worte sind unleserlich. *Sophiens Land* zeigt das Zusammengehen von Klingsohrs Märchen mit dem Schluß des „Ofterdingen".

S. 304: *Das Gesicht* ist der erste Entwurf des Anfangs vom zweiten Teil, zuerst gedruckt in der 5. Auflage der Schriften, Bd. 3, S. 122 ff.

Von zeitgenössischen Urteilen über den „Heinrich von Ofterdingen" sei wenigstens eines mitgeteilt, das von Solger (Nachgelassene Schriften und Briefwechsel, Bd. 1, S. 95): „‚Heinrich von Ofterdingen' ist ein neuer und äußerst kühner Versuch, die Poesie durch das Leben selbst darzustellen, ausgeführt mit einem für das Unendliche flammenden Herzen, einer reichen und schöpferischen Phantasie, und soviel man jetzt sehen kann, auch mit einem klugen Verstande. Nach meiner Einsicht sollte der Roman in dem wirklichen Leben absichtlich anfangen, und je mehr Heinrich selbst nach und nach in die Poesie überging, auch sein irdisches Leben darin übergehn. Es würde also dies eine mystische Geschichte, eine Zerreißung des Schleiers, welchen das Endliche auf dieser Erde um das Unendliche hält, eine Erscheinung der Gottheit auf Erden, kurz ein wahrer Mythos, der sich von andern Mythen nur dadurch unterschiede, daß er sich nicht in dem Geiste einer ganzen Nation, sondern nur eines einzelnen Mannes bildete. Die Idee ist kühn, wohl ausgebildet und ganz eines großen Geistes würdig, aber sie wird jetzt noch wenig Boden finden."

Inhalt